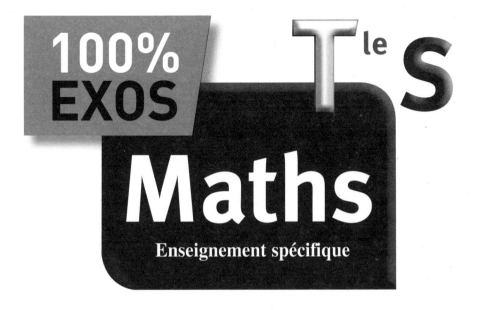

100% EXOS

T^{le} S

Maths

Enseignement spécifique

Sophie Barache
Professeur agrégée au lycée Jean-Lurçat de Martigues

Fabrice Barache
Professeur agrégé à l'École de l'air de Salon-de-Provence

Sophie Bauer
Professeur agrégée au lycée Saint-Exupéry de La Rochelle

Raphaël Bauer
Professeur agrégé au lycée Saint-Exupéry de La Rochelle

GW00537907

Hatier

Maquette de principe : Marie-Astrid Bailly-Maître
Mise en pages : Indologic, Pondichéry (Inde)
Schémas : Indologic, Pondichéry (Inde)
Édition : Régine Delay

© Hatier Paris, juin 2012   ISBN : 978-2-218-96267-7

Votre ouvrage 100 % exos

■ Conforme au programme de l'enseignement spécifique de mathématiques en T^{le} S entré en vigueur à la rentrée 2012, ce « 100 % exos » vous propose une méthode de travail complète et un entraînement intensif sur mesure tout au long de l'année.

■ Pour chaque thème du programme vous trouverez un cours structuré, les savoir-faire qu'il faut maîtriser, des exercices progressifs et leurs corrigés détaillés.

■ Assorties d'indications de solution, de commentaires et de conseils des auteurs, tous les exercices corrigés vous permettent :

– de **comprendre** les notions essentielles et de **maîtriser** le cours ;
– de **progresser** et de vous **entraîner** à votre rythme ;
– de vous **évaluer** et de **réussir** vos contrôles ;
– de viser la **mention** et l'entrée en classe **prépa**.

Sur le site www.annabac.com

■ L'achat de ce « 100 % exos » vous permet de bénéficier, pendant un an, d'un ACCÈS GRATUIT à toutes les ressources d'annabac.com en mathématiques T^{le} S.

■ Pour profiter de cette offre, rendez-vous sur www.annabac.com, dans la rubrique « Vous avez acheté un ouvrage Hatier ? »*

* La saisie d'un mot clé du livre (lors de votre première visite) vous permettra de créer un compte personnel et d'utiliser librement le site pendant un an.

Sommaire

ANALYSE

α (1) Limites de suites et de fonctions

COURS 7
EXERCICES Exercices d'application.. 18
Exercices d'entraînement..................................... 19
Exercices d'approfondissement............................... 21
Contrôles 23
CORRIGÉS 26

α (2) Compléments sur les fonctions

COURS 39
EXERCICES Exercices d'application.. 46
Exercices d'entraînement..................................... 50
Exercices d'approfondissement............................... 52
Contrôles 54
CORRIGÉS 57

(3) La fonction exponentielle

COURS 77
EXERCICES Exercices d'application.. 82
Exercices d'entraînement..................................... 84
Exercices d'approfondissement............................... 87
Contrôles 91
CORRIGÉS 94

(4) La fonction logarithme népérien

COURS 121
EXERCICES Exercices d'application.. 125
Exercices d'entraînement..................................... 127
Exercices d'approfondissement............................... 130
Contrôles 133
CORRIGÉS 137

Sommaire

5 Suites et raisonnement par récurrence

COURS 159

EXERCICES Exercices d'application..................................... 164
Exercices d'entraînement................................. 166
Exercices d'approfondissement............................ 170
Contrôles 172

CORRIGÉS 174

6 Intégration

COURS 193

EXERCICES Exercices d'application..................................... 201
Exercices d'entraînement................................. 203
Exercices d'approfondissement............................ 210
Contrôles 211

CORRIGÉS 213

GÉOMÉTRIE

7 Nombres complexes

COURS 231

EXERCICES Exercices d'application..................................... 239
Exercices d'entraînement................................. 241
Exercices d'approfondissement............................ 245
Contrôles 247

CORRIGÉS 249

8 Géométrie dans l'espace

COURS 269

EXERCICES Exercices d'application..................................... 279
Exercices d'entraînement................................. 283
Exercices d'approfondissement............................ 286
Contrôles 287

CORRIGÉS 289

PROBABILITÉS ET ESTIMATION

9 Probabilités conditionnelles

COURS 309

EXERCICES — Exercices d'application 316

Exercices d'entraînement 320

Exercices d'approfondissement 323

Contrôles 325

CORRIGÉS 328

10 Lois continues – Échantillonnage – Estimation

COURS 361

EXERCICES — Exercices d'application 371

Exercices d'entraînement 374

Exercices d'approfondissement 379

Contrôles 381

CORRIGÉS 385

Limites de suites et de fonctions

I LIMITE D'UNE SUITE QUAND n TEND VERS $+\infty$

1. Limite finie d'une suite

■ **Définition** : La suite (u_n) a pour limite le réel l (quand n tend vers $+\infty$) si, et seulement si, tout intervalle ouvert contenant l contient tous les termes de la suite à partir d'un certain rang. On note :

$$\lim_{n \to +\infty} u_n = l.$$

EXEMPLE : La suite (u_n) représentée dans le repère ci-dessous a pour limite 1 quand n tend vers $+\infty$:

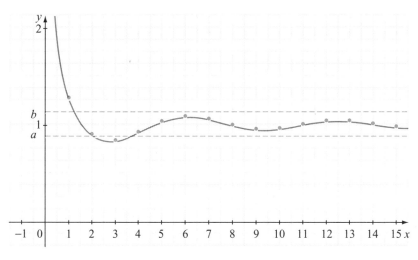

On pourrait démontrer que l'intervalle $]0,875\,;1,125[$ représenté ci-dessus contient tous les termes de la suite à partir du rang $n = 4$ (et non $n = 2$ puisque $u_3 \notin \,]0,875\,;1,125[$).

■ Lorsqu'une suite admet une limite finie quand n tend vers $+\infty$, on dit qu'elle **converge**, ou encore que c'est une **suite convergente**.

EXEMPLES : $\displaystyle\lim_{n \to +\infty} \frac{1}{n} = 0$; $\displaystyle\lim_{n \to +\infty} \frac{1}{\sqrt{n}} = 0$.

2. Limite infinie d'une suite

■ La suite (u_n) a pour limite $+\infty$ si, et seulement si, tout intervalle de la forme $]A\,;\,+\infty[$ contient tous les termes de la suite à partir d'un certain rang. On note :

$$\lim_{n\to+\infty} u_n = +\infty.$$

■ La suite (u_n) a pour limite $-\infty$ si, et seulement si, tout intervalle de la forme $]-\infty\,;\,A[$ contient tous les termes de la suite à partir d'un certain rang. On note :

$$\lim_{n\to+\infty} u_n = -\infty.$$

EXEMPLE : La suite (u_n) représentée dans le repère ci-dessous a pour limite $-\infty$ quand n tend vers $+\infty$:

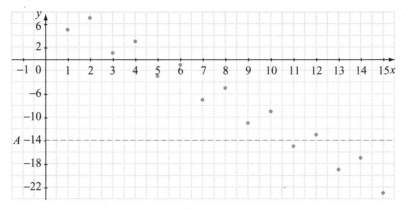

On pourrait démontrer que l'intervalle $]-\infty\,;\,-14[$ représenté ci-dessus contient tous les termes de la suite à partir du rang $n = 13$ (et non $n = 11$).

■ Lorsqu'une suite admet une limite infinie quand n tend vers $+\infty$, on dit qu'elle **diverge**.

EXEMPLES : $\lim_{n\to+\infty} n^2 = +\infty$; $\lim_{n\to+\infty} \sqrt{n} = +\infty$.

3. Exemples de suites n'ayant pas de limite en $+\infty$

● La suite (u_n) définie, pour tout $n \in \mathbb{N}$, par $u_n = (-1)^n$ n'admet pas de limite quand n tend vers $+\infty$.

En effet, $u_n = \begin{cases} 1 \text{ si } n \text{ est pair} \\ -1 \text{ si } n \text{ est impair} \end{cases}$.

Les termes de la suite ne tendent donc pas vers une valeur limite.

● Toute suite géométrique (v_n) non nulle et de raison $q < -1$ n'admet pas de limite. Ainsi de la suite définie pour tout $n \in \mathbb{N}$, par $v_n = 5 \times \left(-\dfrac{3}{2}\right)^n$.

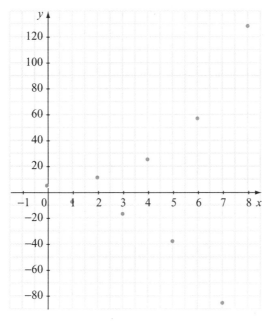

■ Lorsque une suite n'admet pas de limite quand n tend vers $+\infty$, on dit encore qu'elle **diverge**.

II   LIMITE D'UNE FONCTION

1. Limite finie en $+\infty$ ou en $-\infty$

■ **Limite finie en $+\infty$**

f désigne une fonction définie au moins sur un intervalle de la forme $]a\,;+\infty[\,(a \in \mathbb{R})$.

Dire que $f(x)$ tend vers le réel l quand x tend vers $+\infty$ signifie que, pour des valeurs suffisamment grandes de x, $f(x)$ est aussi proche que l'on veut de l.

On écrit :

$$\lim_{x \to +\infty} f(x) = l.$$

EXEMPLES : • $\lim_{x \to +\infty}\left(3 - \dfrac{1}{x}\right) = 3$; • $\lim_{x \to +\infty} \dfrac{1}{\sqrt{x}} = 0$; • si $n \in \mathbb{N}^*$, $\lim_{x \to +\infty} \dfrac{1}{x^n} = 0$.

■ **Limite finie en $-\infty$**

f désigne une fonction définie au moins sur un intervalle de la forme $]-\infty\,;a[\,(a \in \mathbb{R})$

EXEMPLES : • $\lim_{x \to -\infty}\left(\dfrac{1}{x}\right) = 0$; • $\lim_{x \to -\infty}\left(\dfrac{1}{x^2}\right) = 0^+$; • si $n \in \mathbb{N}^*$, $\lim_{x \to -\infty} \dfrac{1}{x^n} = 0$.

■ **Asymptote parallèle à l'axe des abscisses**

Si f admet une limite finie l en $+\infty$ ou en $-\infty$, on dit que $\mathscr{C}_f$ admet pour asymptote horizontale la droite d'équation $y = l$.

EXEMPLE : La courbe représentative de la fonction inverse admet pour asymptote horizontale l'axe des abscisses en $+\infty$ et en $-\infty$.

2. Limite infinie en $+\infty$ ou en $-\infty$

f désigne une fonction définie au moins sur un intervalle de la forme $]a ; +\infty[$ ou $]-\infty ; a[$, où a est un réel.

■ **Limite infinie en $+\infty$**

Dire que $f(x)$ tend vers $+\infty$ quand x tend vers $+\infty$ signifie que, pour des valeurs suffisamment grandes de x, $f(x)$ est aussi grand que l'on veut. On écrit :

$$\lim_{x \to +\infty} f(x) = +\infty.$$

EXEMPLES : • $\lim\limits_{x \to +\infty} x = +\infty$; • $\lim\limits_{x \to +\infty} \sqrt{x} = +\infty$; • si $n \in \mathbb{N}^*$, $\lim\limits_{x \to +\infty} x^n = +\infty$.

■ **Limite infinie en $-\infty$**

EXEMPLES : • $\lim\limits_{x \to -\infty} x = -\infty$; • $\lim\limits_{x \to -\infty} x^2 = +\infty$;

• si $n \in \mathbb{N}^*$, $\lim\limits_{x \to -\infty} x^n = \begin{cases} +\infty \text{ si } n \text{ est pair} \\ -\infty \text{ si } n \text{ est impair} \end{cases}$.

3. Limite infinie en un réel a

f est définie sur un intervalle dont a est une borne ouverte.

■ Dire que $f(x)$ tend vers $+\infty$ quand x tend vers a signifie que, pour des valeurs de x suffisamment proches de a, $f(x)$ est aussi grand que l'on veut. On écrit :

$$\lim_{x \to a} f(x) = +\infty.$$

EXEMPLES : • $\lim\limits_{x \to 0^+} \left(\dfrac{1}{x} \right) = +\infty$; • $\lim\limits_{x \to 0^-} \left(\dfrac{1}{x} \right) = -\infty$; • $\lim\limits_{x \to 0} \left(\dfrac{1}{x^2} \right) = +\infty$.

• Soit $n \in \mathbb{N}^*$, $\lim\limits_{x \to 0^+} \left(\dfrac{1}{x^n} \right) = +\infty$; $\lim\limits_{x \to 0^-} \left(\dfrac{1}{x^n} \right) = \begin{cases} +\infty \text{ si } n \text{ est pair} \\ -\infty \text{ si } n \text{ est impair} \end{cases}$.

■ **Asymptote parallèle à l'axe (Oy)**

Si $f(x)$ tend vers $+\infty$ (ou vers $-\infty$) quand x tend vers a, on dit que $\mathscr{C}_f$ admet pour asymptote verticale la droite d'équation $x = a$.

EXEMPLE : La courbe représentative de la fonction inverse admet pour asymptote verticale l'axe des ordonnées d'équation $x = 0$.

1

4. Exemples de fonctions n'admettant pas de limite

■ La fonction représentée ci-dessous n'admet pas de limite en $+\infty$, ni en $-\infty$.

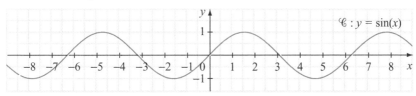

La fonction f représentée ci-dessous est définie sur $\mathbb{R}^*$ et n'admet pas de limite en 0.

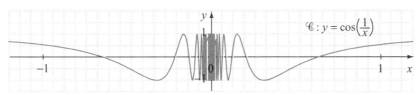

III LIMITES ET COMPARAISON

1. Pour les suites

■ **Théorèmes de comparaison**

● Soient (u_n) et (v_n) deux suites convergentes telles que pour tout n, $u_n \leqslant v_n$.
Alors $\lim\limits_{n \to +\infty} u_n \leqslant \lim\limits_{n \to +\infty} v_n$.

● Soient (u_n) et (v_n) deux suites telles que :

$$\begin{cases} \text{pour tout } n, u_n \leqslant v_n \\ \lim\limits_{n \to +\infty} u_n = +\infty \end{cases}$$

alors $\lim\limits_{n \to +\infty} v_n = +\infty$.

● Soient (u_n) et (v_n) deux suites telles que :

$$\begin{cases} \text{pour tout } n, u_n \leqslant v_n \\ \lim\limits_{n \to +\infty} v_n = -\infty \end{cases}$$

alors $\lim\limits_{n \to +\infty} u_n = -\infty$.

■ **Théorème des gendarmes**

Soit (u_n) une suite vérifiant :

$$\begin{cases} \text{pour tout } n, v_n \leqslant u_n \leqslant w_n \\ \lim\limits_{n \to +\infty} v_n = \lim\limits_{n \to +\infty} w_n = l, \text{ avec } l \in \mathbb{R} \end{cases}$$

alors $\lim\limits_{n \to +\infty} u_n = l$.

2. Pour les fonctions

Ici, α désigne soit un réel, soit $+\infty$ soit $-\infty$.

■ **Théorèmes de comparaison**

● Soient f et g deux fonctions définies au voisinage de α et admettant chacune une limite finie en α. Si pour tout $x, f(x) \leqslant g(x)$, alors $\lim\limits_{x \to \alpha} f(x) \leqslant \lim\limits_{x \to \alpha} g(x)$.

● Soient f et g deux fonctions définies au voisinage de α et telles que :

$\begin{cases} \text{pour tout } x, f(x) \leqslant g(x) \\ \lim\limits_{x \to \alpha} f(x) = +\infty \end{cases}$, alors $\lim\limits_{x \to \alpha} g(x) = +\infty$.

● Soient f et g deux fonctions définies au voisinage de α et telles que :

$\begin{cases} \text{pour tout } x, f(x) \leqslant g(x) \\ \lim\limits_{x \to \alpha} g(x) = -\infty \end{cases}$, alors $\lim\limits_{x \to \alpha} f(x) = -\infty$.

■ **Théorème des gendarmes**

Soit f, g et h trois fonctions définies au voisinage de α et vérifiant :

$\begin{cases} \text{pour tout } x, g(x) \leqslant f(x) \leqslant h(x) \\ \lim\limits_{x \to \alpha} g(x) = \lim\limits_{x \to \alpha} h(x) = l \end{cases}$, alors $\lim\limits_{x \to \alpha} f(x) = l$.

IV OPÉRATIONS SUR LES LIMITES

Dans ce paragraphe, α désigne soit un réel, soit $+\infty$, soit $-\infty$.

1. Limite de la somme de deux suites, de deux fonctions

Le tableau donne, lorsque c'est possible, $\lim\limits_{n \to +\infty} (u_n + v_n)$, respectivement $\lim\limits_{x \to \alpha} (f(x) + g(x))$.

$\lim\limits_{n \to +\infty} v_n / \lim\limits_{x \to \alpha} g(x)$ ＼ $\lim\limits_{n \to +\infty} u_n / \lim\limits_{x \to \alpha} f(x)$	$-\infty$	$l \in \mathbb{R}$	$+\infty$
$-\infty$	$-\infty$	$-\infty$	Forme indéterminée
$l' \in \mathbb{R}$	$-\infty$	$l + l'$	$+\infty$
$+\infty$	Forme indéterminée	$+\infty$	$+\infty$

2. Limite du produit de deux suites, de deux fonctions

Le tableau donne, lorsque c'est possible, $\lim\limits_{n \to +\infty} (u_n \times v_n)$, respectivement $\lim\limits_{x \to \alpha} (f(x) \times g(x))$.

$\lim\limits_{n\to+\infty} u_n / \lim\limits_{x\to\alpha} f(x)$ $\lim\limits_{n\to+\infty} v_n / \lim\limits_{x\to\alpha} g(x)$	$-\infty$	$l<0$	0	$l>0$	$+\infty$
$-\infty$	$+\infty$	$+\infty$	Forme indéterminée	$-\infty$	$-\infty$
$l'<0$	$+\infty$	$l\times l'$	0	$l\times l'$	$-\infty$
0	Forme indéterminée	0	0	0	Forme indéterminée
$l'>0$	$-\infty$	$l\times l'$	0	$l\times l'$	$+\infty$
$+\infty$	$-\infty$	$-\infty$	Forme indéterminée	$+\infty$	$+\infty$

3. Limite du quotient de deux suites

Ici, (v_n) désigne une suite telle que, pour tout n, $v_n \neq 0$, g désigne une fonction ne s'annulant pas sur son ensemble de définition. Le tableau donne, lorsque c'est possible, $\lim\limits_{n\to+\infty}\left(\dfrac{u_n}{v_n}\right)$, $\left(\text{respectivement } \lim\limits_{x\to\alpha}\dfrac{f(x)}{g(x)}\right)$.

$\lim\limits_{n\to+\infty} u_n / \lim\limits_{x\to\alpha} f(x)$ $\lim\limits_{n\to+\infty} v_n / \lim\limits_{x\to\alpha} g(x)$	$-\infty$	$l<0$	0	$l>0$	$+\infty$
$-\infty$	Forme indéterminée	0	0	0	Forme indéterminée
$l'<0$	$+\infty$	$\dfrac{l}{l'}$	0	$\dfrac{l}{l'}$	$-\infty$
0^-	$+\infty$	$+\infty$	Forme indéterminée	$-\infty$	$-\infty$
0^+	$-\infty$	$-\infty$	Forme indéterminée	$+\infty$	$+\infty$
$l'>0$	$-\infty$	$\dfrac{l}{l'}$	0	$\dfrac{l}{l'}$	$+\infty$
$+\infty$	Forme indéterminée	0	0	0	Forme indéterminée

4. Limite de la composée de deux fonctions

α et β désignent un réel, ou $+\infty$, ou $-\infty$.

Si $\begin{cases} \lim\limits_{x \to \alpha} u(x) = \beta \\ \lim\limits_{X \to \beta} f(X) = l \end{cases}$ alors, par composition, $\lim\limits_{x \to \alpha} f(u(x)) = l$.

V LIMITES DE POLYNÔMES ET DE FRACTIONS RATIONNELLES

■ Soit P un polynôme. La limite de $P(x)$ quand x tend vers $+\infty$ (respectivement $-\infty$) est égale à la limite en $+\infty$ (respectivement en $-\infty$) de son terme de plus haut degré.

■ Soit $f = \dfrac{P}{Q}$ une fraction rationnelle (quotient de deux polynômes notés P et Q).

La limite de $f(x)$ quand x tend vers $+\infty$ (respectivement $-\infty$) est égale à la limite en $+\infty$ (respectivement en $-\infty$) du quotient **simplifié** de ses termes de plus hauts degrés.

▸ • Attention, ce résultat n'est pas valable pour déterminer la limite en un réel a.

• Ce résultat est applicable aux suites. Voir le savoir-faire 5.

SAVOIR-FAIRE

1. Montrer qu'une suite admet une limite infinie

On considère un réel M. On peut imposer $M > 0$ si la limite est $+\infty$, et $M < 0$ si la limite est $-\infty$.

On résout ensuite l'inéquation $u_n > M$ si la limite est $+\infty$, et $u_n < M$ si la limite est $-\infty$

EXEMPLES

a. Montrer que la suite (u_n) définie pour tout $n \in \mathbb{N}$, par $u_n = \sqrt{n}$ a pour limite $+\infty$

Soit M un réel positif. $u_n > M \Leftrightarrow \sqrt{n} > M \Leftrightarrow n > M^2$.

Notons n_0 le plus petit entier supérieur ou égal à M^2. **Alors, pour tout $n \geqslant n_0, u_n > M$.**

Donc la suite (u_n) a pour limite $+\infty$ quand n tend vers $+\infty$.

b. Montrer que la suite (v_n) définie pour tout $n \in \mathbb{N}^*$ par $v_n = 3 - (\sqrt{n} - 1)^2$ a pour limite $-\infty$ quand n tend vers $+\infty$.

Soit M un réel négatif.

Limites de suites et de fonctions

1

$v_n < M \Leftrightarrow 3 - (\sqrt{n} - 1)^2 < M \Leftrightarrow (\sqrt{n} - 1)^2 > 3 - M > 0 \ (\text{car} - M > 0)$

$\Leftrightarrow \sqrt{n} - 1 > \sqrt{3 - M}$ car la fonction racine carrée est strictement croissante sur $]0 ; +\infty[$

$\Leftrightarrow \sqrt{n} > \sqrt{3 - M} + 1 > 0$

$\Leftrightarrow n > (\sqrt{3 - M} + 1)^2$ car la fonction carré est strictement croissante sur $]0 ; +\infty[$.

Notons n_0 le plus petit entier supérieur ou égal à $(\sqrt{3 - M} + 1)^2$.

Alors, pour tout $n \geqslant n_0$, $v_n < M$.
Donc la suite (v_n) a pour limite $-\infty$ quand n tend vers $+\infty$.

2. Montrer qu'une suite admet une limite finie l

Il s'agit de montrer que tout intervalle ouvert centré sur l (c'est-à-dire de la forme $]l - \varepsilon ; l + \varepsilon[$) contient tous les termes de la suite à partir d'un certain rang n_0.
Il faut donc :

- Considérer un réel $\varepsilon > 0$. On peut imposer ε aussi proche de 0 que l'on veut.
- Résoudre ensuite l'inéquation $l - \varepsilon < u_n < l + \varepsilon$.

EXEMPLE : Montrer que la suite (u_n) définie, pour tout $n \in \mathbb{N}$, par :

$$u_n = \frac{3\sqrt{n} - 2}{\sqrt{n} + 1}$$

a pour limite 3 quand n tend vers $+\infty$.

Soit ε un réel strictement positif, tel que $\varepsilon < 5$:

$$3 - \varepsilon < u_n < 3 + \varepsilon \Leftrightarrow -\varepsilon < u_n - 3 < \varepsilon$$

$$\Leftrightarrow -\varepsilon < \frac{3\sqrt{n} - 2}{\sqrt{n} + 1} - 3 < \varepsilon \Leftrightarrow -\varepsilon < \frac{-5}{\sqrt{n} + 1} < \varepsilon$$

$$\Leftrightarrow -\varepsilon < \frac{-5}{\sqrt{n} + 1} \quad \text{car} \ \frac{-5}{\sqrt{n} + 1} < 0 < \varepsilon$$

$$\Leftrightarrow (\sqrt{n} + 1) > \frac{5}{\varepsilon} \quad \left(\text{multiplication par} \ \frac{\sqrt{n} + 1}{-\varepsilon} < 0\right)$$

$$\Leftrightarrow \sqrt{n} > \frac{5}{\varepsilon} - 1 > 0 \ \left(\varepsilon < 5, \text{ainsi} \ \frac{5}{\varepsilon} > 1 \text{ et} \ \frac{5}{\varepsilon} - 1 > 0\right)$$

$$\Leftrightarrow n > \left(\frac{5}{\varepsilon} - 1\right)^2 \quad \text{car la fonction carré est strictement croissante sur }]0 ; +\infty[$$

Notons n_0 le plus petit entier supérieur ou égal à $\left(\dfrac{5}{\varepsilon}-1\right)^2$.

Alors, pour tout $n \geqslant n_0$, $3 - \; < u_n < 3 +$

Donc la suite (u_n) a pour limite 3 quand n tend vers $+\infty$.

3. Appliquer les résultats d'opérations sur les limites

- Reconnaître dans l'expression de $f(x)$ la somme, le produit ou la composée de fonctions de références.
- Connaître par cœur les règles d'opérations sur les limites données dans les tableaux.

EXEMPLE : Déterminer les limites suivantes :

a. Limite en $+\infty$ de la suite (u_n) définie pour tout $n \in \mathbb{N}$ par $u_n = -n\sqrt{n}$.

(u_n est le produit de $(-n)$ par $\sqrt{n}$)

$$\begin{cases} \lim\limits_{n \to +\infty} (-n) = -\infty \\ \lim\limits_{n \to +\infty} \sqrt{n} = +\infty \end{cases} \text{, donc, par produit, } \lim\limits_{n \to +\infty} u_n = -\infty.$$

b. Limite en 0 de $g : x \mapsto \dfrac{-2}{\sqrt{x-1}}$, définie sur $]1\,;+\infty[$.

Pour tout $x > 1$, $g(x) = -2 \times \dfrac{1}{\sqrt{x-1}}$.

Posons $X = \sqrt{x-1}$, alors $g(x) = -2 \times \dfrac{1}{X}$.

$$\begin{cases} \lim\limits_{x \to 1^+} \sqrt{x-1} = 0^+ \\ \lim\limits_{X \to 0^+} \dfrac{1}{X} = +\infty \end{cases} \text{, donc, par composition, } \lim\limits_{x \to 1^+} \dfrac{1}{\sqrt{x-1}} = +\infty.$$

On en déduit que $\lim\limits_{x \to 1^+} g(x) = -\infty.$

4. Lever une indétermination

S'il s'agit de la limite d'une somme, il suffit souvent de factoriser par le terme qui tend le plus vite vers l'infini.

S'il s'agit d'un quotient, faire de même avec chaque facteur et simplifier la fraction ainsi obtenue.

S'il s'agit d'un produit, on peut le développer pour obtenir une somme.

EXEMPLE : Déterminer les limites suivantes :

a. Limite en 0 de la fonction f définie sur $]0\,;+\infty[$ par $f(x) = \sqrt{x} \times \left(\dfrac{1}{x}-1\right)$.

$\lim\limits_{x \to 0^+} \sqrt{x} = 0$ et $\lim\limits_{x \to 0^+} \left(\dfrac{1}{x}-1\right) = +\infty.$

Il s'agit d'une forme indéterminée.

Développons $f(x)$:

$$f(x) = \frac{\sqrt{x}}{x} - \sqrt{x} = \frac{1}{\sqrt{x}} - \sqrt{x}.$$

$$\begin{cases} \lim_{x \to 0^+} \dfrac{1}{\sqrt{x}} = +\infty \\ \lim_{x \to 0^+} \sqrt{x} = 0 \end{cases}, \text{ donc, par différence, } \mathbf{\lim_{x \to 0^+} f(x) = +\infty.}$$

b. Limite en $+\infty$ de $f : x \longmapsto \dfrac{3x-1}{\sqrt{x}+2}$

$\lim\limits_{x \to +\infty} (3x-1) = +\infty$ et $\lim\limits_{x \to +\infty} \sqrt{x}+2 = +\infty$. Il s'agit d'une forme indéterminée.

Or, $f(x) = \dfrac{x \times \left(3 - \dfrac{1}{x}\right)}{\sqrt{x}\left(1 + \dfrac{2}{\sqrt{x}}\right)} = \sqrt{x} \times \dfrac{3 - \dfrac{1}{x}}{1 + \dfrac{2}{\sqrt{x}}}.$

$$\begin{cases} \lim_{x \to +\infty} 3 - \dfrac{1}{x} = 3 \\ \lim_{x \to +\infty} 1 + \dfrac{2}{\sqrt{x}} = 1 \end{cases} \text{ donc, par quotient, } \lim_{x \to +\infty} \dfrac{3 - \dfrac{1}{x}}{1 + \dfrac{2}{\sqrt{x}}} = 3.$$

Puis, $\lim\limits_{x \to +\infty} \sqrt{x} = +\infty$, donc, par produit, $\mathbf{\lim\limits_{x \to +\infty} f(x) = +\infty.}$

5. Déterminer la limite en $\pm\infty$ de $f = \dfrac{P}{Q}$ ou de $u_n = \dfrac{P(n)}{Q(n)}$, P et Q étant des polynômes

Il suffit d'appliquer la propriété du paragraphe V sans oublier de simplifier dans le cas d'un quotient (sans quoi on a toujours une forme indéterminée).

EXEMPLES : a. $\lim\limits_{n \to +\infty} n^2 - 3n + 1 = \lim\limits_{n \to +\infty} n^2 = +\infty.$

b. $\lim\limits_{n \to +\infty} \dfrac{1 + 2n - 3n^3}{6n^2 + 1} = \lim\limits_{n \to +\infty} \dfrac{-3n^3}{6n^2} = \lim\limits_{n \to +\infty} \left(-\dfrac{n}{2}\right) = -\infty.$

EXERCICES D'APPLICATION

1 OPÉRATIONS SUR LES LIMITES | ★ | 20 min | ▶ P. 26 |

Déterminer, en justifiant, les limites suivantes :

1. Limite en 0^- de $\dfrac{1}{x^2}$. On pourra poser $X = x^2$.

2. Limite en $+\infty$ de $\sqrt{n}\,(3 - n^2)$.

3. Limite en $-\infty$ de $\dfrac{|x|}{3 - \dfrac{2}{x}}$.   4. Limite en $+\infty$ de $\dfrac{3}{\sqrt{x}} - \sqrt{x}$.

5. Limite en $(0{,}5)^-$ de $f(x) = \dfrac{4x - 3}{2x - 1}$.

6. Limite en $-\infty$ de $\left(\dfrac{1}{x^2} - 3\right)(4x^3 + 100\,000)$.

▸ Voir le savoir-faire 3.

2 POLYNÔMES ET FRACTIONS RATIONNELLES | ★ | 15 min | ▶ P. 26 |

1. Limite en $-\infty$ de $-2.x^3 + 3x^2 - 1$.   2. Limite en $+\infty$ de $\dfrac{11 - n^2}{3n + 5}$.

▸ Voir le savoir-faire 5.

3. Soit a, b, c des réels avec $a \neq 0$. Déterminer en fonction de a la limite en $-\infty$ de $(ax^2 + bx + c)^3$.

3 THÉORÈMES DE COMPARAISON | ★ | 15 min | ▶ P. 27 |

1. Soit f une fonction vérifiant sur $\mathbb{R}$ l'inégalité $5x^3 - x \leqslant f(x)$.
Déterminer, lorsque c'est possible, les limites de f aux bornes de son ensemble de définition.

2. Soit g une fonction définie sur $]-\infty\,;\,0[\cup]0\,;\,+\infty[$ et vérifiant, pour tout $x \neq 0$:

$$\left(\dfrac{5x^2 - 2x - 1}{x^2 + 1} \leqslant g(x) \leqslant \dfrac{5x^2 - 2x + 1}{x^2 + 1}\right).$$

Déterminer, lorsque c'est possible, les limites de g aux bornes de son ensemble de définition.

▸ Voir le cours, III 2.

4 COMPOSITION DE LIMITES | ★ | **15 min** | ▸P. 27

Soit f la fonction définie sur $]-\infty\,;0[\cup]0\,;+\infty[$ par $x \mapsto \sqrt{1+\dfrac{1}{x^2}}$

1. Décomposer $f(x)$ en $g(u(x))$, où g est une fonction de référence.
2. Montrer alors que f est bien définie sur $]-\infty\,;0[\cup]0\,;+\infty[$.
3. Déterminer les limites de $u(x)$ aux bornes de $]-\infty\,;0[\cup]0\,;+\infty[$.
4. En déduire les limites de f aux bornes de son ensemble de définition.

EXERCICES D'ENTRAÎNEMENT

5 DÉFINITION DE LA LIMITE | ★★ | **20 min** | ▸P. 28

Établir, à l'aide de la définition, chacune des limites suivantes :

1. La suite u_n définie pour tout $n \in \mathbb{N}^*$ par $u_n = \dfrac{1}{\sqrt{n}}$ a pour limite 0 quand n tend vers $+\infty$.
2. La suite v_n définie pour tout $n \in \mathbb{N}$, par $v_n = -2n+3$ a pour limite $-\infty$ quand n tend vers $+\infty$.
3. La suite w_n définie pour tout $n \in \mathbb{N}^*$ par $w_n = \dfrac{1-n}{2n+1}$ a pour limite $-\dfrac{1}{2}$ quand n tend vers $+\infty$.

 Voir le savoir-faire 1.

6 OPÉRATIONS SUR LES LIMITES | ★★ | **25 min** | ▸P. 28

1. Déterminer, en justifiant, les limites suivantes :

a. limite en $-\infty$ de $f(x) = \dfrac{4x^4 - 3x^3}{(2x-1)^4}$.

b. limite en $(0,5)^-$ de $f(x) = \dfrac{4x^4 - 3x^3}{(2x-1)^4}$.

2. a. Déterminer la limite en $-\infty$ de $\dfrac{x^3 + 1}{2 - 3x^3}$.

b. En déduire la limite $+\infty$ de $\dfrac{\left(2 - 3\sqrt{x}\right)^3 + 1}{2 - 3\left(2 - 3\sqrt{x}\right)^3}$.

3. Déterminer, en justifiant, les limites suivantes.

a. Limite en $+\infty$ de $2n\sqrt{n} - n^2$.

b. Limite en 0^+ et en 0^- de $\dfrac{1}{x} - \dfrac{1}{x^2}$.

7 THÉORÈMES DE COMPARAISON $\quad|\; \star\star\;|\; $ **40 min** $\;|\; \triangleright$ **P. 30**

1. Soit f la fonction définie sur $]0\,;+\infty[$ par $f(x) = \dfrac{1+x^2}{\sqrt{x}}$.

a. Vérifier qu'il s'agit d'une forme indéterminée.

b. Démontrer que, pour tout $x > 0$, $1 + x^2 \geqslant 2x$ (résultat en fait vrai pour tout x réel).

c. En déduire une fonction g qui minore f sur $]0\,; +\infty[$.

d. Déterminer alors la limite de f en $+\infty$.

2. Soit (u_n) la suite définie, pour tout $n \in \mathbb{N}$, par $u_n = \dfrac{n + (-1)^n}{3n+5}$.

a. Encadrer $n + (-1)^n$ par deux fonctions affines de n.

b. En déduire un encadrement de u_n.

c. Déterminer la limite en $+\infty$ de u_n.

8 ALGORITHME : PLUS PETIT ENTIER TEL QUE $u_n \geqslant M$ $\;|\; \star\star\;|\; $ **30 min** $\;|\; \triangleright$ **P. 31**

Soit (u_n) la suite définie pour tout $n \in \mathbb{N}^*$ par $u_n = n\sqrt{n}$.

1. Écrire un algorithme associant au réel M positif le plus petit entier n_0 tel que $u_{n_0} \geqslant M$.

 Utiliser la boucle « Tant que ».

2. Peut-on en déduire que, pour tout entier $n \geqslant n_0$, $u_n \geqslant M$? Justifier.

3. Démontrer que la suite (u_n) est croissante.

Étudier les variations de $f : x \mapsto x\sqrt{x}$.

4. En déduire que, pour tout $n \geqslant n_0$, $u_n \geqslant M$.

5. La fonction cube étant strictement croissante sur $\mathbb{R}$, elle admet une fonction réciproque g, appelée racine cubique.

La fonction racine cubique est définie et strictement croissante sur $\mathbb{R}$ et, à tout réel x, elle associe l'unique réel y (noté $x^{\frac{1}{3}}$) tel que $y^3 = x$. Ainsi :

$$a^3 = b \Leftrightarrow a = b^{\frac{1}{3}} \text{ et } a^3 < b \Leftrightarrow a < b^{\frac{1}{3}}.$$

À l'aide de la fonction racine cubique, démontrer que la suite (u_n) a pour limite $+\infty$ quand n tend vers $+\infty$.

9 DÉMONSTRATION $\quad|\; \star\star\;|\; $ **15 min** $\;|\; \triangleright$ **P. 31**

L'objectif de cet exercice est de démontrer que, si une suite (u_n) est croissante et tend vers le réel l, alors, pour tout n, $u_n \leqslant l$.

Pour cela, on procède par l'absurde.

1. Énoncer la propriété contraire à celle de la conclusion « pour tout n, $u_n \leqslant l$ »

2. Soit donc n_0 un entier tel que $u_{n_0} > l$. Posons $\varepsilon = u_{n_0} - l$.

a. Quel est le signe de ε ?

b. Justifier que, quelque soit $n \geqslant n_0$, $u_n \notin \,]l - \varepsilon \,;\, l + \varepsilon[$?

c. Conclure.

10 LIMITES DES SUITES ARITHMÉTIQUES $\qquad$ | ★ | 5 min | ▶P. 32

1. On considère la suite arithmétique (u_n) définie par :
$$\begin{cases} u_0 \\ \text{pour tout } n \in \mathbb{N},\, u_{n+1} = u_n + r \end{cases}$$

a. Rappeler l'expression de u_n en fonction de n.

b. Déterminer la limite de u_n quand n tend vers $+\infty$, en fonction des valeurs de r.

2. Reprendre les questions précédentes pour la suite (u_n) définie par :
$$\begin{cases} u_1 \\ \text{pour tout } n \in \mathbb{N}^*,\, u_{n+1} = u_n + r \end{cases}$$

EXERCICES D'APPROFONDISSEMENT

11 ALGORITHME : POLYNÔMES ET FRACTIONS
RATIONNELLES $\qquad$ | ★★ | 30 min | ▶P. 32

Dans tout cet exercice, α vaut $+\infty$ ou $-\infty$.

Partie A. Limite à l'infini d'un polynôme

Soit f la fonction polynôme définie sur $\mathbb{R}$ par :

$f(x) = ax^n + a_{n-1}\, x^{n-1} + \cdots + a_1\, x + a_0$, avec $a \neq 0$ et $n \in \mathbb{N}^*$.

1. Donner la limite de $f(x)$ quand x tend vers α, selon les valeurs de a, de n et de α.

2. Écrire un algorithme donnant la limite en α de $f(x)$. Cet algorithme aura en entrées a, n et s, de sorte que $s = 1$ lorsque $\alpha = +\infty$ et $s = -1$ lorsque $\alpha = -\infty$.

 La parité de n est donnée par la valeur de $(-1)^n$.

Partie B. Limite à l'infini d'une fraction rationnelle

Soit f la fraction rationnelle définie par :

$$f(x) = \frac{ax^n + a_{n-1}x^{n-1} + \cdots + a_1 x + a_0}{bx^p + b_{p-1}x^{p-1} + \cdots + b_1 x + b_0},$$

avec $a \neq 0$, $b \neq 0$ et p, $n \in \mathbb{N}^*$

1. Donner la limite de $f(x)$ quand x tend vers α, selon les valeurs de a et b, de n et p et de α.

2. Écrire un algorithme donnant la limite en a de $f(x)$. Cet algorithme aura en entrées a, b, n, p et s, de sorte que $s = 1$ lorsque $\alpha = +\infty$ et $s = -1$ lorsque $\alpha = -\infty$.

12 FONCTION PARTIE ENTIÈRE | ★★ | **20 min** | ▸ P. 34 |

Pour tout réel x, on appelle partie entière de x, et on note $E(x)$, l'unique entier n qui vérifie $n \leqslant x < n + 1$.

$E(\pi) = 3$ car $3 \leqslant \pi < 4$; $E(-4,5) = -5$ car $-5 \leqslant -3,5 < -4$; $E(12) = 12$ car $12 \leqslant 12 < 13$.

1. Donner les valeurs de $E(15,999)$, $E(-25)$, $E(\sqrt{2})$, $E\left(-\dfrac{4}{3}\right)$.

2. On a tracé ci-dessous la courbe représentative de la fonction partie entière.

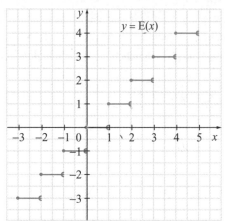

Encadrer $E(x)$ par deux fonctions affines.

3. Soit g la fonction définie sur $\mathbb{R}$ par $g(x) = \dfrac{E(x)}{x^2 + 1}$

a. Déduire de la question **2.** un encadrement de $g(x)$.

b. Déterminer la limite en $-\infty$ de $g(x)$.

13 FONCTION COMPOSÉE | ★★ | **60 min** | ▸ P. 34 |

Partie A. Étude d'une fonction intermédiaire

Soit g la fonction définie sur $[0 \, ; +\infty[$ par $g(x) = x\sqrt{x} - 4x + 5\sqrt{x} - 2$.

1. Montrer que, pour tout $x > 0, (g'x) = \dfrac{1}{2\sqrt{x}}(3x - 8\sqrt{x} + 5)$.

2. Déterminer les racines du trinôme $3X^2 - 8X + 5$

3. En déduire une factorisation de $g'(x)$.

4. Dresser le tableau de variation de g.

5. Calculer $g(4)$.

6. En déduire le signe de g sur $\mathbb{R}$, ainsi que les valeurs en lesquelles la fonction s'annule.

Partie B

Soit f la fonction définie sur $]0 \, ; +\infty[$ par $f(x) = \left(\dfrac{1}{x} - \dfrac{1}{\sqrt{x}}\right)^3$.

1. Déterminer la limite de f en $+\infty$ $\sqrt{x} + \dfrac{x}{2\sqrt{x}} - 4 + \dfrac{5}{2\sqrt{x}}$

2. Limite en 0^+

a. Pourquoi s'agit-il d'une forme indéterminée ?

b. Écrire $\dfrac{1}{x} - \dfrac{1}{\sqrt{x}}$ sous forme d'un quotient.

c. Déterminer la limite en 0 de f.

3. Développer et dériver $f(x)$, pour $x > 0$.

4. Montrer que $f'(x)$ est du signe de $g(x)$ sur $]0 \,;\, +\infty\,[$.

Dresser le tableau de variation complet de f.

CONTRÔLE

14 QCM   ★★ | 10 min | ▶P. 36

Pour chacune des questions **1.** à **4.**, **une ou plusieurs réponses** sont exactes.

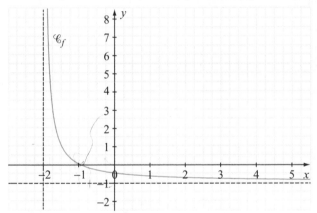

Soit f la courbe représentée ci-dessus.

1. a. $\lim\limits_{x \to -2} f(x) = +\infty$ **b.** $\lim\limits_{x \to -2} f(x) = -\infty$ **c.** $\lim\limits_{x \to +\infty} f(x) = -2$;

d. $\lim\limits_{x \to -\infty} f(x) = -2$.

2. a. $\lim\limits_{x \to -1} f(x) = +\infty$;   **b.** $\lim\limits_{x \to -1} f(x) = -\infty$;   **c.** $\lim\limits_{x \to +\infty} f(x) = -1$;

d. $\lim\limits_{x \to -\infty} f(x) = -1$.

3. $\mathscr{C}_f$ admet une asymptote…

   a. verticale en -2 ;   **c.** horizontale en -1 ;

   b. verticale en $+\infty$;   **d.** horizontale en $+\infty$.

4. $\mathscr{C}_f$ admet pour asymptote la droite d'équation

   a. $y = -2$;   **b.** $x = -2$;   **c.** $x = -1$;   **d.** $y = -1$.

15 ASYMPTOTE OBLIQUE | ★★ | 50 min | ▶ P. 36

Soit f la fonction définie sur $]-\infty\,;3[\cup]3\,;+\infty[$ par :

$$f(x) = \frac{x^2 - 10}{x - 3}.$$

On note $\mathcal{C}_f$ sa courbe représentative dans un repère orthonomal.

Partie A. Étude de la fonction f

1. Déterminer les limites de f en $+\infty$ et en $-\infty$.

2. Déterminer la limite de f quand x tend vers 3 par valeurs supérieures, puis quand x tend vers 3 par valeurs inférieures.

Réfléchir au signe de $x - 3$.

3. Décrire les éventuelles asymptotes horizontales et verticales à la courbe $\mathcal{C}_f$.

4. Étudier le signe de $f'(x)$.

5. Dresser le tableau de variation complet de f.

6. Déterminer l'équation réduite de la tangente T à $\mathcal{C}_f$ au point d'abscisse 2 puis celle de la tangente T' à $\mathcal{C}_f$ au point d'abscisse 4.

Partie B. Asymptotes obliques

1. Montrer que, pour tout $x \neq 3$:

$$f(x) = x + 3 - \frac{1}{x - 3}.$$

2. Soit g la fonction affine définie sur $\mathbb{R}$ par $g(x) = x + 3$, et (D) la droite d'équation $y = x + 3$. L'écart entre (D) et $\mathcal{C}_f$ est mesuré par la différence :

$$d(x) = f(x) - (x + 3).$$

a. Déterminer la limite en $+\infty$ et en $-\infty$ de $d(x)$. En donner une interprétation graphique.

b. Étudier le signe de $d(x)$ lorsque x décrit $]-\infty\,;3[\cup]3\,;+\infty[$ En déduire la position relative sur $\mathbb{R}\setminus\{3\}$ de $\mathcal{C}_f$ et (D).

3. Tracer (D), T, T' et $\mathcal{C}_f$.

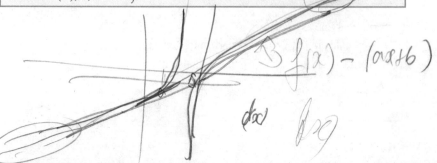

CONTRÔLE

16 QUESTION DE COURS | ★★ | **15 min** | ▶ P. 37

Soient u, v et w des suites telles que :

$$\begin{cases} \text{pour tout } n, v_n \leqslant u_n \leqslant w_n \\ \lim\limits_{n \to +\infty} v_n = \lim\limits_{n \to +\infty} w_n = -2 \end{cases}.$$

Dèmontrer, en utilisant la définition de la limite, que $\lim\limits_{n \to +\infty} u_n = -2$.

17 ENCADREMENT | ★★ | **30 min** | ▶ P. 38

Soit (u_n) la suite définie, pour tout $n \in \mathbb{N}$ par $u_n = \dfrac{-2n + 3 \times (-1)^n}{n + \sqrt{n} + 1}$.

1. Justifier que la suite est définie pour tout entier naturel n.
2. Calculer les cinq premiers termes de la suite
3. Donner un encadrement du numérateur par deux fonctions affines de n
4. Montrer qu'il existe des réels a, b, c et d à définir tels que pour tout $n \in \mathbb{N}$:

$$\dfrac{an + b}{n + \sqrt{n} + 1} \leqslant u_n \leqslant \dfrac{cn + d}{n + \sqrt{n} + 1}$$

5. Posons $N = \sqrt{n}$. Exprimer $\dfrac{an + b}{n + \sqrt{n} + 1}$ et $\dfrac{cn + d}{n + \sqrt{n} + 1}$ en fonction de N.
6. En déduire, en appliquant les règles de composition de limites, la limite en $+\infty$ de $\dfrac{an + b}{n + \sqrt{n} + 1}$ et celle de $\dfrac{cn + d}{n + \sqrt{n} + 1}$.
7. Déterminer la limite quand n tend vers $+\infty$ de la suite (u_n).

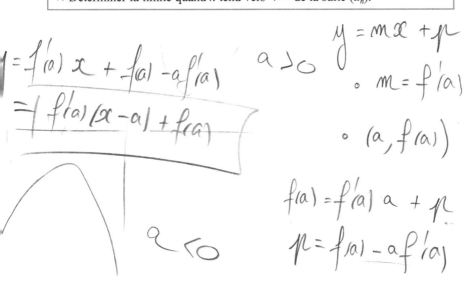

1 1. $\begin{cases} \lim\limits_{x \to 0^-} x^2 = 0^+ \\ \lim\limits_{X \to 0^+} \dfrac{1}{X} = +\infty \end{cases}$, donc, par composition, $\lim\limits_{x \to 0^-} \dfrac{1}{x^2} = +\infty$.

2. $\begin{cases} \lim\limits_{n \to +\infty} \sqrt{n} = +\infty \\ \lim\limits_{n \to +\infty} (3 - n^2) = -\infty \end{cases}$, donc, par produit, $\lim\limits_{n \to +\infty} \sqrt{n}\,(3 - n^2) = -\infty$.

3. $\begin{cases} \lim\limits_{x \to -\infty} |x| = +\infty \\ \lim\limits_{x \to -\infty} \left(3 - \dfrac{2}{x}\right) = 3 \end{cases}$, donc, par quotient, $\lim\limits_{x \to -\infty} \dfrac{|x|}{3 - \dfrac{2}{x}} = +\infty$.

4. $\begin{cases} \lim\limits_{x \to +\infty} \dfrac{3}{\sqrt{x}} = 0 \\ \lim\limits_{x \to +\infty} \sqrt{x} = +\infty \end{cases}$, donc, par différence, $\lim\limits_{x \to +\infty} \left(\dfrac{3}{\sqrt{x}} - \sqrt{x}\right) = -\infty$.

5. $\begin{cases} \lim\limits_{x \to 0,5^-} (4x - 3) = -1 \\ \lim\limits_{x \to 0,5^-} (2x - 1) = 0^- \end{cases}$, donc, par quotient, $\lim\limits_{x \to 0,5^-} \dfrac{4x - 3}{2x - 1} = +\infty$.

◢ Lorsque la limite du dénominateur vaut 0, il faut déterminer le signe du dénominateur.

6. $\begin{cases} \lim\limits_{x \to -\infty} \left(\dfrac{1}{x^2} - 3\right) = -3 \\ \lim\limits_{x \to -\infty} (4x^3 + 100\,000) = -\infty \end{cases}$,

donc, par produit, $\lim\limits_{x \to -\infty} \left(\dfrac{1}{x^2} - 3\right)(4x^3 + 100\,000) = +\infty$.

2 1. $\lim\limits_{x \to -\infty} (-2x^3 + 3x^2 - 1) = \lim\limits_{x \to -\infty} (-2x^3) = +\infty$,

d'où $\lim\limits_{x \to -\infty} (-2x^3 + 3x^2 - 1) = +\infty$.

2. $\lim\limits_{n \to +\infty} \dfrac{11 - n^2}{3n + 5} = \lim\limits_{n \to +\infty} \dfrac{-n^2}{3n} = \lim\limits_{n \to +\infty} \dfrac{-n}{3} = -\infty$, d'où $\lim\limits_{n \to +\infty} \dfrac{11 - n^2}{3n + 5} = -\infty$.

3. Le terme de plus haut degré de $(ax^2 + bx + c)^2$ vaut ax^4 donc :

$\lim\limits_{x \to -\infty} (ax^2 + bx + c)^3 = \lim\limits_{x \to -\infty} a^3 x^6 = \begin{cases} +\infty \text{ si } a^3 > 0 \\ -\infty \text{ si } a^3 > 0 \end{cases}$, d'où :

$\lim\limits_{x \to -\infty} (ax^2 + bx + c^2) = \begin{cases} +\infty \text{ si } a > 0 \\ -\infty \text{ si } a < 0 \end{cases}$

3   1. • $\lim\limits_{x \to -\infty} (5x^3 - x) = \lim\limits_{x \to -\infty} 5x^3 = -\infty$.

On ne peut en déduire la limite en $-\infty$ de f.

• $\begin{cases} \lim\limits_{x \to +\infty} (5x^3 - x) = +\infty \\ \text{pour tout } x \in \mathbb{R}, 5x^3 - x \le f(x) \end{cases}$,

donc, d'après le premier théorème de comparaison pour les fonctions :

$$\lim\limits_{x \to +\infty} f(x) = +\infty$$

2. • $\lim\limits_{x \to -\infty} \dfrac{5x^2 - 2x - 1}{x^2 + 1} = \lim\limits_{x \to -\infty} \dfrac{5x^2}{x^2} = \lim\limits_{x \to -\infty} 5 = 5$;

$\lim\limits_{x \to -\infty} \dfrac{5x^2 - 2x + 1}{x^2 + 1} = \lim\limits_{x \to -\infty} \dfrac{5x^2}{x^2} = \lim\limits_{x \to -\infty} 5 = 5$;

donc, d'après le théorème des gendarmes :

$$\lim\limits_{x \to -\infty} f(x) = 5.$$

• $\lim\limits_{x \to +\infty} \dfrac{5x^2 - 2x - 1}{x^2 + 1} = \lim\limits_{x \to +\infty} \dfrac{5x^2}{x^2} = \lim\limits_{x \to +\infty} 5 = 5$;

$\lim\limits_{x \to +\infty} \dfrac{5x^2 - 2x + 1}{x^2 + 1} = \lim\limits_{x \to +\infty} \dfrac{5x^2}{x^2} = \lim\limits_{x \to +\infty} 5 = 5$;

donc, d'après le théorème des gendarmes :

$$\lim\limits_{x \to +\infty} f(x) = 5.$$

• $\lim\limits_{x \to 0} \dfrac{5x^2 - 2x - 1}{x^2 + 1} = -1$ et $\lim\limits_{x \to 0} \dfrac{5x^2 - 2x + 1}{x^2 + 1} = 1$, donc **on ne peut conclure quant**

à l'existence d'une limite en 0 de f.

4   1. $f(x) = \sqrt{u(x)} = g(u(x))$, avec $\boldsymbol{g : x \mapsto \sqrt{x}}$ et $\boldsymbol{u : x \mapsto 1 + \dfrac{1}{x^2}}$.

2. u est définie sur $\mathbb{R} \setminus \{0\}$ et, pour tout $x \ne 0$, $u(x) \ge 0$.

Donc f est bien définie sur $]-\infty ; 0[\cup]0 ; +\infty[$.

◢ Voir chapitre "Généralités sur les fonctions" du 100% exos de 1re S.

3. $\lim\limits_{x \to -\infty} \left(1 + \dfrac{1}{x^2}\right) = \mathbf{1}$ et $\lim\limits_{x \to +\infty} \left(1 + \dfrac{1}{x^2}\right) = \mathbf{1}$ et $\lim\limits_{x \to 0^+} \left(1 + \dfrac{1}{x^2}\right) = \lim\limits_{x \to 0^-} \left(1 + \dfrac{1}{x^2}\right) = +\infty$.

4. Posons $X = 1 + \dfrac{1}{x^2}$.

$\lim\limits_{X \to 1} \sqrt{X} = 1$, donc $\boldsymbol{\lim\limits_{x \to -\infty} f(x) = 1}$ et $\boldsymbol{\lim\limits_{x \to -\infty} f(x) = 1}$.

$\lim\limits_{X \to +\infty} \sqrt{X} = +\infty$, donc $\boldsymbol{\lim\limits_{x \to 0^+} f(x) = +\infty}$ et $\lim\limits_{x \to 0^-} f(x) = -\infty$.

$\boxed{5}$ **1.** Pour tout $n \in \mathbb{N}^*$, $u_n > 0$. Donc il suffit de montrer que tout intervalle ouvert de la forme $]0\,;\varepsilon[$ (avec $\varepsilon > 0$) contient tous les termes de la suite à partir d'un certain rang.

Soit $\varepsilon > 0$.

$$0 < u_n < \varepsilon \Leftrightarrow 0 < \frac{1}{\sqrt{n}} < \varepsilon \Leftrightarrow \frac{1}{\sqrt{n}} < \varepsilon \Leftrightarrow \sqrt{n} > \frac{1}{\varepsilon} \Leftrightarrow n > \frac{1}{\varepsilon^2} \text{ (car la fonction carré}$$

est strictement croissante sur $\mathbb{R}^+$).

Soit n_0 le plus petit entier supérieur ou égal à $\dfrac{1}{\varepsilon^2}$. **Alors, pour tout $n \geqslant n_0$, $u_n \in\,]0\,;\varepsilon[$.**

Donc la suite (u_n) converge vers 0.

2. Soit M un réel négatif.

$$v_n < M \Leftrightarrow -2n + 3 < M \Leftrightarrow 2n > 3 - M \Leftrightarrow n > \frac{3-M}{2}.$$

Notons n_0 le plus petit entier supérieur ou égal à $\dfrac{3-M}{2}$.

Alors, pour tout $n \geqslant n_0, v_n < M$.

Donc la suite (v_n) a pour limite $-\infty$ quand n tend vers $+\infty$.

3. La suite w_n définie, pour tout $n \in \mathbb{N}^*$ par $w_n = \dfrac{1-n}{2n-1}$ a pour limite $-\dfrac{1}{2}$ quand n tend vers $+\infty$.

Soit ε un réel strictement positif :

$$-\frac{1}{2} - \varepsilon < w_n < -\frac{1}{2} + \varepsilon \Leftrightarrow -\varepsilon < w_n + \frac{1}{2} < \varepsilon \Leftrightarrow -\varepsilon < \frac{1-n}{2n+1} + \frac{1}{2} < \varepsilon$$

$$\Leftrightarrow -\varepsilon < \frac{3}{2(2n+1)} < \varepsilon \Leftrightarrow -\varepsilon < \frac{3}{4n+2} < \varepsilon$$

$$\Leftrightarrow \frac{3}{4n+2} < \varepsilon \text{ car } \frac{3}{4n+2} > 0 > -\varepsilon$$

$$\Leftrightarrow \frac{3}{\varepsilon} < 4n+2 \quad \text{(multiplication par } \frac{4n+2}{\varepsilon} > 0)$$

$$\Leftrightarrow n > \frac{3}{4\varepsilon} - \frac{1}{2}.$$

Notons n_0 le plus petit entier naturel ou égal à $\dfrac{3}{4\varepsilon} - \dfrac{1}{2}$.

Alors, pour tout $n \geqslant n_0$, $w_n \in \left]-\dfrac{1}{2} - \varepsilon\,;-\dfrac{1}{2} + \varepsilon\right[$.

Donc la suite (u_n) a pour limite $-\dfrac{1}{2}$ quand n tend vers $+\infty$.

$\boxed{6}$ **1. a.** Le terme de plus haut degré de $(2x-1)^4$ est $(2x)^4 = 16x^4$.

$$\lim_{x \to -\infty} \frac{4x^4 - 3x^3}{(2x-1)^4} = \lim_{x \to -\infty} \frac{4x^4}{16x^4} = \lim_{x \to -\infty} \frac{1}{4}, \qquad \text{d'où} \qquad \boxed{\lim_{x \to -\infty} \frac{4x^4 - 3x^3}{(2x-1)^4} = \frac{1}{4}}.$$

b. $\dfrac{4x^4 - 3x^3}{(2x-1)^4} = x^3 \times \dfrac{4x-3}{(2x-1)^4}$

$\lim\limits_{x \to 0,5^-} (4x^3 - 3x^3) = 4 \times \left(\dfrac{1}{2}\right)^4 - 3 \times \left(\dfrac{1}{2}\right)^3 = \dfrac{4}{16} - \dfrac{3}{8} = -\dfrac{1}{8}$

$\lim\limits_{x \to 0,5^-} (2x-1)^4 = 0^+$;

donc, par quotient, $\lim\limits_{x \to 0,5^-} \dfrac{4x-3}{(2x-1)^4} = -\infty.$

 La méthode du **1.** ne s'applique qu'à l'infini.

2. a. $\lim\limits_{x \to -\infty} \dfrac{x^3+1}{2-3x^3} = \lim\limits_{x \to -\infty} \dfrac{x^3}{-3x^3} = \lim\limits_{x \to -\infty} -\dfrac{1}{3}$, d'où $\lim\limits_{x \to -\infty} \dfrac{x^3+1}{2-3x^3} = -\dfrac{1}{3}.$

b. Posons $X = 2 - 3\sqrt{x}$. Alors $\dfrac{(2-3\sqrt{x})^3+1}{2-3(2-3\sqrt{x})^3} = \dfrac{X^3+1}{2-3X^3}.$

$\begin{cases} \lim\limits_{x \to +\infty} (2-3\sqrt{x}) = -\infty \\ \lim\limits_{X \to -\infty} \dfrac{X^3+1}{2-3X^3} = -\dfrac{1}{3} \end{cases}$, donc, par composition, $\lim\limits_{x \to +\infty} \dfrac{(2-3\sqrt{x})^3+1}{2-3(2-3\sqrt{x})^3} = -\dfrac{1}{3}.$

3. a. $\lim\limits_{n \to +\infty} 2n\sqrt{n} = +\infty$ et $\lim\limits_{n \to +\infty} (-n^2) = -\infty$. Il s'agit d'une forme indéterminée.

Factorisons alors $2n\sqrt{n} - n^2$ par le terme qui tend le plus vite vers l'infini (n^2) :

Pour tout $n \geqslant 0,\ 2n\sqrt{n} - n^2 = n^2 \left(\dfrac{2}{\sqrt{n}} - 1\right).$

$\begin{cases} \lim\limits_{n \to +\infty} n^2 = +\infty \\ \lim\limits_{n \to +\infty} \left(\dfrac{2}{\sqrt{n}} - 1\right) = -1 \end{cases}$, donc, par produit, $\lim\limits_{n \to +\infty} (2n\sqrt{n} - n^2) = -\infty.$

 $2n\sqrt{n} - n^2$ n'étant pas un polynôme, la méthode du savoir-faire ne s'applique pas ici.

b. • $\lim\limits_{x \to 0^+} \dfrac{1}{x} = +\infty$ et $\lim\limits_{x \to 0^+} -\dfrac{1}{x^2} = -\infty$. Il s'agit d'une forme indéterminée.

Factorisons alors $\dfrac{1}{x} - \dfrac{1}{x^2}$ par le terme qui tend le plus vite vers l'infini $\left(\dfrac{1}{x^2}\right)$:

$$\dfrac{1}{x} - \dfrac{1}{x^2} = \dfrac{1}{x^2}(x-1).$$

$$\begin{cases} \lim\limits_{x \to 0^+} \dfrac{1}{x^2} = +\infty \\ \lim\limits_{x \to 0^+} (x-1) = -1 \end{cases}, \text{ donc, par produit, } \lim\limits_{x \to 0^+} \left(\dfrac{1}{x} - \dfrac{1}{x^2} \right) = -\infty.$$

• $\begin{cases} \lim\limits_{x \to 0^-} \dfrac{1}{x} = -\infty \\ \lim\limits_{x \to 0^-} -\dfrac{1}{x^2} = -\infty \end{cases}$, donc, par somme, $\lim\limits_{x \to 0^-} \left(\dfrac{1}{x} - \dfrac{1}{x^2} \right) = -\infty.$

Penser à vérifier les résultats obtenus en observant sur la calculatrice les courbes représentatives des fonctions étudiées.

7 **1. a.** $\lim\limits_{x \to +\infty} (1+x^2) = +\infty$ et $\lim\limits_{x \to +\infty} \sqrt{x} = +\infty$. Il s'agit bien d'une **forme indéterminée**.

b. Étudions le signe de la différence.

Pour tout $x > 0$, $1 + x^2 - 2x = (1-x)^2 \geqslant 0$, donc :

$$1 + x^2 \geqslant 2x.$$

c. Pour tout $x \in]0 ; +\infty[, \dfrac{1+x^2}{\sqrt{x}} \geqslant \dfrac{2x}{\sqrt{x}}$, c'est-à-dire $f(x) \geqslant 2\sqrt{x}$.

Donc la fonction g définie sur $]0 ; +\infty[$ par $g(x) = 2\sqrt{x}$ minore f.

d. $\lim\limits_{x \to +\infty} \sqrt{x} = +\infty$, donc $\lim\limits_{x \to +\infty} g(x) = +\infty$, donc, d'après le premier théorème de comparaison pour les fonctions :

$$\lim\limits_{x \to +\infty} f(x) = +\infty.$$

2. a. Pour tout $n \in \mathbb{N}, -1 \leqslant (-1)^n \leqslant 1$, donc :

$$n-1 \leqslant n+(-1)^n \leqslant n+1.$$

b. Pour tout $n \in \mathbb{N}^*$:

$$\dfrac{n-1}{3n+5} \leqslant u_n \leqslant \dfrac{n+1}{3n+5}.$$

c. $\lim\limits_{n \to +\infty} \dfrac{n-1}{3n+5} = \lim\limits_{n \to +\infty} \dfrac{n}{3n} = \lim\limits_{n \to +\infty} \dfrac{1}{3} = \dfrac{1}{3}.$

De même, $\lim\limits_{n \to +\infty} \dfrac{n+1}{3n+5} = \dfrac{1}{3}.$

D'après le théorème des gendarmes, $\lim\limits_{n \to +\infty} u_n = \dfrac{1}{3}.$

8 1.

```
VARIABLES
  M EST_DU_TYPE NOMBRE
  n EST_DU_TYPE NOMBRE
DEBUT_ALGORITHME
  LIRE M
  SI(M>0) ALORS
    DEBUT_SI
    n PREND_LA_VALEUR 0
    TANT_QUE(n*sqrt(n)<M) FAIRE
      DEBUT_TANT_QUE
      n PREND_LA_VALEUR n+1
      FIN_TANT_QUE
    AFFICHER "n0 = "
    AFFICHER n
    FIN_SI
FIN_ALGORITHME
```

2. Non, le fait que $u_{n_0} \geqslant M$ n'implique pas que cette inégalité reste vraie pour tout $n \geqslant n_0$.

3. Pour tout $n \geqslant 0$, $u_n = f(n)$ avec $f(x) = x\sqrt{x}$.

Étudions les variations de f.

Pour tout $x > 0$, $f'(x) = \sqrt{x} + \dfrac{x}{2\sqrt{x}} = \sqrt{x} + \dfrac{\sqrt{x}}{2} = \dfrac{3\sqrt{x}}{2} > 0$;

f est donc strictement croissante sur $\mathbb{R}+$.

Par conséquent, la suite (u_n) est également croissante sur $\mathbb{R}^+$.

4. La suite étant croissante, $n \geqslant n_0 \Rightarrow u_n \geqslant u_{n_0}$. Or $u_{n_0} \geqslant M$.
Donc $\boldsymbol{n \geqslant n_0 \Rightarrow u_n \geqslant M}$.

5. Soit M un réel strictement positif.

$u_n > M \Leftrightarrow n\sqrt{n} > M \Leftrightarrow (\sqrt{n})^3 > M \Leftrightarrow \sqrt{n} > M^{\frac{1}{3}}$

$\Leftrightarrow (\sqrt{n})^2 > (M^{\frac{1}{3}})^2$ car la fonction carré est strictement croissante sur $\mathbb{R}^+$

$\Leftrightarrow n > (M^{\frac{1}{3}})^2$.

Notons n_0 le plus petit entier supérieur à $(M^{\frac{1}{3}})^2$. **Alors, pour tout $n \geqslant n_0$, $u_n > M$.
Donc la suite (u_n) diverge vers $+\infty$**

9 Raisonnons par l'absurde.

1. La propriété contraire à « pour tout n, $u_n \leqslant l$ » est « il existe un entier n_0 tel que

$u_{n_0} > l$».

2. a. $u_{n_0} > l$ donc $u_{n_0} - l > 0$, soit $\varepsilon > 0$.

b. $l + \varepsilon = u_{n_0}$ donc, la suite (u_n) étant croissante, **pour tout** $n \geqslant n_0$, $u_n \geqslant u_{n_0}$, soit $u_n \geqslant l + \varepsilon$, à fortiori, $u_n \notin \,]l - \varepsilon \, ; \, l + \varepsilon[$.

c. On a trouvé un intervalle ouvert contenant l pour lequel il n'existe pas de rang à partir duquel les termes de la suite appartiennent à cet intervalle. Cela signifie que la suite (u_n) ne converge pas vers l. D'où la contradiction.

Donc toute suite (u_n) croissante et tendant vers le réel l vérifie, pour tout n, $u_n \leqslant l$.

[10] 1. a. Pour tout $n \in \mathbb{N}$, $u_n = u_0 + nr$. $U_n = U_p + (n-p)r$

b. $\displaystyle\lim_{n \to +\infty} u_n = \begin{cases} +\infty \text{ si } r > 0 \\ 0 \text{ si } r = 0 \\ -\infty \text{ si } r < 0 \end{cases}$.

2. a. Pour tout $n \in \mathbb{N}^*$, $u_n = u_1 + (n-1)r = u_1 - r + nr$.

b. Même réponse qu'au **1.b.**

[11] **Partie A**

1. • Si $\alpha = +\infty$, alors $\displaystyle\lim_{x \to \alpha} f(x) = \begin{cases} +\infty \text{ si } a > 0 \\ -\infty \text{ si } a < 0 \end{cases}$.

• Si $\alpha = -\infty$, alors $\displaystyle\lim_{x \to \alpha} f(x) = \begin{cases} +\infty \text{ si } (a > 0 \text{ et } n \text{ pair}) \text{ ou si } (a < 0 \text{ et } n \text{ impair}) \\ -\infty \text{ si } (a > 0 \text{ et } n \text{ impair}) \text{ ou si } (a < 0 \text{ et } n \text{ pair}) \end{cases}$.

2. Voici deux algorithmes possibles :

```
VARIABLES
   s EST_DU_TYPE NOMBRE
   a EST_DU_TYPE NOMBRE
   n EST_DU_TYPE NOMBRE
DEBUT_ALGORITHME
   LIRE s
   LIRE a
   LIRE n
   AFFICHER "f a pour limite"
   SI (s= =1) ALORS
      DEBUT_SI
      SI (a>0) ALORS
         DEBUT_SI
         AFFICHER "+infini"
         FIN_SI
      SI(a<0) ALORS
         DEBUT_SI
         AFFICHER"-infini"
         FIN_SI
      FIN_SI
   SI(s= = -1)ALORS
      DEBUT_SI
      SI ((a>0 ET pow(-1,n) = =1) OU (a<0 ET pow (-1,n) = = -1)) ALORS
         DEBUT_SI
         AFFICHER"+infini"
         FIN_SI
      SI ((a>0 ET pow(-1,n) = =1) OU (a<0 ET pow (-1,n) = = 1)) ALORS
         DEBUT_SI
         AFFICHER " -infini"
         FIN_SI
      FIN_SI
FIN_ALGORITHME
```

```
VARIABLES
   s EST_DU_TYPE NOMBRE
   a EST_DU_TYPE NOMBRE
   n EST_DU_TYPE NOMBRE
DEBUT_ALGORITHME
   LIRE s
   LIRE a
   LIRE n
   AFFICHER "f a pour limite"
   SI (s= =1) ALORS
      DEBUT_SI
      SI (a>0) ALORS
         DEBUT_SI
         AFFICHER "+infini"
         FIN_SI
      SI(a<0) ALORS
         DEBUT_SI
         AFFICHER"-infini"
         FIN_SI
      FIN_SI
   SI(s= = -1)ALORS
      DEBUT_SI
      SI (a* pow(-1,n) >0) ALORS
         DEBUT_SI
         AFFICHER"+infini"
         FIN_SI
      SI (a* pow(-1,n) <0) ALORS
         DEBUT_SI
         AFFICHER " -infini"
         FIN_SI
      FIN_SI
FIN_ALGORITHME
```

Partie B

1. $\lim_{x \to \alpha} f(x) = \lim_{x \to \alpha} \dfrac{a}{b} \times x^{n-p}$, donc :

- Si $n < p$, alors $\lim_{x \to \alpha} f(x) = 0$.

- Si $n = p$, alors $\lim_{x \to \alpha} f(x) = \dfrac{a}{b}$.

- Si $n > p$, alors :

si $\alpha = +\infty$, alors $\lim_{x \to \alpha} f(x) = \begin{cases} +\infty \text{ si } \dfrac{a}{b} > 0 \\ -\infty \text{ si } \dfrac{a}{b} < 0 \end{cases}$;

si $\alpha = -\infty$, alors $\lim_{x \to \alpha} f(x) = \begin{cases} +\infty \text{ si } \left(\dfrac{a}{b} > 0 \text{ et } n-p \text{ pair}\right) \\ \qquad \text{ou si} \left(\dfrac{a}{b} < 0 \text{ et } n-p \text{ impair}\right). \\ -\infty \text{ si } \left(\dfrac{a}{b} < 0 \text{ et } n-p \text{ impair}\right) \\ \qquad \text{ou si } \left(\dfrac{a}{b} > 0 \text{ et } n-p \text{ pair}\right) \end{cases}$

2.

```
VARIABLES
  n EST_DU_TYPE NOMBRE
  p EST_DU_TYPE NOMBRE
  a EST_DU_TYPE NOMBRE
  b EST_DU_TYPE NOMBRE
  s EST_DU_TYPE NOMBRE
  L EST_DU_TYPE NOMBRE

DEBUT_ALGORITHME
  LIRE n
  LIRE p
  LIRE a
  LIRE b
  LIRE s
  AFFICHER "f a pour limite"
  SI (n<p) ALORS
    DEBUT_SI
    AFFICHER "0"
    FIN_SI
  SI (n==p) ALORS
    DEBUT_SI
    L PREND_LA_VALEUR a/b
    AFFICHER L
    FIN_SI
  SI (n>p) ALORS
    DEBUT_SI
  SI(s==1) ALORS
    DEBUT_SI
    SI (a/b<0) ALORS
      DEBUT_SI
      AFFICHER "+infini"
      FIN_SI
    SI (a/b>0) ALORS
      DEBUT_SI
      AFFICHER "-infini"
      FIN_SI
    FIN_SI
  SI (s==-1) ALORS
    DEBUT_SI
    SI ((a*pow(-1,n))/(b*pow(-1,p))>0) ALORS
      DEBUT_SI
      AFFICHER "+infini"
      FIN_SI
    SI ((a*pow(-1,n))/(b*pow(-1,p))<0) ALORS
      DEBUT_SI
      AFFICHER "-infini"
      FIN_SI
    FIN_SI
  FIN_SI
FIN_ALGORITHME
```

Limites de suites et de fonctions

12 1. $E(15,999) = \textbf{15}$, $E(-25) = \textbf{25}$, $E\left(\sqrt{2}\right) = 1$, $E\left(-\dfrac{4}{3}\right) = \textbf{-2}$.

2. Pour tout x réel, $x - 1 < E(x) \leqslant x$.

En effet, notons $n = E(x)$. Alors $n \leqslant x < n + 1$, d'où $E(x) \leqslant x$.

De l'inégalité (1), on déduit, en soustrayant 1 à chaque membre :

$$n - 1 \leqslant x - 1 < n$$
$$x - 1 < E(x)$$
$$\textbf{\textit{x} - 1 < E(\textit{x}) $\leqslant$ \textit{x}.}$$

3. **a.** Pour tout x réel :

$$\frac{x-1}{x^2+1} < g(x) \leqslant \frac{x}{x^2+1}.$$

b. $\displaystyle\lim_{x \to -\infty} \frac{x-1}{x^2+1} = \lim_{x \to -\infty} \frac{x}{x^2} = \lim_{x \to -\infty} \frac{1}{x} = 0.$

De même, $\displaystyle\lim_{x \to -\infty} \frac{x}{x^2+1} = 0.$

D'après le théorème des gendarmes, $\displaystyle\lim_{x \to -\infty} \boldsymbol{g(x) = 0.}$

13 **Partie A**

1. Pour tout $x > 0$, $g'(x) = \sqrt{x} + \dfrac{x}{2\sqrt{x}}$:

$$g'(x) = \frac{1}{2\sqrt{x}}(3x - 8\sqrt{x} + 5).$$

2. $\Delta = 4 > 0$ Donc le trinôme $3X^2 - 8X + 5$ admet deux racines distinctes :

$$X_1 = \frac{8-2}{6} = 1 \text{ et } X_2 = \frac{10}{6} = \frac{5}{3}.$$

Donc $3X^2 - 8X + 5 = 3(X-1)\left(X - \dfrac{5}{3}\right)$.

◢ Une méthode plus rapide consiste à remarquer que 1 est solution et factoriser par (X–1) :

$3X^2 - 8X + 5 = (X-1)(3X-5)$.

3. $g'(x) = \dfrac{1}{2\sqrt{x}}\left(\left(\sqrt{x}\right)^2 - 8\sqrt{x} + 5\right)$ soit :

$$g'(x) = \frac{3}{2\sqrt{x}}\left(\sqrt{x} - 1\right)\left(\sqrt{x} - \frac{5}{3}\right).$$

4. $\dfrac{3}{2\sqrt{x}} > 0$ sur $\mathbb{R}^{+*}$ et $\sqrt{x} - 1 > 0 \Leftrightarrow x > 1$ et $\sqrt{x} - \dfrac{5}{3} > 0 \Leftrightarrow \sqrt{x} > \dfrac{5}{3} \Leftrightarrow x > \dfrac{25}{9}$,

car la fonction carré est strictement croissante sur $[0 ; +\infty[$.

x	0		1		$\dfrac{25}{9}$		$+\infty$
$(\sqrt{x}-1)$		$-$	0	$+$		$+$	
$\left(\sqrt{x}-\dfrac{5}{3}\right)$		$-$		$-$	0	$+$	
Signe de $g'(x)$		$+$	0	$-$	0	$+$	
Variations de g							

5. $g(4) = 4 \times 2 - 4 \times 4 + 5 \times 2 - 2$ soit **$g\,(4) = 0$.**

6. g est donc strictement négative sur $[0\,;1[\cup]1\,;4[$, strictement positive sur $]4\,;+\infty[$ et nulle en 0 et en 4.

Partie B

1. $\lim\limits_{x\to+\infty}\dfrac{1}{x}=0$ et $\lim\limits_{x\to+\infty}\dfrac{1}{\sqrt{x}}=0$, donc $\lim\limits_{x\to+\infty}\left(\dfrac{1}{x}-\dfrac{1}{\sqrt{x}}\right)=0$.

De plus, $\lim\limits_{X\to+\infty}X^3=0$, donc, par composition **$\lim\limits_{x\to+\infty}f(x)=0$.**

2. a. $\lim\limits_{x\to0^+}\dfrac{1}{x}=+\infty$ et $\lim\limits_{x\to0^+}\left(-\dfrac{1}{\sqrt{x}}\right)=-\infty$, **donc il s'agit d'une forme indéterminée.**

b. $\dfrac{1}{x}-\dfrac{1}{\sqrt{x}}=\dfrac{1-\sqrt{x}}{x}$.

c. $\begin{cases}\lim\limits_{x\to0^+}\left(1-\sqrt{x}\right)=1\\[2mm]\lim\limits_{x\to0^+}x=0^+\end{cases}$, donc, par quotient, $\lim\limits_{x\to0^+}\left(\dfrac{1}{x}-\dfrac{1}{\sqrt{x}}\right)=+\infty$.

De plus, $\lim\limits_{X\to+\infty}X^3=+\infty$, donc, par composition, **$\lim\limits_{x\to0^+}f(x)=+\infty$.**

3. Soit $x>0$, $\quad f(x)=\left(\dfrac{1}{x^2}-\dfrac{2}{x\sqrt{x}}+\dfrac{1}{x}\right)\times\left(\dfrac{1}{x}-\dfrac{1}{\sqrt{x}}\right)$, soit :

$$f(x)=\dfrac{1}{x^3}-\dfrac{3}{x^2\sqrt{x}}+\dfrac{3}{x^2}-\dfrac{1}{x\sqrt{x}}.$$

Donc $f'(x)=\dfrac{-3}{x^4}+\dfrac{15}{2x^3\sqrt{x}}-\dfrac{6}{x^3}+\dfrac{3}{2x^2\sqrt{x}}$.

4. Pour tout $x > 0, f'(x) = \dfrac{-6 + 15\sqrt{x} - 12x + 3x\sqrt{x}}{2x^4} = \dfrac{3 \times g(x)}{2x^4}$ est bien du **signe de** $g(x)$ **sur** $]0 \,; +\infty[$.

x	0		1		4		$+\infty$
Signe de $g(x)$		$-$	0	$-$	0	$+$	
Variations de f	$+\infty$				$-\dfrac{1}{64}$		0

14 1. a. – 2. c. – 3. a. et d. – 4. b. et d.

15 **Partie A**

1 • $\displaystyle\lim_{x \to +\infty} f(x) = \lim_{x \to +\infty} \dfrac{x^2}{x} = \lim_{x \to +\infty} x$, donc $\displaystyle\lim_{x \to +\infty} \boldsymbol{f(x) = +\infty}$.

• De même, $\displaystyle\lim_{x \to -\infty} f(x) = \lim_{x \to -\infty} x$, donc $\displaystyle\lim_{x \to -\infty} \boldsymbol{f(x) = -\infty}$.

2. • $\begin{cases} \displaystyle\lim_{x \to 3^+} (x^2 - 10) = -1 \\ \displaystyle\lim_{x \to 3^+} x - 3 = 0^+ \end{cases}$, donc, par quotient, $\displaystyle\lim_{x \to 3+} \boldsymbol{f(x) = -\infty}$.

• $\begin{cases} \displaystyle\lim_{x \to 3^-} (x^2 - 10) = -1 \\ \displaystyle\lim_{x \to 3^-} x - 3 = 0^- \end{cases}$, donc, par quotient, $\displaystyle\lim_{x \to 3^-} \boldsymbol{f(x) = +\infty}$

3. $\mathscr{C}_f$ **admet une asymptote verticale d'équation** $x = 3$.

4. Pour tout $x \neq 3, f'(x) = \dfrac{2x(x-3) - (x^2 - 10) \times 1}{(x-3)^2} = \dfrac{x^2 - 6x + 10}{(x-3)^2}$.

Étudions le signe du numérateur. $\Delta = -4 < 0$, donc $x^2 - 6x + 10 > 0$ sur $\mathbb{R}$ $(a = 1 > 0)$.
Il en résulte que $f'(x) > 0$ pour tout $x \neq 3$.
Donc f **est strictement croissante sur** $]-\infty \,; 3[$ **et sur** $]3 \,; +\infty[$.

5.

x	$-\infty$		3		$+\infty$
Signe de $f'(x)$		$+$		$+$	
Variations de f	$-\infty$	$+\infty$		$-\infty$	$+\infty$

6. • $T : y = f(2) + f'(2)(x-2)$ avec $f(2) = 6$ et $f'(2) = 2$, donc $\boldsymbol{T : y = 2x + 2}$.

• $T' : y = f(4) + f'(4)(x-4)$ avec $f(4) = 6$ et $f'(2) = 2$, donc $\boldsymbol{T' : y = 2x - 2}$.

Partie B

1. Soit $x \neq 3$, $x + 3 - \dfrac{1}{x-3} = \dfrac{(x-3)(x+3)-1}{x-3} = f(x)$.

◢ Autre méthode : $f(x) = \dfrac{x^2 - 10}{x-3} = \dfrac{x^2 - 9 - 1}{x-3} = \dfrac{(x-3)(x+3)-1}{x-3} = x + 3 - \dfrac{1}{x-3}$.

2. a. Pour tout $x \neq 3$, $d(x) = x + 3 - \dfrac{1}{x-3} - (x+3) = -\dfrac{1}{x-3}$.

Donc $\lim\limits_{x \to +\infty} d(x) = \lim\limits_{x \to +\infty} \dfrac{-1}{x-3}$ d'où $\lim\limits_{x \to +\infty} d(x) = 0$.

$\lim\limits_{x \to -\infty} d(x) = \lim\limits_{x \to -\infty} \dfrac{-1}{x-3}$, d'où $\lim\limits_{x \to -\infty} d(x) = 0$.

La courbe $\mathcal{C}_f$ se rapproche de la droite (D) au voisinage de l'infini.

b. Si $x < 3$, alors $x - 3 < 0$ et $d(x) > 0$. Si $x > 3$, alors $x - 3 > 0$ et $d(x) < 0$.

$\mathcal{C}_f$ **est donc au-dessus de (D) sur $]\ \infty\ ;\ 3[$, et en dessous de (D) sur $]3\ ;\ +\infty[$.**

3.

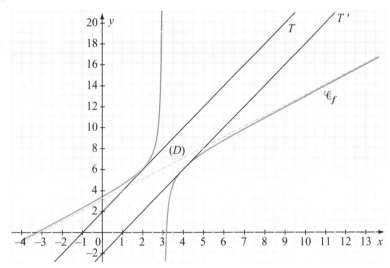

16 Soit ε un réel strictement positif.

$\lim\limits_{n \to +\infty} v_n = -2$, donc il existe un entier n_1 tel que, pour tout $n \geqslant n_1$:

$$v_n \in\ ]-2 - \varepsilon\ ;\ -2 + \varepsilon[.$$

$\lim\limits_{n \to +\infty} w_n = -2$, donc il existe un entier n_2 tel que, pour tout $n \geqslant n_2$, $w_n \in\ ]-2 - \varepsilon\ ;\ -2 + \varepsilon[$.

Notons n_0 le plus grand des entiers n_1 et n_2.

Alors, pour tout $n \geqslant n_0$, $-2 - \varepsilon < v_n \leqslant u_n \leqslant w_n < -2 + \varepsilon$, donc $u_n \in\ ]-2 - \varepsilon\ ;\ -2 + \varepsilon[$.

Donc $\lim\limits_{n \to +\infty} u_n = -2$.

17 1. Soit $n \in \mathbb{N}$, $n + \sqrt{n} + 1$ est la somme de trois termes positifs dont l'un est strictement supérieur à 0, donc $n + \sqrt{n} + 1 > 0$.

2. $u_0 = 3$; $u_1 = -\dfrac{5}{3}$; $u_2 = -\dfrac{1}{3 + \sqrt{2}}$; $u_3 = -\dfrac{9}{4 + \sqrt{3}}$; $u_4 = -\dfrac{5}{7}$.

◢ Pour tout $a \neq 0$, $a^0 = 1$ en particulier, $(-1)^0 = 1$.

3. Pour tout $n \in \mathbb{N}$, $-1 \leqslant (-1)^n \leqslant 1$, donc $-3 \leqslant 3 \times (-1)^n \leqslant 3$ (multiplication par $3 > 0$) donc $-2n - 3 \leqslant -2n + 3(-1)^n \leqslant -2n + 3$.

4. Pour tout $n \in \mathbb{N}$, $\dfrac{-2n - 3}{n + \sqrt{n} + 1} \leqslant u_n \leqslant \dfrac{-2n + 3}{n + \sqrt{n} + 1}$.

5. Posons $N = \sqrt{n}$. Alors :

$$\frac{-2n - 3}{n + \sqrt{n} + 1} = \frac{-2N^2 - 3}{N^2 + N + 1} \text{ et } \frac{-2n + 3}{n + \sqrt{n} + 1} = \frac{-2N^2 + 3}{N^2 + N + 1}.$$

6. • $\begin{cases} \displaystyle\lim_{n \to +\infty} \sqrt{n} = +\infty \\ \displaystyle\lim_{N \to +\infty} \frac{-2N^2 - 3}{N^2 + N + 1} = \lim_{N \to +\infty} \frac{-2N^2}{N^2} = \lim_{N \to +\infty} -2 = -2, \end{cases}$

donc, par composition, $\displaystyle\lim_{n \to +\infty} \frac{-2n - 3}{n + \sqrt{n} + 1} = -2$.

• $\begin{cases} \displaystyle\lim_{n \to +\infty} \sqrt{n} = +\infty \\ \displaystyle\lim_{N \to +\infty} \frac{-2N^2 + 3}{N^2 + N + 1} = \lim_{N \to +\infty} \frac{-2N^2}{N^2} = \lim_{N \to +\infty} -2 = -2 \end{cases}$

donc, par composition, $\displaystyle\lim_{n \to +\infty} \frac{-2n - 3}{n + \sqrt{n} + 1} = -2$.

7. Pour tout $n \in \mathbb{N}$, $\dfrac{-2n - 3}{n + \sqrt{n} + 1} \leqslant u_n \leqslant \dfrac{-2n + 3}{n + \sqrt{n} + 1}$.

$$\lim_{n \to +\infty} \frac{-2n - 3}{n + \sqrt{n} + 1} = \lim_{n \to +\infty} \frac{-2n - 3}{n + \sqrt{n} + 1} = -2.$$

Donc, d'après le théorème des gendarmes, $\displaystyle\lim_{n \to +\infty} u_n = -2.$

Compléments sur les fonctions

I   RAPPEL : DÉRIVÉE ET SENS DE VARIATION

Théorème : Soit f une fonction dérivable sur un intervalle I.

Si f' est strictement positive sur I, sauf en des valeurs isolées en lesquelles elle s'annule, alors f est strictement croissante sur I.

Si f' est strictement négative sur I, sauf en des valeurs isolées en lesquelles elle s'annule, alors f est strictement décroissante sur I.

II   DÉRIVÉE D'UNE FONCTION DE LA FORME $g(u)$

■ **Théorème 1 :** Soit u une fonction dérivable sur I et à valeurs strictement positives.

Alors $\sqrt{u}$ est dérivable sur I et $(\sqrt{u})' = \dfrac{u'}{2\sqrt{u}}$.

■ **Théorème 2 :** Soit u une fonction dérivable sur I, et n un entier naturel supérieur ou égal à 2.

Alors u^n est dérivable sur I et $(u^n)' = u' \times nu^{n-1}$.

■ **Théorème 3 :** Soit g une fonction dérivable sur un intervalle I, et a et b deux réels fixés.

Alors la fonction $f : x \to g(ax+b)$ est dérivable en tout x tel que $ax+b \in I$ et $f'(x) = ag'(ax+b)$

Ces résultats sont généralisables : soit u une fonction définie et dérivable sur un intervalle I, et g une fonction définie et dérivable en tout $u(x)$, $x \in I$; alors la fonction $f : x \to g(u(x))$ est dérivable sur I et, pour tout $x \in I$:
$$f'(x) = u'(x) \times g'(u(x)).$$

III   CONTINUITÉ

1. Définition et propriétés

■ **Définition**

Soient a un réel et f une fonction définie sur un intervalle I contenant a.

On dit que **f est continue en a** si $\lim\limits_{x \to a} f(x) = f(a)$.

On dit que f est continue sur I si f est continue en tout point de I.

Intuitivement, la continuité de f sur I correspond à l'idée que nous pouvons tracer sur I la courbe représentative de f sans lever le stylo.

EXEMPLE : Les fonctions polynômes, rationnelles, valeur absolue et racine carrée sont continues sur leur ensemble de définition.

■ Si f admet une limite en a^+ et en a^- et si $\lim\limits_{x \to a^+} f(x) = \lim\limits_{x \to a^-} f(x) = l$, alors la

fonction $x \mapsto \begin{cases} f(x) \text{ si } x \ne a \\ l \text{ si } x = a \end{cases}$ est continue en a.

■ La somme, le produit, le quotient, la composée de fonctions continues est continue.

2. Un exemple de fonction non continue : la fonction partie entière

Pour tout $x \in \mathbb{R}$, on appelle partie entière de x l'unique entier n tel que $n \leqslant x < n+1$ et on le note $E(x)$.

Voir l'exercice 12 du chapitre 1.

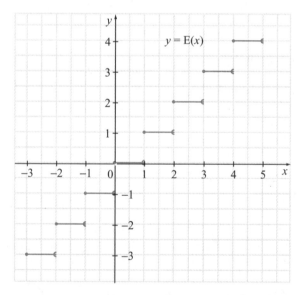

Courbe représentative de la fonction partie entière

La fonction partie entière est discontinue en tout $a \in \mathbb{Z}$ et continue partout ailleurs.

3. Continuité et dérivabilité

Si f est une fonction dérivable en un réel a, alors f est continue en a.

Attention, la réciproque est fausse : les fonctions racine carré et valeur absolue sont continues en 0, mais non dérivables en 0.

4. Théorème des valeurs intermédiaires

■ **Théorème des valeurs intermédiaires** (admis)

Soit f une fonction continue sur $[a\ ;b]$ (où $a < b$), alors, pour tout réel k compris entre $f(a)$ et $f(b)$, il existe au moins un réel $x_0 \in [a\ ;b]$ tel que $f(x_0) = k$.

■ **Corollaire**

Soit f une fonction continue et strictement monotone sur $[a\ ;b]$ (où $a < b$). Alors pour tout réel k compris entre $f(a)$ et $f(b)$, il existe un unique réel $x_0 \in [a\ ;b]$ tel que $f(x_0) = k$.

◢ Le théorème et le corollaire se prolongent à des intervalles de la forme $]a\ ;b[$, $[a\ ;b[$, $]a\ ;b]$, $]-\infty\ ;b]$, $[a\ ;+\infty[$, ... Et on remplace alors $f(a)$, $f(b)$, par les limites de f en a, b, en $-\infty$, en $+\infty$.

Par convention, les flèches obliques dans le tableau de variation d'une fonction f signifient que f est continue et strictement monotone sur les intervalles correspondants : le tableau de variation permet de déduire le nombre de solutions de l'équation $f(x) = k$.

IV FONCTIONS COSINUS ET SINUS

1. Définitions et premières propriétés

■ La fonction **cosinus** est définie sur $\mathbb{R}$ et notée cos ; elle associe à tout réel x l'abscisse du point du cercle trigonométrique ayant pour affixe x.

La fonction **sinus** est définie sur $\mathbb{R}$ et notée sin ; elle associe à tout réel x l'ordonnée du point du cercle trigonométrique ayant pour affixe x.

■ **Propriété 1 :** Pour tout $x \in \mathbb{R}$, $-1 \leqslant \cos(x) \leqslant 1$ et $-1 \leqslant \sin(x) \leqslant 1$.

■ **Propriété 2 :** Pour tout $x \in \mathbb{R}$, $\cos(x + 2\pi) = \cos(x)$ et $\sin(x + 2\pi) = \sin(x)$.

On dit que les fonctions cosinus et sinus sont périodiques, de période 2π.

◢ La courbe représentative sur $\mathbb{R}$ de la fonction cosinus (resp^t de la fonction sinus) se déduit de celle sur $]-\pi\ ;\pi]$ par translations de vecteurs $2k\pi\vec{i}$, $k \in \mathbb{Z}$.

■ **Propriété 3**

Pour tout $x \in \mathbb{R}$, $\cos(-x) = \cos(x)$: on dit que la fonction cosinus est **paire**. Sa courbe représentative est symétrique par rapport à l'axe des ordonnées.

Pour tout $x \in \mathbb{R}$, $\sin(-x) = -\sin(x)$: on dit que la fonction sinus est **impaire**. Sa courbe représentative est symétrique par rapport à l'origine O du repère.

2. Variations et représentations graphiques

■ **Propriété 4 :** La fonction cosinus est dérivable sur $\mathbb{R}$ et, pour tout réel x :
$$\cos'(x) = -\sin(x).$$
La fonction sinus est dérivable sur $\mathbb{R}$ et, pour tout réel x, $\sin'(x) = \cos(x)$.

Compléments sur les fonctions

2

Tableaux de variation sur $]-\pi\,;\pi]$:

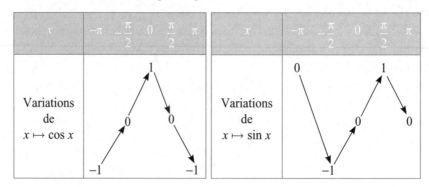

Courbes représentatives

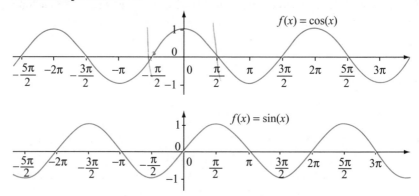

> Les fonctions cosinus et sinus n'admettent pas de limite en $+\infty$ ni en $-\infty$.

3. Autres propriétés

■ **Propriété 5 :** $\lim\limits_{x\to 0}\dfrac{\sin x}{x}=1$.

> Ce résultat provient de la définition de la dérivabilité en 0 de la fonction sinus.

■ **Fonctions de la forme $\cos(u)$**

Soit u une fonction définie et dérivable sur un intervalle I. Alors la fonction $\cos(u) : x \mapsto \cos(u(x))$ est définie et dérivable sur I et $(\cos(u))' = -u' \times \sin(u)$.

■ **Fonctions de la forme $\sin(u)$**

Soit u une fonction définie et dérivable sur un intervalle I.

Alors la fonction $\sin(u) : x \mapsto \sin(u(x))$ est définie et dérivable sur I et :

$$(\sin(u))' = u' \times \cos(u).$$

SAVOIR-FAIRE

1. Étudier les variations d'une fonction de la forme $f(u)$

On reconnaît la forme $f(u)$, puis on applique la formule de dérivation sans oublier le facteur u'.

EXEMPLES

a. Étudier les variations de la fonction f définie sur $\mathbb{R}$ par $f(x) = \dfrac{(2x^2 - 1)^3}{2}$.

$f = \dfrac{1}{2} \times u^3$, avec $u : x \to 2x^2 - 1$.

Pour tout $x \in \mathbb{R}$:

$$f'(x) = \frac{1}{2} \times u' \times 3u^2 = \frac{1}{2} \times 4x \times 3(2x^2 - 1)^2 = 6x(2x^2 - 1)^2.$$

$f'(x)$ est du signe de $6x$, c'est-à-dire négative sur $\mathbb{R}^-$ et positive sur $\mathbb{R}^+$.

De plus, $f'(x)$ s'annule en 0, $\dfrac{1}{\sqrt{2}}$ et $-\dfrac{1}{\sqrt{2}}$, qui sont des valeurs isolées.

f est donc strictement décroissante sur $]-\infty\,;\,0]$ et strictement croissante sur $]0\,;\,+\infty[$.

b. Calculer la dérivée sur $]-\infty\,;\,3[$ de $f : x \mapsto (3 - x)\sqrt{3 - x}$. En déduire les variations de f sur $]-\infty\,;\,3]$.

$f(x) = g(3 - x) = g(ax + b)$ avec $a = -1$, $b = 3$ et $g : t \to t\sqrt{t}$.

Or $g'(t) = \sqrt{t} + \dfrac{t}{2\sqrt{t}} = \dfrac{3}{2}\sqrt{t}$. Donc, pour tout $x \in\,]0\,;\,3[$:

$$f'(x) = a \times g'(ax + b) = (-1) \times \frac{3}{2}\sqrt{3 - x} = -\frac{3}{2}\sqrt{3 - x} < 0.$$

Donc f est strictement décroissante sur $]-\infty\,;\,3]$.

2. Rédiger et appliquer le corollaire du théorème des valeurs intermédiaires

Après avoir montré chacun des points, rédiger selon le schéma suivant, qui montre que l'on a bien toutes les hypothèses du corollaire du théorème des valeurs intermédiaires.

- f est continue et strictement *croissante/décroissante* sur l'intervalle … ; …
- k est compris entre… et … *(valeur ou limite)*.

Donc, d'après le corollaire du théorème des valeurs intermédiaires, l'équation $f(x) = k$ admet une unique solution … sur l'intervalle … ; …

Compléments sur les fonctions

EXEMPLE : Soit f la fonction définie sur $]-\infty\,;3]$ par $f(x)=(3-x)\sqrt{3-x}$.

Montrer que l'équation $f(x)=5$ admet une unique solution sur $]-\infty\,;3]$.

● Calculons tout d'abord la limite en $-\infty$ de f :

$$\begin{cases} \lim\limits_{x\to-\infty}(3-x)=+\infty \\ \lim\limits_{X\to+\infty} X\sqrt{X}=+\infty \end{cases}, \qquad \text{donc}\quad \lim\limits_{x\to-\infty} f(x)=+\infty.$$

● f est continue et strictement décroissante sur l'intervalle $]-\infty\,;3]$.

● 5 est compris entre $f(3)=0$ et $\lim\limits_{x\to-\infty} f(x)=+\infty$.

Donc, d'après le corollaire du théorème des valeurs intermédiaires, **l'équation $f(x)=5$ admet une unique solution sur l'intervalle $]-\infty\,;3]$.**

3. Déduire d'un tableau de variation le nombre de solutions de l'équation $f(x)=k$

Considérer séparément chacun des intervalles sur lesquels f est strictement monotone.

EXEMPLE : Soit f une fonction définie sur $\mathbb{R}$ dont on connaît le tableau de variation.

Déterminer le nombre de solutions de l'équation $f(x)=0$.

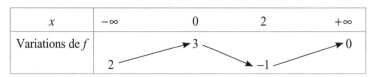

D'après le tableau de variation, l'équation $f(x)=0$ admet :

● aucune solution sur $]-\infty\,;0]$ (puisque 0 n'est pas compris entre 2 et 3) ;

● une unique solution sur $]0\,;2]$ (puisque $-1<0<3$) ;

● aucune solution sur $[2\,;+\infty[$, f étant strictement croissante sur cet intervalle et ayant pour limite 0, nécessairement f est strictement négative sur $[2\,;+\infty[$.

L'équation $f(x)=0$ admet donc une unique solution sur $\mathbb{R}$.

4. Déterminer une valeur approchée à 10^{-2} près de x_0, solution de $f(x)=k$

● Entrer l'expression de $f(x)$ dans la calculatrice.

● Régler le pas en lui donnant la valeur 1. Chercher dans la table l'entier n_0 tel que $f(n_0)<k<f(n_0+1)$.

● Régler le pas à 0,1 et prendre comme valeur de départ de la table $x=n_0$.

Lire dans la table un encadrement à 10^{-1} près de x_0 $(a < x_0 < b)$.

● Régler le pas à 10^{-2} et prendre comme valeur de départ de la table $x = a$.
Lire dans la table un encadrement à 10^{-2} près de x_0.

EXEMPLE : (Suite de l'exemple du Savoir Faire 2)

La fonction f est définie sur $]-\infty\,;\,3]$ par $f(x) = (3-x)\sqrt{3-x}$. Déterminer un encadrement à 10^{-2} près de l'unique solution x_0 de l'équation $f(x) = 5$.

Pas de 1 :

X	Y_1
0	5,19615
1	2,82842

Donc $0 < x_0 < 1$.

Pas de 0,1 :

X	Y_1
0	5,19615242
0,1	4,93852205

Donc $0 < x_0 < 0,1$.

Pas de 0,01 :

X	Y_1
0,07	5,01535213
0,08	4,98969819

Donc $0,07 < x_0 < 0,08$.

5. Déterminer la limite en $\pm\infty$ d'une fonction de la forme $f(\cos(x))$ ou $f(\sin(x))$

On ne peut appliquer le résultat sur les compositions de limites, puisque ni cos ni sin n'admettent de limite à l'infini. L'idée est donc d'encadrer $\cos(x)$ ou $\sin(x)$ à l'aide de la propriété 1. du **IV 1.**, puis d'appliquer si possible le théorème des gendarmes.

EXEMPLE : Déterminer la limite en $+\infty$ de la fonction f définie sur $[0\,;\,+\infty[$ par $f(x) = \dfrac{\sin(x)}{x}$.

Pour tout $x > 0$, $-1 \leqslant \sin(x) \leqslant 1$.

Donc (multiplication par $\dfrac{1}{x} > 0$) :

$$\frac{-1}{x} \leqslant f(x) \leqslant \frac{1}{x}.$$

$\lim\limits_{x \to +\infty} \dfrac{-1}{x} = \lim\limits_{x \to +\infty} \dfrac{1}{x} = 0$. Donc, d'après le théorème des gendarmes :

$$\lim_{x \to +\infty} f(x) = 0.$$

EXERCICES D'APPLICATION

1 DÉFINITON DE LA CONTINUITÉ | ★ | 10 min | ▸P. 57 |

1. Soit f la fonction définie sur $\mathbb{R}$ par $f(x) = \begin{cases} \dfrac{x^2 - 4}{x + 2} & \text{si } x \neq -2 \\ -4 \text{ si } x = -2 \end{cases}$

Étudier la continuité de la fonction f en -2.

- On pourra transformer l'écriture de $f(x)$ lorsque $x \neq -2$.
- Voir le cours, IV 3.

2. Soit g la fonction définie sur $[-1 \,;\, 1]$ par $g(x) = \begin{cases} 1 \text{ si } x = 0 \\ \dfrac{\sin(x)}{x} & \text{si } x \neq 0 \end{cases}$

Montrer que g est continue en 0.

2 CONTINUITÉ ET ENCADREMENT | ★ | 10 min | ▸P. 57 |

Soit h la fonction définie sur $\mathbb{R}$ par $h(x) = \begin{cases} x\sin\left(\dfrac{1}{x}\right) & \text{si } x \neq 0 \\ 0 \text{ si } x = 0 \end{cases}$,

1. Démontrer que, pour tout $x > 0$, $-x \leqslant h(x) \leqslant x$. En déduire la limite de h en 0^+.

2. Démontrer que, pour tout $x < 0$, $-x \geqslant h(x) \geqslant x$ et en déduire la limite de h en 0^-.

3. Montrer alors que h est continue en 0.

Voir le cours, III.1.

3 LIMITES | ★★ | 30 min | ▸P. 57 |

1. Déterminer la limite en α de chacune des suites ou fonctions suivantes :

a. $u_n = \cos\left(\dfrac{1}{n}\right)$ et $\alpha = +\infty$.

b. $f(x) = \dfrac{x^2 + 3}{x^2 + 3 + |\cos(x)|}$ et $\alpha = -\infty$.

c. $v_n = n^2 - 3\cos(n)$ et $\alpha = +\infty$.

d. $g(x) = \dfrac{1}{\sin(x)}$ et $\alpha = 0^-$.

Pour les 1.b. et 1.c., voir le savoir-faire 5.

2. Soit h la fonction définie sur $\left]-\dfrac{\pi}{2} \; ; \; \dfrac{\pi}{2}\right[$ par $h(x) = \dfrac{\sin(x)}{\cos(x)}$.

Déterminer les limites de h aux bornes de son ensemble de définition.

h est la restriction de la fonction tangente à l'intervalle $\left]-\dfrac{\pi}{2} \; ; \; \dfrac{\pi}{2}\right[$.

4 **ALGORITHME : RACINES CUBIQUES** | ★★ | **35 min** | ▸ P. 58

Notons f la fonction cube définie sur $\mathbb{R}$.

1. Justifier que f est continue et strictement monotone sur $\mathbb{R}$

2. Soit k un réel. Montrer que l'équation $x^3 = k$ admet une unique solution x_0 sur $\mathbb{R}$.

3. Donner la solution de chacune des équations :

$$x^3 = 1, \quad x^3 = 0, \quad x^3 = -1, \quad x^3 = 27, \quad x^3 = -8, \quad x^3 = 125.$$

4. Écrire un algorithme associant à un réel k positif :
- la valeur de x_0 si x_0 est un entier ;
- un encadrement à l'unité de x_0 sinon.

Utiliser la boucle « Tant que ».

5. Écrire un algorithme associant à un réel k positif un encadrement au dixième de x_0.

On ne traite pas ici le cas k négatif, mais, comme la fonction cube est impaire, si l'algorithme appliqué à $|k| = -k$ donne $a \leqslant |k| \leqslant b$, alors $-b \leqslant k \leqslant -a$.

5 **THÉORÈME DES VALEURS INTERMÉDIAIRES ET TABLEAU DE VARIATION** | ★ | **25 min** | ▸ P. 60

Soit f une fonction définie sur $\mathbb{R}$ dont voici le tableau de variation :

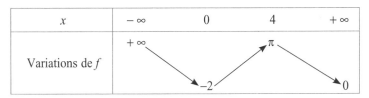

x	$-\infty$		0		4		$+\infty$
Variations de f	$+\infty$	↘	-2	↗	π	↘	0

1. Déterminer, en justifiant, le nombre de solutions :

a. de l'équation $f(x) = 4$;

b. de l'équation $f(x) = -2$.

Voir le savoir-faire 3.

2. Sans justification, donner le nombre de solutions de l'équation $f(x) = m$ selon les valeurs du réel m.

6 THÉORÈME DES VALEURS INTERMÉDIAIRES | ★ | **20 min** | ▸P. **60**

Soit f la fonction définie sur $[0 ; +\infty[$ par $f(x) = 2(x - 6) + \sin(x)$.

1. Étudier les variations de f
2. Déterminer la limite de f en $+\infty$.
3. Déterminer le nombre de solutions de l'équation $f(x) = 0$.

Voir le savoir-faire 2.

4. Donner une valeur approchée à 10^{-2} près de(s) antécédent(s) de 0 par f.

Voir le savoir-faire 4.

7 FONCTIONS COMPOSÉES | ★★ | **35 min** | ▸P. **61**

1. Étudier le sens de variation de chacune des fonctions définies ci-dessous :

Voir le savoir-faire 1.

a. f est définie sur $[2,5 ; +\infty[$ par $f(x) = \sqrt{2x - 5}$.

b. g est définie sur $[0 ; +\infty[$ par $g(x) = (2\sqrt{x} - 1)^5$.

c. h est définie sur $\mathbb{R}$ par $h(x) = \sqrt{3x^2 + 1}$.

d. k est définie sur $\left[\dfrac{2}{\pi} ; +\infty\right[$ par $k(x) = \sin\dfrac{1}{x}$.

On sera amené à étudier le signe de $\cos(x)$ sur $\left]0 ; \dfrac{\pi}{2}\right]$.

2. Soit f la fonction définie sur $\left[0 ; \dfrac{\pi}{2}\right]$ par $f(x) = \cos\left(\dfrac{\pi}{2} - 4x\right)$.

a. Calculer $f'(x)$ pour $x \in \left[0 ; \dfrac{\pi}{2}\right]$.

b. Résoudre sur $\left[0 ; \dfrac{\pi}{2}\right]$ l'équation $\sin\left(\dfrac{\pi}{2} - 4x\right) = 0$.

Voir programme de 1re S.

c. Recopier et compléter le tableau suivant :

x	0	$\dfrac{\pi}{8}$	$\dfrac{3\pi}{8}$	$\dfrac{\pi}{2}$
$\dfrac{\pi}{2} - 4x$	...	...	...	...
Signe de $\sin\left(\dfrac{\pi}{2} - 4x\right)$				
Signe de $f'(x)$				
Variations de f				

8   FONCTION COMPOSÉE ET COSINUS   ★ | **30 min** | ▸ **P. 62**

Soit f la fonction définie sur $[0\,;\pi]$ par $f(x) = \cos(2x)$.

1. Étude des variations de f

a. Calculer $f'(x)$ pour $x \in [0\,;\pi]$.

b. Résoudre sur $[0\,;\pi]$ l'équation $\sin(2x) = 0$.

 Voir programme de 1re S.

c. Recopier et compléter le tableau suivant :

x	0	$\dfrac{\pi}{2}$	π
$2x$	...	...	...
Signe de $\sin(2x)$			
Signe de $f'(x)$			
Variations de f			

2. Résoudre l'équation $f(x) = 0$.

3. Résoudre l'équation $f(x) = \dfrac{1}{2}$.

4. Déterminer l'équation des tangentes T et T' à $\mathscr{C}_f$ aux points d'abscisses respectives 0 et $\dfrac{\pi}{2}$.

5. Tracer T, T' et $\mathscr{C}_f$ dans un repère orthogonal, avec comme échelle en abscisse 1 cm pour $\dfrac{\pi}{6}$.

EXERCICES D'ENTRAÎNEMENT

9 DÉFINITION DE LA CONTINUITÉ ★★ | 15 min | ▶ P. 64

Soit f la fonction définie sur $\mathbb{R}$ par $f(x) = \begin{cases} \dfrac{2x^3 + 7x^2 + 2x - 3}{2x - 1} & \text{si } x \neq \dfrac{1}{2} \\ \alpha \text{ si } x = \dfrac{1}{2} \end{cases}$

1. Déterminer les réels a, b et c tels que, pour tout x réel :

$$2x^3 + 7x^2 + 2x - 3 = (2x - 1)(ax^2 + bx + c).$$

▸ Développer $(2x - 1)(ax^2 + bx + c)$ et regrouper les termes de même degré, puis comparer ses coefficients à ceux de $2x^3 + 7x^2 + 2x - 3$.

2. Pour quelle valeur de α la fonction f est-elle continue sur $\mathbb{R}$?

10 FONCTION CONTINUE NON DÉRIVABLE ★★ | 20 min | ▶ P. 64

Soit f la fonction définie sur $\mathbb{R}$ par $f(x) = \begin{cases} x \sin \dfrac{1}{x} & \text{si } x \neq 0 \\ 0 \text{ si } x = 0 \end{cases}$.

1. Déterminer la limite en $+\infty$ et en $-\infty$ de $\dfrac{\sin X}{X}$.
2. Étudier alors la continuité de f en 0.
3. Étudier la dérivabilité de f en 0.

▸ Voir la remarque en fin de paragraphe IV-2.

4. Visualiser à l'aide d'un logiciel la courbe représentative de la fonction f.

11 ÉTUDE DE FONCTION ET THÉORÈME
DES VALEURS INTERMÉDIAIRES ★★ | 35 min | ▶ P. 66

Soit f la fonction définie sur $]-\infty \;;\; -2[\cup]-2 \;;\; +\infty[$ par :
$$f(x) = \frac{x^3 + x^2 + x + 1}{x + 2}.$$

1. Déterminer les limites de f aux bornes de son ensemble de définition.
2. Calculer $f'(x)$.

3. On note g la fonction définie sur $\mathbb{R}$ par $g(x) = 2x^3 + 7x^2 + 4x + 1$.

a. Étudier les variations de la fonction g et dresser son tableau de variation complet.

b. Montrer que l'équation $g(x) = 0$ admet une solution unique sur $]-\infty \; ; \; -2[$, que l'on notera α. Donner un encadrement de α à 10^{-2} près.

c. L'équation $g(x) = 0$ admet-elle d'autres solutions dans $\mathbb{R}$?

4. Dresser un tableau indiquant, en fonction de x, le signe de $f'(x)$ et les variations de f.

---

12 FONCTION COMPOSÉE $F(u)$ | ★★ | **25 min** | ▸ **P. 67**

On considère la fonction f définie sur $\mathbb{R}$ par $f(x) = \dfrac{1}{2}\left(\sqrt{3x^2 + 4} - x\sqrt{3}\right)$.

1. Déterminer la limite de f en $-\infty$.

2. On veut maintenant déterminer la limite de f en $+\infty$.

> Pour cela, lever l'indétermination en multipliant numérateur et dénominateur par l'expression conjuguée $\left(\sqrt{3x^2 + 4} + x\sqrt{3}\right)$.

3. Écrire $f'(x)$ sous forme d'un quotient.

4. Résoudre dans $[0 \; ; \; +\infty[$ l'inéquation $3x < \sqrt{9x^2 + 12}$.

5. Étudier le signe de $f'(x)$ sur $\mathbb{R}$ et en déduire les variations de f.

---

13 FONCTION $x \rightarrow \sin\dfrac{1}{x}$ | ★★ | **25 min** | ▸ **P. 67**

Soit f la fonction définie sur $\left[\dfrac{1}{2\pi} \; ; \; +\infty\right[$ par $f(x) = \sin\dfrac{1}{x}$.

1. Déterminer la limite de f en $+\infty$.

2. Calculer $f'(x)$ pour $x \geqslant \dfrac{1}{2\pi}$.

3. Étudier le signe de $f'(x)$ sur chacun des intervalles $\left[\dfrac{1}{2\pi} \; ; \; \dfrac{2}{3\pi}\right[$, $\left]\dfrac{2}{3\pi} \; ; \; \dfrac{2}{\pi}\right[$ et $\left]\dfrac{2}{\pi} \; ; \; +\infty\right[$.

> Pour chaque cas, on doit se poser les questions suivantes : À quel intervalle appartient $\dfrac{1}{x}$? Quel est le signe de la fonction sinus sur cet intervalle ?

4. Dresser le tableau de variation complet de f.

EXERCICES D'APPROFONDISSEMENT

14 ALGORITHME DICHOTOMIE | ★★ | 45 min | ▶ P. 68 |

Ici, f désigne une fonction strictement croissante sur $\mathbb{R}$ et vérifiant :

$$\begin{cases} \lim\limits_{x \to -\infty} f(x) = -\infty \\ \lim\limits_{x \to +\infty} f(x) = +\infty \end{cases}.$$

Nous allons créer un algorithme associant à une telle fonction f l'unique solution (notée x_0) sur $\mathbb{R}$ de l'équation $f(x) = 0$. Cet algorithme procède « par dichotomie », de la manière suivante.

Admettons que l'on connaisse deux réels a_0 et b_0 tels que $f(a_0) < 0$ et $f(b_0) > 0$. On sait, d'après le corollaire du théorème des valeurs intermédiaires, que $x_0 \in [a_0 \,;\, b_0]$.

1re étape : On veut situer x_0 par rapport au centre $c_0 = \dfrac{a_0 + b_0}{2}$ de l'intervalle $[a_0 \,;\, b_0]$.

x	a_0	$c_0 = \dfrac{a_0 + b_0}{2}$	b_0
Variations de f	$f(a_0)$	↗	$f(b_0)$

Si $f(c_0) < 0$, nécessairement $x_0 \in [c_0 \,;\, b_0]$. On pose alors $a_1 = c_0$ et $b_1 = b_0$;

si $f(c_0) > 0$, nécessairement $x_0 \in [a_0 \,;\, c_0]$. On pose alors $a_1 = a_0$ et $b_1 = c_0$.

Alors $x_0 \in [a_1 \,;\, b_1]$.

2e étape : On veut situer x_0 par rapport au centre $c_1 = \dfrac{a_1 + b_1}{2}$ de l'intervalle $[a_1 \,;\, b_1]$.

Si $f(c_1) < 0$, nécessairement $x_0 \in [c_1 \,;\, b_1]$. On pose alors $a_2 = c_1$ et $b_2 = b_1$;

si $f(c_0) > 0$, nécessairement $x_0 \in [a_1 \,;\, c_1]$. On pose alors $a_2 = a_1$ et $b_2 = c_1$.

Alors $x_0 \in [a_2 \,;\, b_2]$.

On continue jusqu'à obtenir un encadrement à la précision souhaitée. Dès que $b_n - a_n \leqslant \varepsilon$, on s'arrête : l'encadrement $a_n \leqslant x_0 \leqslant b_n$ obtenu est bien un encadrement à ε près.

1. Soit f la fonction définie sur $\mathbb{R}$ par $f(x) = x^3 + x - 17$.

a. Vérifier que f est strictement croissante sur $\mathbb{R}$ et que $\lim\limits_{x \to -\infty} f(x) = -\infty$ et $\lim\limits_{x \to +\infty} f(x) = +\infty$.

b. Calculer $f(0)$ et $f(5)$. On pose $a_0 = 0$ et $b_0 = 5$.

c. Déterminer l'intervalle $[a_1 \, ; \, b_1]$.

d. Continuer jusqu'à obtenir un encadrement à 0,2 près de x_0.

2. Dans Algobox, entrer la fonction $f (= F_1)$. Écrire un algorithme qui, aux réels a et b, associe un encadrement à 10^{-2} près de x_0.

 a, b et c prendront successivement les valeurs a_0, b_0, c_0 ; a_1, b_1, c_1 ...

3. Tester l'algorithme avec la fonction $F_1 = g \mapsto \dfrac{x^3}{3} + \dfrac{x^2}{2} + x - 5$ avec $a = 0$ et $b = 10$.

15 AVEC DES VALEURS ABSOLUES ★★★ | **60 min** | ▶ **P. 70**

Soit l'application f de $\mathbb{R}$ dans $\mathbb{R}$ définie par $f(x) = \sqrt{\left| x^2 - 6x + 5 \right|}$, et soit $\mathscr{C}_f$ sa courbe représentative dans un plan rapporté à un repère orthonormé $(O \, ; \, \vec{i} \, ; \, \vec{j})$. On appelle A et B les points de $\mathscr{C}_f$ d'abscisses respectives 1 et 5.

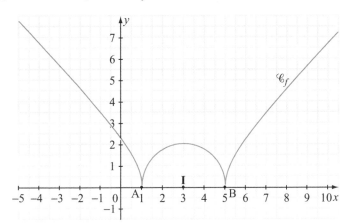

1. Étudier, suivant les valeurs de x, le signe du polynôme $x^2 - 6x + 5$ et l'expression de $f(x)$ sans le symbole « valeur absolue ».

2. Déterminer la limite de f en $+\infty$ et en $-\infty$.

3. Étudier la continuité de f en 1 et en 5.

4. a. Calculer la limite en 5^+ de $\dfrac{f(x) - f(5)}{x - 5}$. f est-elle dérivable en 5 ?

b. Calculer la limite en 1^- de $\dfrac{f(x) - f(1)}{x - 1}$. f est-elle dérivable en 1 ?

 Utiliser la forme factorisée de $x^2 - 6x + 5$ et regarder le signe de chaque facteur.

5. Étudier les variations de f.

6. Soit I le point de coordonnées $(3 ; 0)$. Démontrer que pour tout x appartenant à l'intervalle $[1 ; 5]$, le point M de coordonnées $(x ; f(x))$ est à une distance constante de I.

En déduire la nature géométrique de $\mathscr{C}_f$ lorsque $1 \leqslant x \leqslant 5$.

16 FONCTION TANGENTE | ★★★ | 45 min | ▶ P. 72

La fonction tangente est la fonction qui à x associe $\tan(x) = \dfrac{\sin(x)}{\cos(x)}$.

1. Résoudre dans $\mathbb{R}$ l'équation $\cos(x) = 0$.

2. En déduire l'ensemble de définition $D_{\tan}$ de la fonction tangente.

3. Montrer que la fonction tan est π- périodique, c'est-à-dire que pour tout $x \in D_{\tan}$, $\tan(x + \pi) = \tan(x)$. En déduire qu'il suffit d'étudier la fonction tangente sur $\left] -\dfrac{\pi}{2} ; \dfrac{\pi}{2} \right[$.

▷ Voir un chapitre de trigonométrie de 1ʳᵉ S.

4. Déterminer la limite de $\tan(x)$ aux bornes de l'intervalle $\left] -\dfrac{\pi}{2} ; \dfrac{\pi}{2} \right[$.

5. Démontrer que, pour tout $x \in \left] -\dfrac{\pi}{2} ; \dfrac{\pi}{2} \right[$, $\tan'(x) = \dfrac{1}{\cos^2(x)} = 1 + \tan^2(x)$.
En déduire les variations de la fonction tangente.

6. Déterminer les valeurs de $\tan(0)$, $\tan\left(\dfrac{\pi}{4}\right)$ et $\tan\left(-\dfrac{\pi}{4}\right)$.

7. Tracer la courbe représentative de tan dans un repère orthogonal $(O ; \vec{i} ; \vec{j})$.

(On tracera la courbe sur $\left] -\dfrac{3\pi}{2} ; \dfrac{3\pi}{2} \right[$).

CONTRÔLE

17 QCM | ★★ | 20 min | ▶ P. 74

1. La dérivée de $x \mapsto \sqrt{x^2 + 1}$ est :

a. $\dfrac{1}{\sqrt{x^2 + 1}}$;
b. $\dfrac{x}{\sqrt{x^2 + 1}}$;
c. $\dfrac{2x}{\sqrt{x^2 + 1}}$;
d. $\dfrac{1}{2\sqrt{x^2 + 1}}$.

2. Soit f une fonction continue sur $[2 ; 5]$ et telle que $f(2) = 3$ et $f(5) = -1$.
L'équation $f(x) = 0$ admet :

a. aucune solution ;
b. une seule solution ;
c. au moins une solution ;
d. au plus une solution.

3. La fonction cosinus :

a. est croissante sur $\left[0 ; \dfrac{\pi}{2}\right]$;   **b.** est décroissante sur $\left[-\dfrac{\pi}{2} ; \dfrac{\pi}{2}\right]$;

c. admet un maximum en $\dfrac{\pi}{2}$;   **d.** est décroissante sur $[0 ; \pi]$.

4. La fonction $x \mapsto \dfrac{\cos(x) - 1}{x}$ a pour limite, quand x tend vers 0 :

a. 1 ;   **b.** 0 ;   **c.** $+\infty$;   **d.** $-\infty$.

18 ÉTUDE D'UNE FONCTION $|$ ★★ $|$ **60 min** $|$ ▶**P. 74** $|$

Soit f la fonction définie sur $\mathbb{R}$ par $f(x) = \dfrac{x^3 - 4}{x^2 + 1}$.

Partie A. Étude d'une fonction auxiliaire

Soit g la fonction définie sur $\mathbb{R}$ par $g(x) = x^3 + 3x + 8$.

1. Étudier les variations de g.

2. Démontrer que l'équation $g(x) = 0$ admet une unique solution α dont on donnera un encadrement d'amplitude 10^{-2}.

3. Déterminer le signe de $g(x)$ suivant les valeurs de x.

Partie B. Étude de f

1. Étudier les variations de f.

2. Démontrer que $\dfrac{f(\alpha)}{\alpha} = \dfrac{3}{2}$. En déduire un encadrement de $f(\alpha)$.

 À partir de l'égalité $g(\alpha) = 0$, exprimer α^3 en fonction de α et reporter dans l'expression de $\dfrac{f(\alpha)}{\alpha}$.

3. On note ($\mathscr{C}$) la courbe représentative de f dans un repère orthonormal $(O ; \vec{i} ; \vec{j})$.

a. Déterminer l'équation réduite de la tangente (T) à la courbe représentative ($\mathscr{C}$) de f au point d'abscisse 0.

b. Préciser les positions relatives de ($\mathscr{C}$) et de (T).

c. Tracer ($\mathscr{C}$) et (T) (unité graphique 1cm).

CONTRÔLE

19 QUESTION DE COURS $|$ ★★ $|$ **20 min** $|$ ▶**P. 75** $|$

L'objet de cet exercice est de démontrer que toute fonction dérivable en un réel a est continue en a.

Soit I un intervalle contenant a ou dont a est une borne, et soit f une fonction définie sur I et dérivable en a.

1. Rappeler la définition de la dérivabilité de f en a.

2. Notons g la fonction définie sur $I \setminus \{a\}$ par $g(x) = \dfrac{f(x) - f(a)}{x - a}$.

a. Soit x un réel tel que $x \in I$ et $x \neq a$. Exprimer $f(x)$ en fonction de x, a et g.

b. Démontrer que f est continue en a.

20 CALCUL D'AIRE

| ★★ | 35 min | ▶ P. 76 |

Le plan orienté est muni d'un repère orthonormé $(O; \vec{i}; \vec{j})$.

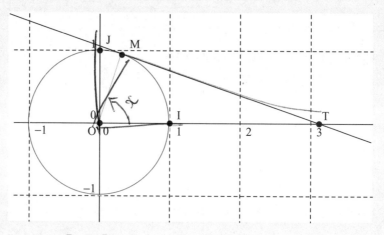

Pour tout $x \in \left[0 \; ; \; \dfrac{\pi}{2}\right[$, on note M le point du cercle trigonométrique d'affixe x, et T le point d'intersection de l'axe des abscisses avec la tangente au cercle en M.

On note $L(x)$ la longueur OT, et $A(x)$ l'aire du triangle OMT.

1. Quel est le signe de $\cos(x)$ et de $\sin(x)$ sur $\left[0 \; ; \; \dfrac{\pi}{2}\right[$?

2. Montrer que $L(x) = \dfrac{1}{\cos(x)}$.

3. Établir que $MT = \dfrac{\sin(x)}{\cos(x)}$ et en déduire l'expression de $A(x)$.

◢ Pour tout réel x, $\sqrt{x^2} = |x|$.

4. Étudier les variations de la fonction $x \mapsto A(x)$ sur $\left[0 \; ; \; \dfrac{\pi}{2}\right[$.

5. Déterminer la limite de $A(x)$ quand x tend vers $\dfrac{\pi}{2}$ par valeurs inférieures.

CORRIGÉS

1 **1.** ◢ Un des moyens d'établir la continuité en a d'une fonction f est de transformer l'écriture de $f(x)$ pour $x \neq a$.

Pour tout $x \neq -2$, $\quad f(x) = \dfrac{(x-2)(x+2)}{x+2} = x - 2$, donc :

$$\lim_{x \to -2} f(x) = \lim_{x \to -2} (x - 2) = -4.$$

$\lim_{x \to -2} f(x) = f(-2)$, donc $\boldsymbol{f}$ **est continue en** $\boldsymbol{-2}$.

2. D'après le cours, $\lim_{x \to 0} \dfrac{\sin(x)}{x} = 1$, donc $\lim_{x \to 0} \dfrac{\sin(x)}{x} = g(0)$.

La fonction g est donc continue en 0.

2 **1.** • Pour tout $x > 0$, $\quad -1 \leqslant \sin\left(\dfrac{1}{x}\right) \leqslant 1$.

Si $x > 0$, $\quad -1 \times x \leqslant \sin\left(\dfrac{1}{x}\right) \times x \leqslant 1 \times x$ soit :

$$-x \leqslant h(x) \leqslant x.$$

• $\lim_{x \to 0^+} x = \lim_{x \to 0^+} (-x) = 0$ donc, d'après le théorème des gendarmes :

$$\lim_{x \to 0^+} h(x) = 0.$$

2. • Pour tout $x < 0$, $\quad -1 \leqslant \sin\left(\dfrac{1}{x}\right) \leqslant 1$.

Si $x > 0$, $\quad -1 \times x \geqslant \sin\left(\dfrac{1}{x}\right) \times x \geqslant 1 \times x$ soit :

$$x \leqslant h(x) \leqslant -x.$$

• $\lim_{x \to 0^-} x = \lim_{x \to 0^-} (-x) = 0$ donc, d'après le théorème des gendarmes :

$$\lim_{x \to 0^-} h(x) = 0.$$

3. On en déduit que $\lim_{x \to 0^-} h(x) = \lim_{x \to 0^+} h(x) = 0$.

Donc h est continue en 0.

3 **1. a.** $\begin{cases} \lim_{n \to +\infty} \dfrac{1}{n} = 0 \\ \lim_{X \to 0} \cos(X) = 1 \end{cases}$, donc, par composition, $\lim_{n \to +\infty} u_n = 1$.

b. Pour tout $x \in \mathbb{R}$, $0 \leqslant |\cos(x)| \leqslant 1$, donc $x^2 + 3 \leqslant x^2 + 3 + |\cos(x)| \leqslant x^2 + 4$, d'où :

$$\frac{1}{x^2 + 4} \leqslant \frac{1}{x^2 + 3 + |\cos(x)|} \leqslant \frac{1}{x^2 + 3}.$$

Donc $\dfrac{x^2 + 3}{x^2 + 4} \leqslant f(x) \leqslant 1$.

$\lim\limits_{x \to -\infty} \dfrac{x^2 + 3}{x^2 + 4} = \lim\limits_{x \to -\infty} \dfrac{x^2}{x^2} = \lim\limits_{x \to -\infty} 1 = 1$. D'après le théorème des gendarmes :

$$\lim\limits_{x \to -\infty} f(x) = 1.$$

c. Pour tout n, $-1 \leqslant \cos(n) \leqslant 1$, donc $3 \geqslant -3\cos(n) \geqslant -3$ (multiplication par $-3 < 0$), donc $n^2 - 3 \leqslant v_n \leqslant n^2 + 3$.

$\begin{cases} \lim\limits_{n \to +\infty} (n^2 - 3) = +\infty \\ \text{pour tout } n, v_n \geqslant n^2 - 3 \end{cases}$ donc, d'après le premier théorème de comparaison :

$$\lim\limits_{n \to +\infty} v_n = +\infty.$$

d. $\begin{cases} \lim\limits_{x \to 0^-} \sin(x) = 0^- \\ \lim\limits_{X \to 0^-} \dfrac{1}{X} = -\infty \end{cases}$, donc $\lim\limits_{x \to 0^-} \mathbf{g}(x) = -\infty$.

2. $\begin{cases} \lim\limits_{x \to -\frac{\pi^+}{2}} \sin(x) = -1 \\ \lim\limits_{x \to -\frac{\pi^+}{2}} \cos(x) = 0^+ \end{cases}$ donc, par quotient, $\lim\limits_{x \to -\frac{\pi^+}{2}} \mathbf{h}(x) = -\infty$.

$\begin{cases} \lim\limits_{x \to \frac{\pi^-}{2}} \sin(x) = 1 \\ \lim\limits_{x \to \frac{\pi^-}{2}} \cos(x) = 0^+ \end{cases}$ donc, par quotient, $\lim\limits_{x \to \frac{\pi^-}{2}} \mathbf{h}(x) = +\infty$.

4 1. f est une fonction polynôme, donc elle est continue et dérivable sur $\mathbb{R}$. Pour tout x réel, $f'(x) = 3x^2$.

f' est positive sur $\mathbb{R}$ et s'annule en 0, **donc f est strictement croissante sur $\mathbb{R}$.**
2. Soit k un réel.
• f est continue et strictement croissante sur $\mathbb{R}$.
• k est compris entre $\lim\limits_{x \to -\infty} f(x) = -\infty$ et $\lim\limits_{x \to +\infty} f(x) = +\infty$.

Donc, d'après le corollaire du théorème des valeurs intermédiaires, **l'équation $x^3 = k$ admet une unique solution x_0 sur $\mathbb{R}$.**

3. $x^3 = 1 \Leftrightarrow x = 1$, $\qquad x^3 = 0 \Leftrightarrow x = 0$, $\qquad x^3 = -1 \Leftrightarrow x = -1$,
$x^3 = 27 \Leftrightarrow x = 3$, $\qquad x^3 = -8 \Leftrightarrow x = -2$, $\qquad x^3 = 125 \Leftrightarrow x = 5$.

4.
```
VARIABLES
    k EST_DU_TYPE NOMBRE
    a EST_DU_TYPE NOMBRE
    b EST_DU_TYPE NOMBRE
DEBUT_ALGORITHME
    LIRE K
    b PREND_LA_VALEUR 0
    SI (k > = 0) ALORS
        DEBUT_SI
        TANT_QUE (pow(b,3)<k) FAIRE
            DEBUT_TANT_QUE
            b PREND_LA_VALEUR b+1
            FIN_TANT_QUE
        a PREND_LA_VALEUR b-1
        SI (pow(b,3)==k) ALORS
            DEBUT_SI
            AFFICHER "X0 = "
            AFFICHER b
            FIN_SI
            SINON
                DEBUT_SINON
                AFFICHER "x0 est compris entre"
                AFFICHER a
                AFFICHER "et "
                AFFICHER b
                FIN_SINON
    FIN_SI
FIN_ALGORITHME
```

5.
```
VARIABLES
    k EST_DU_TYPE NOMBRE
    b EST_DU_TYPE NOMBRE
    a EST_DU_TYPE NOMBRE
DEBUT_ALGORITHME
    LIRE K
    b PREND_LA_VALEUR 0
    SI (k>=0) ALORS
        DEBUT_SI
        TANT_QUE (pow(b,3)<k)FAIRE
            DEBUT_TANT_QUE
            b PREND_LA_VALEUR b+1
            FIN_TANT_QUE
        a PREND_LA_VALEUR b-1
        SI (pow(b,3)==k) ALORS
            DEBUT_SI
            AFFICHER "x0 ="
            AFFICHER b
            FIN_SI
            SINON
                DEBUT_SINON
                b PREND_LA_VALEUR a
                TANT_QUE (pow(b,3)<k) FAIRE
                    DEBUT_TANT_QUE
                    b PREND_LA_VALEUR b+0.1
                    FIN_TANT_QUE
                a PREND_LA_VALEUR b-0.1
                AFFICHER "x0 est compris entre"
                AFFICHER a
                AFFICHER "et"
                AFFICHER b
                FIN_SINON
    FIN_SI
FIN_ALGORITHME
```

Le logiciel Algobox n'est pas capable de tester correctement une égalité du style « si $b^3 = k$ alors... » s'il s'agit de décimaux. On doit donc se contenter ici d'inégalités larges pour l'encadrement de x_0.

5 1. a. D'après le tableau de variation, l'équation $f(x) = 4$ admet :
une unique solution sur $]-\infty\,;\,0]$, puisque $4 \in [-2\,;\,+\infty[$;
aucune solution sur $[0\,;\,+\infty[$, puisque 4 est strictement supérieur au maximum π.
L'équation $f(x) = 4$ admet une unique solution sur $\mathbb{R}$.
b. D'après le tableau de variation, l'équation $f(x) = -2$ admet :
une unique solution sur $]-\infty\,;\,4]$, puisque -2 est le minimum de f sur cet intervalle et n'est atteint qu'une fois ;
aucune solution sur $[4\,;\,+\infty[$, car $-2 \notin\,]0\,;\,\pi]$.
Donc l'équation $f(x) = -2$ admet une unique solution sur $\mathbb{R}$.
2. L'équation $f(x) = m$ admet :
• **aucune solution si $m < -2$;**
• **une solution si $m = -2$;**
• **deux solutions si $m \in\,]-2\,;\,0]$;**
• **trois solutions si $m \in\,]0\,;\,\pi[$;**
• **deux solutions si $m = \pi$;**
• **une solution si $m > \pi$.**

6 1. Pour tout $x \geqslant 0$, $f'(x) = 2 + \cos(x) \geqslant 1$ car $\cos(x) \geqslant -1$.
Donc f' est strictement positive sur $\mathbb{R}^+$, donc f **est strictement croissante sur $\mathbb{R}^+$.**

2. Pour tout $x \geqslant 0$, $\sin(x) \geqslant -1$ donc $f(x) \geqslant 2(x - 6) - 1 \geqslant 2x - 13$.
De plus, $\lim\limits_{x \to +\infty} (2x - 13) = +\infty$. Donc, d'après le premier théorème de comparaison,

$$\lim\limits_{x \to +\infty} f(x) = +\infty.$$

Voir le chapitre 1, premier théorème de comparaison.

3. • f est continue et strictement croissante sur $[0\,;\,+\infty[$;
• 0 est compris entre $f(0) = -12$ et $\lim\limits_{x \to +\infty} f(x) = +\infty$.
Donc, d'après le corollaire du théorème des valeurs intermédiaires, **l'équation $f(x) = 0$ admet une unique solution sur $\mathbb{R}^+$.**

4.

X	Y1
6,08	−0,04179013
6,09	−0,01198592
6,1	0,0178375
6,11	0,04767912

0 est compris entre $f(6,09) \approx -0,01$ et $f(6,1) \approx 0,02$, donc un encadrement à 10^{-2} de l'unique antécédent x_0 de 0 par f est :

$$6,09 < x_0 < 6,1.$$

7 **1. a.** f est de la forme $g(ax+b)$ avec $g : x \mapsto \sqrt{x}$ et $a = 2$ et $b = -5$.
Donc, pour tout $x > 2,5$:

$$f'(x) = 2 \times g'(2x-5) = 2 \times \frac{1}{2\sqrt{2x-5}} = \frac{1}{\sqrt{2x-5}} > 0.$$

Donc f est strictement croissante sur $[2,5 ; +\infty[$.

◢ On peut aussi écrire $f = \sqrt{u}$ avec $u : x \to 2x - 5$. (Voir le cours, théorème 1).

b. g est de la forme u^5 avec $u : x \mapsto 2\sqrt{x} - 1$.
Donc $g' = u' \times 5u^4$ soit, pour tout $x > 0$:

$$g'(x) = \left(2 \times \frac{1}{2\sqrt{x}}\right) \times 5\left(2\sqrt{x}-1\right)^4 = \frac{5}{\sqrt{x}} \times \left(2\sqrt{x}-1\right)^4 \geqslant 0.$$

De plus, g' s'annule lorsque $\sqrt{x} = \dfrac{1}{2}$, c'est-à-dire pour $x = \dfrac{1}{4}$ (valeur isolée).
Donc g est strictement croissante sur $[0 ; +\infty[$.

c. h est de la forme $\sqrt{u}$ avec $u : x \mapsto 3x^2 + 1$ donc $h' = \dfrac{u'}{2\sqrt{u}}$.

Pour tout $x \in \mathbb{R}$, $\quad h'(x) = \dfrac{6x}{2\sqrt{3x^2+1}} = \dfrac{3x}{\sqrt{3x^2+1}} \begin{cases} > 0 \text{ si } x > 0 \\ < 0 \text{ si } x < 0 \end{cases}$

Donc h est strictement décroissante sur $]-\infty ; 0[$ et strictement croissante sur $[0 ; +\infty[$.

d. k est de la forme $\sin(u)$ avec $u : x \mapsto \dfrac{1}{x}$ donc $k' = u' \times \cos(u)$.

Pour tout $x \geqslant \dfrac{2}{\pi}$, $k'(x) = -\dfrac{1}{x^2} \times \cos\left(\dfrac{1}{x}\right)$.

Or $x \geqslant \dfrac{2}{\pi} \Rightarrow 0 < \dfrac{1}{x} \leqslant \dfrac{\pi}{2}$. La fonction cosinus est strictement positive sur $\left]0 ; \dfrac{\pi}{2}\right[$
et nulle en $\dfrac{\pi}{2}$.

Donc $\cos\left(\dfrac{1}{x}\right) > 0$ sur $\left]\dfrac{2}{\pi} ; +\infty\right[$ et $k'(x) < 0$ sur $\left]\dfrac{2}{\pi} ; +\infty\right[$.

Donc k est strictement décroissante sur $\left[\dfrac{2}{\pi} ; +\infty\right[$.

2. a. f est de la forme $\cos(u)$ avec $u : x \mapsto \dfrac{\pi}{2} - 4x$ donc $f' = u' \times (-\sin u)$.

Pour tout $x \in \left[0 \, ; \dfrac{\pi}{2}\right]$, $f'(x) = (-4) \times \left(-\sin\left(\dfrac{\pi}{2} - 4x\right)\right)$ soit :

$$f'(x) = 4\sin\left(\dfrac{\pi}{2} - 4x\right).$$

b. Soit $x \in \left[0 \, ; \dfrac{\pi}{2}\right]$:

$$\sin\left(\dfrac{\pi}{2} - 4x\right) = 0 \Leftrightarrow \dfrac{\pi}{2} - 4x = 0 + k\pi \ (k \in \mathbb{Z})$$

$$\Leftrightarrow 4x = \dfrac{\pi}{2} - k\pi \ (k \in \mathbb{Z})$$

$$\Leftrightarrow x = \dfrac{\pi}{8} - k\dfrac{\pi}{4} \ (k \in \mathbb{Z})$$

$$\Leftrightarrow \left(x = \dfrac{\pi}{8} \ \text{ou} \ x = \dfrac{\pi}{8} + \dfrac{\pi}{4} = \dfrac{3\pi}{8}\right) \text{car } x \in \left[0 \, ; \dfrac{\pi}{2}\right].$$

c.

x	0		$\dfrac{\pi}{8}$		$\dfrac{3\pi}{8}$		$\dfrac{\pi}{2}$
$\dfrac{\pi}{2} - 4x$	$\dfrac{\pi}{2}$		0		$-\pi$		$-\dfrac{3\pi}{2}$
Signe de $\left(\dfrac{\pi}{2} - 4x\right)$		$+$	0	$-$	0	$+$	
Signe de $f'(x) = 4\sin\left(\dfrac{\pi}{2} - 4x\right)$		$+$	0	$-$	0	$+$	
Variations de f	0		1		-1		0

Les valeurs de $\dfrac{\pi}{2} - 4x$ décroissent.

8 **1. a.** f est de la forme $\cos(u)$ avec $u : x \mapsto 2x$. Donc $f' = u' \times (-\sin u)$.
Pour tout $x \in [0 \, ; \pi]$, $f'(x) = -2\sin(2x)$.

On peut aussi considérer $f(x) = \cos(ax + b)$ avec $a = 2$ et $b = 0$ (cf cours, II, théorème 3).

b. Soit $x \in [0 \, ; \pi]$:

$$\sin(2x) = 0 \Leftrightarrow 2x = 0 + k\pi \ (k \in \mathbb{Z})$$

$$\Leftrightarrow x = 0 + k\frac{\pi}{2} \ (k \in \mathbb{Z})$$

$$\mathbf{\sin(2x) = 0 \Leftrightarrow \left(x = 0 \ \textbf{ou} \ x = \frac{\pi}{2} \ \textbf{ou} \ x = \pi \right)} \ \text{car} \ x \in [0 \, ; \pi].$$

c.

x	0		$\dfrac{\pi}{2}$		π
$2x$	0		π		2π
Signe de $\sin(2x)$	0	+	0	−	0
Signe de $f'(x) = -2\sin(2x)$	0	−	0	+	0
Variations de f	1	↘	−1	↗	1

2. $f(x) = 0 \Leftrightarrow \cos(2x) = 0 \Leftrightarrow \left(2x = \dfrac{\pi}{2} \ \text{ou} \ 2x = \dfrac{3\pi}{2} \right)$ (car $2x$ décrit $[0 \, ; 2\pi]$)

$$\mathbf{f(x) = 0 \Leftrightarrow \left(x = \frac{\pi}{4} \ \textbf{ou} \ x = \frac{3\pi}{4} \right).}$$

3. $f(x) = \dfrac{1}{2} \Leftrightarrow \cos(2x) = \dfrac{1}{2} \Leftrightarrow \cos(2x) = \cos\dfrac{\pi}{3}$

$$\Leftrightarrow \left(2x = \frac{\pi}{3} \ \text{ou} \ 2x = \frac{5\pi}{3} \right) \qquad \text{(car } 2x \text{ décrit } [0 \, ; 2\pi])$$

$$\mathbf{f(x) = \frac{1}{2} \Leftrightarrow \left(x = \frac{\pi}{6} \ \textbf{ou} \ x = \frac{5\pi}{6} \right).}$$

4. • $T : y = f(0) + f'(0) \times (x - 0)$ avec $f(0) = 1$ et $f'(0) = 0$.

Donc $\mathbf{T : y = 1}$.

$T' : y = f\left(\dfrac{\pi}{2}\right) + f'\left(\dfrac{\pi}{2}\right) \times \left(x - \dfrac{\pi}{2}\right)$ avec $f\left(\dfrac{\pi}{2}\right) = -1$ et $f'\left(\dfrac{\pi}{2}\right) = 0$.

Donc $\mathbf{T' : y = -1}$.

5.

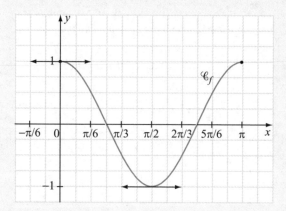

9

1. Pour tout x réel :

$$(2x-1)\left(ax^2+bx+c\right)=2ax^3+\left(2b-a\right)x^2+\left(2c-b\right)x-c.$$

Donc $2x^3+7x^2+2x-3=\left(2x-1\right)\left(ax^2+bx+c\right)$ pour tout x si, et seulement si :

$$\begin{cases} 2a=2 \\ 2b-a=7 \\ 2c-b=2 \\ -c=-3 \end{cases}, \quad \text{soit} \quad \begin{cases} a=1 \\ b=4 \\ c=-3 \end{cases}$$

◢ Il y a plus d'équations que d'inconnues. La résolution de la 4e équation constitue une vérification.

Donc, pour tout x réel, $2x^3+7x^2+2x-3=\left(2x-1\right)\left(x^2+4x-3\right)$.

2. Pour tout $x\neq -\dfrac{1}{2}$,

$$f(x)=\frac{\left(2x-1\right)\left(x^2+4x+3\right)}{2x-1}=x^2+4x+3, \quad \text{donc} \quad \lim_{x\to-\frac{1}{2}} f(x)=5,25.$$

f est continue en $\dfrac{1}{2}$ si, et seulement si, $a=5,25$.

10 **1.** • Pour tout $X>0$, $-1\leqslant \sin X \leqslant 1$, donc $-\dfrac{1}{X}\leqslant \dfrac{\sin X}{X}\leqslant \dfrac{1}{X}$.

De plus, $\displaystyle\lim_{X\to+\infty} -\frac{1}{X}=\lim_{X\to+\infty}\frac{1}{X}=0$, donc, d'après le théorème des gendarmes,

$$\lim_{X\to+\infty}\frac{\sin X}{X}=0.$$

• Pour tout $X < 0$, $-1 \leqslant \sin X \leqslant 1$, donc $-\dfrac{1}{X} \geqslant \dfrac{\sin X}{X} \geqslant \dfrac{1}{X}$

(division par $X < 0$).

De plus, $\displaystyle\lim_{X \to -\infty} -\dfrac{1}{X} = \lim_{X \to -\infty} \dfrac{1}{X} = 0$ donc, d'après le théorème des gendarmes :

$$\lim_{X \to -\infty} \dfrac{\sin X}{X} = 0.$$

La fonction sin n'admettant pas de limite à l'infini, on a commencé par encadrer $\sin X$.

2. Pour tout $x \neq 0$, $f(x) = \dfrac{\sin\left(\dfrac{1}{x}\right)}{\dfrac{1}{x}} = \dfrac{\sin(X)}{X}$ avec $X = \dfrac{1}{x}$.

$\begin{cases} \displaystyle\lim_{x \to 0^+} \dfrac{1}{x} = +\infty \\ \displaystyle\lim_{X \to +\infty} \dfrac{\sin X}{X} = 0 \end{cases}$, donc, par composition, $\displaystyle\lim_{x \to 0^+} f(x) = 0$.

$\begin{cases} \displaystyle\lim_{x \to 0^-} \dfrac{1}{x} = -\infty \\ \displaystyle\lim_{X \to -\infty} \dfrac{\sin X}{X} = 0 \end{cases}$, donc, par composition, $\displaystyle\lim_{x \to 0^-} f(x) = 0$.

$\displaystyle\lim_{x \to 0^+} f(x) = \lim_{x \to 0^-} f(x) = f(0)$, donc f **est continue en 0**.

3. Soit $x \neq 0$, $\dfrac{f(x) - f(0)}{x - 0} = \sin\dfrac{1}{x}$. Or lorsque x tend vers 0^+ ou 0^-, $\dfrac{1}{x}$ tend vers $+\infty$ ou $-\infty$ et la fonction sinus n'admet pas de limite en $+\infty$ ni en $-\infty$. Donc $\dfrac{f(x) - f(0)}{x - 0}$ n'admet pas de limite en 0. Cela signifie que f **n'est pas dérivable en 0**.

4.

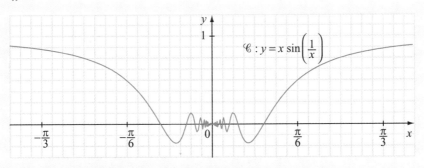

$\boxed{11}$ • **1.** Limites de $f(x)$ à l'infini

D'après la propriété de la limite en l'infini d'une fraction rationnelle :

$$\lim_{x \to \pm\infty} f(x) = \lim_{x \to \pm\infty} \frac{x^3}{x} = \lim_{x \to \pm\infty} x^2 = +\infty.$$

D'où $\displaystyle\lim_{x \to +\infty} \boldsymbol{f(x) = +\infty}$ et $\displaystyle\lim_{x \to -\infty} \boldsymbol{f(x) = +\infty}.$

• Limites de $f(x)$ en -2

$$\lim_{x \to -2}\left(x^3 + x^2 + x + 1\right) = -5 \text{ et } \lim_{x \to -2^+}\left(x+2\right) = 0^+, \text{ donc } \lim_{x \to -2^+} \boldsymbol{f(x) = -\infty} ;$$

$$\lim_{x \to -2}\left(x^3 + x^2 + x + 1\right) = -5 \text{ et } \lim_{x \to -2^-}\left(x+2\right) = 0^-, \text{ donc } \lim_{x \to -2^-} \boldsymbol{f(x) = +\infty}.$$

2. $f'(x) = \dfrac{\left(3x^2 + 2x + 1\right)(x+2) - \left(x^3 + x^2 + x + 1\right)}{(x+2)^2}$

$$f'(x) = \frac{2x^3 + 7x^2 + 4x + 1}{(x+2)^2}.$$

3. a. $g'(x) = 6x^2 + 14x + 4 = 2\left(3x^2 + 7x + 2\right).$

Factorisons $g'(x)$ pour en connaître le signe.

$$\Delta = 49 - 24 = 5^2, \ x_1 = -2 \text{ et } x_2 = -\frac{1}{3}, \text{ d'où } g'(x) = 2 \times 3(x+2)\left(x + \frac{1}{3}\right).$$

Tableau de variation de g :

x	$-\infty$		-2		$-\dfrac{1}{3}$		$+\infty$
Signe de $g'(x)$		$+$	0	$-$	0	$+$	
Variations de g	$-\infty$		5		$\dfrac{10}{27}$		$+\infty$

b. g est continue et strictement croissante sur $]-\infty\,;\,-2]$

0 est compris entre $\displaystyle\lim_{x \to -\infty} g(x) = -\infty$ et $g(-2) = 5$,

donc **l'équation $g(x) = 0$ admet une unique solution α sur l'intervalle $]-\infty\,;\,-2]$.**

$$g(-2,87) < 0 \text{ et } g(-2,86) > 0, \text{ donc } \boldsymbol{-2,87 < \alpha < -2,86}.$$

c. D'après le tableau de variation, g admet un minimum en $-\dfrac{1}{3}$, et ce minimum vaut $\dfrac{10}{27} > 0.$

g est donc strictement positive sur $[-2\,;\,+\infty[.$

L'équation $g(x) = 0$ n'admet donc aucune solution sur $[-2\,;\,+\infty[.$

4. $f'(x)$ est du signe de $g(x)$ sur $\mathbb{R}\{-2\}$, donc :

x	$-\infty$		α		-2		$+\infty$
Signe de $f'(x)$		$-$	0	$+$	$\parallel$	$+$	
Variations de g							

$$f(\alpha) \approx f(-2,87) \approx 19,85.$$

12 **1.** $\begin{cases} \lim\limits_{x\to-\infty} 3x^2+4 = +\infty \\ \lim\limits_{X\to+\infty} \sqrt{X} = +\infty. \end{cases}$ donc, par composition $\lim\limits_{x\to-\infty} \sqrt{3x^2+4} = +\infty$;

de plus, $\lim\limits_{x\to-\infty} -x\sqrt{3} = +\infty$ donc, par somme, $\mathbf{\lim\limits_{x\to-\infty} f(x) = +\infty.}$

2. • $\lim\limits_{x\to+\infty} 3x^2+4 = +\infty$ et $\lim\limits_{X\to+\infty} \sqrt{X} = +\infty$, donc $\lim\limits_{x\to+\infty} \sqrt{3x^2+4} = +\infty$.

• $\lim\limits_{x\to+\infty} -x\sqrt{3} = -\infty$.

C'est une forme indéterminée. Or :

$$f(x) = \frac{1}{2}\frac{\left(\sqrt{3x^2+4}-x\sqrt{3}\right)\times\left(\sqrt{3x^2+4}+x\sqrt{3}\right)}{\left(\sqrt{3x^2+4}+x\sqrt{3}\right)} = \frac{1}{2}\frac{3x^2+4-3x^2}{\sqrt{3x^2+4}+x\sqrt{3}} = \frac{2}{\sqrt{3x^2+4}+x\sqrt{3}}.$$

• $\lim\limits_{x\to+\infty} \sqrt{3x^2+4} = +\infty$;

• $\lim\limits_{x\to+\infty} x\sqrt{3} = +\infty$.

Donc $\lim\limits_{x\to+\infty}\left(\sqrt{3x^2+4}+x\sqrt{3}\right) = +\infty$ soit $\mathbf{\lim\limits_{x\to+\infty} f(x) = 0.}$

3. Pour tout x réel, $f'(x) = \frac{1}{2}\left(\frac{6x}{2\sqrt{3x^2+4}}-\sqrt{3}\right)$

$$f'(x) = \frac{3x-\sqrt{9x^2+12}}{2\sqrt{3x^2+4}}.$$

4. Si $x\geqslant 0$, alors $3x < \sqrt{9x^2+12}$ équivaut à $9x^2 < 9x^2+12$ (car la fonction carré est strictement croissante sur $\mathbb{R}^+$) et à $0 < 12$ (toujours vrai).

Donc pour tout $x\geqslant 0$, $3x-\sqrt{9x^2+12} < 0$ et $f'(x) < 0$.

5. Si $x < 0$, alors $3x < 0$, donc $3x - \sqrt{9x^2+12} < 0$, donc $f'(x) < 0$

Finalement, pour tout x réel, $f'(x) < 0$, **donc f est strictement décroissante sur $\mathbb{R}$.**

13 **1.** $\begin{cases} \lim\limits_{x\to+\infty} \frac{1}{x} = 0 \\ \lim\limits_{X\to 0} \sin X = 0 \end{cases}$, donc, par composition, $\mathbf{\lim\limits_{x\to+\infty} f(x) = 0.}$

2. f est de la forme $\sin(u)$ avec $u : x\mapsto 2x$. Donc $f' = u'\times\cos(u)$.

Pour $x \geqslant \dfrac{1}{2\pi}$ $f'(x) = -\dfrac{1}{x^2} \times \cos\left(\dfrac{1}{x}\right)$.

3. Sur $\left[\dfrac{1}{2\pi} \, ; \dfrac{2}{3\pi}\right[$, $\dfrac{3\pi}{2} < \dfrac{1}{x} \leqslant 2\pi$. Or la fonction cosinus est strictement positive

sur $\left]\dfrac{3\pi}{2} \, ; 2\pi\right]$. Donc $\cos\dfrac{1}{x} > 0$, donc $f'(x) < 0$.

▰ Dessiner le cercle trigonométrique au brouillon.

Sur $\left]\dfrac{2}{3\pi} \, ; \dfrac{2}{\pi}\right[$, $\dfrac{\pi}{2} < \dfrac{1}{x} < \dfrac{3\pi}{2}$, donc $\cos\dfrac{1}{x} < 0$, donc $f'(x) > 0$.

Sur $\left]\dfrac{2}{\pi} \, ; +\infty\right[$, $0 < \dfrac{1}{x} < \dfrac{\pi}{2}$, donc $\cos\dfrac{1}{x} > 0$, donc $f'(x) < 0$.

4.

x	$\dfrac{1}{2\pi}$		$\dfrac{2}{3\pi}$		$\dfrac{2}{\pi}$		$+\infty$
Signe de $f'(x)$		$-$	0	$+$	0	$-$	
Variations de f	0		-1		1		0

▰ Penser à toujours vérifier la conformité de vos résultats avec l'allure de la courbe donnée par la calculatrice.

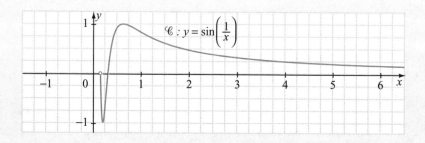

$\mathscr{C} : y = \sin\left(\dfrac{1}{x}\right)$

14 1. a. Pour tout x réel, $f'(x) = 3x^2 + 1 > 0$, donc f est strictement croissante sur $\mathbb{R}$.

De plus, $\displaystyle\lim_{x \to -\infty} f(x) = \lim_{x \to -\infty} x^3$, donc $\displaystyle\lim_{x \to -\infty} f(x) = -\infty$ et $\displaystyle\lim_{x \to +\infty} f(x) = \lim_{x \to +\infty} x^3$, donc :

$$\lim_{x \to +\infty} f(x) = +\infty.$$

b. $f(0) = -17$ et $f(5) = 113$.

c. $a_0 = 0$ et $b_0 = 5$, donc $c_0 = 2,5$.

$f(2,5) = 1,125$, donc $x_0 \in [a_1 ; b_1]$ avec $a_1 = 0$ et $b_1 = 2,5$.

d. • $c_1 = 1,25$ et $f(c_1) \approx -13,8$, donc $x_0 \in [1,25 ; 2,5]$.

Comme $2,5 - 1,25 > 0,2$, on continue.

• $c_2 = \dfrac{2,5 + 1,25}{2} = 1,875$ et $f(c_2) \approx -8,5$, donc $x_0 \in [1,875 ; 2,5]$.

Comme $2,5 - 1,875 > 0,2$, on continue.

• $c_3 = \dfrac{2,5 + 1,875}{2} = 2,1875$ et $f(c_3) \approx -4,34$, donc $x_0 \in [2,1875 ; 2,5]$.

Comme $2,5 - 2,1875 > 0,2$, on continue.

• $c_4 = \dfrac{2,5 + 2,1875}{2} = 2,34375$ et $f(c_3) \approx -1,8$, donc $x_0 \in [2,34375 ; 2,5]$.

Comme $2,5 - 2,34375 \leqslant 0,2$, on s'arrête.

Donc, x_0 est compris entre 2,34375 et 2,5.

2.

```
VARIABLES
    a EST_DU_TYPE NOMBRE
    b EST_DU_TYPE NOMBRE
    c EST_DU_TYPE NOMBRE
DEBUT_ALGORITHME
    LIRE a
    LIRE b
    TANT_QUE (b-a>0.01) FAIRE
        DEBUT_TANT_QUE
        c PREND_LA_VALEUR (a+b)/2
        SI (F1(c)==0) alors
            DEBUT_SI
            AFFICHER "x0 ="
            AFFICHER c
            FIN_SI
            SINON
                DEBUT_SINON
                SI (F1(c)<0 ALORS
                    DEBUT_SI
                    a PREND_LA_VALEUR c
                    FIN_SI
                    SINON
                        DEBUT_SINON
                        b PREND_LA_VALEUR c
                        FIN_SINON
                FIN_SINON
        FIN_TANT_QUE
    AFFICHER "x0 est compris entre"
    AFFICHER a
    AFFICHER "et"
    AFFICHER b
FIN_ALGORITHME
```

On obtient un encadrement à 10^{-2} près de x_0 :

```
*** Algorithme lancé***
x0 est compris entre 2.4414063 et 2.4511719
***Algorithme terminé***
```

3. On obtient :

```
*** Algorithme lancé***
x0 est compris entre 1.7382813 et 1.7480469
***Algorithme terminé***
```

15 **1.** • On remarque que 1 est une racine du trinôme $x^2 - 6x + 5$ qui se factorise donc en $(x-1)(x-x_2)$, x_2 désignant la seconde racine du trinôme. En développant, on trouve $x_2 = 5$.

> On peut aussi calculer Δ, puis les racines de $x^2 - 6x + 5$.

$x^2 - 6x + 5$ est positif à l'extérieur des racines (puisque $a = 1 > 0$), c'est-à-dire :

$x^2 - 6x + 5$ est $\begin{cases} \text{strictement positif sur }]-\infty \,;\, 1[\,\cup\,]5 \,;\, +\infty[\;; \\ \text{strictement négatif sur }]1 \,;\, 5[\;; \\ \text{nul en 1 et en 5.} \end{cases}$

• Par conséquent, $f(x) = \begin{cases} \sqrt{x^2 - 6x + 5} \text{ si } x \in \,]-\infty\,;\, 1]\cup[5\,,+\infty[\\ \sqrt{-(x^2 - 6x + 5)} = \sqrt{-x^2 + 6x - 5} \text{ si } x \in \,]1\,;\,5[. \end{cases}$

2. Au voisinage de $+\infty$ et de $-\infty$, $f(x) = \sqrt{x^2 - 6x + 5}$.

• $\begin{cases} \lim\limits_{x \to +\infty} x^2 - 6x + 5 = \lim\limits_{x \to +\infty} x^2 = +\infty \\ \lim\limits_{X \to +\infty} \sqrt{X} = +\infty \end{cases}$, donc, par composition, $\lim\limits_{x \to +\infty} f(x) = +\infty$.

• $\begin{cases} \lim\limits_{x \to -\infty} x^2 - 6x + 5 = \lim\limits_{x \to -\infty} x^2 = +\infty \\ \lim\limits_{X \to +\infty} \sqrt{X} = +\infty \end{cases}$, donc, par composition, $\lim\limits_{x \to -\infty} f(x) = +\infty$.

3. • $\begin{cases} \lim\limits_{x \to 5^+} (x^2 - 6x + 5) = 0 \\ \lim\limits_{X \to 0} \sqrt{X} = 0 \end{cases}$, donc, par composition, $\lim\limits_{x \to 5^+} f(x) = 0$;

$\begin{cases} \lim\limits_{x \to 5^-} (-x^2 + 6x - 5) = 0 \\ \lim\limits_{X \to 0} \sqrt{X} = 0 \end{cases}$, donc, par composition, $\lim\limits_{x \to 5^-} f(x) = 0$;

$f(5) = \sqrt{|5^2 - 6 \times 5 + 5|} = \sqrt{0} = 0$.

Donc f est continue en 5.

> Voir le cours, fin du paragraphe III 1.

- $\begin{cases} \lim\limits_{x \to 1^+} \left(x^2 - 6x + 5\right) = 0 \\ \lim\limits_{X \to 0} \sqrt{X} = 0 \end{cases}$, donc, par composition, $\lim\limits_{x \to 1^+} f(x) = 0$;

$\begin{cases} \lim\limits_{x \to 1^-} \left(x^2 - 6x + 5\right) = 0 \\ \lim\limits_{X \to 0} \sqrt{X} = 0 \end{cases}$, donc, par composition, $\lim\limits_{x \to 1^-} f(x) = 0$.

De plus, $f(1) = \sqrt{\left|1^2 - 6 \times 1 + 5\right|} = \sqrt{0} = 0$.

Donc f est continue en 1.

4. a. Si $x > 5$, $\dfrac{f(x) - f(5)}{x - 5} = \dfrac{f(x)}{x - 5} = \dfrac{\sqrt{(x-1)(x-5)}}{x - 5} = \dfrac{\sqrt{x-1}}{\sqrt{x-5}}$.

Or $\begin{cases} \lim\limits_{x \to 5^+} \sqrt{x-1} = 2 \\ \lim\limits_{x \to 5^+} \sqrt{x-5} = 0^+ \end{cases}$, donc, par quotient, $\lim\limits_{x \to 5^+} \dfrac{f(x) - f(5)}{x - 5} = +\infty$.

A fortiori, **f n'est pas dérivable en 5.**

b. Si $x < 1$, $\dfrac{f(x) - f(1)}{x - 1} = \dfrac{f(x)}{x - 1} = \dfrac{\sqrt{(x-1)(x-5)}}{-(1-x)} = \dfrac{\sqrt{(1-x)(5-x)}}{-\sqrt{1-x^2}} = -\dfrac{\sqrt{5-x}}{\sqrt{1-x}}$

car $5 - x > 0$ et $1 - x > 0$.

Or $\begin{cases} \lim\limits_{x \to 1^-} \sqrt{5-x} = 2 \\ \lim\limits_{x \to 1^-} \sqrt{1-x} = 0^+ \end{cases}$, donc, par quotient, $\lim\limits_{x \to 1^-} f(x) = -\infty$.

A fortiori, **f n'est pas dérivable en 1**.

◢ On peut montrer de plus que $\lim\limits_{x \to 1^+} f(x) = +\infty$ et que $\lim\limits_{x \to 5^-} f(x) = -\infty$. On peut alors affirmer que $\mathscr{C}_1$ admet des tangentes verticales aux points d'abscisses 1 et 5.

5. • Sur $]-\infty\,;\,1[$ et sur $]5\,;\,+\infty[$, f est de la forme $\sqrt{u}$ avec $u : x \mapsto x^2 - 6x + 5$.

Alors $f'(x) = \dfrac{u'(x)}{2\sqrt{u(x)}} = \dfrac{2x - 6}{2\sqrt{x^2 - 6x + 5}} = \dfrac{x - 3}{\sqrt{x^2 - 6x + 5}}$.

Sur $]-\infty\,;\,1[$, $x - 3 < 0$, donc $f'(x) < 0$.

f est strictement décroissante sur $]-\infty\,;\,1]$.

Sur $]5\,;\,+\infty[$, $x - 3 > 0$, donc $f'(x) > 0$.

f est strictement croissante sur $[5\,;\,+\infty[$.

• Sur $]1\,;5[$, f est de la forme $\sqrt{u}$ avec $u:\ x\mapsto -x^2+6x-5$.

Alors $f'(x)=\dfrac{-2x+6}{2\sqrt{-x^2+6x-5}}=\dfrac{-x+3}{\sqrt{-x^2+6x-5}}$.

Or $\quad -x+3\begin{cases}>0 \text{ si } x<3\\ <0 \text{ si } x>3\\ =0 \text{ si } x=3\end{cases}$ donc $f'(x)\begin{cases}>0 \text{ si } x<3\\ <0 \text{ si } x>3\\ =0 \text{ si } x=3\end{cases}$.

Donc f est strictement croissante sur $[1\,;3]$ et strictement décroissante sur $[3\,;5]$.

6. Soit $x\in[1\,;5]$.

$$\mathrm{IM}=\sqrt{(x-3)^2+(f(x)-0)^2}=\sqrt{x^2-6x+9+(-x^2+6x-5)}=\sqrt{4}=2.$$

La restriction de $\mathscr{C}_f$ à l'intervalle $[1\,;5]$ est donc une portion du cercle de centre I et de rayon 2.

Mais comme I est le milieu du segment [AB], avec A(1 ; 0) et B(5 ; 0), on peut affirmer que **la restriction de $\mathscr{C}_f$ à l'intervalle $[1\,;5]$ est le demi-cercle supérieur de diamètre [AB].**

$\boxed{16}$ 1. $\cos(x)=0\Leftrightarrow\left(x=\dfrac{\pi}{2}+2k\pi,\ k\in\mathbb{Z}\ \text{ou}\ x=-\dfrac{\pi}{2}+2k\pi,\ k\in\mathbb{Z}\right)$

$$\cos x=0\Leftrightarrow x=\frac{\pi}{2}+k\pi, k\in\mathbb{Z}.$$

2. $\tan=\dfrac{\sin}{\cos}$, donc **la fonction tan est définie sur $\mathbb{R}\setminus\left\{\dfrac{\pi}{2}+k\pi, k\in\mathbb{Z}\right\}$.**

3. Pour tout $x\neq\dfrac{\pi}{2}+k\pi\,(k\in\mathbb{Z}),\tan(x+\pi)=\dfrac{\sin(x+\pi)}{\cos(x+\pi)}=\dfrac{-\sin(x)}{-\cos(x)}=\tan(x).$

La fonction tan est donc π- périodique et il suffit de l'étudier sur l'intervalle $\left]-\dfrac{\pi}{2}\,;\dfrac{\pi}{2}\right[$.

Pour tout $k\in\mathbb{Z}^*$, on obtient la représentation graphique de tan sur l'intervalle $\left]-\dfrac{\pi}{2}+k\pi\,;\dfrac{\pi}{2}+k\pi\right[$ à partir de celle de tan sur $\left]-\dfrac{\pi}{2}\,;\dfrac{\pi}{2}\right[$. par la translation de vecteur $k\pi\vec{i}$

4. Voir corrigé de l'exercice **3.b**.

$$\lim_{x \to -\frac{\pi}{2}^+} \tan(x) = -\infty \text{ et } \lim_{x \to \frac{\pi}{2}^-} \tan(x) = +\infty.$$

5. • Pour tout $x \in \left] -\dfrac{\pi}{2} \, ; \dfrac{\pi}{2} \right[$:

$$\tan'(x) = \frac{\cos(x) \times \cos(x) - \sin(x) \times (-\sin(x))}{(\cos(x))^2} = \frac{\cos^2(x) + \sin^2(x)}{\cos^2(x)}.$$

En utilisant la propriété $\cos^2(x) + \sin^2(x) = 1$, on obtient :

$$\tan'(x) = \frac{1}{\cos^2(x)}.$$

On trouve également :

$$\tan'(x) = \frac{\cos^2(x) + \sin^2(x)}{\cos^2(x)} = \frac{\cos^2(x)}{\cos^2(x)} + \frac{\sin^2(x)}{\cos^2(x)} = 1 + \tan^2(x).$$

• De chacune de ces deux expressions, on déduit que $\tan'(x) > 0$ sur $\left] -\dfrac{\pi}{2} \, ; \dfrac{\pi}{2} \right[$.

Donc la fonction tangente est strictement croissante sur $\left] -\dfrac{\pi}{2} \, ; \dfrac{\pi}{2} \right[$.

6. $\tan(0) = \dfrac{\sin(0)}{\cos(0)} = \dfrac{0}{1} = \mathbf{0}$;

$$\tan\left(\frac{\pi}{4}\right) = \frac{\sin\left(\dfrac{\pi}{4}\right)}{\cos\left(\dfrac{\pi}{4}\right)} = \frac{\dfrac{\sqrt{2}}{2}}{\dfrac{\sqrt{2}}{2}} = \mathbf{1} ;$$

$$\tan\left(\frac{-\pi}{4}\right) = \frac{\sin\left(\dfrac{-\pi}{4}\right)}{\cos\left(\dfrac{-\pi}{4}\right)} = \frac{\dfrac{-\sqrt{2}}{2}}{\dfrac{-\sqrt{2}}{2}} = \mathbf{1}.$$

7.

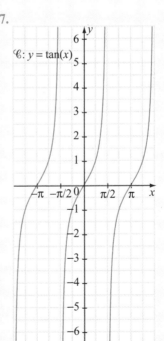

$\mathscr{C} : y = \tan(x)$

$\boxed{17}$ **1. Réponse b. 2. Réponse c.** car rien ne dit que f est strictement monotone

3. Réponse d. 4. Réponse b. car $\dfrac{\cos(x)-1}{x}=\dfrac{\cos(x)-\cos(0)}{x-0}$, qui a pour limite

$\cos'(0)=-\sin(0)=0$ quand x tend vers 0.

$\boxed{18}$

Partie A

1. g est dérivable sur $\mathbb{R}$ et pour tout $x\in\mathbb{R}$, $g'(x)=3x^2+3>0$.

Donc g est strictement croissante sur $\mathbb{R}$.

2. $\lim\limits_{x\to+\infty}g(x)=\lim\limits_{x\to+\infty}x^3=+\infty$ et $\lim\limits_{x\to-\infty}g(x)=\lim\limits_{x\to-\infty}x^3=-\infty$.

g est continue et strictement croissante sur $\mathbb{R}$.

0 est compris entre $\lim\limits_{x\to-\infty}g(x)=-\infty$ et $\lim\limits_{x\to+\infty}g(x)=+\infty$.

Donc, d'après le corollaire du théorème des valeurs intermédiaires, **l'équation $g(x)=0$ admet une unique solution α.**

$g(-1,52)\approx-0,072$ et $g(-1,51)\approx0,027$ soit $g(-1,52)<0<g(-1,51)$.

Donc **$-1,52<\alpha<-1,51$.**

3.

x	$-\infty$		α		$+\infty$
Variations de g	$-\infty$ ↗		0	↗	$+\infty$
Signe de g		$-$	0	$+$	

Partie B

1. f est définie et dérivable sur $\mathbb{R}$ et, pour tout $x\in\mathbb{R}$:

$$f'(x)=\frac{3x^2(x^2+1)-(x^3-4)\times 2x}{(x^2+1)^2}=\frac{x^4+3x^2+8x}{(x^2+1)^2}=\frac{xg(x)}{(x^2+1)^2}.$$

x	$-\infty$		α		0		$+\infty$
x		$-$		$-$	0	$+$	
$g(x)$		$-$	0	$+$		$+$	
Signe de $f'(x)$		$+$	0	$-$	0	$+$	
Variations de f	$-\infty$	↗	$f(\alpha)$	↘	-4	↗	$+\infty$

$$\lim_{x\to+\infty} f(x) = \lim_{x\to+\infty} \frac{x^3}{x^2} = \lim_{x\to+\infty} x = +\infty \text{ et } \lim_{x\to-\infty} f(x) = \lim_{x\to-\infty} \frac{x^3}{x^2} = \lim_{x\to-\infty} x = -\infty.$$

2. • $g(\alpha) = 0$, donc $\alpha^3 = -3\alpha - 8$, d'où :

$$\frac{f(\alpha)}{\alpha} = \frac{1}{\alpha} + \frac{-3\alpha - 12}{\alpha^2 + 1} = \frac{-3(\alpha + 4)}{\alpha^3 + \alpha} = \frac{-3(\alpha + 4)}{-2\alpha - 8} = \frac{3}{2}. \text{ Donc } f(\alpha) = \frac{3}{2}\alpha.$$

• $-1,52 < \alpha < -1,51$, donc $-2,280 < f(\alpha) < -2,265$.

3. a. $T : y = f(0) + f'(0) \times (x - 0)$.
Or $f(0) = -4$ et $f'(0) = 0$, donc l'équation de T est $y = -4$.

b. $f(x) - (-4) = \frac{x^3 - 4}{x^2 + 1} + 4 = \frac{x^3 + 4x^2}{x^2 + 1} = x^2 \times \frac{x + 4}{x^2 + 1}$.

Si $x < -4$, alors $f(x) - (-4) < 0$ et $\mathscr{C}$ est **au-dessous de** (T) ;

Si $x > -4$, et $x \neq 0$, alors $f(x) - (-4) > 0$ et $\mathscr{C}$ est **au-dessous de** (T) ;

$\mathscr{C}$ **et** (T) **se coupent au point d'abscisse** -4.

c.

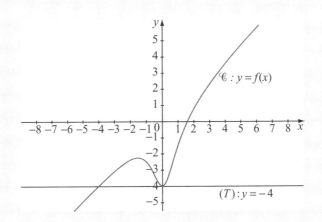

$\boxed{19}$ **1.** f est **dérivable en** a si $\dfrac{f(x) - f(a)}{x - a}$ admet une limite finie quand x tend vers a.

2. a. Soit x un réel tel que $x \in \mathrm{I}$ et $x \neq a$.

$$f(x) - f(a) = g(x)(x - a), \text{ donc } f(x) = f(a) + g(x)(x - a).$$

b. Comme f est dérivable en a, $\lim_{x\to a} g(x) = f'(a) \in \mathbb{R}$.

$$\begin{cases} \lim_{x\to a} g(x) = f'(a) \\ \lim_{x\to a} (x - a) = 0 \end{cases}, \text{ donc, par produit, } \lim_{x\to a} g(x)(x - a) = 0.$$

Donc $\lim_{x\to a} f(a) + g(x)(x - a) = f(a)$, soit $\lim_{x\to a} f(x) = f(a)$.

Donc f est continue en a.

20 1. $\cos(x) > 0$ sur $\left[0\,;\,\dfrac{\pi}{2}\right[$ et $\sin(x) \geqslant 0$ sur $\left[0\,;\,\dfrac{\pi}{2}\right[$.

2. Dans OMT rectangle en M :

d'une part, $\cos\widehat{\text{MOT}} = \dfrac{\text{OM}}{\text{OT}} = \dfrac{1}{L(x)}$;

d'autre part, $\cos\widehat{\text{MOT}} = \dfrac{\text{OM}}{\text{OT}} = \cos(\overrightarrow{\text{OT}}\,;\,\overrightarrow{\text{OM}}) = \cos(x)$.

Finalement, $\cos(x) = \dfrac{1}{L(x)}$ d'où, $L(x) = \dfrac{1}{\cos(x)}$.

◢ $\cos(x) = \cos(-x)$, donc $\cos\widehat{\text{MOT}}$ est égal aussi bien à $\cos(\overrightarrow{\text{OM}}\,;\,\overrightarrow{\text{OT}})$ qu'à $\cos(\overrightarrow{\text{OT}}\,;\,\overrightarrow{\text{OM}})$.

3. • Le théorème de Pythagore appliqué au triangle OMT rectangle en M donne

$\text{OM}^2 + \text{MT}^2 = \text{OT}^2$, soit $\text{MT}^2 = \dfrac{1}{\cos^2(x)} - 1 = \dfrac{1 - \cos^2(x)}{\cos^2(x)} = \dfrac{\sin^2(x)}{\cos^2(x)}$.

Donc $\text{MT} = \sqrt{\dfrac{\sin^2(x)}{\cos^2(x)}} = \left|\dfrac{\sin(x)}{\cos(x)}\right|$, donc, d'après 1. $\mathbf{MT = \dfrac{\sin x}{\cos x}}$.

◢ Autre méthode possible : $\tan\widehat{\text{TOM}} = \dfrac{\text{MT}}{\text{OM}} = \text{MT}$

et $\tan\widehat{\text{TOM}} = \dfrac{\sin\widehat{\text{TOM}}}{\cos\widehat{\text{TOM}}} = \dfrac{\sin x}{\cos x}$.

• Il en résulte que $A(x) = \dfrac{\text{OM} \times \text{MT}}{2}$, soit $A(x) = \dfrac{\sin(x)}{\cos(x)}$.

4. Pour tout $x \in \left[0\,;\,\dfrac{\pi}{2}\right[$, $A'(x) = \dfrac{2\cos^2(x) + 2\sin^2(x)}{4\cos^2(x)} = \dfrac{1}{2\cos^2(x)} > 0$,

donc A **est strictement croissante sur** $\left[0\,;\,\dfrac{\pi}{2}\right[$.

5. $\begin{cases} \displaystyle\lim_{x \to \frac{\pi}{2}^-} \sin(x) = 1 \\[2mm] \displaystyle\lim_{x \to \frac{\pi}{2}^-} 2\cos(x) = 0^+ \end{cases}$,

donc, par quotient, $\displaystyle\lim_{x \to \frac{\pi}{2}^-} A(x) = +\infty$.

3 La fonction exponentielle

I INTRODUCTION

1. Fonction exponentielle et premières propriétés

■ Il existe une unique fonction f définie et dérivable sur $\mathbb{R}$ telle que $f(0) = 1$ et $f' = f$.

La fonction ainsi définie s'appelle **fonction exponentielle** et on la note exp.

- exp$(0) = 1$.
- La fonction exp est dérivable sur $\mathbb{R}$ et exp$' =$ exp.

■ **Premières propriétés**

- Pour tout $x \in \mathbb{R}$, $\exp(-x) = \dfrac{1}{\exp(x)}$.

- La fonction exp ne s'annule pas sur $\mathbb{R}$.

2. Relation fonctionnelle et notation e^x

■ **Théorème**

Pour tout couple $(x \,;\, y) \in \mathbb{R}^2$:

1. $\exp(x + y) = \exp(x) \times \exp(y)$;

2. $\exp(x - y) = \dfrac{\exp(x)}{\exp(y)}$;

3. pour tout $n \in \mathbb{Z}$, $\exp(nx) = \left[\exp(x)\right]^n$.

Pour tout $x \in \mathbb{R}$, exp$(x) > 0$.

■ **Nouvelle notation**

On pose $\exp(1) = e$. D'après la relation (3), $\exp(n) = e^n$.

On convient alors de poser, pour tout $x \in \mathbb{R}$, $\exp(x) = e^x$.

Alors, pour tous $x, y \in \mathbb{R}$, pour tout $n \in \mathbb{Z}$:

$$e^{x+y} = e^x \times e^y, \qquad e^{-x} = \frac{1}{e^x}, \qquad e^{x-y} = \frac{e^x}{e^y}, \qquad (e^x)^n = e^{nx}.$$

II ÉTUDE DE LA FONCTION EXPONENTIELLE

1. Étude du signe de la dérivée

La fonction exponentielle est **strictement croissante** sur $\mathbb{R}$.

En effet, exp est dérivable sur $\mathbb{R}$ et, pour tout x réel, $\exp'(x) = \exp(x)$ qui est strictement positif d'après le I-2.
D'où, pour tous réels x et y :

$$x < y \Leftrightarrow e^x < e^y \; ; \quad e^x = e^y \Leftrightarrow x = y.$$

2. Limites aux bornes de l'ensemble de définition

$$\lim_{x \to +\infty} e^x = +\infty \text{ et } \lim_{x \to -\infty} e^x = 0^+$$

3. Courbe représentative

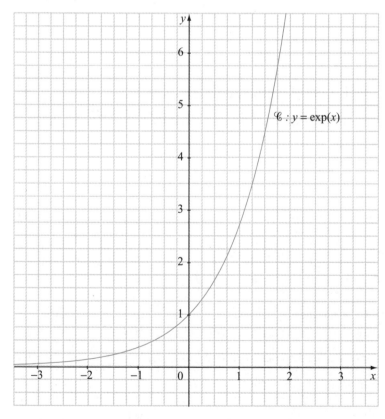

4. Croissances comparées

$$\lim_{x \to +\infty} \frac{e^x}{x} = +\infty \quad \text{et} \quad \lim_{x \to -\infty} x e^x = 0.$$

De plus, pour tout $n \in \mathbb{N}^*$:

$$\lim_{x \to +\infty} \frac{e^x}{x^n} = +\infty \quad \text{et} \quad \lim_{x \to -\infty} x^n e^x = 0.$$

5. Comportement au voisinage de 0

La fonction exponentielle est dérivable en 0 et $\exp'(0) = 1$ d'où :

$$\lim_{x \to 0} \frac{e^x - 1}{x} = 1.$$

III FONCTIONS DE LA FORME $x \mapsto e^{u(x)}$

1. Ensemble de définition

Soit u une fonction définie sur un ensemble D. Alors la fonction $e^u : x \mapsto e^{u(x)}$ est également définie sur D.

2. Dérivation

Si u désigne une fonction définie et dérivable sur un intervalle I, alors la fonction $e^u : x \mapsto e^{u(x)}$ est également dérivable sur I.
De plus, $(e^u)' = u' \times e^u$, d'où, pour tout $x \in$ I :

$$\boxed{(e^u)'(x) = u'(x) \times e^{u(x)}.}$$

3. Limite

Soit u une fonction définie sur un intervalle dont a est une borne.

- Si $\lim\limits_{x \to a} u(x) = +\infty$, alors $\lim\limits_{x \to a} e^{u(x)} = +\infty$.

- Si $\lim\limits_{x \to a} u(x) = -\infty$, alors $\lim\limits_{x \to a} e^{u(x)} = 0$.

- Si $\lim\limits_{x \to a} u(x) = \ell (\ell \in \mathbb{R})$, alors $\lim\limits_{x \to a} e^{u(x)} = e^\ell$.

La fonction exponentielle

SAVOIR-FAIRE

1. Réduire des expressions à l'aide de la relation fonctionnelle

Pour réduire une expression contenant des exponentielles, on utilise les propriétés du **I-1.** pour faire apparaître un produit d'exponentielles que l'on simplifie.

EXEMPLE : Soit x un réel. Simplifier l'expression $\dfrac{e^{x^2} \times e}{(e^x)^2}$.

Tout d'abord $e = e^1$. Ensuite, $\left(e^x\right)^2 = e^{2x}$ donc $\dfrac{1}{(e^x)^2} = \dfrac{1}{e^{2x}} = e^{-2x}$.

Finalement, $\dfrac{e^{x^2} \times e}{(e^x)^2} = e^{x^2} \times e^1 \times e^{-2x} = e^{x^2 + 1 - 2x} = e^{x^2 - 2x + 1} = e^{(x-1)^2}$.

$$\frac{e^{x^2} \times e}{(e^x)^{\cancel{2}}} = e^{(x-1)^2}.$$

 $1 = e^0$ et $e = e^1$.

2. Résoudre une (in)équation de la forme $e^A = e^B (e^A < e^B \ldots)$

EXEMPLE : Résoudre l'inéquation d'inconnue x : $e^{3x^2}\left(e^{-x}\right)^6 \geqslant 1$.

Avant tout, il faut se ramener à la forme $e^A \geqslant e^B$. Ensuite, on applique la conséquence du **II-1.**

$e^{3x^2} \times \left(e^{-x}\right)^6 \geqslant 1 \Leftrightarrow e^{3x^2} \times e^{-6x} \geqslant e^0 \quad$ car $e^0 = 1$

$\qquad \Leftrightarrow e^{3x^2 - 6x} \geqslant e^0$

$\qquad \Leftrightarrow 3x^2 - 6x \geqslant 0$ car la fonction exponentielle est strictement croissante sur $\mathbb{R}$

$\qquad \Leftrightarrow 3x(x - 2) \geqslant 0.$

Le trinôme du second degré $3x^2 - 6x = 3x(x - 2)$ est positif $(a = 3)$ à l'extérieur des racines, d'où le tableau de signes :

x	$-\infty$		0		2		$+\infty$
Signe de $3x(x-2)$		$+$	0	$-$	0	$+$	

On en déduit les équivalences suivantes :

$$e^{3x^2} \times \left(e^{-x}\right)^6 \geqslant 1 \Leftrightarrow 3x(x - 2) \geqslant 0 \Leftrightarrow \left(x \leqslant 0 \text{ ou } x \geqslant 2\right).$$

L'ensemble des solutions de l'inéquation $e^{3x^2} \times (e^{-x})^6 \geqslant 1$ est :

$$]-\infty \,;\, 0] \cup [2 \,;+ \infty[.$$

3. Étudier une fonction de la forme $x \mapsto e^{u(x)}$

EXEMPLE : Soit f la fonction $x \mapsto e^{\frac{1}{x}}$. Déterminer :

a. l'ensemble de définition D_f de la fonction f ;

b. les variations de f ;

c. les limites de f aux bornes de D_f.

On reconnaît la forme $f = e^u$, u étant une fonction à définir et on applique ensuite les résultats du **III**.

Ici, $f = e^u$, u désignant la fonction définie par $u(x) = \dfrac{1}{x}$ (c'est la fonction inverse).

a. u est définie sur $D_u = \mathbb{R}^* =]-\infty \; ; \; 0[\; \cup \;]0 \; ;+ \infty[$, donc :

$$D_f = D_u =]-\infty \; ; \; 0[\cup]0 \; ; \; +\infty[.$$

b. u est dérivable sur $]-\infty \; ; 0[\; \cup \;]0 \; ;+ \infty[$, donc f est, elle aussi, dérivable sur $]-\infty \; ;0[\; \cup \;]0 \; ;+ \infty[$.

Pour tout $x \neq 0$, $f'(x) = u'(x)e^{u(x)} = \dfrac{-1}{x^2} \times e^{\frac{1}{x}}$.

On étudie le signe de $f'(x)$ sur chaque intervalle de son ensemble de définition :

Sur $]-\infty \; ; 0[$, $\dfrac{-1}{x^2} < 0$ et $e^{\frac{1}{x}} > 0$, donc $f'(x) < 0$.

Sur $]0 \; ;+ \infty[$, $\dfrac{-1}{x^2} < 0$ et $e^{\frac{1}{x}} > 0$, donc $f'(x) < 0$.

f est donc strictement décroissante sur $]-\infty \; ; 0[$ et sur $]0 \; ; +\infty[$.

c. • $\lim\limits_{x \to -\infty} \dfrac{1}{x} = 0$ et $\lim\limits_{X \to 0} e^X = 1$, donc, par composition :

$\lim\limits_{x \to -\infty} e^{\frac{1}{x}} = 1$,   c'est-à-dire $\lim\limits_{x \to -\infty} f(x) = 1.$

• $\lim\limits_{x \to 0^-} \dfrac{1}{x} = -\infty$ et $\lim\limits_{X \to -\infty} e^X = 0$, donc, par composition :

$\lim\limits_{x \to 0^-} e^{\frac{1}{x}} = 0$,   c'est-à-dire $\lim\limits_{x \to 0^-} f(x) = 0.$

• $\lim\limits_{x \to 0^+} \dfrac{1}{x} = +\infty$ et $\lim\limits_{X \to +\infty} e^X = +\infty$, donc, par composition :

$\lim\limits_{x \to 0^+} e^{\frac{1}{x}} = +\infty$,   c'est-à-dire $\lim\limits_{x \to 0^+} f(x) = +\infty.$

• $\lim\limits_{x \to -\infty} \dfrac{1}{x} = 0$ et $\lim\limits_{X \to 0} e^X = 1$, donc par composition :

$\lim\limits_{x \to +\infty} e^{\frac{1}{x}} = 1$, c'est-à-dire $\lim\limits_{x \to +\infty} f(x) = 1.$

EXERCICES D'APPLICATION

1 RELATION FONCTIONNELLE $\qquad \star \mid$ 5 min $\mid \blacktriangleright$ P. 94

Simplifier au maximum les expressions suivantes :

a. $\dfrac{e^{11} + e^{16}}{e^8} - \dfrac{e}{(e^{-1})^2}$;

> Voir le savoir-faire 1.

b. $\dfrac{e^{(3x+1)^2}}{e^{6x}} - e$;

c. $e^{\cos^2(x)}\, e^{\sin^2(x)}$;

d. $\dfrac{(e^{\cos^2(x)})^2}{e}$.

> Utiliser une formule de duplication.

2 (IN) ÉQUATIONS $\qquad \star\star \mid$ 15 min $\mid \blacktriangleright$ P. 94

Résoudre les équations ou inéquations suivantes :

a. $e^{x^2 - 3} = 1$;

b. $e^{x(x-1)} > e^{3x+1}$;

> Voir le savoir-faire 2.

c. $e^{2x} + (1 - e)e^x - e = 0$.

> Poser $X = e^x$ et résoudre l'équation du second degré d'inconnue X.

d. $e^x + e^{-x} \leqslant \dfrac{e^2 + 1}{e}$.

⊗ 3 CROISSANCE COMPARÉE $\qquad \star\star \mid$ 20 min $\mid \blacktriangleright$ P. 95

1. Déterminer :

a. la limite en $-\infty$ de $e^{|x|}$;

b. la limite en 0^- de $\exp\left(\dfrac{1}{x}\right)$;

c. la limite en $+\infty$ de $e^{2x} - e^x + 1$;

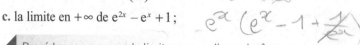

> Procéder comme pour la limite en $+\infty$ d'un polynôme.

d. la limite en $+\infty$ de $\dfrac{e^{2x} + 3}{e^{3x} + e^x + 1}$.

2. Rappeler les valeurs des limites suivantes :

$$\lim_{x \to +\infty} \left(\frac{e^x}{x} \right), \lim_{x \to -\infty} (xe^x), \lim_{x \to 0} \left(\frac{e^x - 1}{x} \right)$$

3. En déduire :

a. la limite en $+\infty$ de $\dfrac{x}{e^x}$;   **b.** la limite en 0^- de $\dfrac{e^{\frac{1}{x}}}{x}$;

 Poser $X = \dfrac{1}{x}$.

c. la limite en $+\infty$ de $\dfrac{(e^x)^2}{2x}$;   **d.** la limite en $-\infty$ de $x\left(e^{\frac{1}{x}} - 1 \right)$.

4 ÉTUDES DE VARIATIONS $\star\star$ | **20 min** | ▶ P. 96

Calculer la dérivée de chacune des fonctions suivantes et en déduire le sens de variations :

1. $f(x) = e^{-x}$, définie et dérivable sur $\mathbb{R}$;

2. $g(x) = \exp\left(\dfrac{1}{x^2 + 1} \right)$, définie et dérivable sur $\mathbb{R}$;

3. $h(x) = \dfrac{-3}{e^x + 2}$, définie et dérivable sur $\mathbb{R}$;

4. $k(x) = \left(5 - 2e^{\frac{x}{2}} \right)^3$ définie et dérivable sur $\mathbb{R}$.

On utilise la formule $(e^u)'(x) = u'(x)e^{u(x)}$ (cours III 2).

5 ANTÉCÉDENTS PAR LA FONCTION EXP $\star\star$ | **20 min** | ▶ P. 97

1. À partir de l'étude de la fonction exponentielle, démontrer que, pour tout réel strictement positif y, l'équation $e^x = y$ admet une unique solution dans $\mathbb{R}$.
On notera ln(y) cette solution.

2. Déterminer les valeurs de ln(e), de ln(1) et de ln(e³).

3. Donner un encadrement au centième de ln(5).

Appliquer le théorème des valeurs intermédiaires.

6 TANGENTE À C_{EXP} AU POINT D'ABSCISSE 0 $\star$ | **15 min** | ▶ P. 97

Dans un repère $(O ; \vec{i} ; \vec{j})$ on note $\mathscr{C}$ la courbe représentative de la fonction exp.

1. Déterminer l'équation réduite de la tangente T à $\mathscr{C}$ au point d'abscisse 0.

2. Étudier les variations, puis le signe de la fonction f, définie sur $\mathbb{R}$ par :

$$f(x) = e^x - x - 1$$

3. En déduire la position relative des courbes $\mathscr{C}$ et T.

EXERCICES D'ENTRAÎNEMENT

7 QCM ★★ | 20 min | ▸ P. 98

Pour chacune des questions ci-dessous, une seule réponse est correcte.

1. Soit $\mathscr{C}$ la courbe représentative de la fonction exponentielle et T la tangente à $\mathscr{C}$ au point d'abscisse -1. T a pour équation :

a. $y = e^{-1}(-x-1)$;

b. $y = -x-1$;

c. $y = \dfrac{2+x}{e}$;

d. $y = e^{-1}(-x+1)$;

2. $e^{x-1} + e^{x+1}$ est égal à …

a. $e^{x-1} \times (1 + e^{x+2})$;

b. e^{x^2-1} ;

c. $e^x \times \left(e + \dfrac{1}{e}\right)$;

d. $\left(e^{x-1}\right)^{x+1}$.

3. Une des fonctions ci-dessous vérifie, sur $\mathbb{R}$, l'égalité $2f' = f + 6$:

a. la fonction $f_1 : x \mapsto e^{\frac{x}{2}} - 6$.

b. la fonction $f_2 : x \mapsto 6 \times e^{2x}$.

c. la fonction $f_3 : x \mapsto e^{\frac{x}{2}} + 6$.

d. la fonction $f_4 : x \mapsto e^{2x} - 6$.

4. On étudie la limite en $+\infty$ de $f : x \mapsto e^x + e^{-x}$

a. il s'agit d'une forme indéterminée ;

b. la limite en $+\infty$ de f vaut $+\infty$;

c. la limite en $+\infty$ de f vaut $-\infty$;

d. la limite en $+\infty$ de f vaut 0.

8 QUESTION DE COURS ★★ | 10 min | ▸ P. 98

On rappelle que :
(1) pour tous réels a, b, $\exp(a+b) = \exp(a) \times \exp(b)$;
(2) $\exp(0) = 1$.
À l'aide de (1) et (2), démontrer que pour tous réels a, b, $\exp(-b) = \dfrac{1}{\exp(b)}$
puis que $\exp(a-b) = \dfrac{\exp(a)}{\exp(b)}$.

9 SYSTÈMES D'ÉQUATIONS | ★★ | 15 min | ▶P. 99 |

Résoudre les systèmes suivants :

1. $\begin{cases} e^x e^y = \dfrac{1}{e} \\ (e^x)^y = e^{-6} \end{cases}$;

2. $\begin{cases} y e^x + e^x = 1 \\ y e^{2x} + e^{x+1} = e \end{cases}$.

◢ Exprimer e^x en fonction de y dans la première équation, puis procéder par substitution.

10 FONCTION $x \mapsto e^{-x^2}$. | ★★ | 30 min | ▶P. 99 |

Soit f la fonction définie par $x \mapsto f(x) = e^{-x^2}$ On note $\mathscr{C}_f$ sa courbe représentative dans un repère orthogonal.

1. Montrer que f est définie et dérivable sur $\mathbb{R}$.
2. Étudier les variations de f sur $\mathbb{R}$ et dresser son tableau de variation.
3. Étudier les limites de f aux bornes de son ensemble de définition.
4. Déterminer l'équation réduite de la tangente en 0.
5. Tracer avec la calculatrice les courbes $\mathscr{C}_f$ et T, et vérifier les résultats obtenus précédemment.

11 ÉTUDE DE FONCTION | ★★ | 30 min | ▶P. 100 |

Soit f la fonction définie sur $[0\,;+\infty[$ par $f(x) = e^x - \dfrac{x^2}{2} - 2x - 2$, et $\mathscr{C}_f$ sa courbe représentative dans un repère $(O\,;\vec{i}\,;\vec{j})$.

1. Étudier les variations de la fonction f'.
2. Démontrer que l'équation $f'(x) = 0$ admet une unique solution α sur $[0\,;+\infty[$. Donner ensuite un encadrement de α au millième.

◢ • Factoriser $f'(x)$ par e^x.
   • Voir le cours II.4. : théorèmes sur les croissances comparées.

3. Déduire de ce qui précède l'étude des variations de f et déterminer sa limite en $+\infty$.
4. Montrer que $f(\alpha) = -\alpha\left(\dfrac{\alpha}{2} + 1\right)$ et en déduire un encadrement au centième de $f(\alpha)$.

◢ Sachant que $f'(\alpha) = 0$, écrire e^α comme fonction affine de α.

5. Déterminer l'équation de la tangente T_2 à $\mathscr{C}_f$ au point d'abscisse 2, puis celle de la tangente T_α à $\mathscr{C}_f$ au point d'abscisse α.
6. Tracer $\mathscr{C}_f$, T_α et T_2.

12 ALGORITHME $\quad | \star\star | $ **40 min** $ | $ ►P. 102 $ | $

L'objectif de cet exercice est d'écrire un algorithme donnant le nombre de solutions réelles de l'équation (E) : $ae^{2x} + be^x + c = 0$, où a, b et c sont des réels, avec $a \neq 0$.

Pour cela, nous allons procéder par étapes.

1. Soient s et t deux réels fixés. Déterminer, en fonction de s et de t, le nombre de solutions réelles de l'équation $(e^x - s) \times (e^x - t) = 0$.

2. Écrire un algorithme associant, aux réels s et t, le nombre de solutions de l'équation $(e^x - s) \times (e^x - t) = 0$.

3. Posons maintenant $X = e^x$. L'équation (E) s'écrit alors $aX^2 + bX + c = 0$.

Lorsqu'elles existent, exprimer en fonction de a, b et c les solutions réelles de l'équation $aX^2 + bX + c = 0$.

> Le cas échéant, on notera X_0 (respectivement X_1 et X_2) la (les) racine(s) de $aX^2 + bX + c$.

4. Écrire un algorithme donnant le nombre de solutions de l'équation
(E) $ae^{2x} + be^x + 1 = 0$. dans le cas où $a \neq 0$.

5. Tester l'algorithme sur les équations suivantes :

a. $e^{2x} + e^x + 1 = 0$;

b. $e^{2x} + 2e^x + 1 = 0$;

c. $e^{2x} - 2e^x + 1 = 0$;

d. $e^{2x} + 4e^x + 3 = 0$;

e. $e^{2x} + 2e^x - 3 = 0$;

f. $e^{2x} - 4e^x + 3 = 0$;

g. $e^{2x} - 3e^x = 0$.

> Voir le chapitre 4 pour l'écriture d'un algorithme donnant les valeurs des solutions réelles de (E).

13 RADIOACTIVITÉ $\quad | \star\star | $ **20 min** $ | $ ►P. 104 $ | $

On veut étudier le phénomène de décroissance radioactive.

Le nombre $N(t)$ de noyaux radioactifs présents à l'instant t est donné par $N(t) = N_0 e^{-\lambda t}$, λ étant la constante radioactive positive, $N_0 = N(0)$ et t est exprimé en années.

1. Montrer que $N'(t)$ est proportionnel au nombre de noyaux radioactifs $N(t)$, et donner le coefficient de proportionnalité.

2. La période T représentant le temps au bout duquel la moitié des noyaux radioactifs présents se sont désintégrés, exprimer T en fonction de λ.

Écrire $2 = \exp(\ln 2) = e^{\ln 2}$, puis montrer que $T = \dfrac{\ln 2}{X}$ (voir l'exercice 6).

3. Application numérique : datation au carbone 14.

a. La période du carbone 14 est de 5 568 ans. Que vaut la constante radioactive λ ?

b. On a trouvé en 2006 dans un site archéologique des ossements humains dont la teneur en carbone 14 est égal à 35 % de celle des os d'un être humain en vie. Déterminer la date de la mort de cet humain.

EXERCICES D'APPROFONDISSEMENT

14 FONCTION $x \mapsto e^{-x}\cos(x)$ | ★★★ | **45 min** | ▶**P. 105**

Soit f la fonction définie sur $[0 ; +\infty[$ par :

$$f(x) = e^{-x} \times \cos(x).$$

On note $\mathscr{C}$ la courbe représentative de f dans un repère $(O ; \vec{i} ; \vec{j})$.

On appelle $\mathscr{C}_1$ la courbe d'équation $y = e^{-x}$ et $\mathscr{C}_{-1}$ la courbe d'équation $y = -e^{-x}$.

1. a. Démontrer que pour tout $x \geqslant 0$:

$$-e^{-x} \leqslant f(x) \leqslant e^{-x}.$$

b. En déduire la limite de f en $+\infty$.

2. Résoudre les équations $f(x) = e^{-x}$, $f(x) = -e^{-x}$ et $f(x) = 0$.

3. a. Justifier que f est dérivable sur $[0 ; +\infty[$ et montrer que pour tout $x \geqslant 0$,

$$f'(x) = -\sqrt{2}e^{-x} \times \sin\left(x + \frac{\pi}{4}\right).$$

b. Résoudre l'équation $f'(x) = 0$.

c. Dresser le tableau de tableau des variation de f sur $[0 ; 4\pi]$.

Établir que $f'(x) > 0 \Leftrightarrow x \in \left]-\dfrac{\pi}{4} + (2k+1)\pi ; -\dfrac{\pi}{4} + (2k+2)\pi\right[$ avec $k \in \mathbb{N}$.

d. Tracer $\mathscr{C}$, $\mathscr{C}_1$, $\mathscr{C}_{-1}$.

15 FONCTIONS COSINUS HYPERBOLIQUE ET SINUS HYPERBOLIQUE

$\star\star\star$ | **45 min** | ▶ **P. 107**

On définit sur $\mathbb{R}$ les fonctions ch et sh (appelées cosinus et sinus hyperboliques) par :

$$\text{ch}(x) = \frac{e^x + e^{-x}}{2} \text{ et } \text{sh}(x) = \frac{e^x - e^{-x}}{2}.$$

1. a. Étudier les limites de ch et sh en $-\infty$ et en $+\infty$.

b. Étudier les variations de ch et sh sur $\mathbb{R}$.

c. Tracer les courbes représentatives de ch et sh dans un repère orthogonal $(O \, ; \vec{i} \, ; \vec{j})$.

2. **Quelques propriétés.**

a. Démontrer que pour tout $x \in \mathbb{R}$, $\text{ch}^2(x) - \text{sh}^2(x) = 1$.

b. Pour tout $(x \, ; y) \in \mathbb{R}^2$, $\text{sh}(x)\text{ch}(y) + \text{ch}(x)\text{sh}(y) = \text{sh}(x+y)$.

En déduire que pour tout $x \in \mathbb{R}$:

$$\text{sh}(2x) = 2\text{sh}(x)\text{ch}(x).$$

c. Pour tout $(x \, ; y) \in \mathbb{R}^2$, $\text{ch}(x)\text{ch}(y) + \text{sh}(x)\text{sh}(y) = \text{ch}(x+y)$.

En déduire que pour tout $x \in \mathbb{R}$:

$$\text{ch}(2x) = \text{ch}^2(x) + \text{sh}^2(x) = 2\text{ch}^2(x) - 1 = 1 + 2\text{sh}^2(x).$$

16 ALGORITHME D'EULER

$\star\star$ | **30 min** | ▶ **P. 108**

Aujourd'hui, les ordinateurs nous tracent avec une grande précision la courbe de la fonction exponentielle. Sans cet outil, un moyen efficace de l'approcher est de tracer la fonction affine par morceaux obtenue par la méthode d'Euler, qui repose sur l'approximation affine.

Soit f une fonction dérivable en a.
Si h est proche de zéro, $f(a+h) \approx f(a) + hf'(a)$.

Nous allons appliquer ce résultat à la fonction exponentielle.

1. Soit a un réel. Démontrer que, pour h proche de zéro :

$$\exp(a+h) \approx (1+h)\exp(a).$$

2. Nous allons approcher la fonction exponentielle par une fonction affine par morceaux (dont le pas est noté h) : c'est la méthode d'Euler.

Prenons par exemple $h = 0,2$.

• Le premier point M_0 a pour coordonnées $x_0 = 0$ et $y_0 = 1$.

• Le point suivant M_1 a pour coordonnées $x_1 = x_0 + h = 0,2$ et y_1.

L'approximation affine pour $a = x_0$ nous donne une valeur approchée de $\exp(x_1)$ puisque :

$$\exp(x_1) = \exp(x_0 + h) \approx (1+h)\exp(x_0).$$

On pose donc :

$$y_1 = (1+h) \times \exp(x_0) = (1+0,2) \times 1, \text{ d'où } y_1 = 1,2.$$

● Le point M_2 a pour coordonnées $x_2 = x_1 + h = 0,4$ et y_2.

L'approximation affine pour $a = x_1$ nous donne une valeur approchée de $\exp(x_2)$ puisque :

$$\exp(x_2) = \exp(x_1 + h) \approx (1+h) \times \exp(x_1) \approx (1+h)y_1.$$

On pose donc :

$$y_2 = (1+h) \times y_1 = (1+0,2) \times 1,2, \text{ d'où } y_2 = 1,44.$$

a. Déterminer maintenant les coordonnées de M_3 et de M_4.

b. On a écrit ci-dessous un algorithme permettant d'afficher les premiers points M_n (dont l'abscisse est inférieure à $4 + h$).

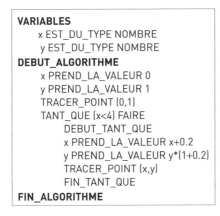

```
VARIABLES
    x EST_DU_TYPE NOMBRE
    y EST_DU_TYPE NOMBRE
DEBUT_ALGORITHME
    x PREND_LA_VALEUR 0
    y PREND_LA_VALEUR 1
    TRACER_POINT (0,1)
    TANT_QUE (x<4) FAIRE
        DEBUT_TANT_QUE
        x PREND_LA_VALEUR x+0.2
        y PREND_LA_VALEUR y*(1+0.2)
        TRACER_POINT (x,y)
        FIN_TANT_QUE
FIN_ALGORITHME
```

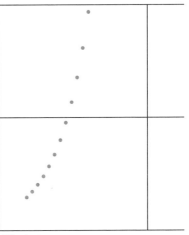

Résultats

Algorithme lancé
Algorithme terminé

Sur ce modèle, écrire un algorithme applicable à n'importe quelle valeur de h. Le tester pour $h = 0,1$, puis $h = 0,05$.

c. Modifier maintenant l'algorithme de la question précédente de façon à comparer la courbe obtenue par la méthode d'Euler et celle de la fonction exponentielle.

17 PROLONGEMENT ET DÉRIVABILITÉ | ★★★ | 100 min | ▶P. 110

Partie A. Étude d'une fonction auxiliaire

La fonction d est définie sur $]-1\,;\,+\infty[$ par $d(x) = e^{\frac{x}{x+1}}$.

1. Calculer la fonction dérivée d'. En déduire les variations de d.

2. Déterminer les limites de d en -1 et en $+\infty$.

3. Montrer que, pour tout $x > -1$, $0 < d(x) < e$.

 Transformer l'écriture de $\dfrac{x}{x+1}$ de sorte que la variable x n'apparaisse qu'une fois dans l'expression de $d(x)$.

Partie B. Étude de la fonction f

Dans cette partie on s'intéresse à la fonction f définie sur l'intervalle $]-1\,;\,+\infty[$ par $f(x) = x + 1 - e^{\frac{x}{x+1}}$.

On appelle $(\mathscr{C})$ la courbe représentative de f dans un repère orthonormal, l'unité graphique étant 5 cm. On désigne par f' et f'' les dérivées première et seconde de f.

1. Démontrer que la droite (D) d'équation $y = x - e + 1$ est asymptote à la courbe $(\mathscr{C})$, c'est-à-dire que $\lim\limits_{x \to +\infty} \big(f(x) - (x - e + 1)\big) = 0$.

2. a. Pour $x \in]-1\,;\,+\infty[$, calculer $f'(x)$ et $f''(x)$.

Vérifier que $f''(x) = \dfrac{2x+1}{(x+1)^4}\exp\left(\dfrac{x}{x+1}\right)$.

En déduire le signe de $f''(x)$ lorsque x décrit $\mathbb{R}$.

b. Dresser le tableau de variation de f' (on admettra que $\lim\limits_{-1} f' = \lim\limits_{+\infty} f' = 1$).

3. Démontrer que l'équation $f'(x) = 0$ admet sur $]-1\,;\,+\infty[$ deux solutions, dont l'une est 0. Dans la suite du problème, on notera α la solution non nulle. Donner une valeur approchée de α au centième près.

4. a. Donner le signe de $f'(x)$ lorsque x décrit $\mathbb{R}$.

◢ S'aider du tableau du **2.b.**

b. Calculer les limites de f aux bornes de son ensemble de définition.

c. Dresser le tableau de variation de f.

Partie C. Prolongement de la fonction f en -1

On considère la fonction g définie sur $]-1\,;\,+\infty[$ par :

$$\begin{cases} g(-1) = 0 \\ g(x) = f(x) \text{ pour tout } x > -1 \end{cases}$$

On appelle $(\mathscr{C}')$ la courbe représentative de la fonction g dans le repère de la **partie B**.

1. a. Montrer que l'on peut écrire $\dfrac{g(x) - g(-1)}{x - (-1)} = 1 - \dfrac{1}{x}\left(\dfrac{x}{x+1}\,e^{\frac{x}{x+1}}\right)$.

b. Pour $x \in\,]-1\,;+\infty[$, déterminer la limite lorsque x tend vers -1

de $\dfrac{x}{x+1}$ puis de $\dfrac{x}{x+1}\,e^{\frac{x}{x+1}}$.

c. En déduire que g est dérivable en -1 et préciser sa dérivée $g'(-1)$.

2. Construire (D) et $(\mathscr{C}')$. Préciser les tangentes à $(\mathscr{C}')$ aux points d'abscisses -1, α et 0.

CONTRÔLE

18 QCM | ★ | **60 min** | ▸P. **115** |

1. L'équation $e^{2x} - 3e^x - 4 = 0$ admet dans $\mathbb{R}$:

a. aucune solution ;   **b.** une solution ;

c. deux solutions distinctes ;   **d.** plus de deux solutions.

2. L'expression $-e^{-x}$:

a. n'est jamais négative ;   **b.** est toujours négative ;

c. n'est négative que si x est positif ;   **d.** n'est négative que si x est négatif.

3. $\displaystyle\lim_{x \to +\infty}\left(\dfrac{2e^x - 1}{e^x + 2}\right) =$

a. $-\dfrac{1}{2}$;   **b.** 1 ;   **c.** 2 ;   **d.** $+\infty$.

4. La courbe ci-dessous représente une fonction de la forme

$f : x \mapsto k \exp\left(\dfrac{-(x-\mu)^2}{2\sigma^2}\right)$, où k, μ et $\sigma(> 0)$ sont des constantes réelles.

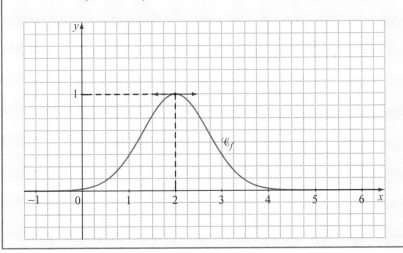

A-t-on :

a. $k = 2$ et $\mu = 1$?

b. $k = 1$ et $\mu = 0$?

c. $k = 0$ et $\mu = 2$?

d. $k = 1$ et $\mu = 2$?

◢ Exploiter d'abord la valeur de $f'(2)$, et ensuite celle de $f(2)$. On n'a pas besoin de connaître la valeur de σ.

19 ÉTUDE DE FONCTIONS ★★ | **40 min** | ▸P. **116**

Soit f la fonction définie sur $\mathbb{R}$ par $f(x) = \dfrac{1}{2}e^{2x} - e^{x+1} + c$, où c désigne un réel fixé.

On note $\mathscr{C}_f$ sa courbe représentative dans un repère orthogonal.

1. Sachant que $f(0) = \dfrac{1}{2}$, déterminer c.

2. Étudier le signe de $f'(x)$ lorsque x décrit $\mathbb{R}$.

3. Montrer que f a pour limite e en $-\infty$. Quelle conséquence pour $\mathscr{C}_f$?

4. Déterminer la limite en $+\infty$ de f.

5. Dresser le tableau de variation complet de f.

6. Comparer le minimum sur $\mathbb{R}$ de la fonction f à la valeur -1. Combien -1 a-t-il d'antécédents par f?

7. Résoudre l'équation $\dfrac{1}{2}X^2 - eX = 0$. En déduire le nombre d'antécédents par f de e.

8. Déterminer, par la méthode de votre choix, le nombre de solutions de l'équation $f(x) = 0$.

9. Représenter $\mathscr{C}_f$ en faisant apparaître les éventuelles asymptotes et tangentes horizontales.

CONTRÔLE

20   FONCTION DENSITÉ D'UNE LOI NORMALE | ★★★ | **45 min** | ▸ P. 118 |

Soit m un réel fixé.

On note f_m la fonction définie sur $\mathbb{R}$ par $f_m(x) = \exp\left(\dfrac{-(x-m)^2}{2}\right)$. On note

$\mathscr{C}_m$ sa courbe représentative dans un repère orthogonal.

1. Déterminer le(s) antécédent(s) par f_m de 1.

2. Déterminer les limites de f_m aux bornes de son ensemble de définition.

3. Étudier le signe de $f_m{}'(x)$ lorsque x décrit $\mathbb{R}$.

4. Dresser le tableau de variation complet de f_m.

5. a. Montrer que, pour tout x réel :

$$f_m{}''(x) = [(x-m)^2 - 1] \times \exp\left(\dfrac{-(x-m)^2}{2}\right).$$

b. En déduire les réels pour lesquels la dérivée seconde s'annule (c'est-à-dire les solutions de l'équation $f_m{}''(x) = 0$).

c. Déterminer l'équation de la tangente à $\mathscr{C}_m$ au point d'abscisse $m-1$. Vérifier qu'elle passe par le point de coordonnées $(m-2\,;\,0)$.

d. Déterminer l'équation de la tangente à $\mathscr{C}_m$ au point d'abscisse $m+1$. Vérifier qu'elle passe par le point de coordonnées $(m+2\,;\,0)$.

6. On a tracé dans le repère ci-dessous la courbe $\mathscr{C}_3$.

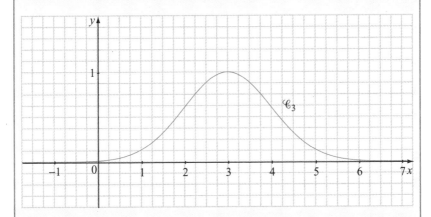

Tracer avec précision, et en utilisant les questions précédentes, les tangentes aux points d'abscisses 2 ; 3 et 4.

1 a. $\dfrac{e^{11}+e^{16}}{e^8}-\dfrac{e}{(e^{-1})^2}=e^3\left(1+e^5\right)-e^3=e^3\times e^5=\mathbf{e^8}.$

b. $\dfrac{e^{(3x+1)^2}}{e^{6x}}-e=e^{9x^2+6x+1-6x}-e=e^{9x^2+1}-e^1=e^1\left(e^{9x^2}-1\right)=\mathbf{e\left(e^{9x^2}-1\right)}.$

c. $e^{\cos^2(x)}\ e^{\sin^2(x)}=e^{\cos^2(x)+\sin^2(x)}=e^1=\mathbf{e}.$

d. $\dfrac{\left(e^{\cos^2(x)}\right)^2}{e}=e^{2\cos^2(x)-1}=\mathbf{e^{\cos(2x)}}.$

> On utilise la formule de duplication vue en 1re S :
> soit $a\in\mathbb{R}$, $\cos(2a)=2\cos^2(a)-1$.

2 a. $e^{x^2-3}=1\Leftrightarrow e^{x^2-3}=e^0\Leftrightarrow x^2-3=0\Leftrightarrow\left(x=\sqrt{3}\text{ ou }x=-\sqrt{3}\right).$

b. $e^{x(x-1)}>e^{3x+1}\Leftrightarrow x\left(x-1\right)>3x+1$ car exp est strictement croissante sur $\mathbb{R}$

$$\Leftrightarrow x^2-4x-1>0.$$

$\Delta=20=\left(2\sqrt{5}\right)^2$. Les racines du trinôme x^2-4x-1 sont :

$$x_1=\frac{4+2\sqrt{5}}{2}=2+\sqrt{5}\ \text{ et }\ x_2=\frac{4-2\sqrt{5}}{2}=2-\sqrt{5}.$$

Donc $e^{x(x-1)}>e^{3x+1}\Leftrightarrow\left(x<2-\sqrt{5}\text{ ou }x>2+\sqrt{5}\right).$

> x^2-4x-1 est du signe de $a=1$ à l'extérieur des racines.

c. Posons $X=e^x$.

$e^{2x}+\left(1-e\right)e^x-e=0\Leftrightarrow X^2+\left(1-e\right)X-e=0$

$\Delta=\left(1-e\right)^2+4e=\left(1+e\right)^2$, donc $\sqrt{\Delta}=1+e.$

Les racines du trinôme $X^2+\left(1-e\right)X-e$ sont :

$$X_1=\frac{-(1-e)+(1+e)}{2}=e\ \text{ et }\ X_2=\frac{-(1-e)-(1+e)}{2}=-1.$$

D'où $e^{2x}+\left(1-e\right)e^x-e=0\Leftrightarrow(X=e\text{ ou }X=-1)\Leftrightarrow(e^x=e\text{ ou }e^x=-1)$

$$\Leftrightarrow e^x=e^1\text{ (car }e^x\text{ ne peut valoir }-1)$$

$$\Leftrightarrow x=1.$$

d. $e^x+e^{-x}\leqslant\dfrac{e^2+1}{e}\Leftrightarrow e^{2x}+1\leqslant\dfrac{e^2+1}{e}e^x$ (multiplication par $e^x>0$)

$$\Leftrightarrow ee^{2x}+e\leqslant\left(e^2+1\right)e^x\text{ (multiplication par }e>0\text{)}$$

$$\Leftrightarrow ee^{2x}-\left(e^2+1\right)e^x+e\leqslant0.$$

Posons $X = \mathrm{e}^x$, alors $\mathrm{e}^x + \mathrm{e}^{-x} \leqslant \dfrac{\mathrm{e}^2 + 1}{\mathrm{e}} \Leftrightarrow \mathrm{e}X^2 - (\mathrm{e}^2 + 1)X + \mathrm{e} \leqslant 0$.

$\Delta = \left(-(\mathrm{e}^2 + 1)\right)^2 - 4\mathrm{e}^2 = \mathrm{e}^4 + 2\mathrm{e}^2 + 1 - 4\mathrm{e}^2 = (\mathrm{e}^2 - 1)^2$, donc $\sqrt{\Delta} = \mathrm{e}^2 - 1$ (positif).

Les racines du trinôme $\mathrm{e}X^2 - (\mathrm{e}^2 + 1)X + \mathrm{e}$ sont :

$$X_1 = \frac{\mathrm{e}^2 + 1 + \mathrm{e}^2 - 1}{2\mathrm{e}} = \mathrm{e} \text{ et } X_2 = \frac{\mathrm{e}^2 + 1 - \mathrm{e}^2 + 1}{2\mathrm{e}} = \mathrm{e}^{-1}.$$

D'où $\mathrm{e}^x + \mathrm{e}^{-x} \leqslant \dfrac{\mathrm{e}^2 + 1}{\mathrm{e}} \Leftrightarrow (X \leqslant \mathrm{e}^{-1} \text{ ou } X \geqslant \mathrm{e}) \Leftrightarrow (\mathrm{e}^x \leqslant \mathrm{e}^{-1} \text{ ou } \mathrm{e}^x \geqslant \mathrm{e}^1)$

$$\Leftrightarrow (x \leqslant -1 \text{ ou } x \geqslant 1).$$

$\boxed{3}$ **1. a.** $\displaystyle\lim_{x \to -\infty} |x| = +\infty$ et $\displaystyle\lim_{X \to +\infty} \mathrm{e}^X = +\infty$, donc, par composition :

$$\lim_{x \to -\infty} \mathrm{e}^x = +\infty.$$

b. $\displaystyle\lim_{x \to 0^-} \dfrac{1}{x} = -\infty$ et $\displaystyle\lim_{X \to -\infty} \exp(X) = 0$, donc, par composition :

$$\lim_{x \to 0^-} \exp\frac{1}{x} = 0.$$

c. $\displaystyle\lim_{x \to +\infty} \mathrm{e}^{2x} = +\infty$ et $\displaystyle\lim_{x \to +\infty} -\mathrm{e}^x = -\infty$: il s'agit d'une forme indéterminée.

Factorisons par e^{2x} : $\mathrm{e}^{2x} - \mathrm{e}^x + 1 = \mathrm{e}^{2x}\left(1 - \dfrac{\mathrm{e}^x}{\mathrm{e}^{2x}} + \dfrac{1}{\mathrm{e}^{2x}}\right) = \mathrm{e}^{2x}\left(1 - \mathrm{e}^{-x} + \mathrm{e}^{-2x}\right)$.

$\displaystyle\lim_{x \to +\infty} \mathrm{e}^{2x} = +\infty$ et $\displaystyle\lim_{x \to +\infty} (1 - \mathrm{e}^{-x} + \mathrm{e}^{-2x}) = 1$, donc, par produit :

$$\lim_{x \to +\infty} \mathrm{e}^{2x} - \mathrm{e}^x + 1 = +\infty.$$

d. $\displaystyle\lim_{x \to +\infty} (\mathrm{e}^{2x} + 3) = +\infty$ et $\displaystyle\lim_{x \to +\infty} (\mathrm{e}^{3x} + \mathrm{e}^x + 1) = +\infty$: il s'agit d'une forme indéterminée.

Factorisons le numérateur par e^{2x} et le dénominateur par e^{3x} :

$$\frac{\mathrm{e}^{2x} + 3}{\mathrm{e}^{3x} + \mathrm{e}^x + 1} = \frac{\mathrm{e}^{2x}(1 + 3\mathrm{e}^{-2x})}{\mathrm{e}^{3x}(1 + \mathrm{e}^{-2x} + \mathrm{e}^{-3x})} = \frac{1 + 3\mathrm{e}^{-2x}}{\mathrm{e}^x(1 + \mathrm{e}^{-2x} + \mathrm{e}^{-3x})}.$$

$\displaystyle\lim_{x \to +\infty} \mathrm{e}^x = +\infty$ et $\displaystyle\lim_{x \to +\infty} (1 + \mathrm{e}^{-2x} + \mathrm{e}^{-3x}) = 1$, donc, par produit :

$$\lim_{x \to +\infty} \mathrm{e}^x\left(1 + \mathrm{e}^{-2x} + \mathrm{e}^{-3x}\right) = +\infty.$$

Ensuite, $\displaystyle\lim_{x \to +\infty} (1 + 3\mathrm{e}^{-2x}) = 1$ et $\displaystyle\lim_{x \to +\infty} \mathrm{e}^x(1 + \mathrm{e}^{-2x} + \mathrm{e}^{-3x}) = +\infty$, donc, par quotient :

$$\lim_{x \to +\infty} \frac{\mathrm{e}^{2x} + 3}{\mathrm{e}^{3x} + \mathrm{e}^x + 1} = 0.$$

2. $\lim\limits_{x \to +\infty} \dfrac{e^x}{x} = +\infty$; $\lim\limits_{x \to -\infty} (xe^x) = 0$; $\lim\limits_{x \to 0} \dfrac{e^x - 1}{x} = \exp'(0) = 1$.

3. a. Pour tout $x > 0$, $\dfrac{x}{e^x} = \dfrac{1}{\dfrac{e^x}{x}}$. Posons $X = \dfrac{e^x}{x}$. Alors $\dfrac{x}{e^x} = \dfrac{1}{X}$.

$\lim\limits_{x \to +\infty} \dfrac{e^x}{x} = +\infty$ et $\lim\limits_{X \to +\infty} \dfrac{1}{X} = 0$, donc, par composition, $\lim\limits_{x \to +\infty} \dfrac{x}{e^x} = \mathbf{0}$.

b. Pour tout $x \neq 0$, $\dfrac{e^{\frac{1}{x}}}{x} = \dfrac{1}{x} \times e^{\frac{1}{x}}$.

Posons $X = \dfrac{1}{x}$. Alors $\dfrac{e^{\frac{1}{x}}}{x} = Xe^X$.

$\lim\limits_{x \to 0^-} \dfrac{1}{x} = -\infty$ et $\lim\limits_{X \to -\infty} Xe^X = 0$, donc, par composition, $\lim\limits_{x \to 0^-} \dfrac{e^{\frac{1}{x}}}{x} = \mathbf{0}$.

c. Pour tout $x > 0$, $\dfrac{(e^x)^2}{2x} = \dfrac{e^{2x}}{2x}$. Posons $X = 2x$.

$\lim\limits_{x \to +\infty} (2x) = +\infty$ et $\lim\limits_{x \to +\infty} \dfrac{e^X}{X} = +\infty$, donc, par composition, $\lim\limits_{x \to +\infty} \dfrac{(e^x)^2}{2x} = +\infty$.

d. Pour tout $x < 0$, $x = \dfrac{1}{\dfrac{1}{x}}$ et $x(e^{\frac{1}{x}} - 1) = \dfrac{e^{\frac{1}{x}} - 1}{\dfrac{1}{x}}$.

Posons $X = \dfrac{1}{x}$. Alors $x\left(e^{\frac{1}{x}} - 1\right) = \dfrac{e^X - 1}{X}$.

$\lim\limits_{x \to -\infty} \dfrac{1}{x} = 0$ et $\lim\limits_{X \to 0} \dfrac{e^X - 1}{X} = 1$, donc, par composition, $\lim\limits_{x \to -\infty} x\left(e^{\frac{1}{x}} - 1\right) = \mathbf{1}$.

4 **1.** f est de la forme e^u avec $u : x \mapsto -x$.

◢ Voir le savoir-faire 3.

Pour tout x réel, $f'(x) = u'(x) \times e^{u(x)} = (-1) \times e^{-x} = -e^{-x} < 0$.

Par conséquent, f est **strictement décroissante sur** $\mathbb{R}$.

2. g est de la forme e^u avec $u : x \mapsto \dfrac{1}{x^2 + 1}$.

◢ Le dénominateur $x^2 + 1$ ne s'annule pas sur $\mathbb{R}$.

Pour tout x réel, $g'(x) = u'(x) \times e^{u(x)} = \dfrac{-2x}{(x^2 + 1)^2} \times \exp\dfrac{1}{x^2 + 1}$.

$\dfrac{1}{(x^2+1)^2} \times \exp\dfrac{1}{x^2+1}$ est strictement positif sur $\mathbb{R}$, donc $g'(x)$ est du signe de $-2x$, c'est-à-dire strictement positif sur $]-\infty\,;\,0[$ et strictement négatif sur $]0\,;+\infty[$.

Donc g est strictement croissante sur $]-\infty\,;\,0]$ et strictement décroissante sur $[0\,;+\infty[$.

3. h est de la forme $(-3) \times \dfrac{1}{v}$ avec $v : x \mapsto e^x + 2$.

Le dénominateur $e^x + 2$ ne s'annule pas sur $\mathbb{R}$.

Pour tout x réel, $h'(x) = (-3) \times \dfrac{-v'(x)}{\big[v(x)\big]^2} = (-3) \times \dfrac{-e^x}{(e^x+2)^2} = \dfrac{3e^x}{(e^x+2)^2} > 0$.

Donc h est strictement croissante sur $\mathbb{R}$.

4. k est de la forme u^3, avec $u : x \mapsto 5 - 2e^{\frac{x}{2}}$.

Pour tout x réel, $k'(x) = 3 \times u^2(x) \times u'(x) = 3 \times \left(5 - 2e^{\frac{x}{2}}\right)^2 \times \left(-2 \times \dfrac{1}{2} e^{\frac{x}{2}}\right)$

$$= -3 \times \left(5 - 2e^{\frac{x}{2}}\right)^2 \times e^{\frac{x}{2}} < 0.$$

Donc k est strictement décroissante sur $\mathbb{R}$.

5 1. La fonction exponentielle est strictement croissante et continue sur $]-\infty\,;+\infty[$ et vérifie $\lim\limits_{x \to -\infty} e^x = 0$ et $\lim\limits_{x \to +\infty} e^x = +\infty$.

Soit y un réel strictement positif. $y \in]0\,;+\infty[$, donc, d'après le théorème des valeurs intermédiaires, l'équation $e^x = y$ admet une unique solution notée $\ln(y)$.

2. • L'équation $e^x = e$ admet une unique solution qui est $\ln(e)$. Or 1 est solution de cette équation. Donc **$\ln(e) = 1$.**

• L'équation $e^x = 1$ admet une unique solution qui est $\ln(1)$. Or 0 est solution de cette équation. Donc **$\ln(1) = 0$.**

• L'équation $e^x = e^3$ admet une unique solution qui est $\ln(e^3)$. Or 3 est solution de cette équation. Donc **$\ln(e^3) = 3$.**

3. $\ln(5)$ est l'unique solution de l'équation $e^x = 5$.

$e^{1,60} \approx 4,953$ et $e^{1,61} \approx 5,0028$, donc $\exp(1,60) < 5 < \exp(1,61)$.

La fonction exponentielle étant strictement croissante :

$$\mathbf{1,60 < \ln(5) < 1,61.}$$

6 1. T a pour équation $y = \exp(0) + \exp'(0)(x - 0)$, soit :

$$y = e^0 + e^0 x = 1 + 1 \times x.$$

$$\mathbf{T : y = x + 1.}$$

2. • f est dérivable sur $\mathbb{R}$ et, pour tout x réel, $f'(x) = e^x - 1$.

La fonction exponentielle étant strictement croissante sur $\mathbb{R}$,

$f'(x) > 0 \Leftrightarrow e^x - 1 > 0 \Leftrightarrow e^x > 1 \Leftrightarrow e^x > e^0 \Leftrightarrow x > 0$ et :

$$f'(x) = 0 \Leftrightarrow e^x = 1 \Leftrightarrow x = 0.$$

Donc f est strictement décroissante sur $]-\infty \; ; \; 0]$ et strictement croissante sur $[0 \; ; + \infty[$.

• $f(0) = e^0 - 0 - 1 = 0$. Le tableau de variation de f est donc :

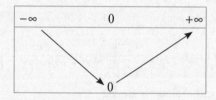

Il en résulte que f est positive sur $\mathbb{R}$ et s'annule en 0.

3. La position relative de $\mathscr{C}$ et de T est donnée par le signe de la différence :

$$e^x - (x+1) = f(x).$$

Or $f(x) \geqslant 0$ sur $\mathbb{R}$ et $f(x) = 0 \Leftrightarrow x = 0$.

Donc la courbe $\mathscr{C}$ est au-dessus de la droite T. Elles ont un unique point commun, le point J (0 ; 1).

$\boxed{7}$ 1. **Réponse c.** $T : y = \exp(-1) + \exp'(-1) \times (x+1)$ ou encore :

$$y = e^{-1}(x+2).$$

2. **Réponse c.**: $e^{x-1} + e^{x+1} = e^x(e^{-1} + e^1)$.

3. **Réponse a.**

Pour tout réel x, $f_1'(x) = \dfrac{1}{2}e^{\frac{x}{2}}$, donc $2 \times f_1'(x) = e^{\frac{x}{2}} = e^{\frac{x}{2}} - 6 + 6 = f_1(x) + 6$.

4. **Réponse b.** car $\lim\limits_{x \to +\infty} e^x = +\infty$ et $\lim\limits_{x \to +\infty} e^{-x} = 0$.

$\boxed{8}$ Soit $b \in \mathbb{R}$. Avec $a = -b$, la formule $\exp(a+b) = \exp(a) \times \exp(b)$ donne :

$$\exp(b + (-b)) = \exp(b) \times \exp(-b)$$
$$1 = \exp(b) \times \exp(-b).$$

Comme exp ne s'annule pas sur $\mathbb{R}$, on en déduit que $\exp(-b) = \dfrac{1}{\exp(b)}$.

Soit a et b deux réels :

$$\exp(a-b) = \exp(a + (-b)) = \exp(a) \times \exp(-b) = \exp(a) \times \dfrac{1}{\exp(b)} = \dfrac{\exp(a)}{\exp(b)}.$$

9 1.
$$\begin{cases} e^x e^y = \dfrac{1}{e} \\ (e^x)^y = e^{-6} \end{cases} \Leftrightarrow \begin{cases} e^{x+y} = e^{-1} \\ e^{xy} = e^{-6} \end{cases} \Leftrightarrow \begin{cases} x + y = -1 \\ x \times y = -6 \end{cases}$$

$$\Leftrightarrow \begin{cases} y = -1 - x \\ x^2 + x - 6 = 0 \end{cases} \Leftrightarrow \begin{cases} y = -1 - x \\ x = 2 \text{ ou } x = -3 \end{cases}.$$

Les solutions du système sont $(2\,;-3)$ et $(-3\,;2)$.

2. $\begin{cases} ye^x + e^x = 1 \\ ye^{2x} + e^{x+1} = e \end{cases} \Leftrightarrow \begin{cases} e^x(1+y) = 1 \\ ye^{2x} + e^{x+1} = e \end{cases} \Leftrightarrow \begin{cases} e^x = \dfrac{1}{1+y} \\ y\left(\dfrac{1}{1+y}\right)^2 + \dfrac{1}{1+y} \times e = e \end{cases}$

$$\Leftrightarrow \begin{cases} e^x = \dfrac{1}{1+y} \\ y + (1+y)e = (1+y)^2 e \end{cases} \qquad \text{(multiplication par } (1+y)^2 \neq 0)$$

$$\Leftrightarrow \begin{cases} e^x = \dfrac{1}{1+y} \\ ey^2 + (e-1)y = 0 \end{cases} \Leftrightarrow \begin{cases} e^x = \dfrac{1}{1+y} \\ y(ey + e - 1) = 0 \end{cases} \Leftrightarrow \begin{cases} e^x = \dfrac{1}{1+y} \\ y = 0 \text{ ou } y = \dfrac{1-e}{e} = \dfrac{1}{e} - 1 \end{cases}$$

$$\Leftrightarrow ((y = 0 \text{ et } e^x = 1) \text{ ou } (y = e^{-1} - 1 \text{ et } e^x = e))$$

$$\Leftrightarrow ((y = 0 \text{ et } x = 0) \text{ ou } (y = e^{-1} - 1 \text{ et } x = 1)).$$

Les solutions du système sont $(0\,;0)$ et $(1\,;e^{-1} - 1)$.

10 f est de la forme e^u, avec $u : x \mapsto -x^2$.

1. u est définie et dérivable sur $\mathbb{R}$, donc **f est également définie et dérivable sur $\mathbb{R}$.**

2. Pour $x \in \mathbb{R}$, $f'(x) = u'(x) \times e^{u(x)} = (-2x) \times e^{-x^2}$.

e^{-x^2} étant strictement positif sur $\mathbb{R}$, $f'(x)$ est du signe de $-2x$, c'est-à-dire strictement positif sur $]-\infty\,;0[$ et strictement négatif sur $]0\,;+\infty[$.

Donc f est strictement croissante sur $]-\infty\,;0]$ et strictement décroissante sur $[0\,;+\infty[$.

3. $\lim\limits_{x \to -\infty} (-x^2) = -\infty$ et $\lim\limits_{X \to -\infty} e^X = 0$, donc $\lim\limits_{x \to -\infty} e^{-x^2} = 0$, soit :

$$\lim\limits_{x \to -\infty} f(x) = 0.$$

$\lim\limits_{x\to+\infty}(-x^2)=-\infty$ et $\lim\limits_{X\to-\infty}e^X=0$, donc $\lim\limits_{x\to+\infty}e^{-x^2}=0$, soit :

$$\lim\limits_{x\to+\infty}f(x)=0.$$

4. La tangente à $\mathscr{C}_f$ au point d'abscisse 0 a pour équation :

$$y=f(0)+f'(0)\times(x-0).\text{ Or }f(0)=1\text{ et }f'(0)=0.$$

Finalement, T a pour équation $y=1$.

5.

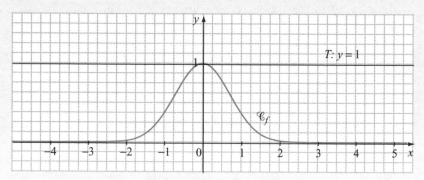

$\boxed{11}$ 1. f est dérivable sur $\mathbb{R}$ et, pour tout $x\in\mathbb{R}$, $f'(x)=e^x-x-2$.

f' est encore dérivable sur $\mathbb{R}$ et, pour tout $x\in\mathbb{R}$, $f''(x)=e^x-1$.

$f''(x)>0\Leftrightarrow e^x>1\Leftrightarrow x>0$ et $f''(0)=0$.

Donc f' est strictement croissante sur $[0\,;+\infty[$.

2. Pour tout $x\geqslant0$, $f'(x)=e^x(1-xe^{-x}-2e^{-x})$;

$\lim\limits_{x\to+\infty}e^{-x}=0$ et $\lim\limits_{x\to+\infty}xe^{-x}=0$, donc $\lim\limits_{x\to+\infty}(1-xe^{-x}-2e^{-x})=1$; $\lim\limits_{x\to+\infty}e^x=+\infty$.

Donc : $\lim\limits_{x\to+\infty}f'(x)=+\infty$.

f' est continue et strictement croissante sur $[0\,;+\infty[$.

0 est compris entre $f'(0)=-1$ et $\lim\limits_{x\to+\infty}f'(x)=+\infty$.

Donc, d'après le théorème des valeurs intermédiaires, **l'équation $f'(x)=0$ admet une unique solution dans $[0\,;+\infty[$.**

Soit α cette solution, $f(1,146)<0<f(1,147)$, donc **$1,146<\alpha<1,147$.**

3. • Limite de f en $+\infty$:

Pour tout $x\geqslant0$, $f(x)=e^x\left(1-\dfrac{x^2}{2}e^{-x}-2xe^{-x}-2e^{-x}\right)$

$\lim\limits_{x \to +\infty} e^{-x} = 0$ $\lim\limits_{x \to +\infty} \dfrac{x^2}{2}$, $e^{-x} = 0$ et $\lim\limits_{x \to +\infty} 2xe^{-x} = 0$ donc :

$$\lim\limits_{x \to +\infty} \left(1 - \dfrac{x^2}{2}e^{-x} - 2x\ e^{-x} - 2e^{-x}\right) = 1.$$

De plus, $\lim\limits_{x \to +\infty} e^x = +\infty$.

Donc $\lim\limits_{x \to +\infty} f(x) = +\infty$.

• Tableau de variation de f :

x	0		α		$+\infty$
Signe de $f'(x)$	-1	$-$	0	$+$	$+\infty$
Variations de f	-1		$f(\alpha)$		$+\infty$

4. $f(\alpha) = e^\alpha - \dfrac{\alpha^2}{2} - 2\alpha - 2$. Or $f'(\alpha) = 0$, d'où $e^\alpha = \alpha + 2$.

Donc $f(\alpha) = \alpha + 2 - \dfrac{\alpha^2}{2} - 2\alpha - 2 = -\alpha - \dfrac{\alpha^2}{2} = -\alpha\left(\dfrac{\alpha}{2} + 1\right)$.

$1,146 < \alpha < 1,147$, donc $1,573 < \dfrac{\alpha}{2} + 1 < 1,5735$.

◤ Conserver toutes les décimales lors des calculs.

Les termes étant tous positifs, on peut multiplier membre à membre les deux inégalités et on obtient :

$$1,802658 < \alpha \times \left(\dfrac{\alpha}{2} + 1\right) < 1,8048045$$

$$-1,8048045 < -\alpha \times \left(\dfrac{\alpha}{2} + 1\right) < -1,802658.$$

Donc, un encadrement au centième de $f(\alpha)$ est :

$$\mathbf{-1,81 < f(\alpha) < -1,80.}$$

5. T_2 a pour équation $y = f(2) + f'(2)(x - 2)$.

Or $f(2) + f'(2)(x - 2) = e^2 - 8 + (e^2 - 4)(x - 2) = (e^2 - 4)x - e^2$. Donc :

$$T_2 : y = (e^2 - 4)x - e^2.$$

T_α a pour équation $y = f(\alpha) + f'(\alpha)(x - \alpha)$ avec $f'(\alpha) = 0$ et $f(\alpha) = -\alpha\left(\dfrac{\alpha}{2} + 1\right)$.

Donc $\mathbf{T_\alpha : y = -\alpha\left(\dfrac{\alpha}{2} + 1\right)}$ **(tangente horizontale).**

6.

$\boxed{12}$ 1. Soient s et t deux réels fixés.

$\left(e^x - s\right) \times \left(e^x - t\right) = 0 \Leftrightarrow (e^x = s$ ou $e^x = t)$.

L'équation $e^x = s$ admet une solution unique si $s > 0$ et aucune solution si $s \leqslant 0$.
De même pour l'équation $e^x = t$.
Donc l'équation $\left(e^x - s\right) \times \left(e^x - t\right) = 0$ admet :

$\begin{cases} \textbf{deux solutions si } \boldsymbol{s > 0} \textbf{ et } \boldsymbol{t > 0} \textbf{ ;} \\ \textbf{une solution si } \boldsymbol{(s > 0} \textbf{ et } \boldsymbol{t \leqslant 0)} \textbf{ ou si } \boldsymbol{(s \leqslant 0} \textbf{ et } \boldsymbol{t > 0)} \textbf{ ;} \\ \textbf{aucune solution si } \boldsymbol{s \leqslant 0} \textbf{ et } \boldsymbol{t \leqslant 0.} \end{cases}$

2.

```
VARIABLES
    s EST_DU_TYPE NOMBRE
    t EST_DU_TYPE NOMBRE
DEBUT_ALGORITHME
    LIRE s
    LIRE t
    SI (s>0 ET t>0) ALORS
        DEBUT_SI
        AFFICHER "l'équation (exp(x)-s)×(exp(x)-t)=0 admet deux solutions"
        FIN_SI
        SINON
            DEBUT_SINON
            SI (s<=0 ET t<=0) ALORS
                DEBUT_SI
                AFFICHER "l'équation (exp(x)-s)×(exp(x)-t)=0 n'admet aucune solution"
                FIN_SI
                SINON
                    DEBUT_SINON
                    AFFICHER "l'équation (exp(x)-s)×(exp(x)-t)=0 admet une solution unique"
                    FIN_SINON
            FIN_SINON
FIN_ALGORITHME
```

3. Notons $\Delta = b^2 - 4ac$.

Si $\Delta > 0$, l'équation $aX^2 + bX + c = 0$ admet deux solutions réelles :

$$X_1 = \frac{-b - \sqrt{\Delta}}{2a} \text{ et } X_2 = \frac{-b + \sqrt{\Delta}}{2a}.$$

Si $\Delta = 0$, l'équation $aX^2 + bX + c = 0$ admet une solution réelle $X_0 = \frac{-b}{2a}$.

Si $\Delta < 0$, l'équation $aX^2 + bX + c = 0$ n'admet **aucune solution réelle**.

4.

```
VARIABLES
   a EST_DU_TYP E NOMBRE
   b EST_DU_TYPE NOMBRE
   c EST_DU_TYPE NOMBRE
   x0 EST_DU_TYPE NOMBRE
   x1 EST_DU_TYPE NOMBRE
   x2 EST_DU_TYPE NOMBRE
   DELTA EST_DU_TYPE NOMBRE
DEBUT_ALGORITHME
   LIRE a
   LIRE b
   LIRE c
   SI (a!=0) ALORS
      DEBUT_SI
      DELTA PREND_LA_VALEUR b*b-4*a*c
      SI (DELTA= =0) ALORS
         DEBUT_SI
         x0 PREND_LA_VALEUR –b/(2*a)
         SI (x0>0) ALORS
            DEBUT_SI
            AFFICHER "l"equation a.exp(2x)+b.exp(x)+c=0 admet une solution"
```

```
         FIN_SI
         SINON
            DEBUT_SINON
            AFFICHER "l"equation a.exp(2x)+b.exp(x)+c=0 n'admet aucune
            solution"
            FIN_SINON
      FIN_SI
      SINON
         DEBUT_SINON
         SI (DELTA>0) ALORS
            DEBUT_SI
            x1 PREND_LA_VALEUR (-b-sqrt(DELTA))/(2*a)
            x2 PREND_LA_VALEUR (-b+sqrt(DELTA))/(2*a)
            SI(X1>0ETx2>0) ALORS
               DEBUT_SI
               AFFICHER "l"equation a exp(2x)+b exp(x)+c=0 admet deux
               solutions"
               FIN_SI
               SINON
                  DEBUT_SINON
                  SI (X1<=0 ET X2<=0) ALORS
```

```
                    DEBUT_SI
                    AFFICHER "l"equation a exp(2x)+b exp(x)+c=0 n'admet
                    aucune solution"
                    FIN_SI
                    SINON
                        DEBUT_SINON
                        AFFICHER "l"equation a exp(2x)+b exp(x)+c=0
                        admet une solution"
                        FIN_SINON
                FIN_SINON
            FIN_SI
            SINON
                DEBUT_SINON
                AFFICHER "l"equation a exp(2x)+b exp(x)+c=0 n'admet aucune
                solution"
                FIN_SINON
        FIN_SINON
    FIN_SI
FIN_ALGORITHME
```

5. a. $e^{2x} + e^x + 1 = 0$; $X^2 + X + 1 = 0$; $\Delta = -3 < 0$; **aucune solution.**

b. $e^{2x} + 2e^x + 1 = 0$; $(X+1)^2 = 0$; $X_0 = -1$; **aucune solution.**

c. $e^{2x} - 2e^x + 1 = 0$; $(X-1)^2 = 0$; $X_0 = 1 > 0$; **une solution.**

d. $e^{2x} + 4e^x + 3 = 0$; $X^2 + 4X + 3 = 0$; $X_1 = -1$ et $X_2 = -3$; **aucune solution.**

e. $e^{2x} + 2e^x - 3 = 0$; $X^2 + 2X - 3 = 0$; $X_1 = 1 > 0$ et $X_2 = -3$; **une solution.**

f. $e^{2x} - 4e^x + 3 = 0$; $X^2 - 4X + 3 = 0$; $X_1 = 1 > 0$ et $X_2 = 3 > 0$; **deux solutions.**

g. $e^{2x} - 3e^x = 0$; $X^2 - 3X = 0$; $X_1 = 0$ et $X_2 = 3 > 0$; **une solution.**

13 1. Pour tout $t \in [0 ; +\infty[$, $N'(t) = N_0 \times (-\lambda)e^{-\lambda t} = -\lambda N(t)$.

$N'(t)$ est donc proportionnel au nombre de noyaux radioactifs $N(t)$, et le coefficient de proportionnalité vaut $(-\lambda)$.

2. $N(t) = \dfrac{1}{2}N(0) \Leftrightarrow N_0 e^{-\lambda t} = \dfrac{1}{2}N_0$

$$\Leftrightarrow e^{-\lambda t} = \dfrac{1}{2} \text{ (car } N_0 > 0).$$

$$\Leftrightarrow 2 = e^{\lambda t} \Leftrightarrow e^{\ln 2} = e^{\lambda t} \Leftrightarrow t = \dfrac{\ln 2}{\lambda}.$$

Donc $T = \dfrac{\ln 2}{\lambda}$.

3. a. $\lambda = \dfrac{\ln 2}{5\,568} \approx \mathbf{1,245 \times 10^{-4}}$.

b. Soit t le nombre d'années écoulées depuis la mort de cet humain, alors $N(t) = \dfrac{35}{100} \times N_0$, c'est-à-dire $\exp(-1,245 \times 10^{-4} \times t) = 0,35$,

soit $t = \dfrac{\ln 0,35}{-1,245 \times 10^{-4}} \approx 8432$ à 1 près.

Cet humain est mort environ 8432 ans avant la découverte, soit environ en 6426 avant JC.

14 1. a. Pour tout $x \geqslant 0$, $-1 \leqslant \cos(x) \leqslant 1$.

En multipliant par $e^{-x} > 0$, on obtient :

$$-e^{-x} \leqslant f(x) \leqslant e^{-x}.$$

b. $\displaystyle\lim_{x \to +\infty} (-x) = -\infty$, donc $\displaystyle\lim_{x \to +\infty} e^{-x} = 0$ et $\displaystyle\lim_{x \to +\infty} \left(-e^{-x}\right) = 0$.

Donc, d'après le théorème des gendarmes :

$$\lim_{x \to +\infty} f(x) = 0.$$

2. $f(x) = e^{-x} \Leftrightarrow (\cos(x) = 1 \text{ et } x \geqslant 0)$

$$\Leftrightarrow x = 2k\pi, \text{ avec } k \in \mathbb{N}.$$

$f(x) = e^{-x} \Leftrightarrow (\cos(x) = -1 \text{ et } x \geqslant 0)$

$$\Leftrightarrow x = (2k+1)\pi, \text{ avec } k \in \mathbb{N}.$$

$f(x) = 0 \Leftrightarrow (\cos(x) = 0 \text{ et } x \geqslant 0)$

$$\Leftrightarrow x = \dfrac{\pi}{2} + k\pi, \text{ avec } k \in \mathbb{N}.$$

3. a. • Les fonctions $x \mapsto -x$ et exp sont dérivables sur $\mathbb{R}$, donc la fonction $x \mapsto e^{-x}$ est dérivable sur $\mathbb{R}$. À fortiori, elle l'est sur $[0\,;+\infty[$.
La fonction cos est dérivable sur $\mathbb{R}$, donc aussi sur $[0\,;+\infty[$.
f est le produit de deux fonctions dérivables sur $[0\,;+\infty[$, donc f est dérivable sur $[0\,;+\infty[$.

• Pour tout $x \geqslant 0$,

$f'(x) = -e^{-x} \times \cos(x) + e^{-x} \times \left(-\sin(x)\right) = -e^{-x}\left(\cos(x) + \sin(x)\right)$.

Or, $-\sqrt{2}\, e^{-x} \times \sin\left(x + \dfrac{\pi}{4}\right) = -\sqrt{2}\, e^{-x} \times \left(\dfrac{\sqrt{2}}{2}\cos(x) + \dfrac{\sqrt{2}}{2}\sin(x)\right)$

$$= -e^{-x}(\cos(x)) + \sin(x)) = f'(x).$$

◢ Si $a \in \mathbb{R}$ et $b \in \mathbb{R}$: $\sin(a+b) = \sin(a)\cos(b) + \cos(a)\sin(b)$.

Pour tout $x \geqslant 0$, $f'(x) = -\sqrt{2} - e^{-x} \times \sin\left(x + \dfrac{\pi}{4}\right)$.

b. $f'(x) = 0 \Leftrightarrow -\sqrt{2}\, e^{-x} \times \sin\left(x + \dfrac{\pi}{4}\right) = 0$ et $x \geqslant 0$

$\Leftrightarrow \sin\left(x + \dfrac{\pi}{4}\right) = 0$ et $x \geqslant 0$

$\Leftrightarrow x + \dfrac{\pi}{4} = k\pi$, avec $k \in \mathbb{Z}$ et $x \geqslant 0$

$\Leftrightarrow \boldsymbol{x = -\dfrac{\pi}{4} + k\pi}$, **avec** $\boldsymbol{k \in \mathbb{N}^*}$

c. $f'(x) > 0 \Leftrightarrow \sin\left(x + \dfrac{\pi}{4}\right) < 0$ et $x \geqslant 0$.

$\Leftrightarrow x \geqslant 0$ et $x + \dfrac{\pi}{4} \in \left](2k+1)\pi\,;\,(2k+2)\pi\right[$, avec $k \in \mathbb{Z}$

$\Leftrightarrow x \in \left]-\dfrac{\pi}{4} + (2k+1)\pi\,;-\dfrac{\pi}{4} + (2k+2)\pi\right[$, avec $k \in \mathbb{N}$.

D'où le tableau des variations de f sur $[0\,;\,4\pi]$:

x	0		$\dfrac{3\pi}{4}$		$\dfrac{7\pi}{4}$		$\dfrac{11\pi}{4}$		$\dfrac{15\pi}{4}$		4π
Variations de f	1 ↘	$-\dfrac{\sqrt{2}}{2} \times e^{-\frac{3\pi}{4}}$ ↗		$\dfrac{\sqrt{2}}{2} \times e^{-\frac{7\pi}{4}}$ ↘		$-\dfrac{\sqrt{2}}{2} \times e^{-\frac{11\pi}{4}}$ ↗		$\dfrac{\sqrt{2}}{2} \times e^{-\frac{15\pi}{4}}$ ↘		$e^{-4\pi}$	

d.

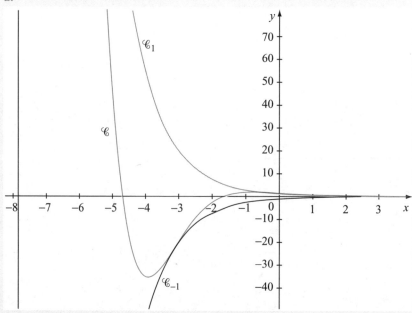

15 1. a. • Limites en $-\infty$

$\lim\limits_{x\to-\infty} e^x = 0$; $\lim\limits_{x\to-\infty}(-x) = +\infty$ et $\lim\limits_{X\to+\infty} e^X = +\infty$, donc $\lim\limits_{x\to-\infty} e^{-x} = +\infty$, donc :

$$\lim\limits_{x\to-\infty} \mathbf{ch}(x) = +\infty \text{ et } \lim\limits_{x\to-\infty} \mathbf{sh}(x) = -\infty.$$

• Limites en $+\infty$

$$\lim\limits_{x\to+\infty} e^x = +\infty;$$

$\lim\limits_{x\to+\infty}(-x) = -\infty$ et $\lim\limits_{X\to-\infty} e^X = 0$, donc $\lim\limits_{x\to+\infty} e^{-x} = 0$, donc :

$$\lim\limits_{x\to+\infty} \mathbf{ch}(x) = +\infty \text{ et } \lim\limits_{x\to+\infty} \mathbf{sh}(x) = +\infty.$$

b. ch et sh sont dérivables sur $\mathbb{R}$.

Pour tout $x \in \mathbb{R}$, $\mathrm{ch}'(x) = \dfrac{e^x - e^{-x}}{2} = \mathrm{sh}(x)$.

Or $\mathrm{sh}(x) > 0 \Leftrightarrow e^x > e^{-x} \Leftrightarrow x > -x \Leftrightarrow x > 0$ et $\mathrm{sh}(x) = 0 \Leftrightarrow x = -x \Leftrightarrow x = 0$.

La fonction ch est strictement croissante sur $[0 ; +\infty[$ et strictement décroissante sur $]-\infty ; 0]$.

Pour tout $x \in \mathbb{R}$, $\mathrm{sh}'(x) = \dfrac{e^x + e^{-x}}{2} = \mathrm{ch}(x) > 0$.

La fonction sh est strictement croissante sur $\mathbb{R}$.

x	$-\infty$	0	$+\infty$
Variations de ch	$+\infty$	1	$+\infty$

x	$-\infty$	$+\infty$
Variations de sh	$-\infty$	$+\infty$

c.

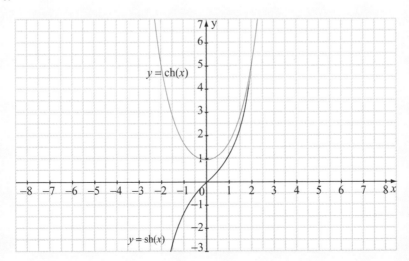

CORRIGÉS

2. a. Soit $x \in \mathbb{R}$.

$$\text{ch}^2(x) - \text{sh}^2(x) = \frac{e^{2x} + 2 + e^{-2x}}{4} - \frac{e^{2x} - 2 + e^{-2x}}{4} = \frac{4}{4} \text{ soit :}$$

$$\text{ch}^2 x - \text{sh}^2 x = 1.$$

b. Soit $(x\,;y) \in \mathbb{R}^2$.

$$\text{sh}(x)\text{ch}(y) + \text{ch}(x)\text{sh}(y) = \frac{e^x - e^{-x}}{2} \times \frac{e^y + e^{-y}}{2} + \frac{e^x + e^{-x}}{2} \times \frac{e^y - e^{-y}}{2}$$

$$= \frac{e^{x+y} + e^{x-y} - e^{-(x-y)} - e^{-(x+y)}}{4} + \frac{e^{x+y} - e^{x-y} + e^{-(x-y)} - e^{-(x+y)}}{4}$$

$$= \frac{2(e^{x+y} - e^{-(x+y)})}{4} = \text{sh}(x+y).$$

Pour tout x réel, avec $y = x$:

$$\text{sh}(2x) = 2\text{sh}(x)\,\text{ch}(x).$$

c. Soit $(x\,;y) \in \mathbb{R}^2$:

$$\text{ch}(x)\text{ch}(y) + \text{sh}(x)\text{sh}(y) = \frac{e^x + e^{-x}}{2} \times \frac{e^y + e^{-y}}{2} + \frac{e^x - e^{-x}}{2} \times \frac{e^y - e^{-y}}{2}$$

$$= \frac{e^{x+y} + e^{x-y} + e^{-(x-y)} + e^{-(x+y)}}{4} + \frac{e^{x+y} - e^{x-y} - e^{-(x-y)} + e^{-(x+y)}}{4}$$

$$= \frac{2(e^{x+y} + e^{-(x-y)})}{4} = \text{ch}(x+y).$$

Pour tout x réel, avec $y = x$, $\text{ch}(2x) = \text{ch}^2(x) + \text{sh}^2(x)$,
soit, d'après **2. a.** :

$$\text{ch}(2x) = \text{ch}^2(x) + \text{sh}^2(x) = \left(1 + \text{sh}^2(x)\right) + \text{sh}^2(x) = 1 + 2\text{sh}^2(x)$$

$$\text{ch}(2x) = \text{ch}^2(x) + \text{sh}^2(x) = \text{ch}^2(x) + \left(\text{ch}^2(x) - 1\right) = 2\text{ch}^2(x) - 1.$$

On a bien, pour tout $x \in \mathbb{R}$:

$$\text{ch}(2x) = 2\text{ch}^2(x) - 1 = 1 + 2\text{sh}^2(x).$$

16 **1.** Soit a un réel. Pour h proche de zéro :

$$\exp(a+h) \approx \exp(a) + h\exp'(a)$$

Mais puisque $\exp = \exp'$, $\exp'(a) = \exp(a)$,

$$\exp(a) + h\exp'(a) = \exp'(a) + h\exp(a)$$

$$= \exp(a) \times (1+h)$$

Donc, pour h proche de zéro :

$$\exp(a+h) \approx (1+h)\exp(a)$$

2. a. • Le point M_3 a pour coordonnées $x_3 = x_2 + h = 0,6$ et y_3.

L'approximation affine pour $a = x_2$ nous donne une valeur approchée de $\exp(x_3)$ puisque :

$$\exp(x_3) = \exp(x_2 + h) \approx (1+h) \times \exp(x_2) \approx (1+h) \times y_2.$$

On pose donc :

$$y_3 = (1+h) \times y_2 = (1+0,2) \times 1,44 \text{, d'où } y_3 = 1,728.$$

• Le point M_4 a pour coordonnées $x_4 = x_3 + h = 0,8$ et y_4.

L'approximation affine pour $a = x_3$ nous donne une valeur approchée de $\exp(x_4)$ puisque :

$$\exp(x_4) = \exp(x_3 + h) \approx (1+h) \times \exp(x_3) \approx (1+h) \times y_3.$$

On pose donc :

$$y_4 = (1+h) \times y_3 = (1+0,2) \times 1,728 \text{ d'où } y_4 = 2,0736.$$

b.

```
VARIABLES
    h EST_DU_TYPE NOMBRE
    x EST_DU_TYPE NOMBRE
    y EST_DU_TYPE NOMBRE
DEBUT_ALGORITHME
    LIRE h
    x PREND_LA_VALEUR 0
    y PREND_LA_VALEUR 1
        TANT_QUE (x<4) FAIRE
        DEBUT_TANT_QUE
        x PREND_LA_VALEUR x+h
        y PREND_LA_VALEUR y*(1+h)
        TRACER_POINT (x,y)
        FIN_TANT_QUE
FIN_ALGORITHME
```

$h = 0,1$ \qquad\qquad $h = 0,05$

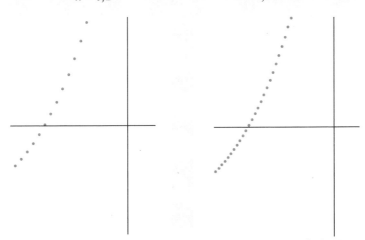

Xmin: 0 ; Xmax:5 ; Ymin:0 ; Ymax: 5 \qquad Xmin: 0 ; Xmax:5 ; Ymin:0 ; Ymax: 5

La fonction exponentielle

c. L'algorithme ci-dessous permet de visualiser, en bleu, les points obtenus par la méthode d'Euler, et en noir, les points de la courbe de la fonction exponentielle.

```
VARIABLES
    h EST_DU_TYPE NOMBRE
    x EST_DU_TYPE NOMBRE
    y EST_DU_TYPE NOMBRE
DEBUT_ALGORITHME
    LIRE h
    x PREND_LA_VALEUR 0
    y PREND_LA_VALEUR 1
    TANT_QUE (x<5) FAIRE
        DEBUT_TANT_QUE
        x PREND_LA_VALEUR x+h
        y PREND_LA_VALEUR y*(1+h)
        TRACER_POINT (x,y)
        TRACER_POINT (x,exp(x))
        FIN_TANT_QUE
FIN_ALGORITHME
```

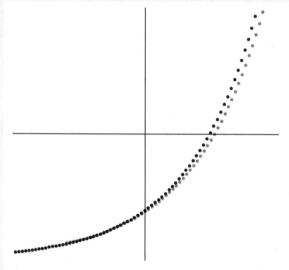

Xmin: 0 ; Xmax:5 ; Ymin:0 ; Ymax: 50 ; GradX: 2 ; GradY: 2

On voit que l'approximation est de bonne qualité, bien que les courbes s'éloignent lorsque x augmente.

17 Partie A

1. d est de la forme e^u, avec $u : x \mapsto \dfrac{x}{x+1}$.

u étant définie et dérivable sur $]-1 ;+\infty[$, d l'est aussi et, pour tout $x \in \,]-1 ;+\infty[$,

$$d'(x) = u'(x) \times e^{u(x)} = \frac{1 \times (x+1) - x \times 1}{(x+1)^2} \exp \frac{x}{x+1}$$

$$d'(x) = \frac{1}{(x+1)^2} \exp \frac{x}{x+1} > 0$$

donc d est strictement croissante sur $]-1 ;+\infty[$.

2. • Limite en -1^+

• $\lim\limits_{x\to-1^+} x = -1$ et $\lim\limits_{x\to-1^+}(x+1) = 0^+$, donc, par quotient :

$$\lim\limits_{x\to-1^+} \frac{x}{x+1} = -\infty.$$

Puis $\lim\limits_{x\to-1^+} \dfrac{x}{x+1} = -\infty$ et $\lim\limits_{X\to-\infty} e^X = 0$, donc, par composition :

$$\lim\limits_{x\to-1^+} \exp\frac{x}{x+1} = 0.$$

• Limite en $+\infty$ de $\dfrac{x}{x+1}$

$\lim\limits_{x\to+\infty} x = +\infty$ et $\lim\limits_{x\to+\infty}(x+1) = +\infty$: il s'agit d'une forme indéterminée.

Factorisons numérateur et dénominateur par le terme de plus haut degré.

Au voisinage de $+\infty$ (on peut simplifier par $x > 0$) :

$$\frac{x}{x+1} = \frac{x}{x\left(1+\dfrac{1}{x}\right)} = \frac{1}{1+\dfrac{1}{x}}.$$

$\lim\limits_{x\to+\infty} 1+\dfrac{1}{x} = 1$, donc, par quotient, $\lim\limits_{x\to+\infty} \dfrac{1}{1+\dfrac{1}{x}} = 1$. C'est-à-dire :

$$\lim\limits_{x\to+\infty} \frac{x}{x+1} = 1.$$

Limite en $+\infty$ de $d(x)$:

$\lim\limits_{x\to+\infty} \dfrac{x}{x+1} = 1$ et $\lim\limits_{X\to1} e^X = e$, donc, par composition, $\lim\limits_{x\to+\infty} \exp\dfrac{x}{x+1} = e$.

3. Soit x un réel de l'intervalle $]1\,;+\infty[$.

$$\frac{x}{x+1} = \frac{x+1-1}{x+1} = 1 - \frac{1}{x+1} \text{ donc } d(x) = \exp\left(1-\frac{1}{x+1}\right) = \frac{e}{\exp\dfrac{1}{x+1}}.$$

◢ On peut maintenant travailler par inégalités successives en partant de x et en respectant les priorités opératoires.

$$x > -1 \Rightarrow x+1 > 0 \Rightarrow \frac{1}{x+1} > 0$$

$$\Rightarrow \exp\frac{1}{x+1} > 1 \text{ car exp est strictement croissante sur } \mathbb{R}$$

$$\Rightarrow \frac{1}{\exp\dfrac{1}{x+1}} < 1 \Rightarrow \frac{e}{\exp\dfrac{1}{x+1}} < e \text{ car } e > 0.$$

Or, e et $\exp\dfrac{1}{x+1}$ étant tous deux strictement positifs, $\dfrac{e}{\exp\dfrac{1}{x+1}} > 0$.

Finalement, pour tout $x > 1, 0 < d(x) < e.$

Partie B

1. Il faut montrer que $f(x)-(x-e+1)$ a pour limite 0 en $+\infty$:

$$f(x)-(x-e+1) = -\exp\frac{x}{x+1}+e = e-d(x).$$

$\lim\limits_{x\to+\infty} d(x) = e$, donc, par soustraction, $\lim\limits_{x\to+\infty}(e-d(x)) = 0$,

soit $\lim\limits_{x\to+\infty}(f(x)-(x-e+1)) = 0$.

(D) est donc asymptote à la courbe $\mathscr{C}$ en $+\infty$.

2. a. • Soit $x \in\ ]-1\ ;+\infty[$, $f(x) = x+1-d(x)$, donc :

$$f'(x) = 1+0-d'(x) = 1-\frac{1}{(x+1)^2}\exp\frac{x}{x+1}\ ;$$

$$f''(x) = 0-\left[\frac{-2\times 1\times(x+1)}{(x+1)^4}\times\exp\frac{x}{x+1}+\frac{1}{(x+1)^2}\times\frac{1}{(x+1)^2}\exp\frac{x}{x+1}\right]\ ;$$

$$= \exp\frac{x}{x+1}\times\frac{2x+2-1}{(x+1)^4} = \frac{2x+1}{(x+1)^4}\exp\frac{x}{x+1}.$$

• $(x+1)^4$ et $\exp\dfrac{x}{x+1}$ sont strictement positifs sur $\mathbb{R}$, donc $f''(x)$ est du signe de $(2x+1)$.

Or $2x+1 = 0 \Leftrightarrow x = -\dfrac{1}{2}$ et $2x+1 > 0 \Leftrightarrow x > -\dfrac{1}{2}$.

Alors, $2x+1 < 0 \Leftrightarrow x < -\dfrac{1}{2}$.

Donc $f''(x)$ est strictement négatif sur $\left]-1\ ;\dfrac{1}{2}\right[$, strictement positif sur $\left]\dfrac{1}{2}\ ;+\infty\right[$ et s'annule en $-\dfrac{1}{2}$.

b.

x	-1		$-\dfrac{1}{2}$		$+\infty$
Signe de $f''(x)$		$-$	0	$+$	
Variations de f'	1 ↘		$1-\dfrac{4}{e}$	↗	1

3. • f' est continue et strictement décroissante sur $\left]-1\ ;-\dfrac{1}{2}\right]$

0 est compris entre $\lim\limits_{x\to 1} f'(x) = 1$ et $f'\left(-\dfrac{1}{2}\right) \approx -0,47$.

Donc, d'après le théorème des valeurs intermédiaires, l'équation $f'(x) = 0$ admet une unique solution α sur $\left]-1\ ;-\dfrac{1}{2}\right]$.

• f' est continue et strictement croissante sur $\left[-\dfrac{1}{2}\,;+\infty\right[$.

0 est compris entre $f'\left(-\dfrac{1}{2}\right)\approx-0,47$ et $\displaystyle\lim_{x\to\infty}f'(x)=1$.

Donc, d'après le théorème des valeurs intermédiaires, l'équation $f'(x)=0$ admet une unique solution sur $\left[-\dfrac{1}{2}\,;+\infty\right[$.

De plus, $f'(0)=1-\dfrac{1}{1}\times\exp(0)=0$.

0 est donc l'unique solution sur $\left[-\dfrac{1}{2}\,;+\infty\right[$ de l'équation $f'(x)=0$.

• D'après la calculatrice, $f'(-0,71)<0<f'(-0,72)$, donc comme f est strictement décroissante sur $\left]-1\,;-\dfrac{1}{2}\right[$, $-0,72<\alpha<-0,71$. **Une valeur approchée de α au centième près est $-0,72$.**

4. a. Il découle des questions **2.b.** et **3.** que :

$f'(x)$ **est strictement positif sur** $]-1\,;\alpha[$ **et sur** $]0\,;+\infty[$;

$f'(x)$ **est strictement négatif sur** $]\alpha\,;0[$;

$f'(x)$ **s'annule en** α **et en** 0.

b. Les limites de f aux bornes de son ensemble de définition s'obtiennent en remarquant que

$f:x\mapsto x+1-d(x)$, et en utilisant les résultats de la **partie A** :

$\displaystyle\lim_{x\to-1}d(x)=0$ et $\displaystyle\lim_{x\to-1}(x+1)=0$, donc, par soustraction :

$$\lim_{x\to-1}f(x)=0.$$

$\displaystyle\lim_{x\to+\infty}d(x)=e$ et $\displaystyle\lim_{x\to+\infty}(x+1)=+\infty$, donc, par soustraction :

$$\lim_{x\to+\infty}f(x)=+\infty.$$

c.

x	-1		α		0		$+\infty$
Signe de $f'(x)$		$+$	0	$-$	0	$+$	
Variations de f			$f(\alpha)$				$+\infty$

Valeur approchée $f(\alpha)$:

α est défini par $f'(\alpha)=0$, soit $\dfrac{1}{(\alpha+1)^2}\exp^{\frac{\alpha}{\alpha+1}}=1$ d'où $\exp^{\frac{\alpha}{\alpha+1}}=(\alpha+1)^2$ et :

$$f(\alpha)=\alpha+1-e^{\frac{\alpha}{\alpha+1}}=(\alpha+1)-(\alpha+1)^2=-\alpha(\alpha+1).$$

$$\alpha\approx-0,72,\ \text{donc}\ f(\alpha)\approx\mathbf{0,20}.$$

Partie C

1. a. $\dfrac{g(x)-g(-1)}{x-(-1)} = \dfrac{f(x)}{x+1} = \dfrac{x+1-\exp\dfrac{x}{x+1}}{x+1} = 1 - \dfrac{\exp\dfrac{x}{x+1}}{x+1} = 1 - \dfrac{x}{x}\dfrac{\exp\dfrac{x}{x+1}}{x+1}$

$$\dfrac{g(x)-g(-1)}{x-(-1)} = 1 - \dfrac{1}{x} \times \dfrac{x}{x+1}\exp\dfrac{x}{x+1}.$$

b. Posons $X = \dfrac{x}{x+1}$. Alors $\dfrac{x}{x+1}\exp\dfrac{x}{x+1} = Xe^X$.

D'après la **partie A, 2.,** $\displaystyle\lim_{x \to -1^+} \dfrac{x}{x+1} = -\infty$.

D'après le cours, $\displaystyle\lim_{X \to -\infty} Xe^X = 0$.

Donc, par composition, $\displaystyle\lim_{x \to -1^+} \dfrac{x}{x+1}\exp\dfrac{x}{x+1} = 0$.

c. $\displaystyle\lim_{x \to -1^+} -\dfrac{1}{x} = 1$ et $\displaystyle\lim_{x \to 1^+} \dfrac{x}{x+1}\exp\dfrac{x}{x+1} = 0$ donc, par produit,

$\displaystyle\lim_{x \to -1^+} \dfrac{1}{x} \times \dfrac{x}{x+1}\exp\dfrac{x}{x+1} = 0$.

Donc $\displaystyle\lim_{x \to -1^+} \dfrac{g(x)-g(-1)}{x-(-1)} = 1$.

g est donc dérivable en -1 et **$g'(-1) = 1$.**

2. ●

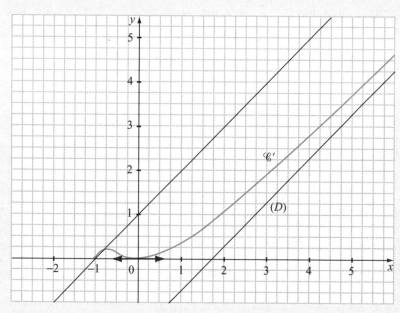

• La tangente à $(\mathscr{C}')$ au point d'abscisse -1 a pour équation :

$$y = g(-1) + g'(-1)(x-(-1))$$
$$y = 0 + 1(x+1)$$
$$y = x+1.$$

• $f(0) = f'(0) = 0$, donc la tangente à $(\mathscr{C}')$ au point d'abscisse 0 a pour équation $y = 0$.

• $f'(\alpha) = 0$, donc la tangente à $(\mathscr{C}')$ au point d'abscisse α a pour équation $y = f(\alpha)$ (tangente horizontale).

[18] 1. Posons $X = e^x$.

Alors $e^{2x} - 3e^x - 4 = 0 \Leftrightarrow X^2 - 3X - 4 = 0$

$$\Leftrightarrow X = -1 \text{ ou } X = 4$$
$$\Leftrightarrow e^x = -1 \text{ ou } e^x = 4$$
$$\Leftrightarrow e^x = 4 \qquad (\text{car } e^x > 0).$$

L'équation $e^x = 4$ admet une unique solution puisque exp est strictement croissante sur $\mathbb{R}$. **Réponse b.**

2. La fonction exp est strictement positive sur $\mathbb{R}$, donc, pour tout $x \in \mathbb{R}$, $e^{-x} > 0$. Donc $-e^{-x}$ est strictement négatif sur $\mathbb{R}$. **Réponse b.**

3. $\lim\limits_{x \to +\infty} (2e^x - 1) = +\infty$ et $\lim\limits_{x \to +\infty} (e^x + 2) = +\infty$: il s'agit d'une forme indéterminée.

◢ On factorise numérateur et dénominateur par e^x.

$$\frac{2e^x - 1}{e^x + 2} = \frac{e^x(2 - e^{-x})}{e^x(1 + 2e^{-x})} = \frac{2 - e^{-x}}{1 + 2e^{-x}}.$$

$$\lim\limits_{x \to +\infty}(2 - e^{-x}) = 2 \text{ et } \lim\limits_{x \to +\infty}(1 + 2e^{-x}) = 1,$$

donc, par quotient, $\lim\limits_{x \to \infty} \dfrac{2e^x - 1}{e^x + 2} = 2$. **Réponse c.**

4. • Pour tout réel x, $f'(x) = k \times \dfrac{-(x - \mu)}{\sigma^2} \times \exp\dfrac{-(x-\mu)^2}{2\sigma^2}$.

Or, comme $k \neq 0$ et $\exp\dfrac{-(x-\mu)^2}{2\sigma^2} > 0$, $f'(2) = 0 \Rightarrow \dfrac{-(2-\mu)}{\sigma^2} = 0 \Rightarrow \mu = 2$.

• $f(2) = 1$, donc $k\exp\dfrac{-(2-2)^2}{2\sigma^2} = 1$, soit $k\exp(0) = 1$, soit $k = 1$.

Réponse d.

$\boxed{19}$ **1.** $f(0) = \dfrac{1}{2} \times 1 - e^1 + c = \dfrac{1}{2} - e + c.$

$f(0) = \dfrac{1}{2}$, donc $\dfrac{1}{2} - e + c = \dfrac{1}{2}$, soit $c = \mathbf{e}.$

2. f est dérivable sur $\mathbb{R}$ et, pour tout $x \in \mathbb{R}$,

$f'(x) = \dfrac{1}{2} \times 2e^{2x} - 1 \times e^{x+1} + 0 = e^{2x} - e^{x+1}.$

$\boldsymbol{f'(x) = 0 \Leftrightarrow e^{2x} = e^{x+1} \Leftrightarrow 2x = x+1 \Leftrightarrow x = 1;}$

$\boldsymbol{f'(x) > 0 \Leftrightarrow e^{2x} > e^{x+1} \Leftrightarrow 2x > x+1 \Leftrightarrow x > 1;}$

$\boldsymbol{f'(x) < 0 \Leftrightarrow x < 1.}$

3. $\displaystyle\lim_{x \to -\infty} \dfrac{1}{2}e^{2x} = 0$ et $\displaystyle\lim_{x \to -\infty} e^{x+1} = 0$, donc, par somme, $\displaystyle\lim_{x \to -\infty} f(x) = \mathbf{e}.$

$\mathscr{C}_f$ **admet donc une asymptote horizontale en** $-\infty$ **d'équation** $\boldsymbol{y = e.}$

4. Établir, puis lever l'indétermination.

- $\displaystyle\lim_{x \to +\infty} e^{2x} = +\infty$ et $\displaystyle\lim_{x \to +\infty}\left(-e^{x+1}\right) = -\infty$, donc il s'agit d'une forme indéterminée.

- $f(x) = \dfrac{1}{2}e^{2x} - e^{x+1} + e = e^{2x} \times \left(\dfrac{1}{2} - e^{1-x} + e^{1-2x}\right).$

$\displaystyle\lim_{x \to +\infty} e^{2x} = +\infty \; ;$

$\displaystyle\lim_{x \to +\infty} \dfrac{1}{2} - e^{1-x} + e^{1-2x} = \dfrac{1}{2}$ donc, par produit, $\displaystyle\lim_{x \to +\infty} f(x) = +\infty.$

5.

x	$-\infty$		1		$+\infty$
Signe de $f'(x)$		$-$	0	$+$	
Variations de f	e		$e - \dfrac{e^2}{2}$		$+\infty$

6. f admet un minimum en 1, qui vaut $f(1) = e - \dfrac{e^2}{2} \approx -0,98$, **donc le minimum de f sur $\mathbb{R}$ est strictement supérieur à -1.**

Par conséquent, **-1 n'admet pas d'antécédents par f.**

7. • $\dfrac{1}{2}X^2 - eX = 0 \Leftrightarrow X\left(\dfrac{1}{2}X - e\right) = 0 \Leftrightarrow (X = 0 \text{ ou } X = 2e).$

- $f(x) = e \Leftrightarrow \dfrac{1}{2}e^{2x} - e^{x+1} + e = e \Leftrightarrow \dfrac{1}{2}e^{2x} - e^{x+1} = 0$.

Posons $X = e^x$.

Alors $f(x) = e \Leftrightarrow \dfrac{1}{2}X^2 - eX = 0 \Leftrightarrow (X = 0$ ou $X = 2e) \Leftrightarrow (e^x = 0$ ou $e^x = 2e)$.

Or, l'équation $e^x = 0$ n'admet aucune solution puisque, pour tout $x \in \mathbb{R}$, $e^x > 0$.

Et l'équation $e^x = 2e$ admet une unique solution puisque $2e > 0$ et que la fonction exp est continue et strictement croissante sur $]-\infty\,;\,+\infty[$.

Donc e admet un unique antécédent par f.

8. 1re méthode

- f est continue et strictement décroissante sur $]-\infty\,;\,1]$.

$$\lim_{x \to -\infty} f(x) = e > 0 \text{ et } f(1) = e - \dfrac{e^2}{2} < 0.$$

Donc, d'après le théorème des valeurs intermédiaires, l'équation $f(x) = 0$ admet une unique solution sur $]-\infty\,;\,1]$.

- f est continue et strictement croissante sur $[1\,;+\infty[$.

$$f(1) = e - \dfrac{e^2}{2} < 0 \text{ et } \lim_{x \to +\infty} f(x) = +\infty.$$

Donc l'équation $f(x) = 0$ admet une unique solution sur $[1\,;+\infty[$.

Donc l'équation $f(x) = 0$ admet deux solutions sur $]-\infty\,;\,+\infty[$.

2e méthode

$$f(x) = 0 \Leftrightarrow \dfrac{1}{2}e^{2x} - e^{x+1} + e = 0.$$

Posons $X = e^x$.

$$f(x) = 0 \Leftrightarrow \dfrac{1}{2}X^2 - eX + e = 0.$$

$$\Delta = (-e)^2 - 2e = e(e-2) > 0.$$

Les solutions de l'équation $\dfrac{1}{2}X^2 - eX + e = 0$ sont :

$$X_1 = e - \sqrt{e^2 - 2e} \text{ et } X_2 = e + \sqrt{e^2 - 2e}.$$

$$f(x) = 0 \Leftrightarrow (X = e - \sqrt{e^2 - 2e} \text{ ou } X = e + \sqrt{e^2 - 2e})$$

$$\Leftrightarrow (e^x = e - \sqrt{e^2 - 2e} \text{ ou } e^x = e + \sqrt{e^2 - 2e}).$$

$X_1 \approx 1{,}3 > 0$ donc l'équation $e^x = e - \sqrt{e^2 - 2e}$ admet une solution.

$X_2 > X_1 > 0$ donc l'équation $e^x = e + \sqrt{e^2 - 2e}$ admet une solution.

Finalement, l'équation $f(x) = 0$ admet deux solutions.

(0 a deux antécédents par f)

9.

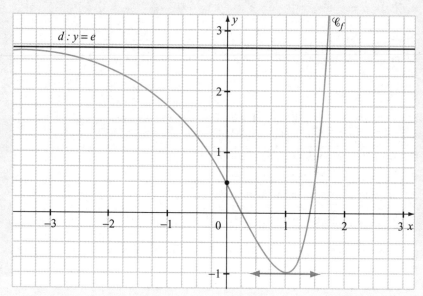

$d : y = e$

$\mathscr{C}_f$

$\boxed{20}$ 1. $f_m(x) = 1 \Leftrightarrow \exp\dfrac{-(x-m)^2}{2} = \exp(0)$

$$\Leftrightarrow \dfrac{-(x-m)^2}{2} = 0$$

$$\Leftrightarrow x = m.$$

1 admet un antécédent par f_m qui vaut m.

2. • $\displaystyle\lim_{x\to+\infty} \dfrac{-(x-m)^2}{2} = -\infty$, donc $\displaystyle\lim_{x\to+\infty} f_m(x) = 0.$

• $\displaystyle\lim_{x\to-\infty} \dfrac{-(x-m)^2}{2} = -\infty$, donc $\displaystyle\lim_{x\to-\infty} f_m(x) = 0.$

3. Pour tout x réel,

$$f_m'(x) = -(x-m)\times\exp\dfrac{-(x-m)^2}{2} = (m-x)\times\exp\dfrac{-(x-m)^2}{2}.$$

Comme $\exp\dfrac{-(x-m)^2}{2} > 0$ sur $\mathbb{R}$, $f_m'(x)$ est du signe de $m-x$. D'où :

$f_m'(x) > 0$ lorsque $x \in]-\infty ; m[$;

$f_m'(x) = 0$ pour $x = m$;

$f_m'(x) < 0$ lorsque $x \in]m ; +\infty[$.

4.

x	$-\infty$		m		$+\infty$
Signe de f_m		$+$	0	$-$	
Variations de f_m	0		1		0

5. a. Pour tout x réel,

$$f_m''(x) = (-1) \times \exp\frac{-(x-m)^2}{2} + (m-x) \times (m-x)\exp\frac{-(x-m)^2}{2}$$

$$= \left[(m-x)^2 - 1\right] \times \exp\frac{-(x-m)^2}{2}$$

$$\boxed{f_m'(x) = \left[(x-m)^2 - 1\right] \times \exp\frac{-(x-m)^2}{2}.}$$

b. $f_m''(x) = 0 \Leftrightarrow \left[(x-m)^2 - 1\right] \times \exp\frac{-(x-m)^2}{2} = 0$

$$\Leftrightarrow \left[(x-m)^2 - 1^2\right] = 0 \ \left(\text{car} \exp\frac{-(x-m)^2}{2} > 0\right)$$

$$\Leftrightarrow (x-m-1) \times (x-m+1) = 0$$

$$\Leftrightarrow (x-m-1 = 0 \text{ ou } x-m+1 = 0)$$

$$\boxed{f_m''(x) = 0 \Leftrightarrow (x = m+1 \text{ ou } x = m-1).}$$

c. • L'équation de la tangente à $\mathscr{C}_m$ au point d'abscisse $m-1$ est :

$$y = f_m(m-1) + f_m'(m-1) \times (x-m+1),$$

soit $y = \mathrm{e}^{-\frac{1}{2}} + \mathrm{e}^{-\frac{1}{2}}(x-m+1)$, soit :

$$\boxed{y = \mathrm{e}^{-\frac{1}{2}}(x-m+2).}$$

• Remplaçons x par $m-2$ dans l'équation de la tangente : on trouve bien $y = 0$.
Donc la tangente à $\mathscr{C}_m$ au point d'abscisse $m-1$ passe par le point $(m-2 ; 0)$.

d. • L'équation de la tangente à $\mathscr{C}_m$ au point d'abscisse $m+1$ a pour équation :

$$y = f_m(m+1) + f_m'(m+1) \times (x-m-1)$$

$$y = \mathrm{e}^{-\frac{1}{2}} + \left(-\mathrm{e}^{-\frac{1}{2}}\right)(x-m-1)$$

$$y = \mathrm{e}^{-\frac{1}{2}}(-x+m+2).$$

• Remplaçons x par $m+2$ dans l'équation de la tangente : on trouve bien $y = 0$.
Donc la tangente à $\mathscr{C}_m$ au point d'abscisse $m+1$ passe par le point $(m+2 ; 0)$.

6. • $f_m'(3) = 0$, donc $\mathscr{C}_3$ admet une tangente horizontale au point d'abscisse 3.

• La tangente à $\mathscr{C}_3$ au point d'abscisse $m-1 = 2$ passe par les points $\left(2 \, ; f_3(2)\right)$ et $(1 \, ; 0)$ puisque $m-2 = 1$.

• La tangente à $\mathscr{C}_3$ au point d'abscisse $m+1 = 4$ passe par les points $\left(4 \, ; f_3(4)\right)$ et $(5 \, ; 0)$ puisque $m+2 = 5$.

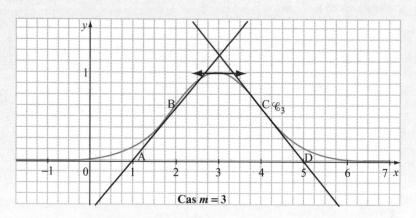

Cas $m = 3$

4 La fonction logarithme népérien

I DÉFINITION ET PREMIÈRES PROPRIÉTÉS

1. Définition

■ Soit $x > 0$. L'unique solution y de l'équation $e^y = x$ s'appelle **logarithme népérien de** x et on la note $\ln(x)$ ou $\ln x$.

La fonction logarithme népérien est définie sur $]0 ; +\infty[$.

 On dit que les fonctions logarithme népérien et exponentielle sont réciproques l'une de l'autre.

■ **Propriétés**
- Pour tout $a > 0$, pour tout $b \in \mathbb{R}$, $\ln(a) = b \Leftrightarrow a = e^b$.
- Pour tout $x > 0$, $e^{\ln x} = x$.
- Pour tout $x \in \mathbb{R}$, $\ln(e^x) = x$.
- $\ln 1 = 0$.
- $\ln e = 1$.

2. Symétrie des courbes représentatives de ln et exp

Dans un repère orthonormé, les courbes représentatives des fonctions exponentielle et logarithme népérien sont symétriques par rapport à la droite d'équation $y = x$.

3. Propriétés algébriques

- Pour tous a, $b \in]0 ; +\infty[$, $\ln(ab) = \ln(a) + \ln(b)$.

- Pour tout $a > 0$, $\ln\left(\dfrac{1}{a}\right) = -\ln(a)$.

- Pour tous a, $b \in]0 ; +\infty[$, $\ln\left(\dfrac{a}{b}\right) = \ln(a) - \ln(b)$.

- Pour tout $a > 0$, pour tout $n \in \mathbb{N}$, $\ln(a^n) = n\ln(a)$.

- Pour tout $a > 0$, $\ln\sqrt{a} = \dfrac{1}{2}\ln(a)$.

II ÉTUDE DE LA FONCTION LOGARITHME NÉPÉRIEN

1. Limites aux bornes de l'ensemble de définition

$\lim\limits_{x \to +\infty} \ln x = +\infty$ et $\lim\limits_{x \to 0^+} \ln x = -\infty$.

2. Sens de variation de la fonction logarithme

- La fonction ln est continue et dérivable sur $]0\,;+\infty[$ et $\ln'(x) = \dfrac{1}{x}$.
- La fonction ln est strictement croissante sur $]0\,;+\infty[$.

3. Tangente au point d'abscisse 1

La tangente à $\mathscr{C}_{\ln}$ au point d'abscisse 1 a pour équation $y = x - 1$.

4. Courbe représentative de ln

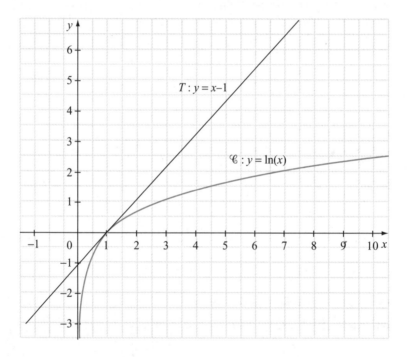

III AUTRES LIMITES À CONNAÎTRE

1. Croissances comparées

- $\lim\limits_{x \to +\infty} \dfrac{\ln x}{x} = 0$ et $\lim\limits_{x \to 0^+} x \ln(x) = 0^-$.

- Pour tout $n \in \mathbb{N}^*$, $\lim\limits_{x \to +\infty} \dfrac{\ln x}{x^n} = 0^+$ et $\lim\limits_{x \to 0^+} x^n \ln(x) = 0^-$.

2. Une limite en 0

$$\lim_{x \to 0} \frac{\ln(1+x)}{x} = 1$$

Cela est dû à la définition de la dérivabilité de ln en 1 :

$$\lim_{h \to 0} \frac{\ln(1+h) - \ln(1)}{h} = \ln'(1) = 1.$$

IV FONCTIONS DE LA FORME $x \to \ln(u(x))$

Théorème : Soit u une fonction dérivable sur un intervalle I telle que, **pour tout** $x \in I$, $u(x) > 0$.

Alors la fonction $\ln(u) : x \mapsto \ln(u(x))$ est définie et dérivable sur I et, pour tout $x \in I$:

$$(\ln(u))'(x) = \frac{u'(x)}{u(x)}$$

Si $u > 0$ sur I, alors $(\ln u)' = \dfrac{u'}{u}$.

SAVOIR-FAIRE

1. Résoudre une (in)équation de la forme $\ln(u(x)) = C$ (respectivement $\ln(u(x)) \leqslant C, \dots$)

Pour que x soit solution de l'(in)équation, il faut que $u(x) > 0$.

EXEMPLE : Résoudre l'inéquation $\ln(2x+1) \leqslant 5$.

Soit x un réel :

$$\ln(2x+1) \leqslant 5 \Leftrightarrow (2x+1 > 0 \text{ et } 2x+1 \leqslant e^5) \Leftrightarrow \left(x > -\frac{1}{2} \text{ et } x \leqslant \frac{e^5-1}{2} \right).$$

Comme $-\dfrac{1}{2} < \dfrac{e^5-1}{2}$, **l'ensemble des solutions de l'inéquation**

$\mathbf{ln(2x+1) \leqslant 5}$ **est l'intervalle** $\left] -\dfrac{\mathbf{1}}{\mathbf{2}} \, ; \dfrac{\mathbf{e^5-1}}{\mathbf{2}} \right]$.

2. Déterminer l'ensemble de définition d'une fonction de la forme $\ln u$

Déterminer l'ensemble de définition D_u de la fonction u, puis résoudre dans D_u l'inéquation $u(x) > 0$.

EXEMPLE : Déterminer l'ensemble de définition D_f de la fonction :

$$f : x \mapsto \ln(x^2 - 3x + 1).$$

Ici, f est de la forme $\ln u$, avec $u : x \mapsto x^2 - 3x + 1$.

- $D_u = \mathbb{R}$ car u est un polynôme.

- $u(x) > 0 \Leftrightarrow x^2 - 3x + 1 > 0$.

$\Delta = (-3)^2 - 4 \times 1 \times 1 = 5$, donc le trinôme $x^2 - 3x + 1$ admet deux racines réelles :

$$\frac{3 - \sqrt{5}}{2} \text{ et } \frac{3 + \sqrt{5}}{2}.$$

Le coefficient de x^2 est positif, donc $x^2 - 3x + 1$ est positif à l'extérieur des racines.

Donc $u(x) > 0 \Leftrightarrow \left(x < \dfrac{3 - \sqrt{5}}{2} \text{ ou } x > \dfrac{3 + \sqrt{5}}{2} \right)$, d'où :

$$\boldsymbol{D_f = \left]-\infty \; ; \; \frac{3 - \sqrt{5}}{2}\right[\cup \left]\frac{3 + \sqrt{5}}{2} \; ; \; +\infty\right[}$$

3. Dérivabilité et dérivée d'une fonction de la forme $\ln u$

Vérifier que les hypothèses du théorème du IV s'appliquent puis appliquer la formule de dérivation $(\ln u)' = \dfrac{u'}{u}$.

EXEMPLE : Étudier la dérivabilité et déterminer la dérivée de la fonction f définie sur $]0 \; ; +\infty[$ par :

$$f(x) = 2 \times \ln\left(x + 5 + \frac{1}{x} \right).$$

Ici, f est de la forme $2 \times \ln u$, avec $u : x \mapsto x + 5 + \dfrac{1}{x}$.

- u est dérivable sur $]0 \; ; +\infty[$ et, pour tout $x > 0$, $u(x) > 0$ (comme somme de termes strictement positifs), donc **f est dérivable sur $]0 \; ; +\infty[$.**

- $f = 2 \times \ln u$, donc $f' = 2 \times \dfrac{u'}{u}$. Donc, pour tout $x > 0$:

$$f'(x) = 2 \times \frac{u'(x)}{u(x)} = 2 \times \frac{1 - \dfrac{1}{x^2}}{x + 5 + \dfrac{1}{x}}$$

$$\boldsymbol{f'(x) = \frac{2(x^2 - 1)}{x^2 \times \left(x + 5 + \dfrac{1}{x} \right)}.}$$

Pour étudier des variations de f (non demandé ici), il faut remarquer que $f'(x)$ est du signe de $x^2 - 1$, puis dresser le tableau de signes de $x^2 - 1$.

EXERCICES D'APPLICATION

1 PROPRIÉTÉS ALGÉBRIQUES $\quad\star\quad$ 10 min $\quad\blacktriangleright$ P. 137

Simplifier au maximum les expressions suivantes :

1. Si $x>0$, $\ln(x\,e^x)=$

2. Si $x\neq 0$, $\ln\left(\dfrac{e^x}{x^2}\right)=$

3. $\ln\left(\tan\dfrac{\pi}{3}\right)-\ln\left(\sin\dfrac{\pi}{3}\right)=$

4. $\ln\left(\dfrac{180}{3}-15\right)+\ln(15)=$

5. $\dfrac{1}{2}\ln(5x^2)-\ln(x)=$

6. $\log\left(\dfrac{16\times 25^2}{49}\right)+2\log 7=$

◢ Voir le cours, I.1.

2 (IN)ÉQUATIONS $\quad\star\quad$ 10 min $\quad\blacktriangleright$ P. 137

Résoudre les équations et inéquations suivantes :

1. $\ln(x+1)\leqslant 7$;

2. $2\ln|2x+5|<\ln 9$;

3. $(e^x-2)(e^x+1)>0$;

4. $\ln\left(x+\dfrac{3}{2}\right)>\ln x$;

5. $(x+1)^3=e^7$.

◢ Voir le savoir-faire 1.

3 LIMITES $\quad\star\star\quad$ 20 min $\quad\blacktriangleright$ P. 138

1. Question de cours

Soit $n\in\mathbb{N}^*$.

Connaissant la valeur de $\lim\limits_{x\to+\infty}\dfrac{\ln x}{x}$, déterminer la limite en $+\infty$ de $\dfrac{\ln x}{x^n}$.

◢ Remarquer que $\ln(x)=\dfrac{1}{n}\ln(x^n)$.

2. De même, calculer la valeur de $\lim\limits_{x\to+\infty}\dfrac{\ln x}{\sqrt{x}}$.

3. Déterminer la limite en 1 de $\dfrac{\ln x}{x-1}$.

4. Déterminer la limite en $+\infty$ de $\dfrac{e^{x\ln 3}-1}{e^x}$.

4 SYSTÈMES D'ÉQUATIONS   ★ | 10 min | ▸P. 139

Résoudre les systèmes suivants :

1. $\begin{cases} e^{x+y} = 1 \\ e^x - e^y = \dfrac{3}{2} \end{cases}$
2. $\begin{cases} \ln\left(\dfrac{x}{y}\right) = 4 \\ \ln(x^2) + \ln(y) = 5 \end{cases}$

▸ Pour le système 1., poser $X = e^x$ et $Y = e^y$.

5 ÉTUDE DES VARIATIONS   ★ | 10 min | ▸P. 139

Pour chacune des fonctions suivantes, montrer qu'elle est dérivable sur son ensemble de définition, calculer sa dérivée et en déduire ses variations.

1. $f(x) = x\ln(x)$, définie sur $]0\,;+\infty[$.

2. $f(x) = \ln(2x-5) - \ln(x)$, définie sur $\left]\dfrac{5}{2}\,;+\infty\right[$.

3. $f(x) = \ln(\sqrt{x^2+1})$, définie sur $\mathbb{R}$.

4. $f(x) = 2e^{2x} - 9x + 1$, définie sur $\mathbb{R}$.

▸ Voir le savoir-faire 3.

6 ENSEMBLES DE DÉFINITION   ★ | 10 min | ▸P. 140

Déterminer l'ensemble de définition de chacune des fonctions suivantes :

1. $f_1 : x \mapsto \ln(x^2+1)$.
2. $f_2 : x \mapsto \ln\left(\dfrac{3x+1}{x+2}\right)$.

3. $f_3 : x \mapsto \ln(3x+1) - \ln(x+2)$.

▸ Voir le savoir-faire 2.

7 FONCTION $x \mapsto x\ln(x)$ ★ | 20 min | ▸P. 141

Soit f la fonction définie par $x \mapsto x\ln x$. On note $\mathscr{C}_f$ sa courbe représentative dans un repère orthogonal.

1. Déterminer l'ensemble de définition de f.

2. Déterminer les limites de f aux bornes de son ensemble de définition.

▸ Voir le cours, III. 1.

3. Étudier les variations de f, puis dresser son tableau de variations complet.

4. Déterminer l'équation réduite de la tangente T à $\mathscr{C}_f$ au point d'abscisse 1, puis celle de la tangente T' à $\mathscr{C}_f$ au point d'abscisse e.

EXERCICES D'ENTRAÎNEMENT

8 VRAI OU FAUX | ★★ | **20 min** | ▶ **P. 142**

Pour chacune des affirmations suivantes, dire si elle est vraie ou fausse en argumentant :

1. $\ln\left(\dfrac{5}{4}\right) + \ln\left(\dfrac{3}{10}\right) - \ln\sqrt{3} + \ln\left(\dfrac{8}{\sqrt{3}}\right) = 0$.

2. On pose pour tout $n \in \mathbb{N}$, $u_n = \left(\dfrac{4}{5}\right)^n$. La suite $(\ln u_n)$ est arithmétique.

3. L'ensemble solution de l'inéquation $\ln(2 - 3x) < 2$ est $\left]\dfrac{e^2 - 2}{3} \, ; \, +\infty\right[$.

4. La courbe d'équation $y = 2 + \dfrac{\ln x}{x}$ dans un repère $(O \, ; \, \vec{i} \, ; \, \vec{j})$ admet une asymptote au voisinage de $+\infty$.

5. L'équation $e^{3x\ln(2)} - \dfrac{\ln 3}{x \ln 2} = 26$ admet une unique solution sur $]0 \, ; +\infty[$, qui vaut $\dfrac{\ln 3}{\ln 2}$.

9 FONCTION $x \mapsto x^x = e^{x\ln x}$ | ★ | **15 min** | ▶ **P. 143**

Soit f la fonction définie sur $]0 \, ; +\infty[$ par $f(x) = e^{x\ln(x)}$. On note $\mathscr{C}_f$ la courbe représentative de f et $\mathscr{C}_{\exp}$ la courbe représentative de la fonction exponentielle dans un repère orthogonal.

1. Étudier les variations de f.

2. Déterminer les limites de f aux bornes de son ensemble de définition.

3. Résoudre sur $]0 \, ; +\infty[$ l'inéquation $f(x) < e^x$.

4. Déterminer la limite en $+\infty$ de $\dfrac{e^{x\ln(x)}}{e^x}$.

5. Tracer $\mathscr{C}_f$ et $\mathscr{C}_{\exp}$.

10 APPLICATIONS DES SUITES GÉOMÉTRIQUES | ★ | **10 min** | ▶ **P. 144**

1. On place un capital C_0 sur un compte à intérêts composés de 2,25 % par an. On note $C_1, C_2, \ldots, C_n$ le capital acquis au bout d'une, deux, ..., n années. Au bout de combien d'années le capital aura-t-il doublé ?

On rappelle que " intérêts composés " signifie que les intérêts d'une année s'ajoutent au capital et que, l'année suivante, ils rapportent aussi des intérêts.

2. Une substance radioactive, l'iridium 192, perd environ 9,6 millièmes de sa masse par jour. Déterminer la période de demi-vie de l'iridium 192.

11 ALGORITHME ★★ | 40 min | ▶P. 145

1. Écrire un algorithme donnant les solutions réelles de l'équation (E) $a\mathrm{e}^{2x} + b\mathrm{e}^{x} + c = 0$, où a, b et c sont des réels, avec $a \neq 0$.

Pour cela, il suffit de reprendre l'algorithme de l'exercice **15** du chapitre « fonction exponentielle », et d'y intégrer l'expression des solutions de (E).

Les solutions de (E) sont :

• la solution éventuelle de l'équation $e^x = X_0$ si X_0 est l'unique racine du trinôme $aX^2 + bX + c$.

• les solutions éventuelles des équations $e^x = X_1$ et $e^x = X_2$ si X_1 et X_2 sont les racines du trinôme $aX^2 + bX + c$.

2. Tester l'algorithme sur les équations suivantes :

a. $2\mathrm{e}^{2x} + \mathrm{e}^{x} - 3 = 0$;

b. $\mathrm{e}^{2x} - \mathrm{e}^{x} + 2 = 0$;

c. $2\mathrm{e}^{2x} - 11\mathrm{e}^{x} + 12 = 0$;

d. $\mathrm{e}^{2x} + 5\mathrm{e}^{x} = 0$.

12 LOGARITHME DÉCIMAL ET pH D'UNE SOLUTION AQUEUSE ★★ | 10 min | ▶P. 146

Pour tout $x > 0$, on appelle logarithme décimal de x le réel $\dfrac{\ln x}{\ln 10}$ et on le note $\log x$.

1. Quelques propriétés de la fonction log.

a. Que vaut $\log(1)$ et $\log(10)$?

b. Pour tout $x \in \mathbb{R}$, on note $10^x = \mathrm{e}^{x\ln 10}$. Démontrer que $\log(10^x) = x$.

c. Pour tous $x, y > 0$, exprimer $\log(x \times y)$ en fonction de $\log(x)$ et $\log(y)$.

2. Application : pH d'une solution aqueuse.

On rappelle que le pH d'une solution aqueuse est lié à sa concentration en H_3O^+ (exprimé en moles par litre) par la relation $[H_3O^+] = 10^{-pH} = \mathrm{e}^{-pH\ln 10}$.

a. Exprimer pH en fonction de la concentration en H_3O^+.

b. $[H_3O^+] = 7{,}94 \times 10^{-6}\,\mathrm{mol \cdot L^{-1}}$. La solution est-elle acide ou basique ?

(On rappelle qu'une solution est acide si pH < 7, neutre si pH = 7 et basique si pH > 7).

13 PROLONGEMENT PAR CONTINUITÉ ★★★ | 40 min | ▶P. 147

Soit f la fonction définie sur $]0\,;+\infty[$ par :

$$f(x) = \begin{cases} \dfrac{\ln x}{x-1} & \text{si } x \neq 1 \\ 1 \text{ si } x = 1 \end{cases}.$$

1. Démontrer que f est continue en 1.

 Voir au chapitre 2, la définition de la continuité.

2. Étude asymptotique

a. Calculer la limite de f en 0^+.

b. En écrivant $f(x) = \dfrac{x}{x-1} \times \dfrac{\ln x}{x}$ pour $x > 1$, déterminer la limite de f en $+\infty$.

3. Soit g la fonction définie sur $]0\,;+\infty[$ par $g(x) = 1 - \dfrac{1}{x} - \ln x$.

a. Étudier le signe de $g'(x)$ et dresser le tableau de variation de g.

b. En déduire le signe de $g(x)$ selon les valeurs de x.

4. Étude des variations de f

a. Calculer $f'(x)$ pour $x \neq 1$ et démontrer que $f'(x)$ est du même signe que $g(x)$.

b. En déduire le sens de variation de f sur $]0\,;1[$ et sur $]1\,;+\infty[$.

c. Dresser le tableau de variations complet de f sur $]0\,;+\infty[$.

14 FONCTION CONNUE PAR SA COURBE REPRÉSENTATIVE $\quad$ | ★★ | 20 min | ▸ P. 148

On considère une fonction f définie sur $\mathbb{R}^+$, dont on a tracé dans un repère ortho-gonal $(O;\vec{i};\vec{j})$ la courbe représentative $\mathscr{C}$ et la tangente (T) en O.

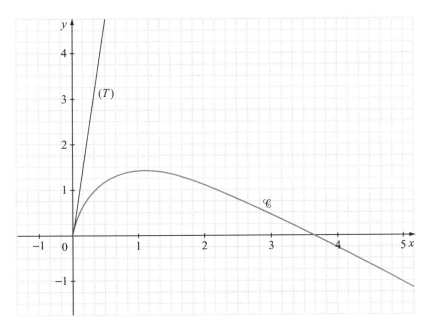

1. Lire sur le graphique ci-dessus les valeurs de $f(0)$ et $f'(0)$.

2. On cherche une expression pour $f(x)$ de la forme $f(x) = ax + b + \ln(10x + 1)$ où a et b désignent deux nombres réels. À l'aide de la question **1.**, déterminer a et b.

3. On prend désormais comme expression de $f(x)$ celle trouvée au **2.c.**

a. Étudier les variations de *f*.

b. Déterminer $\lim\limits_{x \to +\infty} \dfrac{f(x)}{x}$.

> Poser $X = 10x + 1$.

EXERCICES D'APPROFONDISSEMENT

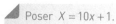 **SYMÉTRIE DES COURBES** $\mathscr{C}_{exp}$ et $\mathscr{C}_{ln}$ | ★★ | **15 min** | ▶ **P. 149** |

Le plan est rapporté à un repère orthonormé $(O ; \vec{i} ; \vec{j})$

On note $\mathscr{C}_{ln}$ la courbe représentative de la fonction logarithme népérien, $\mathscr{C}_{exp}$ celle de l'exponentielle et Δ la droite d'équation $y = x$.

1. Soit $M(x ; y)$ un point quelconque du plan et $M'(x' ; y')$ son symétrique par rapport à la droite Δ. Exprimer x' et y' en fonction de x et y.

> Le produit des coefficients directeurs de deux droites perpendiculaires vaut -1.

2. Démontrer que la courbe $\mathscr{C}_{ln}$ est la symétrique de $\mathscr{C}_{exp}$ par rapport à Δ.

16 **RELATION FONCTIONELLE** | ★★★ | **40 min** | ▶ **P. 149** |

Le but de cet exercice est de montrer que les fonctions *f* dérivables sur $]0 ; +\infty[$ telles que pour tout $(x, y) \in]0 ; +\infty[^2$:

$$f(x \times y) = f(x) + f(y) \quad (*)$$

sont les fonctions de la forme $x \mapsto C \ln(x)$ où $C \in \mathbb{R}$.

1. Démontrer que les fonctions $x \mapsto C \ln(x)$ (avec $C \in \mathbb{R}$) vérifient (*).

2. Soit *f* une fonction dérivable sur $]0 ; +\infty[$ et vérifiant (*).

a. Démontrer que $f(1) = 0$.

b. Soit x un réel strictement positif fixé.

En dérivant (*) par rapport à y, démontrer que, pour tout $y > 0$:

$$x f'(x \times y) = f'(y)$$

puis que $f'(x) = \dfrac{C}{x}$.

c. Démontrer que, pour tout $x \in]0 ; +\infty[$, $f(x) = C \ln(x)$.

> On pourra étudier la fonction $h : x \mapsto f(x) - C \ln(x)$.

3. Conclure.

17 FONCTION EXPONENTIELLE DE BASE $a > 0$ | ★★ | 35 min | ▸P. 150

Soit a un réel strictement positif.

Pour tout $x \in \mathbb{R}$, on pose $a^x = e^{x \ln(a)}$.

On appelle « fonction exponentielle de base a » la fonction f_a définie sur $\mathbb{R}$ par :

$$x \mapsto a^x = e^{x \ln(a)}.$$

1. Calculer $f_a(0)$ et $f_a(1)$.

2. Définir les fonctions f_1 et f_e.

3. *Cas où $a > 1$*

a. Étudier les variations de f_a.

b. Déterminer les limites de f_a aux bornes de son ensemble de définition.

4. *Cas où $a < 1$*

Reprendre les questions du **1**.

5. À l'aide de la calculatrice graphique, tracer sur un même repère les courbes des fonctions f_2 ; f_4 ; $f_{0,5}$; $f_{0,2}$.

18 SUITE DE L'EXERCICE 17 | ★★ | 30 min | ▸P. 151

L'objectif de cet exercice est de déterminer tous les entiers naturels n tels que :

$$3^n + 4^n = 5^n.$$

1. Examiner les cas $n = 0$, $n = 1$, $n = 2$.

2. Soit φ la fonction définie sur $\mathbb{R}$ par $\varphi(x) = \left(\dfrac{3}{5}\right)^x + \left(\dfrac{4}{5}\right)^x$.

a. Déterminer les limites de φ en $+\infty$ et en $-\infty$.

b. Étudier les variations de φ.

c. Déterminer le nombre de solutions de l'équation $\varphi(x) = 1$.

d. Conclure.

19 FONCTIONS PUISSANCES | ★★★ | 25 min | ▸P. 152

Soit a un réel.

On appelle « fonction puissance d'exposant a » la fonction g_a définie sur $]0\,;+\infty[$ par :

$$x \mapsto x^a = e^{a \times \ln(x)}.$$

1. Calculer $g_a(1)$ et $g_a(e)$.

2. Définir la fonction g_0.

3. Déterminer les variations de g_a, puis les limites de g_a aux bornes de son ensemble de définition en distinguant les cas suivants :

a. $a > 0$;

b. $a < 0$.

20 SÉRIE HARMONIQUE ET ALGORITHME | ★★ | 50 min | ▸ P. 152

Partie A

Soit (u_n) une suite définie par récurrence par :

$$\begin{cases} u_1 \\ \text{pour tout } n \in \mathbb{N}^*, \ u_{n+1} = u_n + \phi(n) \end{cases}$$

ϕ désignant une fonction définie sur $]0 \ ; +\infty[$.

L'algorithme suivant permet d'en obtenir les N premiers termes :

```
Variables : a, k, N
Lire N
a prend la valeur u₁
Pour k allant de 1 à N − 1 :
        Afficher « u(k) = a »
        a prend la valeur a + φ(k)
```

1. Définir, par récurrence, la suite (u_n) dont il est question dans l'algorithme suivant :

```
VARIABLES
      N EST_DU_TYPE NOMBRE
      k EST_DU_TYPE NOMBRE
      a EST_DU_TYPE NOMBRE
DEBUT_ALGORITHME
      LIRE N
      a PREND_LA_VALEUR 0
      POUR k ALLANT_DE 1 A N-1
            DEBUT_POUR
            AFFICHER "u("
            AFFICHER k
            AFFICHER ") = "
            AFFICHER a
            a PREND_LA_VALEUR a+pow(k,2)
            FIN_POUR
      AFFICHER "u("
      AFFICHER N
      AFFICHER ") = "
      AFFICHER a
FIN_ALGORITHME
```

2. Tester cet algorithme pour $N = 5$, puis $N = 50$.

Après l'affichage de « $u(k) = a$ », cocher « Ajouter un retour à la ligne ».

Partie B. Application aux séries harmoniques

Soit (u_n) la suite définie, pour tout $n \in \mathbb{N}^*$ par :

$$u_n = \sum_{k=1}^{n} \frac{1}{k} = 1 + \frac{1}{2} + \ldots + \frac{1}{n}.$$

1. Montrer que la suite (u_n) est définie par récurrence ainsi :

$$\begin{cases} u_1 = 1, \\ \text{pour tout } n \in \mathbb{N}^*, \ u_{n+1} = u_n + \dfrac{1}{n+1} \end{cases}$$

2. En déduire un algorithme permettant de calculer les premiers termes de la suite (u_n).

 S'inspirer de l'algorithme de la 1re partie.

3. On veut montrer que, pour tout $x > 0$, $\ln(1+x) < x$.

Pour cela, on étudie la différence $f(x) = \ln(1+x) - x$, où $x \in]0\,;+\infty[$.

a. Étudier les variations de f sur $]0\,;+\infty[$.

b. En déduire le signe de $f(x)$ sur $]0\,;+\infty[$.

c. Conclure.

4. En déduire que, pour tout $n \in \mathbb{N}^*$, $\ln(n+1) - \ln(n) < \dfrac{1}{n}$ (1).

5. Montrer alors que, pour tout $n \in \mathbb{N}^*$, $u_n > \ln(n+1)$.

Ajouter membre à membre les inégalités (1) obtenues pour les valeurs de k, $1 \leqslant k \leqslant n$.

6. En déduire la limite de la suite (u_n).

CONTRÔLE

21 QCM   ★★ | 20 min | ▶ P. 154

Pour chacune des questions suivantes, une seule affirmation est vraie.

1. La fonction $x \mapsto \ln|x|$ est définie et dérivable sur :

a. $\mathbb{R}$;   b. $]0\,;+\infty[$;   c. $\mathbb{R}^*$;   d. $]-\infty\,;0[$.

2. La fonction $x \mapsto \ln|x|$ a pour dérivée :

a. $x \mapsto -\dfrac{1}{x}$;   b. $x \mapsto \dfrac{1}{|x|}$;   c. $x \mapsto -\dfrac{1}{|x|}$;   d. $x \mapsto \dfrac{1}{x}$.

3. Soit f la fonction définie sur $]0 \, ; +\infty[$ par :

$$f(x) = ax + b\ln(x).$$

On sait que $f(e) = 0$ et $f'(1) = 1$. Alors :

a. $f'(x) = e + 1 - \dfrac{e}{x}$;

b. $f(x) = x + e\ln(x)$;

c. $f(x) = \dfrac{x}{1-e} - \dfrac{e}{1-e}\ln(x)$;

d. $f'(x) = \dfrac{e}{e-1} - \dfrac{1}{e-1} \times \dfrac{1}{x}$.

4. L'inéquation $\ln|x-1| \geqslant 1$ admet pour ensemble solution :

a. $[1 + e \, ; +\infty[$;

b. $[2 \, ; +\infty[$;

c. $]-\infty \, ; 0] \cup [2 \, ; +\infty[$;

d. $]-\infty \, ; 1-e] \cup [e+1 \, ; +\infty[$.

22 $\quad\quad\quad\quad\quad\quad\quad\quad\quad\quad$ ★★ | 40 min | P. 155

Partie A. Étude de la fonction $x \mapsto \dfrac{\ln(x)}{x}$

Soit f la fonction définie sur $]0 \, ; +\infty[$ par $f(x) = \dfrac{\ln(x)}{x}$.

1. Étudier les variations de f.

2. Déterminer les limites de f aux bornes de son ensemble de définition.

3. Tracer la courbe représentative $(\mathscr{C})$ de f dans un repère orthogonal $(O \, ; \vec{\imath} \, ; \vec{\jmath})$.

Partie B. Démonstration de la propriété « pour tout entier naturel $n \geqslant 4,\ 2^n \geqslant n^2$ »

1. À l'aide de la **partie A**, montrer que, pour tout $n \geqslant 4$, $\dfrac{\ln n}{n} \leqslant \dfrac{\ln 4}{4}$.

2. Comparer $\dfrac{\ln 4}{4}$ et $\dfrac{\ln 2}{2}$.

3. Terminer la démonstration.

◢ Cette propriété est démontrée par une autre méthode dans le chapitre 5.

CONTRÔLE

23 QUESTION DE COURS | ★★ | 20 min | P. 156 |

Le but de cet exercice est de montrer que $\lim\limits_{x \to +\infty} \dfrac{\ln x}{x} = 0$.

1. Étudier les variations de la fonction ϕ définie sur $[1 \, ; +\infty[$ par :

$$\phi(x) = \ln x - \sqrt{x}.$$

2. En déduire que pour tout $x \in [1 \, ; +\infty[$:

$$0 \leqslant \dfrac{\ln x}{x} \leqslant \dfrac{1}{\sqrt{x}}.$$

◢ Quel est le signe de $\phi(x)$?

3. Conclure.

24 ÉTUDE D'UNE FONCTION | ★★ | 40 min | P. 157 |

Partie A

On considère la fonction f définie sur $\mathbb{R}$ par :

$$f(x) = \dfrac{2e^{2x} - e^x}{e^{2x} - e^x + 1}.$$

La représentation graphique de f dans le repère orthonormal ci-après est la courbe $\mathcal{C}_f$. On précise que la droite T est la tangente à $\mathcal{C}_f$ au point I(0 ; 1).

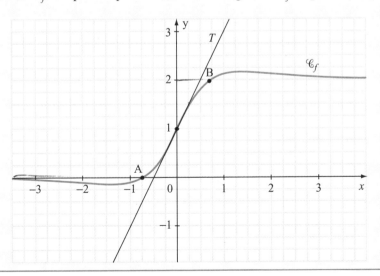

1. On se propose de démontrer certaines propriétés de la courbe ($\mathcal{C}_f$).

a. Étudier la limite de f en $-\infty$ et préciser l'asymptote à $\mathcal{C}_f$ correspondante.

b. Étudier la limite de f en $+\infty$ et préciser l'asymptote à $\mathcal{C}_f$ correspondante.

 Poser $X = e^x$.

c. Calculer l'abscisse du point A, point d'intersection de $\mathcal{C}_f$ avec l'axe des abscisses.

2. Grâce à une lecture graphique et sans aucun calcul, répondre aux questions suivantes :

a. Donner le signe de $f(x)$ suivant les valeurs de x.

b. Donner la valeur de $f'(0)$.

Partie B

On considère la fonction F définie sur $\mathbb{R}$ par :

$$F(x) = \ln(e^{2x} - e^x + 1).$$

1. a. Étudier la limite de F en $-\infty$.

b. Démontrer que, pour tout réel x :

$$F(x) = 2x + \ln(1 - e^{-x} + e^{-2x}).$$

c. Déterminer alors la limite de F en $+\infty$.

2. a. Montrer que f est la fonction dérivée de F.

b. Déduire alors de la **partie A** le tableau de variation de F.

CORRIGÉS

1 1. $x > 0$, donc $\ln\left(xe^x\right) = \mathbf{ln\,x + x}$.

2. $x \neq 0$, donc $\ln\left(\dfrac{e^x}{x^2}\right) = \mathbf{x - 2ln\,x}$.

3. $\ln\left(\tan\dfrac{\pi}{3}\right) - \ln\left(\sin\dfrac{\pi}{3}\right) = \ln\left(\dfrac{\tan\left(\dfrac{\pi}{3}\right)}{\sin\left(\dfrac{\pi}{3}\right)}\right) = \ln\left(\dfrac{1}{\cos\left(\dfrac{\pi}{3}\right)}\right) = \mathbf{-ln\left(cos\dfrac{\pi}{3}\right)}$.

4. ◢ Décomposer en produit de facteurs premiers le nombre $\dfrac{180}{3} - 15$.

$\ln\left(\dfrac{180}{3} - 15\right) + \ln(15) = \ln\dfrac{45}{3} + \ln 15$

$\qquad = \ln(5 \times 9) - \ln 3 + \ln(3 \times 5) = \ln 5 + 2\ln 3 + \ln 3 + \ln 5$

$\qquad = \mathbf{3ln3 + 2ln5}$.

5. $\dfrac{1}{2}\ln(5x^2) - \ln(x) = \dfrac{1}{2}\ln 5 + \ln x - \ln x = \dfrac{\mathbf{ln\,5}}{\mathbf{2}}$.

6. $\ln\left(\dfrac{16 \times 25^2}{49}\right) + 2\ln 7 = 4\ln 2 + 4\ln 5 - 2\ln 7 + 2\ln 7 = \mathbf{4(ln\,2 + ln\,5)}$.

2 1. $\ln(x+1) \leqslant 7 \Leftrightarrow \left(x > -1 \text{ et } x+1 \leqslant e^7\right) \Leftrightarrow -1 < x \leqslant e^7 - 1$.

Donc $\mathbf{S = \,]{-1}\,;\,e^7 - 1]}$.

2. $2\ln|2x+5| < \ln 9 \Leftrightarrow \left(x \neq -\dfrac{5}{2} \text{ et } \ln|2x+5| < \ln 3\right)$

$\qquad \Leftrightarrow \left(x \neq -\dfrac{5}{2} \text{ et } |2x+5| < 3\right)$

$\qquad \Leftrightarrow \left(x \neq -\dfrac{5}{2} \text{ et } -3 < 2x+5 < 3\right) \Leftrightarrow \left(x \neq -\dfrac{5}{2} \text{ et } -4 < x < -1\right)$.

Donc $\mathbf{S = \,\left]{-4}\,;\,-\dfrac{5}{2}\right[\cup \left]{-\dfrac{5}{2}}\,;\,-1\right[}$.

3. $(e^x - 2)(e^x + 1) > 0$

$\qquad \Leftrightarrow \left((e^x - 2 > 0 \text{ et } e^x + 1 > 0) \text{ ou } (e^x - 2 < 0 \text{ et } e^x + 1 < 0)\right)$

$\qquad \Leftrightarrow e^x > 2 \Leftrightarrow x > \ln 2$ (car $e^x + 1$ est toujours strictement positif).

Donc $\mathbf{S = \,]ln\,2\,;\,+\infty[}$.

4. $\ln\left(x+\dfrac{3}{2}\right) > -\ln x \Leftrightarrow \left(x > -\dfrac{3}{2} \text{ et } x > 0 \text{ et } \ln\left(x+\dfrac{3}{2}\right) > \ln\dfrac{1}{x}\right)$

$\qquad\qquad\qquad \Leftrightarrow \left(x > 0 \text{ et } x + \dfrac{3}{2} > \dfrac{1}{x}\right)$

$$\Leftrightarrow \left(x > 0 \text{ et } 2x^2 + 3x - 2 > 0 \right) \Leftrightarrow \left(x > 0 \text{ et } 2\left(x - \frac{1}{2} \right)(x+2) > 0 \right)$$

$$\Leftrightarrow \left(x > 0 \text{ et } \left(x < -2 \text{ ou } x > \frac{1}{2} \right) \right) \Leftrightarrow x > \frac{1}{2}.$$

Donc $\boldsymbol{S} = \left] \dfrac{\mathbf{1}}{\mathbf{2}} ; +\infty \right[$.

5. $(x+1)^3 = e^7 \Leftrightarrow x + 1 > 0 \text{ et } 3\ln(x+1) = 7 \Leftrightarrow x > -1 \text{ et } x + 1 = e^{\frac{7}{3}}$

$$\Leftrightarrow x = e^{\frac{7}{3}} - 1.$$

Donc $\boldsymbol{S} = \left\{ \mathbf{e^{\frac{7}{3}} - 1} \right\}.$

◢ $(x+1)^3 = e^7 > 0$, donc $x + 1 > 0$.

---

3 **1.** Pour tout $x > 0$, $\dfrac{\ln x}{x^n} = \dfrac{1}{n}\dfrac{n \ln x}{x^n} = \dfrac{1}{n}\dfrac{\ln x^n}{x^n}$.

Or $\lim\limits_{x \to +\infty} x^n = +\infty$ et $\lim\limits_{X \to +\infty} \dfrac{\ln X}{X} = 0$, donc $\lim\limits_{x \to +\infty} \dfrac{\ln x^n}{x^n} = 0$, par composition.

D'où $\lim\limits_{x \to +\infty} \dfrac{1}{n}\dfrac{\ln x^n}{x^n} = \dfrac{0}{n} = 0$, c'est-à-dire $\boldsymbol{\lim\limits_{x \to +\infty} \dfrac{\ln x}{x^n} = 0.}$

2. Pour tout $x > 0$, $\dfrac{\ln x}{\sqrt{x}} = \dfrac{2 \ln \sqrt{x}}{\sqrt{x}}$.

$\lim\limits_{x \to +\infty} \sqrt{x} = +\infty$ et $\lim\limits_{X \to +\infty} \dfrac{\ln X}{X} = 0$, donc $\lim\limits_{x \to +\infty} \dfrac{\ln \sqrt{x}}{\sqrt{x}} = 0$.

D'où $\lim\limits_{x \to +\infty} \dfrac{2 \ln \sqrt{x}}{\sqrt{x}} = 2 \times 0 = 0$, c'est-à-dire $\boldsymbol{\lim\limits_{x \to +\infty} \dfrac{\ln x}{\sqrt{x}} = 0.}$

3. Pour tout $x > 0$, $\dfrac{\ln x}{x-1} = \dfrac{\ln x - \ln 1}{x - 1}$.

Or, ln étant dérivable en 1, $\lim\limits_{x \to 1} \dfrac{\ln x - \ln 1}{x - 1} = \ln' 1 = \dfrac{1}{1}$, d'où $\boldsymbol{\lim\limits_{x \to 1} \dfrac{\ln x}{x - 1} = 1.}$

4. $\lim\limits_{x \to +\infty} (e^{x \ln 3} - 1) = +\infty$ et $\lim\limits_{x \to +\infty} e^x = +\infty$. Il s'agit d'une forme indéterminée.

$$\dfrac{e^{x \ln 3} - 1}{e^x} = e^{x \ln 3 - x} - e^{-x} = e^{x(\ln 3 - 1)} - e^{-x}.$$

$3 > e$, donc $\ln 3 > \ln e$, soit $\ln 3 > 1$. Donc $\ln(3) - 1 > 0$ et $\lim\limits_{x \to +\infty} e^{x(\ln 3 - 1)} = +\infty$.

$\begin{cases} \lim\limits_{x \to +\infty} e^{x(\ln 3 - 1)} = +\infty \\ \lim\limits_{x \to +\infty} -e^{-x} = 0 \end{cases}$, donc, par somme, $\boldsymbol{\lim\limits_{x \to +\infty} \dfrac{e^{x \ln 3} - 1}{e^x} = +\infty.}$

4   1. Notons $X = e^x$ et $Y = e^y$. Alors X et Y sont strictement positifs.

$$\begin{cases} e^{x+y} = 1 \\ e^x - e^y = \dfrac{3}{2} \end{cases} \Leftrightarrow \begin{cases} X \times Y = 1 \\ X - Y = \dfrac{3}{2} \end{cases} \Leftrightarrow \begin{cases} Y^2 + \dfrac{3}{2}Y - 1 = 0 \\ X = Y + \dfrac{3}{2} \end{cases} \Leftrightarrow \begin{cases} Y = -2 \ \text{ou}\ Y = \dfrac{1}{2} \\ X = Y + \dfrac{3}{2} \end{cases}$$

$$\Leftrightarrow \left(Y = \dfrac{1}{2} \ \text{et}\ X = 2 \right) \Leftrightarrow \left(e^y = \dfrac{1}{2} \ \text{et}\ e^x = 2 \right) \Leftrightarrow \left(y = -\ln 2 \ \text{et}\ x = \ln 2 \right).$$

Donc $S = \{(\ln 2 \ ; \ -\ln 2)\}$

2. $\begin{cases} \ln\left(\dfrac{x}{y}\right) = 4 \\ \ln\left(x^2\right) + \ln\left(y\right) = 5 \end{cases}$

$$\Leftrightarrow \left(y \neq 0 \ \text{et}\ \dfrac{x}{y} > 0 \ \text{et}\ x \neq 0 \ \text{et}\ y > 0 \ \text{et}\ \ln\dfrac{x}{y} = 4 \ \text{et}\ \ln x^2 + \ln y = 5 \right)$$

$$\Leftrightarrow \left(x > 0 \ \text{et}\ y > 0 \ \text{et}\ \ln x - \ln y = 4 \ \text{et}\ 2\ln x + \ln y = 5 \right)$$

$$\Leftrightarrow \begin{cases} \ln x = \ln y + 4 \\ 3\ln y = -3 \end{cases}, \ \text{avec}\ x > 0 \ \text{et}\ y > 0$$

$$\Leftrightarrow \begin{cases} \ln x = 3 \\ \ln y = -1 \end{cases}, \ \text{avec}\ x > 0 \ \text{et}\ y > 0 \Leftrightarrow \begin{cases} x = e^3 \\ y = \dfrac{1}{e} \end{cases}.$$

Donc $S = \left\{ \left(e^3 \ ; \ \dfrac{1}{e} \right) \right\}$.

◢ On pouvait aussi poser $X = \ln x$ et $Y = \ln y$.

5   1. • f est dérivable sur $]0 \ ; +\infty[$ comme produit de fonctions dérivables sur cet intervalle.

• Pour tout $x > 0$, $f'(x) = 1 \times \ln x + x \times \dfrac{1}{x} = \ln x + 1$.

• $f'(x) = 0 \Leftrightarrow \ln x = -1 \Leftrightarrow \ln x = \ln\left(\dfrac{1}{e}\right) \Leftrightarrow x = \dfrac{1}{e}$.

$f'(x) > 0 \Leftrightarrow \ln x > -1 \Leftrightarrow \ln x > \ln\left(\dfrac{1}{e}\right) \Leftrightarrow x > \dfrac{1}{e}$ car $\ln$ est strictement croissante sur $]0 \ ; +\infty[$.

Donc $f'(x) < 0 \Leftrightarrow x < \dfrac{1}{e}$.

Donc, f est strictement décroissante sur $\left]0 \ ; \dfrac{1}{e}\right]$ et strictement croissante sur $\left[\dfrac{1}{e} \ ; +\infty\right[$.

2. • f est de la forme $\ln u - \ln$, avec $u : x \rightarrow 2x - 5$.

u est dérivable sur $\left]\dfrac{5}{2} \ ; +\infty\right[$ et $u(x) > 0$ sur cet intervalle.

ln est dérivable sur $]0\,;+\infty[$, donc aussi sur $\left]\dfrac{5}{2}\,;+\infty\right[$.

Donc f est dérivable sur $\left]\dfrac{5}{2}\,;+\infty\right[$ (comme somme de fonctions dérivables).

• Pour tout $x>\dfrac{5}{2}$, $f'(x)=\dfrac{2}{2x-5}-\dfrac{1}{x}=\dfrac{5}{x(2x-5)}>0$

$\left(\text{car } 2x-5>0 \text{ et } x>0 \text{ sur } \left]\dfrac{5}{2}\,;+\infty\right[\right)$.

Donc f est strictement croissante sur $\left]\dfrac{5}{2}\,;+\infty\right[$.

3. • f est de la forme $\ln u$, avec $u:x\mapsto \sqrt{x^2+1}$.

Pour tout réel x, $x^2+1>0$ donc la fonction racine carrée étant dérivable sur $]0\,;+\infty[$, u est dérivable sur $\mathbb{R}$ et $u(x)=\sqrt{x^2+1}$ est strictement positif sur $\mathbb{R}$.
On en déduit que f est dérivable sur $\mathbb{R}$.

• Pour tout $x\in\mathbb{R}$, $f'(x)=\dfrac{u'(x)}{u(x)}=\dfrac{\dfrac{2x}{2\sqrt{x^2+1}}}{\sqrt{x^2+1}}=\dfrac{x}{x^2+1}$.

• $f'(x)$ est du signe de x, donc $f'(x)>0$ sur $]0\,;+\infty[$ et $f'(x)<0$ sur $]-\infty\,;0[$.

Donc f est strictement décroissante sur $]-\infty\,;0]$ et strictement croissante sur $[0\,;+\infty[$, avec $f(0)=\ln 1=0$.

4. f est définie et dérivable sur $\mathbb{R}$ et, pour tout $x\in\mathbb{R}$, $f'(x)=4\mathrm{e}^{2x}-9$.

$f'(x)>0\Leftrightarrow \mathrm{e}^{2x}>\dfrac{9}{4}\Leftrightarrow 2x>\ln 9-\ln 4\Leftrightarrow x>\ln 3-\ln 2$;

$f'(x)<0\Leftrightarrow x<\ln 3-\ln 2$.

Donc f est strictement décroissante sur $\left]-\infty\,;\ln\dfrac{3}{2}\right]$ et strictement croissante

sur $\left[\ln\dfrac{3}{2}\,;+\infty\right[$, avec $f\left(\ln\dfrac{3}{2}\right)=2\times\dfrac{9}{4}-9\ln\dfrac{3}{2}+1\approx 1,85$.

6 1. f_1 est de la forme $\ln u$ avec $u:x\mapsto x^2+1$.

• $D_u=\mathbb{R}$.

• Pour tout réel x, $u(x)>0\Leftrightarrow x^2+1>0$, ce qui est toujours vrai, donc :

$$D_{f_1}=\mathbb{R}.$$

2. f_2 est de la forme $\ln u$ avec $u:x\mapsto \dfrac{3x+1}{x+2}$.

• $D_u=\mathbb{R}\setminus\{-2\}=]-\infty\,;-2[\,\cup\,]-2\,;+\infty[$.

• Pour tout réel $x\neq -2$, $u(x)>0\Leftrightarrow \dfrac{3x+1}{x+2}>0$.

x	$-\infty$		-2		$-\dfrac{1}{3}$		$+\infty$
$3x+1$	$-$			$-$	0	$+$	
$x+2$	$-$		0	$+$		$+$	
Signe de $\dfrac{3x+1}{x+2}$	$+$	‖		$-$	0	$+$	

Donc $u(x) > 0 \iff \left(x < -2 \text{ ou } x > -\dfrac{1}{3} \right)$.

Finalement, $\boldsymbol{D_f = \left]-\infty \,;\, -2\right[\cup \left]-\dfrac{1}{3}\,;\, +\infty\right[}$.

3. f_3 est de la forme $\ln u - \ln v$ avec $u : x \mapsto 3x+1$ et $v : x \mapsto x+2$.

• $D_u = \mathbb{R}$ et $D_v = \mathbb{R}$.

• $u(x) > 0 \iff x > -\dfrac{1}{3}$ et $v(x) > 0 \iff x > -2$.

Finalement, $\boldsymbol{D_{f_3} = \left]-\dfrac{1}{3}\,;\, +\infty\right[\cap \left]-2\,;\, +\infty\right[}$, soit $\boldsymbol{D_{f_3} = \left]-\dfrac{1}{3}\,;\, +\infty\right[}$

◢ f_2 et f_3 sont égales sur $\left]-\dfrac{1}{3}\,;\,+\infty\right[$, mais n'ont pas le même ensemble de définition.

---

7 **1.** f est de la forme $u \times v$, où $u : x \mapsto x$ est définie sur $\mathbb{R}$ et $v : x \mapsto \ln x$ est définie sur $]0\,;\,+\infty[$.

f est donc définie sur l'intersection de D_u et D_v, soit $\boldsymbol{D_f = \,]0\,;\,+\infty[}$.

◢ Voir le cours de 1re S sur le produit de fonctions.

2. • D'après le cours, $\displaystyle\lim_{x \to 0} x \ln(x) = 0$.

• $\begin{cases} \displaystyle\lim_{x \to +\infty} x = +\infty \\ \displaystyle\lim_{x \to +\infty} \ln(x) = +\infty \end{cases}$ donc, par produit, $\displaystyle\lim_{x \to +\infty} \boldsymbol{f(x) = +\infty}$.

3. Soit $x > 0$, $f'(x) = 1 \times \ln(x) + x \times \dfrac{1}{x} = \ln(x) + 1$.

$f'(x) > 0 \iff \ln(x) > -1 \iff \ln(x) > \ln\left(\dfrac{1}{e}\right) \iff x > \dfrac{1}{e}$ car la fonction $\ln$ est strictement croissante.

De même, $f'(x) = 0 \iff \ln x = \ln\left(\dfrac{1}{e}\right) \iff x = \dfrac{1}{e}$, d'où :

$$f'(x) < 0 \iff x < \dfrac{1}{e}.$$

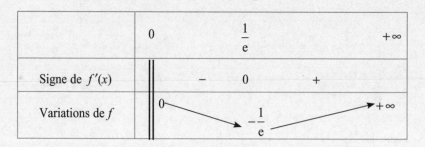

	0	$\dfrac{1}{e}$	$+\infty$
Signe de $f'(x)$		$-\quad 0 \quad +$	
Variations de f			

4. • $T : y = f(1) + f(1)(x-1)$ avec $f(1) = 1 \times 0 = 0$ et $f(1) = 0 + 1 = 1$.

Donc $T : y = x - 1$.

• $T' : y = f(e) + f'(e)(x-e)$ avec $f(e) = e \times 1 = e$ et $f'(e) = 1 + 1 = 2$.

Donc $T' : y = e + 2(x-e)$, soit $T' : y = 2x - e$.

8 **1. Vrai.**

$$\ln\frac{5}{4} + \ln\frac{3}{10} - \ln\sqrt{3} + \ln\frac{8}{\sqrt{3}}$$

$$= (\ln 5 - 2\ln 2) + (\ln 3 - \ln 2 - \ln 5) - \frac{1}{2}\ln 3 + \left(3\ln 2 - \frac{1}{2}\ln 3\right) = 0.$$

2. Vrai. Pour tout $n \in \mathbb{N}$, $\ln(u_n) = n\ln\left(\dfrac{4}{5}\right)$ et $\ln(u_{n+1}) - \ln(u_n) = \ln\left(\dfrac{4}{5}\right) \in \mathbb{R}$.

Donc la suite $(\ln u_n)$ est arithmétique.

3. Faux.

$$\ln(2-3x) < 2 \Leftrightarrow (2-3x > 0 \text{ et } 2-3x < e^2) \Leftrightarrow \left(x < \frac{2}{3} \text{ et } x > \frac{2-e^2}{3}\right)$$

$$\Leftrightarrow x \in \left]\frac{2-e^2}{3} ; \frac{2}{3}\right[.$$

4. Vrai. $\lim\limits_{x \to +\infty} \dfrac{\ln x}{x} = 0$, donc la courbe d'équation $y = 2 + \dfrac{\ln x}{x}$ admet une aymp-

tote horizontale en $+\infty$, d'équation $y = 2$.

5. Appliquer le théorème des valeurs intermédiaires.

Vrai. Soit f la fonction définie sur $\mathbb{R}$ par $f(x) = e^{3x\ln(2)} - \dfrac{\ln 3}{x\ln 2}$.

• $\dfrac{\ln 3}{\ln 2} > 0$ et $f\left(\dfrac{\ln 3}{\ln 2}\right) = e^{3\ln(3)} - 1 = 3^3 - 1 = 26$,

donc $\dfrac{\ln 3}{\ln 2}$ est solution de l'équation sur $]0 ; +\infty[: e^{3x\ln(2)} - \dfrac{\ln 3}{x\ln 2} = 26.$

• f est dérivable sur $]0 ; +\infty[$ et, pour tout $x \in]0 ; +\infty[$,

$f'(x) = 3\ln 2\, e^{3x\ln(2)} + \dfrac{\ln 3}{x^2 \ln 2} > 0$ car $\ln 2 > 0$ et $\ln 3 > 0$.

Donc f est strictement croissante sur $]0\,;+\infty[$.

• f est continue et strictement croissante sur $]0\,;+\infty[$.

26 est compris entre $\displaystyle\lim_{x\to 0^+} f(x) = -\infty$ et $\displaystyle\lim_{x\to +\infty} f(x) = +\infty$

D'après le théorème des valeurs intermédiaires, l'équation $f(x) = 26$ admet une unique solution sur $]0\,;+\infty[$.

$\boxed{9}$ 1. f est dérivable sur $]0\,;+\infty[$ et, pour tout $x > 0$, $f'(x) = (\ln(x)+1) \times e^{x\ln x}$.

$\ln(x)+1 > 0 \Leftrightarrow \ln x = -1 \Leftrightarrow \ln x = \ln\left(\dfrac{1}{e}\right) \Leftrightarrow x = \dfrac{1}{e}$.

$\ln(x)+1 > 0 \Leftrightarrow \ln x > -1 \Leftrightarrow \ln x > \ln\left(\dfrac{1}{e}\right) \Leftrightarrow x > \dfrac{1}{e}$.

Donc $\ln(x)+1 < 0 \Leftrightarrow x < \dfrac{1}{e}$.

Donc f est strictement décroissante sur $\left]0\,;\dfrac{1}{e}\right[$ **et strictement croissante sur**

$\left]\dfrac{1}{e}\,;+\infty\right[$.

2. • $\begin{cases}\displaystyle\lim_{x\to 0} x\ln(x) = 0 \\ \displaystyle\lim_{X\to 0} e^{X} = 1\end{cases}$, donc, par composition, $\displaystyle\lim_{x\to 0} f(x) = 1.$

• $\begin{cases}\displaystyle\lim_{x\to +\infty} x\ln(x) = +\infty \\ \displaystyle\lim_{X\to +\infty} e^{X} = +\infty\end{cases}$, donc, par composition, $\displaystyle\lim_{x\to +\infty} f(x) = +\infty.$

3. Soit $x \in\,]0\,;+\infty[$.

$f(x) < e^x \Leftrightarrow e^{x\ln(x)} < e^x \Leftrightarrow x\ln(x) < x$ car exp est strictement croissante sur $\mathbb{R}$

$\Leftrightarrow x(\ln(x)-1) < 0$

$\Leftrightarrow \ln(x)-1 < 0$ car $x > 0$

$\Leftrightarrow \ln(x) < 1$

$\Leftrightarrow x < e.$

L'ensemble des solutions de l'inéquation $f(x) < e^x$ est donc l'intervalle $]0\,;e[$.

4. $\dfrac{e^{x\ln(x)}}{e^x} = e^{x\ln x - x} = e^{x(\ln x - 1)}$.

$\begin{cases}\displaystyle\lim_{x\to +\infty} x = +\infty \\ \displaystyle\lim_{x\to +\infty} (\ln x - 1) = +\infty\end{cases}$, donc, par produit, $\displaystyle\lim_{x\to +\infty} x(\ln x - 1) = +\infty$

Donc $\displaystyle\lim_{x\to +\infty} \dfrac{e^{x\ln(x)}}{e^x} = +\infty.$

5.

$\mathscr{C}: y = \exp(x \ln x)$

$\mathscr{C}': y = \exp(x)$

$\boxed{10}$ **1.** (C_n) est une suite géométrique de raison $1,0225$ et de premier terme $C_0 > 0$.

D'où, pour tout $n \in \mathbb{N}$, $C_n = C_0 \times 1,0225^n$.

$C_n \geqslant 2C_0 \Leftrightarrow 1,0225^n \geqslant 2 \Leftrightarrow n \ln 1,0225 \geqslant \ln 2$

$\Leftrightarrow n \geqslant \dfrac{\ln 2}{\ln 1,0225}$ (car $\ln 1,0225 > 0$)

$\Leftrightarrow n \geqslant 32$.

Le capital aura doublé au bout de 32 années.

2. Soit u_n la masse de l'iridium 192 au bout du n-ième jour.

(u_n) est une suite géométrique de premier terme $u_0 > 0$ et de raison

$1 - \dfrac{9,6}{1000} = 0,9904$.

D'où, pour tout $n \in \mathbb{N}$, $u_n = u_0 \times 0,9904^n$.

$u_n \leqslant \dfrac{1}{2}u_0 \Leftrightarrow 0,9904^n \leqslant \dfrac{1}{2} \Leftrightarrow n \ln 0,9904 \leqslant -\ln 2$

$\Leftrightarrow n \geqslant -\dfrac{\ln 2}{\ln 0,9904}$ (car $\ln 0,9904 < 0$)

$\Leftrightarrow n \geqslant 72$.

La période de demi-vie de l'iridium 192 est de 72 ans.

[11] 1.

```
VARIABLES
  a EST_DU_TYPE NOMBRE
  b EST_DU_TYPE NOMBRE
  c EST_DU_TYPE NOMBRE
  X0 EST_DU_TYPE NOMBRE
  X1 EST_DU_TYPE NOMBRE
  X2 EST_DU_TYPE NOMBRE
  DELTA EST_DU_TYPE NOMBRE
DEBUT_ALGORITHME
  LIRE a
  LIRE b
  LIRE c
  SI (a!=0) ALORS
    DEBUT_SI
    DELTA PREND_LA_VALEUR b*b-4*a*c
    SI (DELTA= =0) ALORS
      DEBUT_SI
      X0 PREND_LA_VALEUR –b/(2*a)
      SI (X0>0) ALORS
        DEBUT_SI
        AFFICHER "l'équation a exp(2x)+b exp(x)+c=0 admet pour solution x = ln"
        AFFICHER X0
        FIN_SI
        SINON
          DEBUT_SINON
          AFFICHER "l'équation a exp(2x)+b exp(x)+c=0 n'admet aucune solution"
          FIN_SINON
    FIN_SI
    SINON
      DEBUT_SINON
      SI(DELTA>0)ALORS
        DEBUT_SI
        X1 PREND_LA_VALEUR (-b-sqrt(DELTA))/(2*a)
        X2 PREND_LA_VALEUR (-b+sqrt(DELTA))/(2*a)
        SI(X1>0ET X2>0)ALORS
DEBUT_SI
AFFICHER "l'équation a exp(2x)+b exp(x)+c=0 admet pour solutions x = ln"
AFFICHER X1
AFFICHER "et X = ln"
AFFICHER X2
FIN_SI
SINON
  DEBUT_SINON
  SI (X1 <=0 ET X2 <=0) ALORS
    DEBUT_SI
    AFFICHER "l'équation a exp(2x)+b exp(x)+c=0 n'admet aucune solution"
    FIN_SI
    SINON
      DEBUT_SINON
      AFFICHER "l'équation a exp(2x)+b exp(x)+c=0 admet pour solution x = ln"
      SI (X1>0) ALORS
        DEBUT_SI
        AFFICHER X1
        FIN_SI
        SINON
          DEBUT_SINON
          AFFICHER X2
          FIN_SINON
```

```
        FIN_SINON
          FIN_SINON
      FIN_SI
    SINON
          DEBUT_SINON
          AFFICHER "l'équation a exp(2x)+b exp(x)+c=0 n'admet aucune solution"
          FIN_SINON
        FIN_SINON
      FIN_SI
      FIN_ALGORITHME
```

2. a.

```
***Algorithme lancé***
1 'équation a exp(2x)+b exp(x)+c=0 admet pour solution x = ln 1
***Algorithme terminé***
```

b.

```
***Algorithme lancé***
1 'équation a exp(2x)+b exp(x)+c=0 n'admet aucune solution
***Algorithme terminé***
```

c.

```
***Algorithme lancé***
1 'équation a exp(2x)+b exp(x)+c=0 admet pour solution x = ln 1.5 et x = ln 4
***Algorithme terminé***
```

d.

```
***Algorithme lancé***
1 'équation a exp(2x)+b exp(x)+c=0 n'admet aucune solution
***Algorithme terminé***
```

12 **1. a.** $\log(1) = \dfrac{\ln 1}{\ln 10} = \dfrac{0}{\ln 10} = \mathbf{0}$ et $\log(10) = \dfrac{\ln 10}{\ln 10} = \mathbf{1}.$

b. Soit $x \in \mathbb{R}$, $\log(10^x) = \log(e^{x\ln 10}) = \dfrac{\ln(e^{x\ln 10})}{\ln 10}.$

Or, $\ln(e^{x\ln 10}) = x\ln 10.$

Voir le cours I. 1., propriétés.

Donc $\log(10^x) = \dfrac{x\ln 10}{\ln 10}$, soit $\mathbf{\log(10^x) = x.}$

c. Soient x et y deux réels positifs.

$$\log(x \times y) = \dfrac{\ln(x \times y)}{\ln 10} = \dfrac{\ln(x) + \ln(y)}{\ln 10} = \dfrac{\ln x}{\ln 10} + \dfrac{\ln y}{\ln 10}, \text{ d'où :}$$

$$\mathbf{\log(x \times y) = \log(x) + \log(y).}$$

2. a. $[H_3O^+] = 10^{-pH}$, d'où, puisque $[H_3O^+]$ est strictement positif :

$\log([H_3O^+]) = \log(10^{-pH}) = -pH$ et $\mathbf{pH = -log([H_3O^+])}$.

b. Si $[H_3O^+] = 7,94 \times 10^{-6}\,\text{mol}\cdot\text{L}^{-1}$, alors :

$pH = -\log(7,94 \times 10^{-6}) = -[\log 7,94 + \log 10^{-6}] = 6 - \log 7,94$

$pH = 6 - \dfrac{\ln 7,94}{\ln 10} \approx 5,10$.

La solution est donc acide.

$\boxed{13}$ 1. Pour tout $x \neq 1$, $f(x) = \dfrac{\ln x}{x-1} = \dfrac{\ln x - \ln 1}{x-1}$.

La fonction ln étant dérivable en 1, $\lim\limits_{x \to 1} \dfrac{\ln x - \ln 1}{x-1} = \ln'1 = \dfrac{1}{1} = 1$.

Donc $\lim\limits_{x \to 1} f(x) = f(1)$, **donc f est continue en 1**.

2. a. $\lim\limits_{x \to 0^+} \ln x = -\infty$ et $\lim\limits_{x \to 0^+}(x-1) = -1$, donc $\mathbf{\lim\limits_{x \to 0^+} f(x) = +\infty}$, par quotient.

b. $\lim\limits_{x \to +\infty} \dfrac{x}{x-1} = \lim\limits_{x \to +\infty} \dfrac{x}{x} = \lim\limits_{x \to +\infty} 1 = 1$ et $\lim\limits_{x \to +\infty} \dfrac{\ln x}{x} = 0$, donc $\mathbf{\lim\limits_{x \to +\infty} f(x) = 0}$.

3. a. g est définie et dérivable sur $]0\,;+\infty[$ et, pour tout $x \in]0\,;+\infty[$:

$$g'(x) = \dfrac{1}{x^2} - \dfrac{1}{x} = \dfrac{1-x}{x^2}.$$

$g'(x) > 0$ sur $]0\,;1[$ et $g'(x) < 0$ sur $]1\,;+\infty[$

donc g est strictement croissante sur $]0\,;1[$ et strictement décroissante sur $]1\,;+\infty[$

x	0		1		$+\infty$
Variations de g			0		

b. D'une part, g est strictement croissante sur $]0\,;1]$ et $g(1) = 0$, donc g est strictement négative sur $]0\,;1[$.

D'autre part, g est strictement décroissante sur $]0\,;+\infty[$ et $g(1) = 0$, donc g est strictement négative sur $]1\,;+\infty[$.

Finalement, $g(x) < 0$ si $x \in]0\,;+\infty[\backslash\{1\}$ et $g(1) = 0$.

4. a. Pour tout $x \neq 1$, $f'(x) = \dfrac{\dfrac{1}{x}(x-1) - \ln x}{(x-1)^2} = \dfrac{g(x)}{(x-1)^2}$

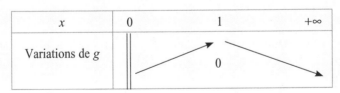

$(x-1)^2 > 0$, donc $f'(x)$ **est du même signe que $g(x)$**.

b. Alors f' est strictement négative sur $]0\,;1[$ et sur $]1\,;+\infty[$.
Donc f est strictement décroissante sur $]0\,;1]$ et sur $]1\,;+\infty[$.
Or f est continue en 1, donc **f est strictement décroissante sur $]0\,;+\infty[$.**
c.

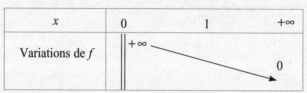

$\boxed{14}$ **1.** $f(0)=0$ et $f'(0)=\dfrac{\Delta y}{\Delta x}=\dfrac{3}{\dfrac{1}{3}}$ soit $f'(0)=9.$

2. Supposons que $f(x)=ax+b+\ln(10x+1)$, a et b réels.

Alors pour tout $x\geqslant 0$, $f'(x)=a+\dfrac{10}{10x+1}$ et :

$\begin{cases}f(0)=0\\f'(0)=9\end{cases}\Leftrightarrow\begin{cases}b=0\\a+10=9\end{cases}\Leftrightarrow\begin{cases}a=-1\\b=0\end{cases}.$

Donc $(a\,;b)=(-1\,;0)$ et $f(x)=-x+\ln(10x+1).$

3. a. f est définie et dérivable $[0\,;+\infty[$ et, pour tout $x\geqslant 0$:

$$f'(x)=-1+\dfrac{10}{10x+1}=\dfrac{-10x+9}{10x+1}.$$

$-10x+9>0\Leftrightarrow x<\dfrac{9}{10}$ et $10x+1>0$ sur $[0\,;+\infty[$.

Donc $f'(x)>0$ si $x\in\left[0\,;\dfrac{9}{10}\right[$ et $f'(x)<0$ si $x\in\left]\dfrac{9}{10}\,;+\infty\right[$.

Donc f est strictement croissante sur $\left[0\,;\dfrac{9}{10}\right]$ et strictement décroissante sur $\left[\dfrac{9}{10}\,;+\infty\right[$.

b. $\dfrac{f(x)}{x}=-1+\dfrac{\ln(10x+1)}{x}=-1+\dfrac{10x+1}{x}\times\dfrac{\ln(10x+1)}{10x+1}$

$\qquad=-1+\left(10+\dfrac{1}{x}\right)\times\dfrac{\ln(10x+1)}{10x+1}.$

$\lim\limits_{x\to+\infty}(10x+1)=+\infty$ et $\lim\limits_{X\to+\infty}\dfrac{\ln X}{X}=0$, donc $\lim\limits_{x\to+\infty}\dfrac{\ln(10x+1)}{10x+1}=0.$

$\lim\limits_{x\to+\infty}\left(10+\dfrac{1}{x}\right)=10.$

Donc $\lim\limits_{x\to+\infty}\dfrac{f(x)}{x}=-1+10\times 0$ soit $\boldsymbol{\lim\limits_{x\to+\infty}\dfrac{f(x)}{x}=-1.}$

15 1. Δ est la médiatrice de [MM'].

• (MM') $\perp \Delta$. Or le coefficient directeur de Δ vaut 1, celui de (MM') vaut $\dfrac{y'-y}{x'-x}$ ($x \neq x'$ car, Δ n'étant pas parallèle à (Ox), (MM') n'est pas parallèle à l'axe des ordonnées). D'où :

$$1 \times \frac{y'-y}{x'-x} = -1, \text{ soit } x'+y' = x+y.$$

• Le milieu I de [MM'] appartient à Δ. Or $I\left(\dfrac{x+x'}{2}, \dfrac{y+y'}{2}\right)$, d'où :

$$\frac{x+x'}{2} = \frac{y+y'}{2}, \text{ soit } x'-y' = y-x.$$

$$\begin{cases} x'+y' = x+y \\ x'-y' = y-x \end{cases} \Leftrightarrow \begin{cases} y' = x \\ x' = y \end{cases} \text{ donc } \mathbf{M'(y\,;x).}$$

2. $M(x\,;y) \in \mathscr{C}_{\ln} \Leftrightarrow y = \ln x \Leftrightarrow x = \exp y \Leftrightarrow M'(y\,;x) \Leftrightarrow \mathscr{C}_{\exp}$.

Donc le symétrique de $\mathscr{C}_{\ln}$ par rapport à Δ est $\mathscr{C}_{\exp}$.

16 1. Soit $C \in \mathbb{R}$. La fonction $x \to C\ln(x)$ vérifie, pour tout x et y strictement positifs :

$$C\ln(x \times y) = C(\ln(x) + \ln(y)) = C\ln(x) + C\ln(y).$$

2. a. $f(1 \times 0) = f(1) + f(0)$ soit $f(0) = f(1) + f(0)$, d'où $\boldsymbol{f(1) = 0}$.
b. Soit $x > 0$. Alors $x \times y > 0$ et la fonction $y \mapsto f(x \times y)$ est dérivable sur $]0\,; +\infty[$ et sa dérivée est : $y \mapsto x \times f'(x \times y)$.
En dérivant (*) par rapport à y :

$$x \times f'(x \times y) = f'(y).$$

Avec $y = 1$, cela donne :

$$x \times f'(x) = f'(1).$$

En posant $C = f'(1)$, **pour tout $x > 0, f'(x) = \dfrac{C}{x}$.**

c. Soit h la fonction définie sur $]0\,; +\infty[$ par $h(x) = f(x) - C\ln(x)$.

h est dérivable sur $]0\,; +\infty[$ et, pour tout $x > 0$, $h'(x) = f'(x) - \dfrac{C}{x} = \dfrac{C}{x} - \dfrac{C}{x} = 0$.
Donc h est constante et vaut $h(1) = f(1) - C\ln 1 = 0 - 0 = 0$.
Donc, pour tout $x > 0$:

$$f(x) = C\ln(x).$$

3. D'après **1.**, les fonctions $x \mapsto C \ln(x)$, où $C \in \mathbb{R}$, sont dérivables sur $]0\,;+\infty[$ et vérifient (*).

D'après **2.**, les fonctions dérivables sur $]0\,;+\infty[$ et vérifiant (*) sont de la forme :

$$x \mapsto C \ln(x), \text{ où } C \in \mathbb{R}.$$

Donc les fonctions f dérivables sur $]0\,;+\infty[$ telles que pour tout $(x,y) \in]0\,;+\infty[^2$, $f(x \times y) = f(x) + f(y)$(*) sont les fonctions de la forme :

$$x \mapsto C \ln(x) \text{ où } C \in \mathbb{R}.$$

$\boxed{17}$ 1. $f_a(0) = a^0 = e^{0\ln a} = e^0 = 1$ et $f_a(1) = a^1 = e^{1\ln a} = e^{\ln a} = a$.

2. • Pour tout x réel, $f_1(x) = e^{x\ln(1)} = e^0 = 1$ donc **f_1 est la fonction constante égale à 1.**

• Pour tout x réel, $f_e(x) = e^{x\ln(e)} = e^x$, donc **$f_e$ est la fonction exponentielle.**

3. Soit a un réel strictement supérieur à 1.

a. Pour tout réel x, $f_a'(x) = (\ln a) \times e^{x\ln a} > 0$ car $\ln a > 0$.

Donc f_a est strictement croissante sur $\mathbb{R}$.

b. $\ln(a) > 0$, donc $\displaystyle\lim_{x \to +\infty} x \ln a = +\infty$ et $\displaystyle\lim_{x \to -\infty} x \ln a = -\infty$.

• $\begin{cases} \displaystyle\lim_{x \to +\infty} x \ln a = +\infty \\ \displaystyle\lim_{X \to +\infty} e^X = +\infty \end{cases}$, donc, par composition, $\displaystyle\lim_{x \to +\infty} f_a(x) = +\infty$.

• $\begin{cases} \displaystyle\lim_{X \to -\infty} x \ln a = -\infty \\ \displaystyle\lim_{X \to -\infty} e^x = 0 \end{cases}$, donc, par composition, $\displaystyle\lim_{x \to -\infty} f_a(x) = 0$.

4. Soit a un réel strictement inférieur à 1.

a. Pour tout réel x, $f_a'(x) = (\ln a) \times e^{x\ln a} < 0$ car $\ln a < 0$.

Donc f_a est strictement décroissante sur $\mathbb{R}$.

b. $\ln(a) < 0$, donc $\displaystyle\lim_{x \to +\infty} x \ln a = -\infty$ et $\displaystyle\lim_{x \to -\infty} x \ln a = +\infty$.

• $\begin{cases} \displaystyle\lim_{x \to +\infty} x \ln a = -\infty \\ \displaystyle\lim_{X \to -\infty} e^X = 0 \end{cases}$, donc, par composition, $\displaystyle\lim_{x \to +\infty} f_a(x) = 0$.

• $\begin{cases} \displaystyle\lim_{x \to -\infty} x \ln a = +\infty \\ \displaystyle\lim_{X \to +\infty} e^X = +\infty \end{cases}$, donc, par composition, $\displaystyle\lim_{x \to -\infty} f_a(x) = +\infty$.

5.

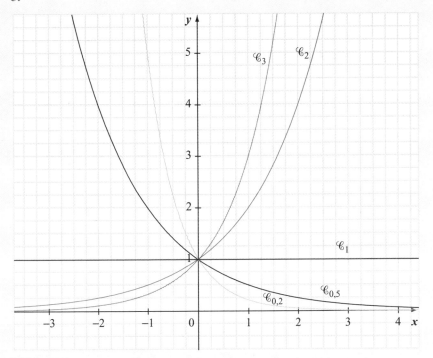

$\boxed{18}$ 1. $3^0 + 4^0 = 1 + 1 = 2$ et $5^0 = 1$, donc $3^0 + 4^0 \neq 5^0$.

$3^1 + 4^1 = 7 \neq 5^1$.

$3^2 + 4^2 = 25 = 5^2$. **L'égalité est vraie pour $n = 2$.**

2. a. $\varphi(x) = e^{x\ln\left(\frac{3}{5}\right)} + e^{x\ln\left(\frac{4}{5}\right)}$.

• $\ln\dfrac{3}{5} < 0$, donc $\displaystyle\lim_{x\to+\infty} x\ln\dfrac{3}{5} = -\infty$ et $\displaystyle\lim_{x\to+\infty} e^{x\ln\left(\frac{3}{5}\right)} = 0$,

$\ln\dfrac{4}{5} < 0$, donc $\displaystyle\lim_{x\to+\infty} x\ln\dfrac{4}{5} = -\infty$ et $\displaystyle\lim_{x\to+\infty} e^{x\ln\left(\frac{4}{5}\right)} = 0$,

donc $\displaystyle\lim_{x\to+\infty} \varphi(x) = \mathbf{0}$.

• $\ln\dfrac{3}{5} < 0$, donc $\displaystyle\lim_{x\to-\infty} x\ln\dfrac{3}{5} = +\infty$ et $\displaystyle\lim_{x\to-\infty} e^{x\ln\left(\frac{3}{5}\right)} = +\infty$,

$\ln\dfrac{4}{5} < 0$, donc $\displaystyle\lim_{x\to-\infty} x\ln\dfrac{4}{5} = +\infty$ et $\displaystyle\lim_{x\to-\infty} e^{x\ln\left(\frac{4}{5}\right)} = +\infty$,

donc $\displaystyle\lim_{x\to-\infty} \varphi(x) = +\infty$.

b. φ est dérivable sur $\mathbb{R}$ et, pour tout $x \in \mathbb{R}$:

$\varphi'(x) = \ln\left(\dfrac{3}{5}\right) \times e^{x\ln\left(\frac{3}{5}\right)} + \ln\left(\dfrac{4}{5}\right) \times e^{x\ln\left(\frac{4}{5}\right)} < 0$ car c'est une somme de deux termes négatifs.

Donc φ est strictement décroissante sur $\mathbb{R}$.

c. φ est strictement décroissante sur $]-\infty \; ; +\infty[$;

1 est compris entre $\lim\limits_{x \to -\infty} \varphi(x) = +\infty$ et $\lim\limits_{x \to +\infty} \varphi(x) = 0$.

D'après le corollaire du théorème des valeurs intermédiaires, **l'équation $\varphi(x) = 1$ admet une solution unique**.

d. $\varphi(2) = \left(\dfrac{3}{5}\right)^2 + \left(\dfrac{4}{5}\right)^2 = \dfrac{3^2 + 4^2}{5^2} = \dfrac{5^5}{5^5} = 1$. L'unique solution dans R de l'équation

$\varphi(x) = 1$ est 2.

A fortiori, le seul entier naturel n vérifiant $3^n + 4^n = 5^n$ est 2.

$\boxed{19}$ 1. Soit a un réel. $g_a(1) = e^{a \times \ln(1)} = e^0 = \mathbf{1}$ et $g_a(e) = e^{a \times \ln(e)} = \mathbf{e^a}$.

2. $g_0 : x \longmapsto x^0 = e^{0 \times \ln(x)} = e^0 = 1$.

g_0 est la fonction constante égale à 1.

3.a. **$a > 0$**

• g_a est dérivable sur $]0 \; ; +\infty[$ et, pour tout $x > 0$, $g_a{}'(x) = \dfrac{a}{x} e^{a.\ln x} > 0$, **donc g_a est strictement croissante sur $]0 \; ; +\infty[$.**

• $\lim\limits_{x \to 0^+} a\ln x = -\infty$; $\lim\limits_{X \to -\infty} e^X = 0$, donc, par composition, $\lim\limits_{x \to 0^+} g_a(x) = 0$.

• $\lim\limits_{x \to +\infty} a\ln x = +\infty$; $\lim\limits_{X \to +\infty} e^X = +\infty$, donc, par composition, $\lim\limits_{x \to +\infty} g_a(x) = +\infty$.

b. **$a < 0$**

• g_a est dérivable sur $]0 \; ; +\infty[$ et, pour tout $x > 0$, $g_a{}'(x) = \dfrac{a}{x} e^{a\ln x} < 0$, donc g_a est strictement décroissante sur $]0 \; ; +\infty[$.

• $\begin{cases} \lim\limits_{x \to 0^+} a\ln x = +\infty \\ \lim\limits_{x \to +\infty} e^x = +\infty \end{cases}$, donc, par composition, $\boldsymbol{\lim\limits_{x \to 0^+} g_a(x) = +\infty}$.

• $\begin{cases} \lim\limits_{x \to +\infty} a\ln x = -\infty \\ \lim\limits_{x \to -\infty} e^x = 0 \end{cases}$, donc, par composition, $\boldsymbol{\lim\limits_{x \to +\infty} g_a(x) = 0}$.

$\boxed{20}$ **Partie A**

1. (u_n) est la suite définie par :

$$\begin{cases} u_1 = 0 \\ \textbf{pour tout } n \in \mathbb{N}^*, u_{n+1} = u_n + n^2 \end{cases}$$

2. Pour $N = 5$:

```
***Algorithme lancé***
u(1) = 0
u(2) = 1
u(3) = 5
u(4) = 14
u(5) = 30
***Algorithme terminé***
```

Pour $N = 50$:

```
u(44) = 27434
u(45) = 29370
u(46) = 31395
u(47) = 33511
u(48) = 35720
u(49) = 38024
u(50) = 40425
***Algorithme terminé***
```

Partie B

1. $u_1 = \displaystyle\sum_{k=1}^{1} \frac{1}{k} = \frac{1}{1} = 1$ puis, pour tout $n \in \mathbb{N}^*$:

$$u_{n+1} - u_n = 1 + \frac{1}{2} + \ldots + \frac{1}{n} + \frac{1}{n+1} - \left(1 + \frac{1}{2} + \ldots + \frac{1}{n}\right) = \frac{1}{n+1}.$$

Donc (u_n) est définie par : $\begin{cases} \boldsymbol{u_1 = 1} \\ \textbf{pour tout } \boldsymbol{n \in \mathbb{N}^*,\ u_{n+1} = u_n + \dfrac{1}{n+1}} \end{cases}$

2.

```
VARIABLE
  N EST_DU_TYPE NOMBRE
  a EST_DU_TYPE NOMBRE
  k EST_DU_TYPE NORMBRE
DEBUT_ALGORITHME
  LIRE N
  a PREND_LA_VALEUR 1
  POUR k ALLANT_DE 1 A n-1
    DEBUT_POUR
    AFFICHER "u("
    AFFICHER k
    AFFICHER ")="
    AFFICHER a
    a PREND_LA_VALEUR a+1/(k+1)
    FIN_POUR
  AFFICHER "u("
  AFFICHER N
  AFFICHER ")="
  AFFICHER a
FIN_ALGORITHME
```

3.a. • La fonction $x \mapsto \ln(1 + x)$ est de la forme $\ln u$ avec $u : x \mapsto 1 + x$.

$u(x) > 0 \Leftrightarrow x > -1$, donc la fonction $x \mapsto \ln(1 + x)$ est dérivable sur $]-1\,;+\infty[$ et donc aussi sur $]0\,;+\infty[$. Par suite, f est également définie sur $]0\,;+\infty[$.

• Pour tout $x > 0$, $f'(x) = \dfrac{1}{1+x} - 1 = \dfrac{-x}{1+x}$.

Le numérateur $-x$ est strictement négatif sur $]0\,;+\infty[$ et le dénominateur $1 + x$ est strictement positif sur $]0\,;+\infty[$, donc $f'(x) < 0$ sur $]0\,;+\infty[$.
Donc f **est strictement décroissante sur** $]0\,;+\infty[$.

b. $\lim\limits_{x \to 0} \ln(1+x) = 0$, donc $\lim\limits_{x \to 0} f(x) = 0$.

Comme f est strictement décroissante sur $]0\,;+\infty[$, f est strictement négative sur $]0\,;+\infty[$.

c. Pour tout $x > 0$, $f(x) < 0$, c'est-à-dire $\ln(1+x) - x < 0$, soit encore :

$$\mathbf{ln(1+x) < x.}$$

4. Soit $n \in \mathbb{N}^*$. Remarquons que $\ln(n+1) - \ln(n) = \ln\left(\dfrac{n+1}{n}\right) = \ln\left(1+\dfrac{1}{n}\right)$.

$\dfrac{1}{n} > 0$ donc la résultat du **5.** s'applique à $\dfrac{1}{n}$ et donne $\ln\left(1+\dfrac{1}{n}\right) < \dfrac{1}{n}$, soit :

$$\mathbf{ln(n+1) - ln(n) < \dfrac{1}{n}.}$$

5. Soit $n \in \mathbb{N}^*$.

avec $k = 1$, $1 > \ln 2 - \ln 1$;

avec $k = 2$, $\dfrac{1}{2} > \ln 3 - \ln 2$;

avec $k = 3$, $\dfrac{1}{3} > \ln 4 - \ln 3$;

…

avec $k = n-1$, $\dfrac{1}{n-1} > \ln n - \ln(n-1)$;

avec $k = n$, $n > \ln(n+1) - \ln n$.

Ajoutons membre à membre ces inégalités :

$$1 + \dfrac{1}{2} + \ldots + \dfrac{1}{n-1} + \dfrac{1}{n} > \ln 2 - \ln 1 + \ln 3 - \ln 2 + \ln 4 - \ln 3 + \ldots$$
$$+ \ln n - \ln(n-1) + \ln(n+1) - \ln n$$

c'est-à-dire $u_n > \ln(n+1) - \ln 1$.

Donc, **pour tout $n \in \mathbb{N}^*, u_n > \ln(n+1)$.**

6. • Pour tout $n \in \mathbb{N}^*, u_n > \ln(n+1)$.

• $\lim\limits_{x \to +\infty} \ln(n+1) = +\infty$.

Donc, d'après le théorème de comparaison, $\lim\limits_{n \to +\infty} u_n = +\infty$.

Voir le chapitre 1, limites de suites.

21 **1.** $\ln|x|$ est défini pour tout x vérifiant $|x| > 0$, c'est-à-dire $x \in \mathbb{R}^*$.

• $x \to |x|$ est dérivable sur $\mathbb{R}^*$, à valeurs dans $]0\,;+\infty[$, et $\ln$ est dérivable sur $]0\,;+\infty[$.

Donc $x \to \ln|x|$ est dérivable sur $\mathbb{R}^*$.
Réponse c.

2. Sur $]0\,;+\infty[$, $\ln|x| = \ln x$, donc sa dérivée est $x \mapsto \dfrac{1}{x}$.

Sur $]-\infty\,;0[$, $\ln|x| = \ln(-x)$, donc sa dérivée est $x \mapsto \dfrac{-1}{-x}$, soit $x \mapsto \dfrac{1}{x}$.

La fonction $x \mapsto \ln|x|$ a pour dérivée $x \mapsto \dfrac{1}{x}$.

Réponse d.

3.

$$\begin{cases} f(\mathrm{e}) = 0 \\ f'(1) = 1 \end{cases} \Leftrightarrow \begin{cases} a\mathrm{e} + b = 0 \\ a + \dfrac{b}{1} = 1 \end{cases} \Leftrightarrow \begin{cases} a = \dfrac{-1}{\mathrm{e}-1} \\ b = 1 - a \end{cases} \Leftrightarrow \begin{cases} a = \dfrac{-1}{\mathrm{e}-1} \\ b = \dfrac{\mathrm{e}}{\mathrm{e}-1} \end{cases}.$$

Alors $f(x) = \dfrac{-x}{\mathrm{e}-1} + \dfrac{\mathrm{e}}{\mathrm{e}-1}\ln x = \dfrac{x}{1-\mathrm{e}} - \dfrac{\mathrm{e}}{1-\mathrm{e}}\ln(x)$;

$$f'(x) = \dfrac{-1}{\mathrm{e}-1} + \dfrac{\mathrm{e}}{\mathrm{e}-1} \times \dfrac{1}{x}.$$

Réponse c.

4. $\ln|x| \geqslant 1 \Leftrightarrow \big(|x-1| \neq 0 \text{ et } |x-1| \geqslant \mathrm{e}\big)$

$\Leftrightarrow \big(x \neq 1 \text{ et } (x-1 \leqslant -\mathrm{e} \text{ ou } x-1 \geqslant \mathrm{e})\big)$

$\Leftrightarrow \big(x \neq 1 \text{ et } (x \leqslant 1-\mathrm{e} \text{ ou } x \geqslant 1+\mathrm{e})\big)$

$\Leftrightarrow x \in \,]-\infty\,;1-\mathrm{e}] \cup [\mathrm{e}+1\,;+\infty[.$

Réponse d.

22 **Partie A**

1. f est définie et dérivable sur $]0\,;+\infty[$ et, pour tout $x \in \mathbb{R}$, $f'(x) = \dfrac{1-\ln x}{x^2}$.
Pour tout $x > 0$:

$$f'(x) > 0 \Leftrightarrow 1 > \ln x \Leftrightarrow \ln \mathrm{e} > \ln x \Leftrightarrow \mathrm{e} > x \text{ et } f'(x) < 0 \Leftrightarrow \mathrm{e} < x.$$

Donc f est strictement croissante sur $]0\,;\mathrm{e}]$ et strictement décroissante sur $[\mathrm{e}\,;+\infty[$.

2. $\displaystyle\lim_{x \to +\infty} f(x) = \lim_{x \to +\infty} \dfrac{\ln(x)}{x} = 0.$

$\displaystyle\lim_{x \to 0^+} \ln x = -\infty$ et $\displaystyle\lim_{x \to 0^+} x = 0_+$ donc, par quotient, $\displaystyle\lim_{x \to 0^+} f(x) = -\infty.$

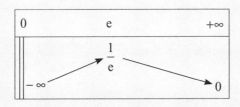

3.

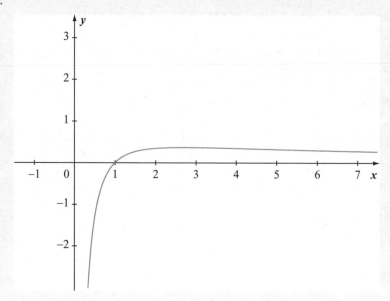

Partie B

1. f est strictement décroissante sur $[e\,;+\infty[$.

Pour tout entier $n \geqslant 4$, $f(n) \leqslant f(4)$, soit $\dfrac{\ln n}{n} \leqslant \dfrac{\ln 4}{4}$.

2. $\dfrac{\ln 4}{4} = \dfrac{2 \times \ln 2}{2 \times 2} = \dfrac{\ln 2}{2}$.

3. Donc, pour tout entier $n \geqslant 4, \dfrac{\ln n}{n} \leqslant \dfrac{\ln 2}{2}$.

Comme 2 et n sont strictement positifs, $2 \times \ln n \leqslant n \times \ln 2$.

Puis, en appliquant la fonction exponentielle strictement croissante :

$\exp(2 \times \ln n) \leqslant \exp(n \times \ln 2)$, d'où $n^2 \leqslant 2^n$.

23 1. ϕ est dérivable sur $[1\,;+\infty[$ et, pour tout $x \geqslant 1, \phi'(x) = \dfrac{1}{x} - \dfrac{1}{2\sqrt{x}} = \dfrac{2 - \sqrt{x}}{2x}$.

$2x > 0$ sur $[1\,;+\infty[$, donc :

$$\phi'(x) > 0 \Leftrightarrow (2 > \sqrt{x} \text{ et } x \geqslant 1) \Leftrightarrow 1 \leqslant x < 4$$

$$\phi'(x) < 0 \Leftrightarrow (2 < \sqrt{x} \text{ et } x \geqslant 1) \Leftrightarrow x > 4.$$

Donc ϕ est strictement croissante sur $\left[1\,;4\right]$ et strictement décroissante sur $[4\,;+\infty[$.

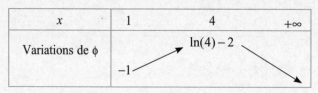

x	1	4	$+\infty$
Variations de ϕ	-1	$\ln(4)-2$	

$\ln(4) - 2 \approx -0,6$.

2. Pour tout $x \geqslant 1$, $\ln x - \sqrt{x} \leqslant \ln(4) - 2 < 0$ soit $\ln x \leqslant \sqrt{x}$.

Comme $x > 0$, il en résulte que $\dfrac{\ln x}{x} \leqslant \dfrac{\sqrt{x}}{x}$.

De plus, $x \geqslant 1$ donc $\ln x \geqslant 0$ et $\dfrac{\ln x}{x} \geqslant 0$. Finalement, pour tout $x \geqslant 1$:

$$0 \leqslant \frac{\ln x}{x} \leqslant \frac{1}{\sqrt{x}}.$$

3. $0 \leqslant \dfrac{\ln x}{x} \leqslant \dfrac{1}{\sqrt{x}}$ pour tout $x \geqslant 1$ et $\displaystyle\lim_{x \to +\infty} \dfrac{1}{\sqrt{x}} = 0$.

Donc, d'après le théorème des gendarmes :

$$\lim_{x \to +\infty} \frac{\ln x}{x} = 0.$$

24 **Partie A**

1. a. $\displaystyle\lim_{x \to -\infty} e^x = 0$ et $\displaystyle\lim_{x \to -\infty} e^{2x} = 0$, donc $\displaystyle\lim_{x \to -\infty} f(x) = \dfrac{0}{1} = 0.$

$\mathscr{C}_f$ admet une asymptote horizontale en $-\infty$, d'équation $y = 0$.

b. Posons $X = e^x$. Alors $f(x) = \dfrac{2X^2 - X}{X^2 - X + 1}$.

$$\begin{cases} \displaystyle\lim_{x \to +\infty} e^x = +\infty \\ \displaystyle\lim_{x \to +\infty} \dfrac{2X^2 - X}{X^2 - X + 1} = \lim_{x \to +\infty} \dfrac{2X^2}{X^2} = \lim_{x \to +\infty} 2 = 2 \end{cases},$$

donc, par composition, $\displaystyle\lim_{x \to +\infty} f(x) = 2$.

$\mathscr{C}_f$ admet une asymptote horizontale en $+\infty$, d'équation $y = 2$.

c. A est sur l'axe des abscisses, donc $y_A = 0$.
$A \in \mathscr{C}_f$, donc $y_A = f(x_A)$.

Donc $f(x_A) = 0$.

Or $f(x) = 0 \Leftrightarrow \dfrac{2e^{2x} - e^x}{e^{2x} - e^x + 1} = 0 \Leftrightarrow 2e^{2x} - e^x = 0$.

◢ $e^{2x} - e^x + 1$ ne s'annule pas sur $\mathbb{R}$, puisque le trinôme $X^2 - X + 1$ n'a pas de racine réelle ($\Delta < 0$).

Donc $f(x) = 0 \Leftrightarrow 2e^{2x} = e^x \Leftrightarrow 2e^x = 1$ (division par $e^x \neq 0$)

$$\Leftrightarrow e^x = \frac{1}{2} \Leftrightarrow x = \ln\frac{1}{2} \Leftrightarrow x = -\ln 2.$$

Donc $x_A = -\ln 2$.

2. a. $f(x) < 0$ lorsque $x < x_A$, c'est-à-dire pour $x \in \left]-\infty\,;-\ln 2\right[$

$f(x) = 0$ pour $x = x_A = -\ln 2$

$f(x) > 0$ lorsque $x > x_A$, c'est-à-dire pour $x \in \left]-\ln 2\,;+\infty\right[$.

b. La pente de la tangente T au point d'abscisse 0 vaut 2 $\left(\dfrac{\Delta y}{\Delta x} = \dfrac{2}{1}\right)$.

Donc $f'(0) = 2$.

Partie B

1. a. $\lim\limits_{x \to -\infty} e^x = 0$ et $\lim\limits_{x \to -\infty} e^{2x} = 0$, donc $\lim\limits_{x \to -\infty} (e^{2x} - e^x + 1) = 1$.

Donc, par composition, $\boldsymbol{\lim\limits_{x \to -\infty} \ln(e^{2x} - e^x + 1) = 0.}$

b. Soit $x \in \mathbb{R}$, $F(x) = \ln(e^{2x} - e^x + 1) = \ln\left[e^{2x}\left(1 - e^{-x} + e^{-2x}\right)\right]$.

Or, pour tout x réel, $1 - e^{-x} + e^{-2x} = \dfrac{e^{2x} - e^x + 1}{e^{2x}} > 0$.

Donc $F(x) = \ln\left(e^{2x}\right) + \ln\left(1 - e^{-x} + e^{-2x}\right)$, soit $\boldsymbol{F(x) = 2x + \ln\left(1 - e^{-x} + e^{-2x}\right)}$.

c. $\lim\limits_{x \to +\infty} e^{-x} = 0$ et $\lim\limits_{x \to +\infty} e^{-2x} = 0$, donc $\lim\limits_{x \to +\infty} \ln\left(1 - e^{-x} + e^{-2x}\right) = \ln 1 = 0$.

$\begin{cases} \lim\limits_{x \to +\infty} (2x) = +\infty \\ \lim\limits_{x \to +\infty} \ln(1 - e^{-x} + e^{-2x}) = 0 \end{cases}$, donc, par différence, $\lim\limits_{x \to +\infty} F(x) = +\infty$.

2. a. • F est de la forme $\ln u$, avec $u : x \mapsto e^{2x} - e^x + 1$.

u est dérivable sur $\mathbb{R}$ et, pour tout x réel, $u(x) > 0$ (le trinôme $X^2 - X + 1$ n'admet aucune racine réelle). Donc F est dérivable sur $\mathbb{R}$.

• Pour tout x réel, $F'(x) = \dfrac{u'(x)}{u(x)} = \dfrac{2e^{2x} - e^x}{e^{2x} - e^x + 1}$.

Donc f est la fonction dérivée de F.

b. $F' = f$, d'où le tableau de variation :

x	$-\infty$		$-\ln 2$		$+\infty$
Signe de $F' = f$		$-$	0	$+$	
Variations de F	0		$\ln\left(\dfrac{3}{4}\right)$		$+\infty$

$$F(-\ln 2) = \ln\left(e^{-2\ln 2} - e^{-\ln 2} + 1\right) = \ln\left(\dfrac{1}{4} - \dfrac{1}{2} + 1\right) = \ln\left(\dfrac{3}{4}\right).$$

Suites et raisonnement par récurrence

I LE RAISONNEMENT PAR RÉCURRENCE

■ Le **principe de récurrence** est de montrer qu'une propriété est vraie pour tout entier naturel (parfois seulement à partir d'un certain rang).

On le considère comme un axiome (universellement admis).

Si une propriété P_n relative à un entier naturel n vérifie les deux conditions suivantes :

- P_0 est vraie ;
- le fait que P_m soit vraie implique que P_{m+1} est vraie ;

alors la propriété P_n est vraie pour tout $n \in \mathbb{N}$.

> ◢ Principe de récurrence à partir du rang 3 : si P_3 est vraie et si (P_m vraie $\Rightarrow P_{m+1}$ vraie), alors P_n est vraie pour tout entier $n \geqslant 3$.

■ **Conséquence :** Comportement à l'infini de la suite (q^n).

Soit q un réel.

Si $q > 1$, alors $\lim\limits_{n \to +\infty} q^n = +\infty$.

Si $q = 1$, alors $\lim\limits_{n \to +\infty} q^n = 1$.

Si $-1 < q < 1$, alors $\lim\limits_{n \to +\infty} q^n = 0$.

Si $q \leqslant -1$, la suite (q^n) n'admet pas de limite.

> ◢ Si q est négatif, la suite (q^n) n'est pas monotone, mais elle est encadrée par deux suites monotones : $(|q|^n)$ et $(-|q|^n)$.

II COMPORTEMENT GLOBAL D'UNE SUITE

1. Suites majorées, minorées et bornées

■ Une suite $(u_n)_{n \in I}$ est **majorée** s'il existe un réel M tel que pour tout $n \in I$, $u_n \leqslant M$.

■ Une suite $(u_n)_{n \in I}$ est **minorée** s'il existe un réel m tel que pour tout $n \in I$, $u_n \geqslant m$.

■ Une suite $(u_n)_{n \in I}$ est **bornée** si elle est minorée et majorée.

2. Suites monotones

- On dit qu'une suite $\left(u_n\right)_{n \in I}$ est **croissante** si pour tout $n \in I$, $u_{n+1} \geqslant u_n$.
- On dit qu'une suite $\left(u_n\right)_{n \in I}$ est **décroissante** si pour tout $n \in I$, $u_{n+1} \leqslant u_n$.
- On dit qu'une suite $\left(u_n\right)_{n \in I}$ est **constante** si pour tout $n \in I$, $u_{n+1} = u_n$.

III COMPORTEMENT ASYMPTOTIQUE D'UNE SUITE MONOTONE

- **Théorème 1 :** Toute suite croissante non majorée diverge vers $+\infty$.

Toute suite décroissante non minorée diverge vers $-\infty$.

Demonstration : $\left(u_n\right)$ diverge vers $+\infty$ si, pour tout $M \in \mathbb{R}$, $u_n \in \left]M \; ; +\infty\right[$ à partir d'un certain rang. Soit M un réel.

$\left(u_n\right)$ n'est pas majorée par M, donc il existe n_0 tel que $u_{n_0} > M$.

Alors, comme $\left(u_n\right)$ est croissante, pour tout $n \geqslant n_0$, $u_n \geqslant u_{n_0} > M$ et

$u_n \in \left]M \; ; +\infty\right[$. Donc $\left(u_n\right)$ diverge vers $+\infty$.

- **Théorème 2 (admis)**

Toute suite croissante et majorée converge.

Toute suite décroissante et minorée converge.

> Ce théorème ne permet pas de trouver la limite d'une suite convergente, mais on peut parfois utiliser le résultat suivant.

- **Théorème 3**

Soit $\left(u_n\right)$ une suite définie par la relation de récurrence $u_{n+1} = f\left(u_n\right)$.

Si la suite $\left(u_n\right)$ converge vers un réel l et si la fonction f est continue en l, alors l est solution de l'équation $f\left(x\right) = x$.

SAVOIR-FAIRE

1. Représenter graphiquement les premiers termes d'une suite définie par $u_{n+1} = f(u_n)$

EXEMPLE 1: Soit $\left(u_n\right)$ la suite définie par $u_0 = 0$ et pour tout $n \in \mathbb{N}$:

$$u_{n+1} = \sqrt{u_n + 6}.$$

$\left(x+6\right)^{1/2}$

On note f la fonction définie sur $\left[-6 \; ; +\infty\right[$ par $f\left(x\right) = \sqrt{x+6}$, et $\mathscr{C}_f$ sa courbe représentative dans un repère orthogonal. À partir de $\mathscr{C}_f$ et de la droite d'équation $y = x$, représenter sur l'axe des abscisses les premiers termes de la suite $\left(u_n\right)$.

Placer u_0 sur l'axe des abscisses.

La courbe $\mathscr{C}_f$ permet de placer son image u_1 sur l'axe des ordonnées.

Pour placer u_1 sur l'axe des abscisses, on trace le point d'intersection I_1 de Δ avec la droite d'équation $y = u_1$.

La parallèle à l'axe (Oy) passant par I_1 coupe l'axe des abscisses en u_1.

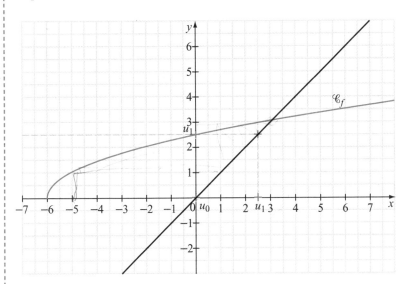

On réitère ce procédé à partir de u_1. La courbe $\mathscr{C}_f$ donne u_2 sur l'axe des ordonnées, puis la droite permet de placer u_2 sur l'axe des abscisses et ainsi de suite…

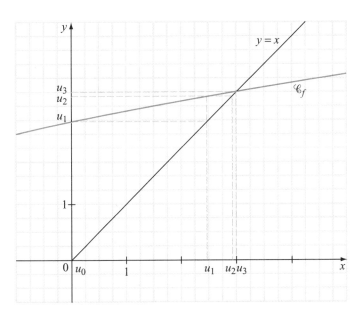

2. Rédiger une récurrence

EXEMPLE 2 : Soit (u_n) la suite définie par $u_0 = \dfrac{1}{2}$ et $u_{n+1} = \sqrt{u_n}$ pour tout $n \in \mathbb{N}$.

Démontrer par récurrence que pour tout $n \in \mathbb{N}$, $0 < u_n < 1$.

Il faut démontrer l'inégalité pour $n \in \mathbb{N}$, donc à partir du rang 0.

1re étape : Montrons que la propriété est vraie au rang 0.

$u_0 = \dfrac{1}{2}$, donc $0 < u_0 < 1$.

2e étape : Montrons que si la propriété est vraie à un certain rang m, alors elle le sera aussi au rang suivant $(m+1)$.

Supposons qu'il existe un entier naturel m tel que $0 < u_m < 1$, et montrons que $0 < u_{m+1} < 1$.

$0 < u_m < 1$, donc, en appliquant la fonction racine carrée qui est strictement croissante sur $[0\,;+\infty[$, on obtient $\sqrt{0} < \sqrt{u_m} < \sqrt{1}$, c'est-à-dire $0 < u_{m+1} < 1$.

3e étape : Conclure.

Pour tout $n \in \mathbb{N}$, $0 < u_n < 1$.

SUITE DE L'EXEMPLE 1 : Soit (u_n) la suite définie par $u_0 = 0$ et pour tout $n \in \mathbb{N}$, $u_{n+1} = \sqrt{u_n + 6}$. Démontrer que pour tout $n \in \mathbb{N}$, $0 \leqslant u_n \leqslant u_{n+1} \leqslant 3$.

1e étape : $u_1 = \sqrt{0+6} = \sqrt{6} \leqslant 3$, donc $0 \leqslant u_0 \leqslant u_1 \leqslant 3$.

2e étape : Supposons qu'il existe un entier naturel m tel que $0 \leqslant u_m \leqslant u_{m+1} \leqslant 3$, et montrons que $0 \leqslant u_{m+1} \leqslant u_{m+2} \leqslant 3$.

$0 \leqslant u_m \leqslant u_{m+1} \leqslant 3$, donc $6 \leqslant u_m + 6 \leqslant u_{m+1} + 6 \leqslant 9$ (on ajoute 6 à chaque membre), donc, en appliquant la fonction racine carrée strictement croissante sur $[0\,;+\infty]$:

$$\sqrt{6} \leqslant \sqrt{u_m + 6} \leqslant \sqrt{u_{m+1} + 6} \leqslant \sqrt{9}, \text{ c'est-à-dire } \sqrt{6} \leqslant u_{m+1} \leqslant u_{m+2} \leqslant 3.$$

Comme $0 \leqslant \sqrt{6}$, a fortiori $0 \leqslant u_{m+1} \leqslant u_{m+2} \leqslant 3$.

3e étape : **Donc, pour tout $n \in \mathbb{N}$, $0 \leqslant u_n \leqslant u_{n+1} \leqslant 3$.**

3. Étudier le sens de variation d'une suite

a. Étude des variations d'une suite dont on connaît l'expression en fonction de n.

Si, pour tout n, $u_n = f(n)$, les variations de (u_n) découlent de celles de f.

EXEMPLE : Étudier les variations de la suite (u_n) définie pour tout $n \in \mathbb{N}^*$ par :
$$u_n = \ln(2n-1).$$

Pour tout $n \geqslant 1$, $2n - 1 \geqslant 1 > 0$, donc $u_n = f(n)$ avec f définie sur $[1\,;+\infty[$ par :
$$f(x) = \ln(2x-1).$$

Pour tout $x \geqslant 1$, $f'(x) = \dfrac{2}{2x-1} > 0$, donc f est strictement croissante sur $[1\,;+\infty[$.

Ainsi, pour tout $n \geqslant 1$, $n < n+1$ $f(n) < f(n+1)$, soit $u_n < u_{n+1}$.

Par conséquent, la suite (u_n) est strictement croissante.

b. Étude des variations d'une suite définie par récurrence

• On peut étudier le signe de $u_{n+1} - u_n$.

EXEMPLE : Étudier les variations de la suite (u_n) définie par $u_0 = -5$ et pour tout $n \in \mathbb{N}$, $u_{n+1} = u_n + 2n - 7$.

Soit $n \in \mathbb{N}$, $u_{n+1} - u_n = 2n - 7$.

Or $2n - 7 \geqslant 0 \Leftrightarrow n \geqslant \dfrac{7}{2} \Leftrightarrow n \geqslant 4$ (car n est entier).

La suite (u_n) est strictement croissante à partir du rang $n = 4$.

• Si chaque terme de la suite (u_n) est strictement positif, on peut comparer $\dfrac{u_{n+1}}{u_n}$ et 1.

EXEMPLE : Étudier les variations de la suite (u_n) définie pour tout $n \in \mathbb{N}^*$ par $u_n = n! = 1 \times 2 \times \dots \times n$. Pour tout $n \geqslant 1$, $u_n > 0$.

$\dfrac{u_{n+1}}{u_n} = \dfrac{1 \times 2 \times \dots \times n \times (n+1)}{1 \times 2 \times \dots \times n} = n + 1 > 1$, donc $u_{n+1} > u_n$ (multiplication par $u_n > 0$).

La suite (u_n) est strictement croissante.

4. Déterminer la limite d'une suite convergente définie par $u_{n+1} = f(u_n)$

SUITE DE L'EXEMPLE 1 : On considère la suite (u_n) définie par : $u_0 = 0$ et, pour tout $n \in \mathbb{N}$, $u_{n+1} = \sqrt{u_n + 6}$ Déterminer que (u_n) converge et déterminer sa limite.

On a montré, au savoir-faire n°1, que pour tout $n \in \mathbb{N}$, $0 \leqslant u_n \leqslant u_{n+1} \leqslant 3$.

On peut donc affirmer que la suite (u_n) est croissante et majorée par 3.

Donc la suite (u_n) converge.

On vérifie que toutes les hypothèses du théorème 3 (du paragraphe III) sont vérifiées :

• La suite (u_n) vérifie, pour tout $n \in \mathbb{N}$, $u_{n+1} = f(u_n)$, avec $f : x \mapsto \sqrt{x + 6}$.

• La suite (u_n) est convergente vers un réel noté l.

• Reste à vérifier que f est continue en l.

Pour tout $n \in \mathbb{N}$, $0 \leqslant u_n \leqslant 3$. Donc $l \in [0, 3]$.

La fonction racine carrée étant continue sur $\mathbb{R}+$, f est continue sur $[0, 3]$.

En particulier, f est continue en l.

Donc, d'après le théorème 3, l est solution de l'équation $f(l) = l$.

On résout l'équation $f(l) = l$. sur $[0 ; 3]$.

$f(l) = l \Leftrightarrow \sqrt{l + 6} = l \Leftrightarrow l + 6 = l^2 \Leftrightarrow l^2 - l - 6 = 0$, équation du 2nd degré de discriminant $\Delta = 25$, donc :

$l = \dfrac{1 + 5}{2} = 3$ ou $l = \dfrac{1 - 5}{2} = -2$.

Comme $l \in [0 ; 3]$, nécessairement $l = 3$.

On conclut que (u_n) a pour limite 3.

EXERCICES D'APPLICATION

1 RAISONNEMENT PAR RÉCURRENCE $\quad$ | ★★ | **30 min** | ▶ **P. 174** |

Démontrer, par récurrence, les propriétés suivantes :

1. Pour tout $n \in \mathbb{N}^*$, $1^2 + 2^2 + \ldots + n^2 = \dfrac{n(n+1)(2n+1)}{6}$.

2. Pour tout $n \in \mathbb{N}^*$, $1^3 + 2^3 + \ldots + n^3 = \left[\dfrac{n(n+1)}{2}\right]^2 = \left(1 + 2 + \ldots + n\right)^2$.

3. Pour tout $a \in \mathbb{R}^+$, pour tout $n \in \mathbb{N}^*$, $\left(1 + a\right)^n \geqslant 1 + na$.

4. Pour tout $n \in \mathbb{N}$, 5 est un diviseur de $6^n - 1$.

> • Voir le savoir-faire 2.
>
> • Pour la question 4., utiliser le fait que « 5 diviseur de $6^n - 1$ » équivaut à « $6^n - 1$ multiple de 5 » ce qui équivaut à « il existe $k \in \mathbb{Z}$ tel que $6^n - 1 = 5k$ ».

2 SUITES CROISSANTES, DÉCROISSANTES $\quad$ | ★ | **15 min** | ▶ **P. 176** |

Étudier le sens de variation des suites suivantes :

1. $u_n = \left(n + 1\right)^2 + \sin\left(n\right)$ pour tout $n \in \mathbb{N}$.

2. $u_n = \ln\left(\dfrac{3}{n+1}\right) + 5$.

3. $\left(u_n\right)$ est une suite arithmétique de raison r ($r \in \mathbb{N}$) et de premier terme u_0.

4. $\left(u_n\right)$ est une suite géométrique de raison $q \in \left]0 \,;\, 1\right[$ et de premier terme $u_0 > 0$.

> Voir le savoir-faire 3.

3 LIMITES DE SUITES GÉOMÉTRIQUES $\quad$ | ★ | **30 min** | ▶ **P. 176** |

1. Pour chacune des suites géométriques définies ci-dessous, dire si elle converge, si elle admet une limite et donner sa limite.

a. la suite $\left(u_n\right)$ a pour premier terme $u_0 = 3$ et pour raison $q = -\dfrac{1}{3}$;

b. la suite $\left(v_n\right)$ a pour premier terme $v_1 = -2$ et pour raison $q = 5$;

c. la suite $\left(w_n\right)$ a pour premier terme $w_0 = 1$ et pour raison $q = -3$;

d. la suite $\left(z_n\right)$ a pour premier terme $z_1 = 10^9$ et pour raison $q = 0,9$.

> Voir le cours, III.

2. Déterminer la limite de chacune des sommes définies ci-dessous :

a. pour tout $n \geqslant 2$, $S_n = 1 + 3 + 9 + \ldots + 3^n$;

b. pour tout $n \geqslant 2$, $T_n = 1 + \dfrac{1}{5} + \dfrac{1}{25} + \ldots + \dfrac{1}{5^n}$;

c. pour tout $n \geqslant 4$, $R_n = 2 + 4 + 8 + 16 + \ldots + 2^{n+1}$;

d. pour tout $n \in \mathbb{N}$, $Q_n = 1 - 1 + 1 - 1 + \ldots + (-1)^n$.

🔺 Ce sont des sommes de termes de suites géométriques.

4 SUITE CROISSANTE, MAJORÉE $\quad | \star\star | $ **15 min** $ | \blacktriangleright $ P. 177 $|$

Soit (u_n) la suite définie pour tout $n \in \mathbb{N}^*$ par :

$$u_n = 1 + \dfrac{1}{(3+1)^1} + \dfrac{1}{\left(3 + \dfrac{1}{2}\right)^2} + \ldots + \dfrac{1}{\left(3 + \dfrac{1}{n}\right)^n}$$

et (v_n) la suite définie pour tout $n \in \mathbb{N}^*$ par :

$$v_n = 1 + \dfrac{1}{3} + \dfrac{1}{3^2} + \ldots + \dfrac{1}{3^n}.$$

1. Montrer que, pour tout $n \in \mathbb{N}^*$, $u_n \leqslant v_n$.

2. Montrer que la suite (v_n) est majorée.

🔺 Reconnaître la somme des termes d'une suite particulière.

3. Démontrer que la suite (u_n) est croissante. Étudier alors la convergence de la suite (u_n).

4. Donner un encadrement de la limite de (u_n).

🔺 Voir le chapitre 1.

5 ✎ $\quad | \star | $ **5 min** $ | \blacktriangleright $ P. 177 $|$

Soit (u_n) la suite définie pour tout $n \in \mathbb{N}^*$ par $u_n = \dfrac{1}{2} \times \dfrac{3}{4} \times \ldots \times \dfrac{2n-1}{2n}$.

1. Étudier la monotonie de la suite (u_n).

2. Pourquoi peut-on affirmer que la suite (u_n) converge ?

🔺 Voir le paragraphe III, théorème 2.

6 ALGORITHME : APPROXIMATION DE $\sqrt{2}$ | ★★ | 20 min | ▶ P. 177

La suite dite de Héron, notée (u_n) et définie par $u_0 = \dfrac{3}{2}$ et $u_{n+1} = \dfrac{1}{2}\left(u_n + \dfrac{2}{u_n}\right)$ pour tout $n \in \mathbb{N}^*$ converge vers $\sqrt{2}$.

Ce résultat est démontré à l'exercice 18.

1. Ecrire un algorithme donnant les N premiers termes de la suite (u_n).

2. Grâce à l'algorithme, déterminer une valeur approchée des 4 premiers termes de la suite. Quelle approximation de $\sqrt{2}$ peut-on en déduire ?

3. Même question avec $N = 10$. Peut-on espérer obtenir une meilleure approximation avec ce logiciel ?

7 | ★★ | 15 min | ▶ P. 178

On considère les suites (x_n) et (y_n) définies par :

$$\begin{cases} x_0 = 10 \\ y_0 = 15 \end{cases} \text{ et, pour tout } n \in \mathbb{N}, \begin{cases} x_{n+1} = x_n + 4y_n \\ y_{n+1} = y_n + 9x_n \end{cases}$$

1. Calculer x_1 et y_1.

2. Montrer par récurrence que, pour tout $n \in \mathbb{N}$, il existe un entier w_n tel que :

$$\left[x_n = 10 \times w_n \text{ et } y_n = 15 \times w_n.\right]$$

Voir le savoir-faire 2.

3. Définir la suite (w_n) et exprimer pour tout $n \in \mathbb{N}$, w_n en fonction de n.

4. En déduire les valeurs de x_5 et de y_5 sans calculer les termes qui les précèdent.

EXERCICES D'ENTRAÎNEMENT

8 VRAI OU FAUX | ★★ | 15 min | ▶ P. 179

1. La suite définie par $u_0 \in \mathbb{R}$ et pour tout $n \in \mathbb{N}$, $u_{n+1} = u_n^2 + 1$ est convergente.

Raisonner par l'absurde et utiliser le savoir-faire 4.

2. Soit (u_n) la suite définie, pour tout $n \in \mathbb{N}^*$, par $u_n = 3 \times 2 + 3 \times 2^2 + \ldots + 3 \times 2^n$. Alors, pour tout $n \in \mathbb{N}^*$, $u_n = 6 \times (2^n - 1)$.

3. Soit (u_n) la suite définie par, $u_0 \in \mathbb{R}$ et pour tout $n \in \mathbb{N}$, $u_{n+1} = q \times u_n$ avec $0 < q < 1$. Alors la suite (u_n) est décroissante et converge vers 0.

4. On suppose que (u_n) est croissante, que $\lim\limits_{n\to+\infty} v_n = 0$ et que pour tout $n \in \mathbb{N}$, $u_n \leqslant v_n$. Alors la suite (u_n) converge.

9 FACTORIELLE D'UN ENTIER NATUREL | ★★ | **20 min** | ▶P. 179 |

Pour tout $n \geqslant 1$, on note $n\,!$ et on lit « factorielle n » l'entier :
$$[n\,! = n \times (n-1) \times \ldots \times 2 \times 1.]$$
Par convention, on pose $0\,! = 1$.

1. Calculer $1\,!$, $2\,!$, $3\,!$, $4\,!$.

2. Soit $n \in \mathbb{N}^*$, exprimer $(n+1)\,!$ en fonction de $n\,!$.

3. Déterminer le sens de variation de chacune des suites :

a. la suite (u_n) définie, pour tout $n \in \mathbb{N}$, par $u_n = n!$;

b. la suite (v_n) définie, pour tout $n \in \mathbb{N}$, par $v_n = \dfrac{n!}{2^n}$;

c. la suite (w_n) définie, pour tout $n \in \mathbb{N}$, par $w_n = 1 + \dfrac{1}{1!} + \dfrac{1}{2!} + \ldots + \dfrac{1}{n!}$;

d. la suite (z_n) définie, pour tout $n \in \mathbb{N}^*$, par $z_n = \dfrac{1}{n \times n!}$.

 Voir le savoir-faire 3.

10 DÉMONSTRATION DE LA LIMITE
DE q^n, AVEC $q > 1$ | ★★ | **20 min** | ▶P. 180 |

Soit q un réel strictement supérieur à 1.

L'objectif de cet exercice est de démontrer que $\lim\limits_{n\to+\infty} (q^n) = +\infty$.

Considérons la suite (u_n) définie, pour tout $n \in \mathbb{N}$, par $u_n = q^n$.

1. Déterminer le sens de variation de la suite (u_n).

2. Quelle relation de récurrence vérifie la suite (u_n) ?

3. Soit A un réel positif. Nous allons démontrer, en raisonnant par l'absurde, la proposition suivante, notée (P) « il existe un entier n tel que $q^n > A$ ».

a. Supposons que (P) n'ait pas lieu. Énoncer la propriété contraire à la propriété (P).

b. Montrer qu'alors la suite (u_n) est bornée. En déduire qu'elle converge vers un réel l.

c. Soit f la fonction définie sur $\mathbb{R}$ par $f(x) = q \times x$.

Montrer que l est solution de l'équation $f(x) = x$.

 Voir le théorème III.3 et le savoir-faire 4.

d. Résoudre cette équation, puis faire apparaître la contradiction.

e. Conclure.

4. Démontrer que la suite (u_n) diverge vers $+\infty$.

Voir la définition d'une limite infinie dans le cours du chapitre 1, I.2.

11 SOMME DE TERMES CONSÉCUTIFS
D'UNE SUITE GÉOMÉTRIQUE |★★| 20 min | ▶ P. 181|

1. Déterminer la limite de la suite (u_n) définie, pour tout $n \in \mathbb{N}^*$, par :

$$u_n = 9 \times 10^{-1} + 9 \times 10^{-2} + \ldots + 9 \times 10^{-n}$$

et justifier l'égalité $1 = 0,99999\ldots\ldots$

On reconnaîtra la somme des n premiers termes d'une suite particulière.

2. Déterminer la limite de la suite (u_n) définie par $u_n = 5,77\ldots7$ (n chiffres 7) pour tout $n \in \mathbb{N}^*$.

De manière analogue à la question précédente, on écrira u_n comme une somme...

3. Déterminer la limite de la suite (u_n) définie par $u_n = 3,4545\ldots45$ (n séquences de 45) pour tout $n \in \mathbb{N}^*$.

12 SUITE ARITHMÉTICO-GÉOMÉTRIQUE |★★| 10 min | ▶ P. 181|

Soit (u_n) la suite définie par $u_0 = 2$ et pour tout $n \in \mathbb{N}$:

$$u_{n+1} = \frac{1}{5}\,u_n + 12.$$

On pose pour tout $n \in \mathbb{N}$, $v_n = u_n - 15$.
1. Démontrer que la suite (v_n) est géométrique. Exprimer v_n en fonction de n.
2. Exprimer u_n en fonction de n. En déduire la limite de la suite (u_n).

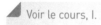 Voir le cours, I.

13 SUITES |★★★| 20 min | ▶ P. 182|

Soit la suite (u_n) définie par $u_0 = 1$; $u_1 = 2$ et pour tout $n \in \mathbb{N}$:

$$u_{n+2} = u_{n+1} - \frac{1}{4}u_n.$$

1. Calculer u_2, u_3, u_4.
2. Soit la suite (v_n) définie par $v_n = 2^n u_n$.
a. Calculer $v_{n+2} - v_{n+1}$ en fonction de $v_{n+1} - v_n$. Établir que la suite $(v_{n+1} - v_n)$ est constante et donner sa valeur.
b. Exprimer v_n, puis u_n, en fonction de n.
3. Montrer que l'expression $\dfrac{n}{2^n}$ tend vers zéro lorsque n tend vers $+\infty$. La suite (u_n) est-elle convergente ?

On sera amené à établir que $\dfrac{n}{2^n} = e^{\ln n - n \ln 2} = \exp\left[n\left(\dfrac{\ln n}{n} - \ln 2\right)\right]$ et à utiliser les connaissances sur les limites vues aux chapitres 2, 3 et 4.

14 SUITES RÉCURRENTES ET POINTS FIXES | ★★★ | **60 min** | ▶ P. 182

On veut étudier la limite de la suite (u_n) définie par $u_0 \in \mathbb{R}^+$ et $u_{n+1} = u_n{}^2$ suivant les valeurs de u_0.

On définit la fonction f sur $\mathbb{R}^+$ par $f(x) = x^2$ et on note $\mathscr{C}_f$ sa courbe représentative dans un repère orthonormé $(O; \vec{i}; \vec{j})$.

1. Résoudre dans $\mathbb{R}$ l'équation $f(x) = x$.

2. Que peut-on dire de la suite (u_n) Lorsque $u_0 = 0$? Lorsque $u_0 = 1$?

3. Dans cette question, on suppose que $u_0 \in \left]0 ; 1\right[$.

a. Tracer $\mathscr{C}_f$ et la droite (D) d'équation $y = x$ dans le repère $(O; \vec{i}; \vec{j})$ (unité graphique : 4 cm). Placer sur l'axe des abscisses les points d'abscisses u_0, u_1, u_2, u_3, u_4 et u_5 (on prendra pour la figure $u_0 = 0{,}9$). Que peut-on conjecturer pour la suite (u_n) (majoration, convergence,....) ?

◢ Voir le savoir-faire 1.

b. Démontrer que la suite (u_n) est bornée.

◢ Conjecturer un encadrement de u_n et le démontrer.

c. Étudier le sens de variation de (u_n).

◢ Voir le savoir-faire 3.

d. Qu'en déduit-on pour (u_n) ?

15 ALGORITHME : CAPITAL À INTÉRÊTS COMPOSÉS. | ★★ | **25 min** | ▶ P. 184

1. On considère un capital initial C_0 placé à un taux annuel de 4 %. On note C_n le capital au bout de n années.

a. Que donne l'algorithme suivant ?

```
VARIABLES
    C EST_DU_TYPE NOMBRE
    n EST_DU_TYPE NOMBRE
    C0 EST_DU_TYPE NOMBRE
DEBUT_ALGORITHME
    LIRE C0
    C PREND_LA_VALEUR C0
    TANT_QUE (C<2*C0)FAIRE
        DEBUT_TANT_QUE
        C PREND_LA_VALEUR C*1.04
        n PREND_LA_VALEUR n+1
        FIN_TANT_QUE
    AFFICHER "n="
    AFFICHER n
FIN_ALGORITHME
```

Suites et raisonnement par recurrence

b. Le tester sur différentes valeurs de C_0. Que remarque-t-on ?

c. Pour expliquer ce résultat, démontrer que (C_n) est une suite géométrique où l'on exprimera C_n en fonction de n. Résoudre ensuite l'inéquation $C_n \geqslant 2C_0$ pour retrouver la valeur de n du **b**.

> On utilisera la fonction ln pour résoudre l'inéquation comportant une puissance n.

2. On considère maintenant un capital initial C_0 placé à un taux annuel de t %. On note C_n le capital au bout de n années, et C_f le capital minimal que l'on veut atteindre. Écrire un algorithme associant, à la donnée de C_0, t et C_f, le nombre d'années au bout duquel ce capital C_f sera atteint ou dépassé.

EXERCICES D'APPROFONDISSEMENT

16 APPROXIMATION DU NOMBRE D'OR   ★★ | 30 min | ▶P. 184

Soit (u_n) la suite définie par $u_1 = 1$ et pour tout $n \in \mathbb{N}^*$:

$$u_{n+1} = \sqrt{u_n + 1}.$$

> Attention, ne pas confondre u_{n+1} et $u_n + 1$.

1. Calculer u_2, u_3 et u_4. En donner des valeurs approchées à 10^{-3} près.

2. Étudier les variations de la fonction f définie sur $[-1 ; +\infty[$ par :

$$f(x) = \sqrt{x+1}.$$

3. Démontrer par récurrence que, pour tout entier $n \geqslant 1$, $1 \leqslant u_n \leqslant 2$.

> Voir le savoir-faire 1.

4. Démontrer par récurrence que, pour tout entier $n \geqslant 1$, $u_n \leqslant u_{n+1}$.

5. En déduire que la suite (u_n) converge vers un réel ϕ que l'on déterminera. Ce nombre ϕ est appelé « nombre d'or ».

> Voir le savoir-faire 4.

17 SUITE DE POLYNÔMES   ★★★ | 40 min | ▶P. 185

Pour tout $n \in \mathbb{N}$, on définit sur $\mathbb{R}$ la fonction P_n par $P_n(x) = -1 + \sum_{k=1}^{n} x^k$ (c'est-à-dire $P_n(x) = -1 + x + x^2 + \ldots + x^n$).

1. Démontrer que pour tout $n \in \mathbb{N}^*$, il existe un unique nombre réel strictement positif noté x_n tel que $P_n(x_n) = 0$.

◢ Appliquer le théorème des valeurs intermédiaires.

2. Déterminer le signe de $P_{n+1}(x_n)$ puis démontrer que la suite (x_n) est décroissante.

◢ Le théorème des valeurs intermédiaires sera utile pour conclure.

3. En déduire que (x_n) est convergente, et on note l sa limite.

4. Démontrer que pour tout entier $n > 2$, $0 < x_n < x_2 < 1$.
En déduire que $\lim\limits_{n \to +\infty} (x_n)^{n+1} = 0$.

5. a. Démontrer que, pour tout $n \in \mathbb{N}$, pour tout $x \in \mathbb{R} \setminus \{1\}$:

$$P_n(x) = -2 + \frac{1 - x^{n+1}}{1 - x}.$$

◢ Faire apparaitre la somme des premiers termes d'une suite particulière.

b. En déduire que $l = \dfrac{1}{2}$.

18 ENCADREMENT DE $\sqrt{2}$ (SUITE DE HÉRON) | ★★★ | 40 min | ▶ P. 186

On considère la suite (u_n) définie par $u_0 = \dfrac{3}{2}$ et, pour tout $n \in \mathbb{N}^*$, par :

$$u_{n+1} = \frac{1}{2}\left(u_n + \frac{2}{u_n}\right).$$

1. Démontrer par récurrence que pour tout $n \in \mathbb{N}$, $u_n > 0$.

2. a. Démontrer que pour tout $n \in \mathbb{N}$, $u_{n+1} - \sqrt{2} = \dfrac{1}{2} \times \dfrac{(u_n - \sqrt{2})^2}{u_n}$.

b. En déduire que pour tout $n \in \mathbb{N}$, $u_n > \sqrt{2}$.

◢ Faire une récurrence.

c. En déduire que pour tout $n \in \mathbb{N}$, $u_{n+1} - \sqrt{2} \leqslant \dfrac{1}{2} \times \dfrac{(u_n - \sqrt{2})^2}{\sqrt{2}}$.

d. Démontrer par récurrence que pour tout $n \in \mathbb{N}^*$, $u_n - \sqrt{2} \leqslant \dfrac{(u_0 - \sqrt{2})^{2^n}}{2\sqrt{2}}$.

e. Qu'en déduit-on pour la suite (u_n) ?

19 SUITES ARITHMÉTICO-GÉOMÉTRIQUES : CAS GÉNÉRAL | ★★★ | 15 min | ▶ P. 188

Soit a, b deux nombres réels tels que $a \neq 1$.
1. Démontrer que l'équation $ax + b = x$ admet une unique solution L.
2. Soit (u_n) la suite définie par $u_0 \in \mathbb{R}$ et $u_{n+1} = au_n + b$ pour tout $n \in \mathbb{N}$.
On pose pour tout $n \in \mathbb{N}$, $v_n = u_n - L$.

a. Démontrer que la suite (v_n) est géométrique. Exprimer v_n en fonction de n, u_0, a et b.

b. Exprimer u_n en fonction de n, u_0, a et b. Étudier la convergence de la suite (u_n).

CONTRÔLE

20 QCM ★★ | 20 min | ▸P. 188

Dans chacune des questions suivantes, une ou plusieurs affirmations sont vraies. Justifier lesquelles.

1. Une suite décroissante et positive :

a. tend vers 0 ;   b. converge ;

c. peut ne pas être majorée ;   d. est majorée.

2. Soit (u_n) la suite définie pour tout $n \in \mathbb{N}$ par $u_n = \dfrac{3n+4}{n+1}$.

La suite (u_n) est :

a. croissante ;   b. décroissante ;

c. minorée ;   d. majorée.

3. Soit (u_n) et (v_n) deux suites telles que $\lim\limits_{n \to +\infty} u_n = +\infty$ et $\lim\limits_{n \to +\infty} v_n = -\infty$.

Alors $u_n - v_n$ a pour limite :

a. 0 ;   b. $+\infty$;

c. $-\infty$;   d. on ne peut pas conclure.

4. Soit (u_n) la suite définie pour tout $n \in \mathbb{N}^*$ par $u_n = \dfrac{1}{n^2} + \dfrac{1}{n^2+1} + \ldots + \dfrac{1}{n^2+n}$.

a. (u_n) converge vers 0 ;   b. (u_n) converge vers un réel non nul ;

c. $\lim\limits_{n \to +\infty} u_n = +\infty$;   d. (u_n) est bornée.

◢ Majorer $\dfrac{1}{n^2+k}$ par $\dfrac{1}{n^2}$.

5. Soit (u_n) une suite vérifiant pour tout $n \in \mathbb{N}$, $u_n \geqslant 2n$. Alors :

a. (u_n) est croissante ;   b. (u_n) est majorée ;

c. (u_n) n'est pas majorée ;   d. diverge vers $+\infty$.

21 SUITE ET FONCTION ★★★ | 40 min | ▸P. 189

On considère la suite définie par $u_0 \in [0, 2]$ et $u_{n+1} = \sqrt{2u_n - u_n^2}$.

On considère la fonction définie sur $[0 \, ; 2]$ par $f(x) = \sqrt{2x - x^2}$. On note $\mathscr{C}$ sa courbe représentative dans un repère orthonormé $(O \, ; \vec{i} ; \vec{j})$ (unité graphique : 4 cm).

On note (d) la droite d'équation $y = x$.

1. Étudier les variations de f.

2. Dans cette question, on suppose que $u_0 \in [0\,;1]$.

a. Tracer $\mathscr{C}$, (d), puis placer sur l'axe $(O\,; \vec{i})$ les points A_0, A_1, A_2 d'abscisses respectivement u_0, u_1, u_2 (on prendra $u_0 = 0,1$ pour la figure).

b. Démontrer par récurrence que pour tout $n \in \mathbb{N}$, $u_n \in [0\,;1]$.

c. Étudier les variations de la suite (u_n).

◢ Commencer par comparer u_{n+1}^2 et u_n^2.

d. En déduire la convergence de (u_n) et déterminer sa limite.

3. Dans cette question, on suppose que $u_0 \in [1\,;2]$.

a. Démontrer que $u_1 \in [0\,;1]$.

b. En déduire la convergence de la suite (u_n).

◢ On pourra considérer la suite définie par $v_n = u_{n+1}$ pour tout $n \in \mathbb{N}$.

CONTRÔLE

22 **QUESTION DE COURS** ⎮ ★★ ⎮ **15 min** ⎮ ▶ **P. 191** ⎮

Démontrer qu'une suite croissante non majorée diverge vers $+\infty$.

23 **SUITE ET FONCTION** ⎮ ★★★ ⎮ **35 min** ⎮ ▶ **P. 191** ⎮

Soit f la fonction définie sur $[1\,;+\infty[$ par $f(x) = \dfrac{x^2}{2x-1}$.

1. Démontrer que pour tout $x > 1$, $f(x) > 1$ (on étudiera les variations de f).

Soit (u_n) la suite définie par $u_0 = 2$ et $u_{n+1} = f(u_n)$, pour tout $n \in \mathbb{N}$.

2. Démontrer par récurrence que pour tout $n \in \mathbb{N}$, $u_n > 1$.

3. On considère les suites (v_n) et (w_n) définies, pour tout $n \in \mathbb{N}$, par :

$$v_n = \frac{u_n - 1}{u_n} \quad \text{et} \quad w_n = \ln(v_n).$$

a. Expliquer pourquoi les suites (v_n) et (w_n) sont bien définies.

b. Démontrer que la suite (w_n) est géométrique.

c. Exprimer, pour tout entier n, w_n puis v_n en fonction de n.

d. En déduire l'expression de u_n en fonction de n. Quelle est la limite de la suite (u_n) ?

1 1. • $1^2 = 1$ et $\dfrac{1 \times 2 \times 3}{6} = 1$, donc P_1 est vraie.

• Supposons qu'il existe un entier $m \geqslant 1$ tel que :

$$1^2 + 2^2 + \ldots + m^2 = \frac{m(m+1)(2m+1)}{6}$$

et montrons que :

$$1^2 + 2^2 + \ldots + m^2 + (m+1)^2 = \frac{(m+1)(m+2)(2m+3)}{6}.$$

Pour obtenir la fraction $\dfrac{(m+1)(m+2)(2m+3)}{6}$, on a remplacé m par $(m+1)$.

$1^2 + 2^2 + \ldots + m^2 = \dfrac{m(m+1)(2m+1)}{6}$ donc :

$1^2 + 2^2 + \ldots + m^2 + (m+1)^2 = \dfrac{m(m+1)(2m+1)}{6} + (m+1)^2$

$= \dfrac{m(2m^2 + m + 2m + 1) + 6(m^2 + 2m + 1)}{6} = \dfrac{2m^3 + 9m^2 + 13m + 6}{6}.$

Or $(m+1)(m+2)(2m+3) = (m^2 + 3m + 2)(2m+3) = 2m^3 + 9m^2 + 13m + 6.$

Donc $1^2 + 2^2 + \ldots + m^2 + (m+1)^2 = \dfrac{(m+1)(m+2)(2m+3)}{6}.$

• **Donc, pour tout $n \in \mathbb{N}^*$, $1^2 + 2^2 + \ldots + n^2 = \dfrac{n(n+1)(2n+1)}{6}$.**

2. • $1^3 = 1$ et $\dfrac{1 \times 2^2}{2} = 1 = 1^2$, donc $1^3 = \left(\dfrac{1 \times 2}{2}\right)^2 = 1^2.$

• Supposons qu'il existe un entier $m \geqslant 1$ tel que

$$1^3 + 2^3 + \ldots + m^3 = \left[\frac{m(m+1)}{2}\right]^2 = (1 + 2 + \ldots + m)^2$$

et montrons que :

$$1^3 + 2^3 + \ldots + m^3 + (m+1)^3 = \left[\frac{(m+1)(m+2)}{2}\right]^2 = (1 + 2 + \ldots + m + (m+1))^2.$$

$$1^3 + 2^3 + \ldots + m^3 + (m+1)^3 = \left[\frac{m(m+1)}{2}\right]^2 + (m+1)^3$$

$$= \frac{m^2(m^2 + 2m + 1) + 4(m^3 + 3m^2 + 3m + 1)}{4}$$

$$= \frac{m^4 + 6m^3 + 13m^2 + 12m + 4}{4}.$$

Or $\left[\dfrac{(m+1)(m+2)}{2}\right]^2 = \dfrac{(m^2+3m+2)^2}{4} = \dfrac{m^4+6m^3+13m^2+12m+4}{4}$.

Donc $1^3+2^3+\ldots+m^3+(m+1)^3 = \left[\dfrac{(m+1)(m+2)}{2}\right]^2$

$\left((1+2+\ldots+m)+(m+1)\right)^2$

$= (1+2+\ldots+m)^2 + 2\times(1+2+\ldots+m)\times(m+1)+(m+1)^2$.

Or, par hypothèse de récurrence, $(1+2+\ldots+m)^2 = 1^3+2^3+\ldots+m^3$,

et on sait par ailleurs que $1+2+\ldots+m = \dfrac{m(m+1)}{2}$ (somme des premiers termes

de la suite arithmétique de 1er terme 1 et de raison 1) donc :

$\left((1+2+\ldots+m)+(m+1)\right)^2 = 1^3+2^3+\ldots+m^3+2\times\dfrac{m(m+1)}{2}\times(m+1)+(m+1)^2$

$= 1^3+2^3+\ldots+m^3+m(m+1)^2+(m+1)^2 = 1^3+2^3+\ldots+m^3+(m+1)^2(m+1)$

$= 1^3+2^3+\ldots+m^3+(m+1)^3$.

• **Donc, pour tout $n \in \mathbb{N}^*$, $1^3+2^3+\ldots+n^3 = \dfrac{n(n+1)^2}{2} = (1+2+\ldots+n)^2$.**

3. Soit a un réel positif ou nul.

• $(1+a)^1 = 1+a = 1+1a$, donc $(1+a)^1 \geqslant 1+1a$.

• Supposons qu'il existe un entier $m \geqslant 1$ tel que $(1+a)^m \geqslant 1+ma$,
et montrons que :

$(1+a)^{m+1} \geqslant 1+(m+1)a$.

$(1+a)^m \geqslant 1+ma$, donc $(1+a)^{m+1} = (1+a)^m \times (1+a) \geqslant (1+ma)(1+a)$
en multipliant des deux côtés par $1+a > 0$.

Or $(1+ma)(1+a) = 1+(m+1)a+ma^2 \geqslant 1+(m+1)a$ (car $ma^2 \geqslant 0$).

Donc $(1+a)^{m+1} \geqslant 1+(m+1)a$.

• **Donc, pour tout $n \in \mathbb{N}^*$, $(1+a)^n \geqslant 1+na$.**

4. • $6^0-1 = 1-1 = 0 = 5\times 0$, donc 5 est un diviseur de 6^0-1.

• Supposons qu'il existe un entier $m \geqslant 0$ tel que 5 est un diviseur de 6^m-1,
et montrons que 5 est un diviseur de $6^{m+1}-1$.

5 est un diviseur de 6^m-1, donc il existe un entier k tel que $6^m-1 = 5\times k$.

Alors $6^{m+1}-1 = 6\times 6^m-6+6-1 = 6(6^m-1)+5 = 6\times 5k+5 = 5(6k+1)$.

Posons $k' = 6k+1$. Alors $6^{m+1}-1 = 5k'$ où k' est un entier. Cela signifie que 5 est
un diviseur de $6^{m+1}-1$.

• **Donc, pour tout $n \in \mathbb{N}$, 5 est un diviseur de 6^n-1.**

2 **1.** Pour tout $n \in \mathbb{N}$, $u_{n+1} - u_n = (n+2)^2 + \sin(n+1) - (n+1)^2 - \sin(n)$;
$u_{n+1} - u_n = 2n + 3 + \sin(n+1) - \sin(n) \geqslant 2n + 3 - 1 - 1 \geqslant 2n + 1 \geqslant 1 > 0$,
donc **(u_n) est strictement croissante**.

2. Pour tout $n \in \mathbb{N}$, $u_n = f(n)$ avec $f(x) = \ln\left(\dfrac{3}{x+1}\right) + 5$ pour $x \in [0 \ ; +\infty[$

La fonction $x \mapsto \dfrac{3}{x+1}$ est dérivable et strictement positive sur $[0 \ ; +\infty[$, donc f est

dérivable sur $[0 \ ; +\infty[$ et $f'(x) = \dfrac{\left(\dfrac{3}{x+1}\right)'}{\left(\dfrac{3}{x+1}\right)} = -\dfrac{3}{(x+1)^2} \times \dfrac{x+1}{3} = -\dfrac{1}{x+1}$.

Donc $f' < 0$ sur $[0 \ ; +\infty[$ et f est strictement décroissante sur $[0 \ ; +\infty[$.
Par conséquent, **la suite (u_n) est strictement décroissante**.

3. $u_{n+1} - u_n = (u_n + r) - u_n = r \geqslant 0$ car $r \in \mathbb{N}$. **La suite (u_n) est strictement croissante**.

4. Pour tout $n \in \mathbb{N}^*$, $u_n = u_0 \, q^n > 0$ car $u_0 > 0$ et $q > 0$.

De plus, $\dfrac{u_{n+1}}{u_n} = q < 1$. Donc $u_{n+1} < u_n$. **La suite (u_n) est strictement décroissante**.

3 **1. a.** La suite (u_n) est une suite géométrique de raison q telle que $-1 < q < 1$,
donc elle converge et sa limite vaut 0.

b. La suite (v_n) a une raison $q > 1$, donc **elle diverge**.
$\lim\limits_{n \to +\infty} q^n = +\infty$, donc $\lim\limits_{n \to +\infty} u_n = \lim\limits_{n \to +\infty} -2 \times q^n = -\infty$.

c. La suite (w_n) a une raison $q < -1$, donc **elle diverge et n'admet pas de limite**.

◢ En effet, la suite (w_n) prend successivement des valeurs positives puis négatives de plus en plus grandes en valeur absolue.

d. La suite (z_n) a une raison q telle que $-1 < q < 1$, donc **elle converge et sa limite vaut 0** (même si le premier terme est très grand).

2. a. S_n est la somme des termes d'une suite géométrique de premier terme 1 et de

raison $3 \neq 1$, donc $S_n = \dfrac{1 - 3^{n+1}}{1 - 3} = -\dfrac{1 - 3^{n+1}}{2} = \dfrac{3^{n+1} - 1}{2}$.

$3 > 1$, donc $\lim\limits_{n \to +\infty} 3^n = +\infty$, donc $\lim\limits_{n \to +\infty} S_n = +\infty$.

b. T_n est la somme des termes d'une suite géométrique de premier terme 1 et de

raison $\dfrac{1}{5} \neq 1$, donc $T_n = \dfrac{1 - \left(\dfrac{1}{5}\right)^{n+1}}{1 - \dfrac{1}{5}} = \left[1 - \left(\dfrac{1}{5}\right)^{n+1}\right] \div \dfrac{4}{5} = \dfrac{5}{4}\left[1 - \left(\dfrac{1}{5}\right)^{n+1}\right]$.

Or $-1 < \dfrac{1}{5} < 1$, donc $\lim\limits_{n \to +\infty} \left(\dfrac{1}{5}\right)^n = 0$, donc $\lim\limits_{n \to +\infty} T_n = \dfrac{5}{4}$.

c. R_n est la somme des termes d'une suite géométrique de premier terme 2 et de

raison $2 \neq 1$, donc $R_n = 2 \times \dfrac{1 - 2^{n+1}}{1 - 2} = -2 \times (1 - 2^{n+1}) = 2^{n+2} - 2$.

Or $2 > 1$, donc $\lim\limits_{n \to +\infty} 2^n = +\infty$, donc $\lim\limits_{x \to +\infty} R_n = +\infty$.

d. Q_n est la somme des termes d'une suite géométrique de premier terme 1 et de raison $-1 \neq 1$, donc $Q_n = \dfrac{1-(-1)^{n+1}}{1-(-1)} = \dfrac{1-(-1)^{n+1}}{2}$.

Or $(-1)^{n+1}$ n'a pas de limite quand n tend vers $+\infty$, donc **(Q_n) n'a pas de limite.**

$\boxed{4}$ **1.** Soit $n \in \mathbb{N}^*$. Pour tout $1 \leqslant k \leqslant n$, $3 + \dfrac{1}{k} \geqslant 3$ (> 1), donc $\left(3 + \dfrac{1}{k}\right)^k \geqslant 3^k > 0$

et $\dfrac{1}{\left(3 + \dfrac{1}{k}\right)^k} \leqslant \dfrac{1}{3^k}$. **Donc $u_n \leqslant v_n$.**

2. (v_n) est la somme des termes d'une suite géométrique de raison $\dfrac{1}{3}$ et de premier terme 1, donc pour tout $n \in \mathbb{N}^*$,

$$v_n = \frac{1 - \left(\dfrac{1}{3}\right)^{n+1}}{1 - \dfrac{1}{3}} = \left[1 - \left(\dfrac{1}{3}\right)^{n+1}\right] \div \dfrac{2}{3} = \dfrac{3}{2} \times \left[1 - \left(\dfrac{1}{3}\right)^{n+1}\right] \leqslant \dfrac{3}{2}.$$

Donc (v_n) est majorée par $\dfrac{3}{2}$.

3. Pour tout $n \in \mathbb{N}^*$, $u_{n+1} - u_n = \dfrac{1}{\left(3 + \dfrac{1}{n+1}\right)^{n+1}} > 0$, donc (u_n) est strictement croissante.

D'après le **1.** et le **2.**, la suite (u_n) est strictement majorée par $\dfrac{3}{2}$.

La suite (u_n) est croissante et majorée, **donc la suite (u_n) converge.**

4. Pour tout $n \in \mathbb{N}^*$, $1 + \dfrac{1}{(3+1)^1} \leqslant u_n \leqslant \dfrac{3}{2}$, donc la limite L de (u_n) vérifie :

$$\dfrac{5}{4} \leqslant L \leqslant \dfrac{3}{2}.$$

$\boxed{5}$ **1.** Soit $n \in \mathbb{N}^*$, $u_n > 0$ et $\dfrac{u_{n+1}}{u_n} = \dfrac{2n+1}{2n+2} < 1$, **donc la suite (u_n) est strictement décroissante.**

2. (u_n) est décroissante et minorée (par 0), **donc elle converge.**

$\boxed{6}$ **1.**

```
1. VARIABLES
2.    u EST_DU_TYPE NOMBRE
3.    N EST_DU_TYPE NOMBRE
4.    k EST_DU_TYPE NOMBRE
5. DEBUT_ALGORITHME
6.    LIRE N
7.    u PREND_LA_VALEUR 3/2
8.    AFFICHER "u(0) = 1,5"
9.    POUR k ALLANT_DE 1 A N-1
10.       DEBUT_POUR
11.       u PREND_LA_VALEUR 1/2*(u+2/u)
12.       AFFICHER "u("
```

```
13.      AFFICHER k
14.      AFFICHER ")="
15.      AFFICHER u
16.      FIN_POUR
17. FIN_ALGORITHME
```

On souhaite obtenir les N premiers termes d'une suite commençant au rang 0, donc il y a $N-1$ termes à calculer. C'est pourquoi la boucle va de $k=1$ à $N-1$.

2. On peut en déduire que $\sqrt{2} \approx 1,4142136$.

```
***Algorithme lancé***
u(0) = 1,5
u(1) = 1.4166667
u(2) = 1.4142157
u(3) = 1.4142136
***Algorithme terminé***
```

3. Les 10 premiers termes de la suite sont :

```
u(0)=1,5
u(1)=1.4166667
u(2)=1.4142157
u(3)=1.4142136
u(4)=1.4142136
u(5)=1.4142136
u(6)=1.4142136
u(7)=1.4142136
u(8)=1.4142136
u(9)=1.4142136
```

On constate que comme le logiciel donne les résultats à 10^{-7} près, on obtient à partir du rang 3 toujours le même résultat. **On n'arrivera donc pas à une meilleure précision.**

7 1. $x_1 = x_0 + 4y_0 = \mathbf{70}$ et $y_1 = y_0 + 9x_0 = \mathbf{105}$.

2. Pour tout $n \in \mathbb{N}$, soit $P(n)$ la propriété « il existe un entier w_n tel que $x_n = 10w_n$ et $y_n = 15w_n$ »

• En posant $w_0 = 1$, $x_0 = 10 \times w_0$ et $y_0 = 15 \times w_0$. Donc P(0) est vraie.

• Supposons qu'il existe un entier $m \geqslant 0$ tel qu'il existe un entier w_m tel que $x_m = 10w_m$ et $y_m = 15w_m$, et montrons qu'il existe un entier w_{m+1} tel que :

$$x_{m+1} = 10w_{m+1} \text{ et } y_{m+1} = 15w_{m+1}.$$

$x_{m+1} = x_m + 4y_m = 10w_m + 4 \times 15w_m = 70w_m = 10 \times 7w_m$;

$y_{m+1} = y_m + 9x_m = 15w_m + 9 \times 10w_m = 105w_m = 15 \times 7w_m$.

En posant $w_{m+1} = 7w_m$, w_{m+1} est entier et $x_{m+1} = 10w_{m+1}$ et $y_{m+1} = 15w_{m+1}$.

• **Donc, il existe une suite $\left(w_n \right)$ telle que, pour tout $n \in \mathbb{N}$:**

$$x_n = 10 \times w_n \text{ et } y_n = 15 \times w_n.$$

3. La suite (w_n) vérifie $w_0 = 1$ et pour tout $n \in \mathbb{N}$, $w_{n+1} = 7w_n$. **C'est une suite géométrique de premier terme 1 et de raison 7.** (w_n) **est donc définie pour tout** $n \in \mathbb{N}$ **par** $w_n = 7^n$.

4. $x_5 = 10 \times 7^5 = \mathbf{168\ 070}$ et $y_5 = 15 \times 7^5 = \mathbf{252\ 105}$.

$\boxed{8}$ **1. Faux.** (u_n) est une suite pour laquelle n il existe une fonction f telle que $u_{n+1} = f(u_n)$, avec $f(x) = x^2 + 1$, f étant une fonction continue sur $\mathbb{R}$. Donc si (u_n) converge, alors sa limite L appartient à $\mathbb{R}$ et vérifie $L = L^2 + 1$ soit $L^2 - L + 1 = 0$. Or, pour ce trinôme du second degré $\Delta = -3 < 0$: cette équation n'admet aucune solution dans $\mathbb{R}$. **Donc (u_n) ne converge pas.**

2. Vrai. Pour tout $n \in \mathbb{N}^*$, $u_n = 6 \times (1 + 2 + \ldots + 2^{n-1}) = 6 \times \dfrac{1 - 2^n}{1 - 2}$.

En effet $1 + 2 + \ldots + 2^{n-1}$ est la somme des n premiers termes d'une suite géométrique de premier terme $v_0 = 1$ et de raison $q = 2 \neq 1$.

Donc $u_n = 6 \times \dfrac{1 - 2^n}{-1} = 6(2^n - 1)$.

3. Faux. Si $u_0 < 0$, alors la suite (u_n) est croissante (et converge vers 0).

Ceci se démontre par récurrence sur $n \in \mathbb{N}$ en appelant $p(n)$ la propriété « $u_{n+1} > u_n$ ». S'agissant d'un vrai ou faux, il suffit ici d'exhiber un contre-exemple : si $u_0 = -1$ et $q = 0{,}5$, alors $u_1 = -0{,}5 > u_0$.

4. Vrai. La suite (v_n) étant convergente, elle est majorée. Soit M un majorant de (v_n). Alors, comme pour tout $n \in \mathbb{N}$, $u_n \leqslant v_n$, M est également un majorant de la suite (u_n). La suite (u_n) est croissante et majorée, donc elle converge (d'après le théorème III. 2.).

$\boxed{9}$ **1.** $1! = \mathbf{1}$; $2! = 2 \times 1 = \mathbf{2}$; $3! = 3 \times 2 \times 1 = \mathbf{6}$; $4! = 4 \times 3 \times 2 \times 1 = \mathbf{24}$.

2. $(n+1)! = (n+1) \times n \times (n-1) \times \ldots \times 2 \times 1$ soit $\mathbf{(n+1)! = (n+1) \times n!}$.

3. a. Les termes de la suite (u_n) étant positifs :

$$\frac{u_{n+1}}{u_n} = \frac{(n+1)!}{n!} = \frac{(n+1) \times n!}{n!} = n + 1 > 1 \text{ pour } n \in \mathbb{N}^*,$$

donc (u_n) est strictement croissante à partir du rang 1 (et pas avant car $u_1 = 1 = u_1$).

b. Les termes de la suite (v_n) étant positifs :

$$\frac{v_{n+1}}{v_n} = \frac{(n+1)!}{2^{n+1}} \div \frac{n!}{2^n} = \frac{(n+1)!}{2^{n+1}} \times \frac{2^n}{n!} = \frac{(n+1) \times n! \times 2^n}{2^n \times 2 \times n!} = \frac{n+1}{2}.$$

Pour $n \geqslant 2$, $n + 1 > 2$, donc $\dfrac{n+1}{2} > 1$, **donc (v_n) est strictement croissante à partir du rang 2.**

◢ $v_0 = 1$, $v_1 = \dfrac{1}{2}$, $v_2 = \dfrac{2}{4} = \dfrac{1}{2}$, donc (v_n) n'est pas strictement croissante avant le rang 2.

c. $w_{n+1} - w_n = \left(1 + \dfrac{1}{1!} + \dfrac{1}{2!} + \ldots + \dfrac{1}{n!} + \dfrac{1}{(n+1)!}\right) - \left(1 + \dfrac{1}{1!} + \dfrac{1}{2!} + \ldots + \dfrac{1}{n!}\right)$

$\qquad\qquad = \dfrac{1}{(n+1)!} > 0,$

quel que soit $n \in \mathbb{N}$, **donc la suite (w_n) est strictement croissante sur $\mathbb{N}$.**

d. Les termes de la suite (z_n) étant positifs :

$$\frac{z_{n+1}}{z_n} = \frac{1}{(n+1) \times (n+1)!} \div \frac{1}{n \times n!} = \frac{1}{(n+1) \times (n+1) \times n!} \times n \times n! = \frac{n}{(n+1)^2}.$$

Or, pour $n \in \mathbb{N}^*$, $n \leqslant n^2$, donc $\dfrac{z_{n+1}}{z_n} \leqslant \left(\dfrac{n}{n+1}\right)^2$, et comme $0 < n < n+1$, on en déduit que $0 < \dfrac{n}{n+1}$, donc $\dfrac{z_{n+1}}{z_n} < 1^2$, soit $\dfrac{z_{n+1}}{z_n} < 1$. **Ainsi, (z_n) est une suite strictement décroissante sur $\mathbb{N}^*$.**

10 1. $q > 1$, donc $u_n = q^n$ est strictement positif quel que soit $n \in \mathbb{N}$.

Alors $\dfrac{u_{n+1}}{u_n} = \dfrac{q^{n+1}}{q^n} = \dfrac{q \times q^n}{q^n} = q > 1$, **donc la suite (u_n) est strictement croissante sur $\mathbb{N}$.**

2. $u_{n+1} = q^{n+1} = q \times q^n$, donc la relation de récurrence vérifiée par la suite (u_n) est $u_{n+1} = q \times u_n$.

3. a. La propriété contraire à la propriété (P) est « aucun entier n n'est tel que $q^n > A$ », autrement dit « **pour tout entier n, $q^n \leqslant A$** »

b. D'après a., la suite (u_n) est majorée par A. Une suite strictement croissante majorée converge, donc (u_n) **converge vers un réel l.**

c. D'après le 2., $u_{n+1} = f(u_n)$, où f est une fonction continue, donc, comme (u_n) converge vers l, $f(l) = l$, autrement dit, ***l* est solution de l'équation $f(x) = x$.**

d. $f(x) = x \Leftrightarrow qx = x \Leftrightarrow qx - x = 0 \Leftrightarrow (q-1)x = 0 \Leftrightarrow q = 1$ ou $x = 0$.

Or $q > 1$, donc cela signifierait que $l = 0$. Or, $u_0 = q^0 = 1$ et la suite est strictement croissante, donc, pour tout $n \in \mathbb{N}$, $u_n \geqslant u_0 = 1$ et la suite (u_n) ne peut pas converger vers 0, **ce qui est contradictoire.**

> En effet, si (u_n) convergeait vers 0, tous les termes de la suite à partir d'un certain rang seraient très proches de 0. Or ici, ils sont tous au moins à une distance supérieure à 1 de $l = 0$ car ils vérifient tous $u_n \geqslant 1$.

e. Si on prend le contraire de la proposition (P), on aboutit à une contradiction. On en conclut que **la proposition (P) est vraie, quel que soit le réel A.**

4. Quel que soit le réel A, aussi grand que l'on veut, il existe au moins un terme de la suite qui est plus grand que A. Puis, comme la suite est strictement croissante, tous les termes suivants sont supérieurs à A. **On en déduit que la suite (u_n) diverge vers $+\infty$.**

11 1. Pour tout $n \in \mathbb{N}^*$, $u_n = v_1 + \ldots + v_n$, où (v_n) désigne la suite géométrique de premier terme $v_1 = 9 \times 10$ et de raison $10^{-1} \neq 1$.

Alors $u_n = v_1 \times \dfrac{1-q^n}{1-q} = 9 \times 10^{-1} \times \dfrac{1-(10^{-1})^n}{1-(10^{-1})} = 9 \times 10^{-1} \times \dfrac{1-(10^{-1})^n}{9 \times 10^{-1}} = 1 - 10^{-n}$

$$= 1 - \left(\frac{1}{10}\right)^n.$$

Donc $\displaystyle\lim_{n \to +\infty} u_n = \lim_{n \to +\infty} 1 - \left(\frac{1}{10}\right)^n = 1$ car $-1 < \dfrac{1}{10} < 1$.

Or $u_n = 0,99999\ldots9$ (n décimales), donc la limite en $+\infty$ de u_n peut s'écrire $0,9999\ldots$

Par unicité de la limite **$0,99999\ldots = 1$.**

2. Pour tout $n \in \mathbb{N}^*$, $u_n = 5 + 7 \times 10^{-1} + \ldots + 7 \times 10^{-n} = 5 + v_1 + \ldots + v_n$, où (v_n) désigne la suite géométrique de premier terme $v_1 = 7 \times 10^{-1}$ et de raison $10^{-1} \neq 1$.

Alors $u_n = 5 + v_1 \times \dfrac{1-q^n}{1-q} = 5 + 7 \times 10^{-1} \times \dfrac{1-(10^{-1})^n}{1-(10^{-1})} = 5 + 7 \times 10^{-1} \times \dfrac{1-(10^{-1})^n}{9 \times 10^{-1}}$.

$$u_n = 5 + \frac{7}{9}\left(1-10^{-n}\right) = 5 + \frac{7}{9} - \frac{7}{9}10^{-n} = \frac{52}{9} - \frac{7}{9}10^{-n}.$$

Donc $\displaystyle\lim_{n \to +\infty} u_n = \lim_{n \to +\infty} \frac{52}{9} - \frac{7}{9}10^{-n} = \frac{52}{9}$.

3. Pour tout $n \in \mathbb{N}^*$, $u_n = 3 + 45 \times 10^{-2} + \ldots + 45 \times 10^{-2n} = 3 + v_1 + \ldots + v_n$, où (v_n) désigne la suite géométrique de premier terme $v_1 = 45 \times 10^{-2}$ et de raison $10^{-2} \neq 1$.

Alors $u_n = 3 + v_1 \times \dfrac{1-q^n}{1-q} = 3 + 45 \times 10^{-2} \times \dfrac{1-(10^{-2})^n}{1-(10^{-2})} = 3 + 45 \times 10^{-2} \times \dfrac{1-(10^{-2})^n}{99 \times 10^{-2}}$

$$u_n = 3 + \frac{45}{99} - \frac{45}{99}10^{-2n} = 3 + \frac{5}{11} - \frac{5}{11}10^{-2n} = \frac{38}{11} - \frac{5}{11}10^{-2n}.$$

Donc $\displaystyle\lim_{n \to +\infty} u_n = \lim_{n \to +\infty} \frac{38}{11} - \frac{5}{11}\left(\frac{1}{100}\right)^n = \frac{38}{11}$.

12 1. Pour tout $n \in \mathbb{N}$, $v_{n+1} = u_{n+1} - 15 = \dfrac{1}{5}u_n + 12 - 15$

$$= \frac{1}{5}u_n - 3 = \frac{1}{5}\left(u_n - 15\right) = \frac{1}{5}v_n.$$

Donc la suite (v_n) est géométrique de raison $\dfrac{1}{5}$.

Alors, pour tout $n \in \mathbb{N}$, $v_n = v_0 \left(\dfrac{1}{5}\right)^n$ avec $v_0 = u_0 - 15 = 2 - 15 = -13$.

Donc, pour tout $n \in \mathbb{N}$, $v_n = \dfrac{-13}{5^n}$.

2. Pour tout $n \in \mathbb{N}$, $u_n = v_n + 15 = \dfrac{-13}{5^n} + 15 = 15 - \dfrac{13}{5^n}$.

Or, $5 > 1$, donc $\lim\limits_{n \to +\infty} 5^n = +\infty$, donc $\lim\limits_{n \to +\infty} u_n = 15$.

13 **1.** $u_2 = u_1 - \dfrac{1}{4}\, u_0 = 2 - \dfrac{1}{4} \times 1 = \dfrac{7}{4}$;

$u_3 = u_2 - \dfrac{1}{4}\, u_1 = \dfrac{7}{4} - \dfrac{1}{4} \times 2 = \dfrac{5}{4}$;

$u_4 = u_3 - \dfrac{1}{4}\, u_2 = \dfrac{5}{4} - \dfrac{1}{4} \times \dfrac{7}{4} = \dfrac{13}{16}$.

2. a. Pour tout $n \in \mathbb{N}$, $\quad v_{n+2} - v_{n+1} = 2^{n+2} u_{n+2} - 2^{n+1} u_{n+1}$

$$= 2^{n+2} \left(u_{n+1} - \dfrac{1}{4} u_n \right) - 2^{n+1} u_{n+1}$$

$v_{n+2} - v_{n+1} = 2^{n+2} u_{n+1} - 2^n u_n - 2^{n+1} u_{n+1} = 2^{n+1} u_{n+1} (2-1) - 2^n u_n$

$$= 2^{n+1} u_{n+1} - 2^n u_n = v_{n+1} - v_n.$$

Pour tout $n \in \mathbb{N}$, $v_{(n+1)+1} - v_{(n+1)} = v_{n+1} - v_n$, autrement dit, la suite $\left(v_{n+1} - v_n \right)$ est constante, donc égale à $v_1 - v_0 = 2\, u_1 - u_0 = 2 \times 2 - 1 = 3$.

Pour tout $n \in \mathbb{N}$, $v_{n+1} - v_n = 3$.

b. La suite $\left(v_n \right)$ est donc arithmétique de raison 3.
Pour tout $n \in \mathbb{N}$, $v_n = v_0 + 3n = 1 + 3n$.

$u_n = \dfrac{1}{2^n}\, v_n$, **donc, pour tout $n \in \mathbb{N}$, $u_n = \dfrac{1+3n}{2^n}$.**

3. $\dfrac{n}{2^n} = \dfrac{e^{\ln n}}{e^{n \ln 2}} = e^{\ln n - n \ln 2}$ mais il s'agit d'une forme indéterminée.

Factorisons davantage : $\dfrac{n}{2^n} = \exp\left[n \left(\dfrac{\ln n}{n} - \ln 2 \right) \right]$.

$\lim\limits_{n \to +\infty} \left(\dfrac{\ln n}{n} - \ln 2 \right) = -\ln 2 < 0$ et $\lim\limits_{n \to +\infty} n = +\infty$, donc $\lim\limits_{n \to +\infty} n\, \dfrac{\ln n}{n} - \ln 2 = -\infty$.

$\lim\limits_{n \to +\infty} n \left(\dfrac{\ln n}{n} - \ln 2 \right) = -\infty$ et $\lim\limits_{X \to -\infty} \exp(X) = 0$ donc, par composition,

$\lim\limits_{n \to +\infty} \exp\left[n \left(\dfrac{\ln n}{n} - \ln 2 \right) \right]$, c'est-à-dire $\lim\limits_{n \to +\infty} \dfrac{n}{2^n} = 0$.

Pour tout $n \in \mathbb{N}$, $u_n = \dfrac{1+3n}{2^n} = \dfrac{1}{2^n} + 3 \times \dfrac{n}{2^n}$, avec $\lim\limits_{n \to +\infty} \dfrac{1}{2^n} = 0$ et $\lim\limits_{n \to +\infty} \dfrac{n}{2^n} = 0$,
donc $\lim\limits_{n \to +\infty} u_n = 0$. **La suite (u_n) converge vers 0.**

14 **1.** $f(x) = x \Leftrightarrow x^2 = x \Leftrightarrow x(x-1) = 0 \Leftrightarrow (x = 0 \text{ ou } x = 1)$.

Donc les solutions dans $\mathbb{R}$ de l'équation $f(x) = x$ sont 0 et 1.

$u_0 \in \mathbb{R}^+$ et $u_{n+1} = u_n^2 \geqslant 0$ pour tout $n \in \mathbb{N}$ donc $u_n \in \mathbb{R}^+$ pour tout $n \in \mathbb{N}$: on pourrait se restreindre à résoudre l'équation $f(x) = x$ sur $\mathbb{R}^+$. Ici, on n'a pas de solution négative, donc une telle restriction est inutile.

2. Si $u_0 = 0$, comme pour tout $n \in \mathbb{N}$, $u_n = 0 \Rightarrow u_{n+1} = 0^2 = 0$, on obtient par récurrence que pour tout $n \in \mathbb{N}$, $u_n = 0$.

Lorsque $u_0 = 0$, la suite (u_n) est identiquement nulle.

Si $u_0 = 1$, comme pour tout $n \in \mathbb{N}$, $u_n = 1 \Rightarrow u_{n+1} = 1^2 = 1$, on obtient par récurrence que pour tout $n \in \mathbb{N}$, $u_n = 1$.

Lorsque $u_0 = 1$, la suite (u_n) est constante et tous ses termes sont égaux à 1.

3. a.

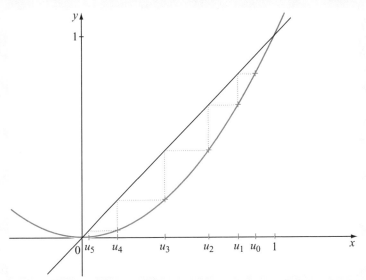

Les termes de la suite semblent compris entre 0 et 1 et la suite (u_n) semble décroissante et converger vers 0.

b. Montrons par récurrence que, pour tout $n \in \mathbb{N}$, $u_n \in]0 \; ; 1[$.

• Par hypothèse, $u_0 \in]0 \; ; 1[$.

• Supposons qu'il existe un entier $m \geqslant 0$ tel que $u_m \in]0 \; ; 1[$, et montrons que $u_{m+1} \in]0 \; ; 1[$.

Comme $f : x \mapsto x^2$ est strictement croissante sur $[0 \; ; 1]$, si $0 < u_m < 1$,

alors $0^2 < u_m^2 < 1^2$. Donc $u_{m+1} = u_m^2 \in]0 \; ; 1[$.

• Pour tout $n \in \mathbb{N}$, $0 < u_n < 1$. **La suite (u_n) est bornée.**

c. Pour tout $n \in \mathbb{N}$, $u_{n+1} - u_n = u_n^2 - u_n = u_n(u_n - 1) < 0$ car $u_n > 0$ et $u_n - 1 < 0$ d'après **b.**

Donc la suite (u_n) est strictement décroissante.

d. (u_n) est décroissante et minorée (par 0) donc elle converge.

◢ À ce stade, on ne peut dire si elle converge vers 0 ou vers un réel de $]0 \; ; 1[$.

De plus, comme la fonction f telle que $u_{n+1} = f(u_n)$ est continue sur $\mathbb{R}$, et que (u_n) converge vers un réel l, on peut dire que l est solution de $f(x) = x$. D'après le 1., l est donc égal à 0 ou 1. (u_n) est décroissante, donc tous les termes de la suite sont strictement inférieurs à u_0, qui est un réel de $]0\,;\,1[$. (u_n) ne peut donc converger vers 1, **donc (u_n) converge vers 0.**

15 **1. a. L'algorithme affiche le nombre n d'années nécessaires pour doubler le capital initial C_0.**

b. On obtient toujours la même valeur de n, quel que soit le capital initial.

c. D'une année à la suivante, le montant présent sur le compte est augmenté de 4 %, donc si C_n est le capital au bout de n années, alors :

$$C_{n+1} = C_n + C_n \times \frac{4}{100} = C_n \left(1 + \frac{4}{100}\right) = C_n \times 1{,}04.$$

Donc (C_n) est une suite géométrique de raison 1,04 et de premier terme C_0.
D'où $C_n = C_0 \times 1{,}04^n$.

Alors $C_n \geqslant 2C_0 \Leftrightarrow C_0 \times 1{,}04^n \geqslant 2C_0 \Leftrightarrow 1{,}04^n \geqslant 2$ (on a divisé par $C_0 > 0$)

$\Leftrightarrow e^{n\ln(1{,}04)} \geqslant 2 > 0$

$\Leftrightarrow n \times \ln(1{,}04) \geqslant \ln(2)$ (car l_n est strictement croissante sur $]0\,;\,+\infty[$)

$\Leftrightarrow n \geqslant \dfrac{\ln(2)}{\ln(1{,}04)}$ (car $1{,}04 > 1$, donc $\ln(1{,}04) > 0$) $\Leftrightarrow n \geqslant 17{,}7$, donc $n \geqslant 18$.

Le capital est doublé en 18 ans.

> Il faut être vigilant lorsqu'on divise par $\ln(1{,}04)$: est-ce bien un nombre positif ? Sinon, le sens de l'inégalité change.

2. On peut reprendre l'algorithme proposé par l'énoncé, mais il faut ajouter deux ligne "lire t" et "lire Cf" après "lire C0" pour fixer le but à atteindre ; il faut ensuite changer la condition du "tant que" en (C < Cf).
Puis remplacer C * 1,04 par C * (1 + t /100).

16 **1.** $u_2 = \sqrt{u_1 + 1} = \sqrt{2} \approx \mathbf{1{,}414}$; $u_3 = \sqrt{u_2 + 1} = \sqrt{\sqrt{2} + 1} \approx \mathbf{1{,}554}$;

$u_4 = \sqrt{\sqrt{\sqrt{2} + 1} + 1} \approx \mathbf{1{,}598.}$

2. f est dérivable sur $]-1\,;\,+\infty[$ et $f'(x) = \dfrac{1}{2\sqrt{x+1}}$. f' est strictement positive sur $[-1\,;\,+\infty[$, donc f est strictement croissante sur $[-1\,;\,+\infty[$.

> f est dérivable sur $]-1\,;\,+\infty[$ et non pas sur $[-1\,;\,+\infty[$ car la fonction $x \mapsto \sqrt{x}$ est dérivable sur $]0\,;\,+\infty[$ et $x + 1 > 0 \Leftrightarrow x > -1$.

3. • $u_1 = 1$, donc $1 \leqslant u_1 \leqslant 2$.
• Supposons qu'il existe un entier $m \geqslant 1$ tel que $1 \leqslant u_m \leqslant 2$ et montrons que $1 \leqslant u_{m+1} \leqslant 2$.

$1 \leqslant u_m \leqslant 2 \Rightarrow 2 \leqslant u_m + 1 \leqslant 3 \Rightarrow \sqrt{2} \leqslant \sqrt{u_m + 1} \leqslant \sqrt{3}$ car la fonction racine carrée est croissante sur $[0 ; +\infty[$.
Or $\sqrt{2} \geqslant 1$ et $\sqrt{3} \leqslant 2$, donc $1 \leqslant u_{m+1} \leqslant 2$.

• **Donc, pour tout $n \geqslant 1$, $1 \leqslant u_n \leqslant 2$.**

4. • $u_1 = 1$ et $u_2 = \sqrt{2}$ donc $u_1 \leqslant u_2$.
• Supposons qu'il existe un entier $m \geqslant 1$ tel que $u_m \leqslant u_{m+1}$ et montrons que $u_{m+1} \leqslant u_{m+2}$.
D'après cette hypothèse et le **3.**

$$1 \leqslant u_m \leqslant u_{m+1} \Rightarrow u_m + 1 \leqslant 0 \leqslant 2 \leqslant u_{m+1} + 1 \Rightarrow \sqrt{u_m + 1} \leqslant \sqrt{u_{m+1} + 1},$$

c'est-à-dire $u_{m+1} \leqslant u_{m+2}$.

• **Donc, pour tout $n \geqslant 1$, $u_n \leqslant u_{n+1}$.**

5. On en déduit que la suite (u_n) est croissante, majorée par 2, donc elle converge vers un réel Φ. Comme $u_{n+1} = f(u_n)$ avec f, la fonction définie au **2.**, qui est continue sur l'intervalle $[1 ; 2]$, Φ est donc solution de l'équation $f(x) = x$.

Or $f(x) = x \Leftrightarrow x = \sqrt{x+1} \Leftrightarrow x \geqslant 0$ et $x^2 = x+1 \Leftrightarrow x \geqslant 0$ et $x^2 - x - 1 = 0$.
Pour ce trinôme du second degré, $\Delta = 5 > 0$ donc cette équation a deux solutions $x_1 = \dfrac{1 - \sqrt{5}}{2}$ et $x_2 = \dfrac{1 + \sqrt{5}}{2}$.
La seule qui est positive est x_2, donc :

$$\Phi = \frac{1 + \sqrt{5}}{2}.$$

17 **1.** Soit $n \in \mathbb{N}^*$. P_n est dérivable sur $\mathbb{R}$ (polynôme), donc aussi sur $[0 ; +\infty[$, et pour tout $x \in [0 ; +\infty[$, $P_n'(x) = 1 + 2x + \ldots + nx^{n-1} > 0$.
P_n est donc strictement croissante sur $[0 ; +\infty[$.
De plus $P_n(0) = -1$ et $\lim\limits_{x \to +\infty} P_n(x) = +\infty$.
P_n, étant continue sur $[0 ; +\infty[$, d'après le théorème des valeurs intermédiaires, **il existe un unique nombre réel strictement positif noté x_n tel que $P_n(x_n) = 0$.**
2. Soit $n \in \mathbb{N}^*$. Pour tout $x \in \mathbb{R}$, $P_{n+1}(x) = P_n(x) + x^{n+1}$.
En particulier, $P_{n+1}(x_n) = P_n(x_n) + x_n^{n+1} = 0 + x_n^{n+1} = x_n^{n+1} > 0$.
Donc $P_{n+1}(0) = -1$ et $P_{n+1}(x_n) > 0$.
Donc, d'après le théorème des valeurs intermédiaires appliqué à la fonction P_{n+1} sur $[0 ; x_n]$, il existe un unique nombre réel appartenant à l'intervalle $[0 ; x_n]$ solution de $P_{n+1}(x) = 0$. Cette unique solution étant x_{n+1}, $x_{n+1} < x_n$.
La suite (x_n) est donc (strictement) décroissante.
3. La suite (x_n) est décroissante et minorée par 0, **donc la suite (x_n) converge**.
4. La suite (x_n) étant strictement décroissante, pour tout $n > 2$, $x_n < x_2$.
Montrons que $x_2 < 1$: P_2 est définie par $P_2(x) = -1 + x + x^2$.
$P_2(1) = 1 > 0$, donc d'après **1.**, $x_2 < 1$.

On pouvait aussi conclure que $x_2 < 1$ en cherchant les racines du polynôme du second degré P_2 : l'une est négative, donc ce n'est pas x_2, l'autre est $\dfrac{-1+\sqrt{5}}{2} \approx 0{,}62 < 1$.

De plus, pour tout $n \in \mathbb{N}^*$, $x_n > 0$ (d'après **1.**)
Donc, **pour tout $n > 2, 0 < x_n < x_2 < 1$.**

Pour tout $n > 2$, $0 < x_n < x_2$, donc $x_n^{n+1} < x_2^{n+1}$ par croissance sur $[0 \, ; +\infty[$ de $x \mapsto x^n$, avec $\lim\limits_{n \to +\infty}\left(x_2^{\,n}\right) = 0$ (car $-1 < x_2 < 1$).
Donc, d'après le théorème des gendarmes, $\lim\limits_{n \to +\infty}\left(x_n\right)^{n+1} = 0$.

5. a. Soit $n \in \mathbb{N}$ et $x \in \mathbb{R} \setminus \{1\}$, $P_n\left(x\right) = -1 + x + \ldots + x^n = -2 + 1 + x + \ldots + x^n$.

$x \neq 1$, donc $1 + x + \ldots + x^n = \dfrac{1 - x^{n+1}}{1 - x}$ et $P_n\left(x\right) = -2 + \dfrac{1 - x^{n+1}}{1 - x}$.

b. En particulier, pour tout $n \in \mathbb{N}$, comme $x_n \neq 1$, $P_n\left(x_n\right) = 0 = -2 + \dfrac{1 - x_n^{\,n+1}}{1 - x_n}$,

ce qui équivaut à $2\left(1 - x_n\right) = 1 - x_n^{\,n+1}$. On obtient par passage à la limite quand n

tend vers $+\infty$, $2\left(1 - l\right) = 1 - 0$, d'où $l - 1 = -\dfrac{1}{2}$ et $l = \dfrac{1}{2}$.

18 **1.** • $u_0 = 1{,}5 > 0$, donc la propriété est vraie au rang 0.

• Supposons qu'il existe un entier naturel m tel que $u_m > 0$ et montrons qu'alors $u_{m+1} > 0$.

$u_m > 0$, donc $\dfrac{2}{u_m} > 0$, donc $u_m + \dfrac{2}{u_m} > 0$.

Or, $\dfrac{1}{2} > 0$, donc $u_{m+1} > 0$. La propriété est vraie au rang $m + 1$.

• **Donc, pour tout $n \in \mathbb{N}$, $u_n > 0$.**

2. a. Soit $n \in \mathbb{N}$. Alors $u_{n+1} - \sqrt{2} = \dfrac{1}{2}\left(u_n + \dfrac{2}{u_n}\right) - \sqrt{2} = \dfrac{1}{2} \dfrac{u_n^{\,2} + 2 - 2\sqrt{2}\, u_n}{u_n}$

$$u_{n+1} - \sqrt{2} = \frac{1}{2} \times \frac{(u_n - \sqrt{2})^2}{u_n}.$$

b. • $u_0 = 1{,}5 > \sqrt{2}$, donc la propriété est vraie au rang 0.

• Supposons qu'il existe un entier $m \in \mathbb{N}$ tel que $u_m > \sqrt{2}$ et montrons qu'alors

$u_{m+1} > \sqrt{2}$. D'après **a.,** $u_{m+1} - \sqrt{2} = \dfrac{1}{2} \times \dfrac{(u_m - \sqrt{2})^2}{u_m}$, où u_m et $(u_m - \sqrt{2})^2$ sont strictement positifs.

Alors $\dfrac{1}{2} \times \dfrac{(u_m - \sqrt{2})^2}{u_m} > 0$ et $u_{m+1} - \sqrt{2} > 0$, donc $u_{m+1} > \sqrt{2}$.

• **Donc, pour tout $n \in \mathbb{N}$, $u_n > \sqrt{2}$.**

c. Pour tout $n \in \mathbb{N}$, $u_n > \sqrt{2} > 0$, donc $\dfrac{1}{u_n} < \dfrac{1}{\sqrt{2}}$ et en multipliant par $\dfrac{1}{2}\left(u_n - \sqrt{2}\right)^2 > 0$

$\dfrac{(u_n - \sqrt{2})^2}{u_n} < \dfrac{1}{2}\dfrac{(u_n - \sqrt{2})^2}{\sqrt{2}}\dfrac{1}{2}$, d'où, $u_{n+1} - \sqrt{2} \leqslant \dfrac{1}{2} \times \dfrac{(u_n - \sqrt{2})^2}{\sqrt{2}}$.

d. Le **c.** peut s'écrire aussi : pour tout $n \in \mathbb{N}$, $u_{n+1} - \sqrt{2} \leqslant \dfrac{(u_n - \sqrt{2})^2}{2\sqrt{2}}$.

• Ainsi, $u_1 - \sqrt{2} \leqslant \dfrac{(u_0 - \sqrt{2})^2}{2\sqrt{2}}$ soit $u_1 - \sqrt{2} \leqslant \dfrac{(u_0 - \sqrt{2})^{2^1}}{2\sqrt{2}}$, donc la propriété est vraie au rang 1.

• Supposons qu'il existe $m \in \mathbb{N}^*$ tel que $u_m - \sqrt{2} \leqslant \dfrac{\left(u_0 - \sqrt{2}\right)^{2^m}}{2\sqrt{2}}$, et montrons qu'alors :

$$u_{m+1} - \sqrt{2} \leqslant \dfrac{\left(u_0 - \sqrt{2}\right)^{2^{m+1}}}{2\sqrt{2}}.$$

D'après le **b.**, et l'hypothèse de récurrence :

$0 < u_m - \sqrt{2} \leqslant \dfrac{\left(u_0 - \sqrt{2}\right)^{2^m}}{2\sqrt{2}}$, d'où $(u_m - \sqrt{2})^2 \leqslant \left[\dfrac{\left(u_0 - \sqrt{2}\right)^{2^m}}{2\sqrt{2}}\right]^2$ par croissance

de la fonction careé sur $[0 : +\infty[$.

Or, $\left[\dfrac{\left(u_0 - \sqrt{2}\right)^{2^m}}{2\sqrt{2}}\right]^2 = \dfrac{(u_0 - \sqrt{2})^{(2^m)\times 2}}{4 \times 2} = \dfrac{(u_0 - \sqrt{2})^{2^{m+1}}}{8}$,

donc $(u_m - \sqrt{2})^2 \leqslant \dfrac{(u_0 - \sqrt{2})^{2^{m+1}}}{8}$.

D'où, d'après le **c.** $u_{m+1} - \sqrt{2} \leqslant \dfrac{(u_m - \sqrt{2})^2}{2\sqrt{2}} \leqslant \dfrac{1}{2\sqrt{2}} \times \dfrac{(u_0 - \sqrt{2})^{2^{m+1}}}{8}$ car $\dfrac{1}{2\sqrt{2}} > 0$.

Or, $\dfrac{1}{8} \leqslant 1$ et $\dfrac{\left(u_0 - \sqrt{2}\right)^{2^{m+1}}}{2\sqrt{2}} > 0$, donc $\dfrac{1}{8} \times \dfrac{\left(u_0 - \sqrt{2}\right)^{2^{m+1}}}{2\sqrt{2}} \leqslant \dfrac{\left(u_0 - \sqrt{2}\right)^{2^{m+1}}}{2\sqrt{2}}$:

$u_{m+1} - \sqrt{2} \leqslant \dfrac{1}{2\sqrt{2}} \times (u_0 - \sqrt{2})^{2^{m+1}}$, et donc l'inégalité est vraie au rang $m+1$.

• **Donc, pour tout $n \in \mathbb{N}^*$, $u_n - \sqrt{2} \leqslant \dfrac{(u_0 - \sqrt{2})^{2^n}}{2\sqrt{2}}$.**

e. On a prouvé que, pour tout $n \in \mathbb{N}^*$, $\sqrt{2} < u_n \leqslant \sqrt{2} + \dfrac{(u_0 - \sqrt{2})^{2^n}}{2\sqrt{2}}$.

$2 > 1$, donc $\lim\limits_{n \to +\infty} 2^n = +\infty$.

Comme $-1 < u_0 - \sqrt{2} < 1$, $\lim\limits_{N \to +\infty} (u_0 - \sqrt{2})^N = 0$.

Anisi, $\lim\limits_{n \to +\infty} (u_0 - \sqrt{2})^{2^n} = 0$.

Par conséquent, $\lim\limits_{n \to +\infty} \sqrt{2} + \dfrac{(u_0 - \sqrt{2})^{2^n}}{2\sqrt{2}} = \sqrt{2}$.

Et d'après le théorème des gendarmes, $\lim\limits_{n \to +\infty} u_n = \sqrt{2}$.
Donc la suite (u_n) converge vers $\sqrt{2}$.

19 1. $ax + b = x \Leftrightarrow (a-1)x = -b \Leftrightarrow x = -\dfrac{b}{a-1}$ car $a - 1 \neq 0$.

L'équation $ax + b = x$ admet une unique solution $L = \dfrac{b}{1-a}$.

2. **a.** Pour tout $n \in \mathbb{N}$, $v_{n+1} = u_{n+1} - L = au_n + b - L = a(v_n + L) + b - L$.

D'où $v_{n+1} = av_n + (a-1)L + b = av_n + (a-1)\dfrac{b}{1-a} + b = av_n - b + b = av_n$.

La suite (v_n) est géométrique de raison a.

On en déduit que, pour tout $n \in \mathbb{N}$, $v_n = v_0 a^n = (u_0 - L)a^n$, ou encore :

$$v_n = \left(u_0 - \dfrac{b}{1-a}\right) \times a^n.$$

b. Pour tout $n \in \mathbb{N}$:

$$u_n = v_n + L = \left(u_0 - \dfrac{b}{1-a}\right) \times a^n + L = \left(u_0 - \dfrac{b}{1-a}\right) \times a^n + \dfrac{b}{1-a}.$$

Si $-1 < a < 1$, alors $\lim\limits_{n \to +\infty} a^n = 0$ et $\lim\limits_{n \to +\infty} u_n = \dfrac{b}{1-a}$.

Si $a > 1$, alors $\lim\limits_{n \to +\infty} a^n = +\infty$, donc $\lim\limits_{n \to +\infty} u_n = \begin{cases} +\infty \text{ si } u_0 > \dfrac{b}{1-a} \\[2mm] -\infty \text{ si } u_0 < \dfrac{b}{1-a} \end{cases}$.

Si $a \leqslant -1$, alors **la suite (u_n) n'admet pas de limite.**

20 1. **Réponses b. et d.**

Une telle suite est décroissante et minorée (par 0) donc elle converge, mais sa limite peut être un nombre positif non nul. Le fait qu'elle soit décroissante implique qu'elle est majorée par son premier terme.

2. **Réponses b., c. et d.**

Pour tout $n \in \mathbb{N}$, $u_n > 0$ et $\dfrac{u_{n+1}}{u_n} = \dfrac{3n+7}{n+2} \times \dfrac{n+1}{3n+4} = \dfrac{3n^2 + 10n + 7}{3n^2 + 10n + 8} < 1$, donc (u_n) est décroissante.

Pour tout $n \in \mathbb{N}$, $u_n > 0$, donc (u_n) est minorée.

$u_n = \dfrac{3n+4}{n+1} = \dfrac{3(n+1)+1}{n+1} = 3 + \dfrac{1}{n+1} \leqslant 4$ car $n + 1 \geqslant 1$ pour tout entier naturel n,

donc $\dfrac{1}{n+1} \leqslant 1$. Donc (u_n) est minorée

3. **Réponse b.** car $\lim\limits_{n \to +\infty} (-v_n) = +\infty$.

4. **Réponses a. et d.**

Pour tout $n \in \mathbb{N}$ et pour tout $0 \leqslant k \leqslant n$, $0 \leqslant \dfrac{1}{n^2 + k} \leqslant \dfrac{1}{n^2}$,

donc $0 \leqslant u_n \leqslant (n+1) \times \dfrac{1}{n^2}$.

🔺 Attention, la somme formant u_n comporte $n + 1$ termes.

Or $\lim\limits_{n \to +\infty} \dfrac{n+1}{n^2} = \lim\limits_{n \to +\infty} \dfrac{n}{n^2} = \lim\limits_{n \to +\infty} \dfrac{1}{n} = 0$,

donc d'après le théorème des gendarmes, $\lim\limits_{n \to +\infty} u_n = 0$.

De plus, pour tout $n \in \mathbb{N}^*$, $n \leqslant n^2$ et $1 \leqslant n^2$,

donc $n + 1 \leqslant 2n^2 \Leftrightarrow \dfrac{n+1}{n^2} \leqslant 2$ car $n^2 > 0$.

On en déduit que $0 \leqslant u_n \leqslant 2$.

🔺 Toute suite convergente est bornée.

5. Réponses c. et d.

Soit A un réel. Posons $n_0 = \mathrm{E}\left(\dfrac{A}{2}\right) + 1$. Alors $n_0 > \dfrac{A}{2}$ et pour tout, $n \geqslant n_0$, $u_n \geqslant 2n \geqslant 2n_0 > A$.

Donc (u_n) tend vers $+\infty$ et n'est pas majorée.

Autre méthode : $\lim\limits_{n \to +\infty} 2n = +\infty$, donc $\lim\limits_{n \to +\infty} u_n = +\infty$, d'ou **d.** puis **c.**

🔺 (u_n) n'est pas forcément croissante, car on pourrait bâtir comme contre-exemple la suite définie aux rangs pairs par $u_{2n} = 4n+1$ et aux rangs impairs par $u_{2n+1} = 2(2n+1)^2$. $u_{2n} \geqslant 2 \times (2n)$ et $u_{2n+1} \geqslant 2 \times (2n+1)$, mais $u_{2(n+1)} \leqslant u_{2n+1}$. Cette suite n'est pas monotone.

---

21 1. $2x - x^2 = 0 \Leftrightarrow (x = 0$ ou $x = 2)$ et $2x - x^2 > 0 \Leftrightarrow x \in \left]0 \,; 2\right[$ du signe contraire de $a = -1$ entre les racines.

f est donc définie sur $\left[0 \,; 2\right]$ et dérivable sur $\left]0 \,; 2\right[$.

Pour tout $x \in \left]0 \,; 2\right[$, $f'(x) = \dfrac{2-2x}{2\sqrt{2x-x^2}} = \dfrac{1-x}{\sqrt{2x-x^2}}$.

D'où $f'(x)$ est du signe de $1 - x$, donc strictement positif sur $\left]0 \,; 1\right[$ et strictement négatif sur $\left]1 \,; 2\right[$.

Donc f est strictement croissante sur $\left[0 \,; 1\right]$ et strictement décroissante sur $\left[1 \,; 2\right]$.

x	0		1		2
$f'(x)$		$+$	0	$-$	
$f(x)$	0	↗	1	↘	0

2. a.

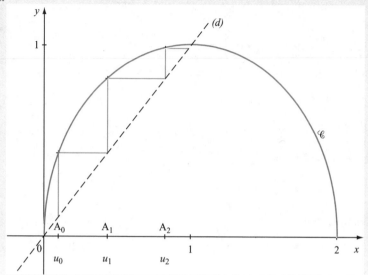

b. • $u_0 \in [0\ ;1]$ par hypothèse.

• Supposons qu'il existe $m \in \mathbb{N}$ tel que $u_m \in [0\ ;1]$ et montrons que $u_{m+1} \in [0\ ;1]$. D'après le tableau de variation de f, si $x \in [0\ ;1]$, alors $f(x) \in [0\ ;1]$, donc comme $u_m \in [0\ ;1]$, alors $f(u_m) = u_{m+1} \in [0\ ;1]$.

• **Donc, pour tout $n \in \mathbb{N}$, $u_n \in [0\ ;1]$.**

c. Soit $n \in \mathbb{N}$.

$$u_{n+1}^2 - u_n^2 = (2u_n - u_n^2) - u_n^2 = 2u_n - 2u_n^2 = 2u_n(1 - u_n) \geqslant 0$$
car $u_n \geqslant 0$ et $1 - u_n \geqslant 0$.

Donc $u_{n+1}^2 \geqslant u_n^2$. Mais u_n et u_{n+1} appartiennent à $[0\ ;1]$, donc u_n et u_{n+1} sont rangés dans le même ordre que leurs carrés, d'où $u_{n+1} \geqslant u_n$.

Donc la suite (u_n) est croissante.

d. (u_n) est croissante et majorée par 1, donc elle converge.

Soit L sa limite.

Comme pour tout $n \in \mathbb{N}$, $u_n \in [0\ ;1]$, $L \in [0\ ;1]$.

L vérifie l'équation $L = \sqrt{2L - L^2}$, car la fonction f est continue sur $[0\ ;1]$.

L étant positif, $L = \sqrt{2L - L^2} \Leftrightarrow L^2 = 2L - L^2$

$$\Leftrightarrow 2L(L - 1) = 0$$

$$\Leftrightarrow (L = 0 \text{ ou } L = 1).$$

Si $u_0 = 0$ alors, comme $f(0) = 0$, la suite (u_n) est constante et égale à 0. Donc **$L = 0$.**

Si $u_0 \in \ ]0\ ;1]$ alors, comme (u_n) est croissante, $u_n \geqslant u_0$ pour tout $n \in \mathbb{N}$, donc $L \geqslant u_0 > 0$, donc : **$L = 1$.**

3. a. D'après le tableau de variation de f, $f\big([1\,;\,2]\big) \subset [0\,;\,1]$
donc $u_1 = f(u_0) \in [0\,;\,1]$.

b. Soit (v_n) la suite définie pour tout $n \in \mathbb{N}$ par $v_n = u_{n+1}$.
(v_n) vérifie toutes les propriétés de la question **3**.

Or, $\lim\limits_{n \to +\infty} n+1 = +\infty$ et $\lim\limits_{n \to +\infty} u = L$, donc $\lim\limits_{n \to +\infty} u_{n+1} = L$.

Donc $\lim\limits_{n \to +\infty} v_n = L$:

(v_n) **converge vers 0 si $u_1 = 0$, c'est-à-dire si $u_0 = 2$;**
(v_n) **converge vers 1 si $u_1 \in\,]0\,;\,1]$, c'est-à-dire si $u_0 \in [1\,;\,2[$.**

22 Soit (u_n) une suite croissante non majorée. Montrons que, pour tout $A \in \mathbb{R}$,
il existe un rang N_0 tel que, pour tout $n \geqslant N_0$, $u_n \in\,]A\,;\,+\infty[$.

Soit A un réel. La suite (u_n) n'étant pas majorée (donc pas majorée par A), il existe
donc un entier $n(A)$ tel que $u_{n(A)} > A$.

Alors, comme la suite (u_n) est croissante, pour tout $n \geqslant n(A)$, $u_n \geqslant u_{n(A)} > A$, donc
$u_n \in\,]A\,;\,+\infty[$.
En posant $N_0 = n(A)$ pour tout $n \geqslant N_0$, $u_n \in\,]A\,;\,+\infty[$.
Donc la suite (u_n) diverge vers $+\infty$.

23 **1.** f est définie et dérivable sur $[1\,;\,+\infty[$ et, pour tout $x \geqslant 1$:

$$f'(x) = \frac{2x(2x-1) - x^2 \times 2}{(2x-1)^2} = \frac{2x^2 - 2x}{(2x-1)^2} = \frac{2x(x-1)}{(2x-1)^2}$$

donc $f'(x)$ est du signe de $2x(x-1)$, polynôme du second degré dont les racines
sont 0 et 1.
D'où $f'(x) > 0 \Leftrightarrow (x < 0$ ou $x > 1) \Leftrightarrow x > 1$ car $\mathrm{D}f = [1\,;\,+\infty[$.
Donc f est strictement croissante sur $[1\,;\,+\infty[$.
De plus, $f(1) = 1$ donc, pour tout $x > 1$, $f(x) > f(1)$ soit $f(x) > 1$.
2. • $u_0 = 2 > 1$ donc la propriété est vraie au rang 0.
• Supposons qu'il existe un nombre $m \in \mathbb{N}$ tel que $u_m > 1$ et montrons que $u_{m+1} > 1$.
Or, d'après **1.**, si $u_m > 1$, alors $f(u_m) > 1$. Donc $u_{m+1} = f(u_m) > 1$, la propriété
est vraie au rang $m+1$.

• **Donc, pour tout $n \in \mathbb{N}$, $u_n > 1$.**

3. On considère les suites (v_n) et (w_n) définies par $v_n = \dfrac{u_n - 1}{u_n}$ et $w_n = \ln(v_n)$
pour tout $n \in \mathbb{N}$.

a. Soit $n \in \mathbb{N}$, $u_n \neq 0$ d'après **2.**, donc $\dfrac{u_n - 1}{u_n}$ existe.

De plus, $u_n > 1$ donc $u_n - 1 > 0$ et $v_n > 0$.
Donc $w_n = \ln(v_n)$ existe.
Donc les suites (v_n) et (w_n) sont bien définies sur $\mathbb{N}$.

b. Soit $n \in \mathbb{N}$, $w_{n+1} = \ln\left(v_{n+1}\right) = \ln\dfrac{u_{n+1} - 1}{u_{n+1}}$.

Or $u_{n+1} = f\left(u_n\right) = \dfrac{u_n^2}{2u_n - 1}$, donc $u_{n+1} - 1 = \dfrac{u_n^2 - 2u_n + 1}{2u_n - 1}$ et ainsi :

$$\dfrac{u_{n+1} - 1}{u_{n+1}} = \dfrac{u_n^2 - 2u_n + 1}{2u_n - 1} \div \dfrac{u_n^2}{2u_n - 1} = \dfrac{u_n^2 - 2u_n + 1}{2u_n - 1} \times \dfrac{2u_n - 1}{u_n^2}$$

$$= \dfrac{u_n^2 - 2u_n + 1}{u_n^2} = \dfrac{(u_n - 1)^2}{u_n^2}.$$

Donc $w_{n+1} = \ln\dfrac{(u_n - 1)^2}{u_n^2} = \ln\left(\dfrac{u_n - 1}{u_n}\right)^2 = 2\ln\left(\dfrac{u_n - 1}{u_n}\right) = 2\ln(v_n) = 2w_n$.

La suite (w_n) est donc géométrique de raison 2.

c. $w_0 = \ln\left(v_0\right) = \ln\dfrac{u_0 - 1}{u_0} = \ln\dfrac{1}{2} = -\ln 2$.

Donc, pour tout $n \in \mathbb{N}$, $w_n = -\ln 2 \times 2^n$.

Ensuite, pour tout $n \in \mathbb{N}$, $w_n = \ln\left(v_n\right)$,

donc $v_n = \exp\left(w_n\right) = \exp\left[\ln\left(\dfrac{1}{2}\right) \times 2^n\right] = \left(\dfrac{1}{2}\right)^{2^n}$.

Pour tout $n \in \mathbb{N}$, $v_n = \left(\dfrac{1}{2}\right)^{2^n}$.

d. Pour tout $n \in \mathbb{N}$, $v_n = \dfrac{u_n - 1}{u_n} = 1 - \dfrac{1}{u_n} \Leftrightarrow \dfrac{1}{u_n} = 1 - v_n$,

Or, $v_n = \left(\dfrac{1}{2}\right)^{2^n} \neq 1$ pour tout $n \in \mathbb{N}$, d'où $u_n = \dfrac{1}{1 - v_n} = \dfrac{1}{1 - \left(\dfrac{1}{2}\right)^{2^n}}$.

$\lim\limits_{n \to +\infty} 2^n = +\infty$ et, comme $-1 < \dfrac{1}{2} < 1$, $\lim\limits_{N \to +\infty} \left(\dfrac{1}{2}\right)^N = 0$. Donc $\lim\limits_{n \to +\infty} \left(\dfrac{1}{2}\right)^{2^n} = 0$.

Alors $\lim\limits_{n \to +\infty} u_n = \lim\limits_{n \to +\infty} \dfrac{1}{1 - \left(\dfrac{1}{2}\right)^{2^n}} = 1$.

Donc la suite (u_n) converge vers 1.

Intégration

6.

Dans tout ce chapitre, le plan est muni d'un repère orthogonal $(O\,;\vec{i}\,;\vec{j})$ et I désigne un intervalle de $\mathbb{R}$.

I INTÉGRALE D'UNE FONCTION CONTINUE

On appelle unité d'aire l'aire du rectangle de dimensions $\|\vec{i}\|$ et $\|\vec{j}\|$ (cette aire vaut $\|\vec{i}\| \times \|\vec{j}\|$).

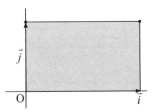

1. Cas des fonctions continues et positives

Définition

Soit f une fonction continue et positive sur un intervalle $[a\,;b]$ $(a \leqslant b)$.

On appelle **intégrale de a à b de f** l'aire exprimée, en unités d'aire, de l'ensemble $D = \left\{ (x\,;y) \in \mathbb{R}^2 / a \leqslant x \leqslant b,\ 0 \leqslant y \leqslant f(x) \right\}$.

On la note $\displaystyle\int_a^b f(x)\,\mathrm{d}x$.

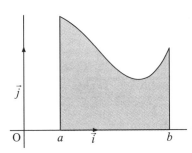

- Le « $\mathrm{d}x$ » ne signifie rien.
- La variable x est « muette ». On notera indifféremment $\displaystyle\int_a^b f(x)\,\mathrm{d}x$, $\displaystyle\int_a^b f(t)\,\mathrm{d}t$...

2. Cas des fonctions continues de signes quelconques

Définitions : soit une fonction continue sur un intervalle $[a \,;\, b]$ $(a \leqslant b)$.

- Si f est négative sur $[a \,;\, b]$, alors $\int_a^b f(x)\,\mathrm{d}x$ est l'opposé de l'aire de $D = \{(x \,;\, y) \in \mathbb{R}^2 / a \leqslant x \leqslant b, f(x) \leqslant y \leqslant 0\}$.

- Si f est de signe quelconque :

$$\int_a^b f(x)\,\mathrm{d}x = \mathrm{Aire}(A) - \mathrm{Aire}(B) + \mathrm{Aire}(C)$$

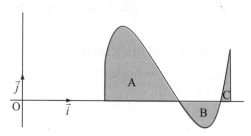

On admet que les définitions se prolongent au cas de la fonction partie entière.

3. Inversion des bornes

Définition : soit f une fonction continue sur I. Soient a, b appartenant à I tels que $a \leqslant b$. On pose $\int_b^a f(x)\mathrm{d}x = -\int_a^b f(x)\mathrm{d}x$.

4. Valeur moyenne d'une fonction continue

Définition : soit f une fonction continue sur $[a \,;\, b]$, on appelle valeur moyenne de f sur $[a \,;\, b]$ le réel $\dfrac{1}{b-a}\int_a^b f(x)\mathrm{d}x$.

II PROPRIÉTÉS DE L'INTÉGRALE

I désigne un intervalle de $\mathbb{R}$.

■ Relations de Chasles

Soit f une fonction continue sur I, alors pour tous a, b, c appartenant à I :

$$\int_a^b f(x)\mathrm{d}x + \int_b^c f(x)\mathrm{d}x = \int_a^c f(x)\mathrm{d}x.$$

■ Linéarité de l'intégrale

Soient f, g deux fonctions continues sur I et a, $b \in I$; alors pour tous réels k_1, k_2 :

$$\int_a^b \left[k_1\, f(x) + k_2\, g(x)\right]\mathrm{d}x = k_1 \int_a^b f(x)\mathrm{d}x + k_2 \int_a^b g(x)\mathrm{d}x.$$

■ **Positivité et croissance de l'intégrale**

Soient f et g deux fonctions continues sur $[a\,;\,b]$ (avec $a \leqslant b$) :

- si pour tout $x \in [a\,;\,b]$, $f(x) \geqslant 0$, alors $\int_a^b f(x)\mathrm{d}x \geqslant 0$;

- si pour tout $x \in [a\,;\,b]$, $f(x) \geqslant g(x)$, alors $\int_a^b f(x)\mathrm{d}x \geqslant \int_a^b g(x)\mathrm{d}x$.

■ **Inégalités de la moyenne**

Soit f une fonction continue sur $[a\,;\,b]$ (avec $a \leqslant b$) telle que pour tout $x \in [a\,;\,b]$, $m \leqslant f(x) \leqslant M$, alors :

$$m(b-a) \leqslant \int_a^b f(x)\mathrm{d}x \leqslant M(b-a).$$

III PRIMITIVES D'UNE FONCTION

Dans ce paragraphe, I est un intervalle de $\mathbb{R}$.

1. Généralités

■ **Définition :** soit f une fonction définie sur I. On appelle **primitive** de f sur I, toute fonction F définie et dérivable sur I tel que $F' = f$.

■ Toute fonction continue sur un intervalle I admet des primitives sur I.

■ **Théorèmes :** soit f une fonction continue sur I et F une primitive de f sur I, alors les primitives de f sur I sont les fonctions de la forme : $x \mapsto F(x) + c$ où c est un réel quelconque.

En particulier, pour tous $a \in I$ et $b \in \mathbb{R}$, il existe une unique primitive F de f tel que $F(a) = b$.

■ Soit f une fonction continue sur I et soit $a \in \mathbb{R}$, alors la fonction F définie sur I par $F(x) = \int_a^x f(t)\mathrm{d}t$ est **la** primitive de f qui s'annule en a.

EXEMPLE : La fonction $x \mapsto \dfrac{1}{x}$ est continue sur $]0\,;+\infty[$, alors elle admet des primitives sur $]0\,;+\infty[$; ce sont les fonctions de la forme $x \mapsto \ln(x) + c$ où c est un réel quelconque.

2. Tableau des primitives

C désigne un réel.

Fonction	Primitives	Ensemble de définition
$x \mapsto a\,(a \in \mathbb{R})$	$x \mapsto ax + C$	$\mathbb{R}$
$x \mapsto x^n\,(n \in \mathbb{N})$	$x \mapsto \dfrac{x^{n+1}}{n+1} + C$	$\mathbb{R}$

Fonction	Primitives	Ensemble de définition
$x \mapsto x^a \ (a \in \mathbb{R}, a \neq -1)$	$x \mapsto \dfrac{x^{a+1}}{a+1} + C$	$]0\,;+\infty[$
$x \mapsto \dfrac{1}{x}$	$x \mapsto \ln(x) + C$	$]0\,;+\infty[$
$x \mapsto e^x$	$x \mapsto e^x + C$	$\mathbb{R}$
$x \mapsto \sin(x)$	$x \mapsto -\cos(x) + C$	$\mathbb{R}$
$x \mapsto \cos(x)$	$x \mapsto \sin(x) + C$	$\mathbb{R}$

3. Opérations, composition

Soit u et v deux fonctions définies et dérivables sur un intervalle I.

Fonction	Une primitive	Ensemble de définition
$ku' \ (k \in \mathbb{R})$	ku	I
$u' + v'$	$u + v$	I
$\dfrac{u'}{\sqrt{u}}$	$2\sqrt{u}$	$\{x \in I,\, u(x) > 0\}$
$u' \times \sin u$	$-\cos u$	I
$u' \times \cos u$	$\sin u$	I
$u'e^u$	e^u	I
$\dfrac{u'}{u}$	$\ln |u|$, c'est-à-dire $\ln(u)$ si u est strictement positive sur I, et $\ln(-u)$ si u est strictement négative sur I	$\{x \in I,\, u(x) \neq 0\}$
$u'u^n \ (n \in \mathbb{N}^*)$	$\dfrac{u^{n+1}}{n+1}$	I
$\dfrac{u'}{u^n} \ (n \in \mathbb{N}, n \geqslant 2)$	$\dfrac{-1}{(n-1)u^{n-1}}$	$\{x \in I, u(x) \neq 0\}$

Toutes les fonctions continues admettent des primitives, mais certaines fonctions n'admettent pas de primitive explicite, par exemple la fonction $x \mapsto \exp(-x^2)$.

4. Lien entre primitive et intégrale

■ **Propriété**

Soit f une fonction continue sur I, alors pour tous $a,\ b \in I$:

$$\int_a^b f(t)\mathrm{d}t = F(b) - F(a),$$

où F est une primitive quelconque de f sur I.

■ **Notation**

On pose $F(b) - F(a) = \left[F(x) \right]_a^b$.

SAVOIR-FAIRE

1. Déterminer les primitives d'une fonction composée

EXEMPLE : Déterminer les primitives sur $\mathbb{R}$ de la fonction $f : x \mapsto x\,\mathrm{e}^{3x^2-5}$.

● Reconnaître dans f l'une des formes suivantes :

$$\frac{u'}{\sqrt{u'}},\ u'\cos u,\ u'\sin u,\ u'\,\mathrm{e}^u,\ \frac{u'}{u},\ u'\times u^n,\ \frac{u'}{u^n}\ (n \geqslant 2).$$

f est de la forme $u'\mathrm{e}^u$ avec $u : x \mapsto 3x^2 - 5$ (ici $u'(x) = x$ correspond à la dérivée de $3x^2 - 5$ **au coefficient près**).

● Calculer la dérivée de la primitive correspondante :

$$\sqrt{u},\ \sin u,\ \cos u,\ \mathrm{e}^u,\ \ln|u|,\ u^{n+1},\ \frac{1}{u^{n-1}}\,(n \geqslant 2).$$

La dérivée de e^{3x^2-5} est $6x\,\mathrm{e}^{3x^2-5} = 6 \times f(x)$.

● En déduire le réel k tel que $k\sqrt{u}$, $k\sin u$, $k\cos u$, $k\mathrm{e}^u$, $k\ln|u|$,

ku^{n+1}, $k\dfrac{1}{u^{n-1}}\,(n \geqslant 2)$ soit une primitive de f.

La dérivée de $\dfrac{1}{6} \times \mathrm{e}^{3x^2-5}$ est donc $\dfrac{1}{6} \times 6x\,\mathrm{e}^{3x^2-5} = f(x)$. La fonction F définie

par $F(x) = \dfrac{1}{6} \times \mathrm{e}^{3x^2-5}$ est donc une primitive de f sur $\mathbb{R}$.

● Conclure en n'oubliant pas que f admet une infinité de primitives.

Les primitives de f sur $\mathbb{R}$ sont les fonctions de la forme :

$$x \mapsto \frac{1}{6} \times \mathrm{e}^{3x^2-5} + C,\ C \in \mathbb{R}.$$

2. Déterminer les primitives d'une fraction rationnelle, le degré du dénominateur étant supérieur au degré du numérateur

Il s'agit de distinguer dans $f = \dfrac{P}{Q}$ la forme $\dfrac{u'}{u}$ ou la forme $\dfrac{u'}{u^n} (n \geqslant 2)$.

- Si degré$(Q) = $ degré$(P) + 1$, il se peut que f soit de la forme $\dfrac{u'}{u^n}$ au multiple près.

On dérive $\ln|Q|$ et on en déduit une primitive de f de la forme $k \times \ln|Q|$, k désignant une constante réelle.

- Si degré$(Q) > $ degré$(P) + 1$, il se peut que f soit de la forme $\dfrac{u'}{u^n}$ au multiple près.

On regarde si Q s'écrit u^n, on dérive $\dfrac{1}{u^{n-1}}$ puis on en déduit une primitive de f de la forme $\dfrac{k}{u^{n-1}}$, k désignant une constante réelle.

EXEMPLES : **a.** Déterminer les primitives de la fonction f définie sur $\mathbb{R}$ par :

$$f(x) = \frac{4x - 2}{3(x^2 - x + 1)^3}.$$

Ici, $f = \dfrac{P}{Q}$ avec degré$(Q) > $ degré$(P) + 1$.

Le dénominateur est un multiple de $\left(x^2 - x + 1\right)^3 = u^3$.

Dérivons $\dfrac{1}{u^2}$. La dérivée de $\dfrac{1}{(x^2 - x + 1)^2}$ est :

$$\frac{-2 \times (2x - 1) \times (x^2 - x + 1)}{(x^2 - x + 1)^4} = \frac{-(4x - 2)}{(x^2 - x + 1)^3} = -3f(x).$$

La dérivée de $\dfrac{-1}{3(x^2 - x + 1)^2}$ vaut donc $\dfrac{-1}{3}\left(-3f(x)\right) = f(x)$.

Les primitives de f sur $\mathbb{R}$ sont les fonctions de la forme :

$$x \mapsto \frac{-1}{3(x^2 - x + 1)^2} + C, \; C \in \mathbb{R}.$$

b. Soit f la fonction définie sur $]-1 ; 1[$ par $f(x) = \dfrac{x}{x^2 - 1}$.

Déterminer la primitive de f qui s'annule en 0.

Ici, $f = \dfrac{P}{Q}$ avec degré$(Q) = $ degré$(P) + 1$, f est donc peut-être égale à un multiple de $\dfrac{u'}{u}$.

Dérivons $\ln|u|$: déterminons le signe de $x^2 - 1$. Les racines sont 1 et -1, d'où le tableau de signes :

x	$-\infty$		-1		1		$+\infty$
$x^2 - 1$		$+$	0	$-$	0	$+$	

Donc $\ln\left|x^2 - 1\right| = \ln\left(1 - x^2\right)$ sur $]-1\,;1[$ et sa dérivée est :

$$\frac{-2x}{1 - x^2} = 2 \times \frac{-x}{-(x^2 - 1)} 2 \times f(x).$$

La dérivée de $\dfrac{\ln(1 - x^2)}{2}$ vaut donc $\dfrac{1}{2} \times 2f(x) = f(x)$.

Les primitives de f sur $\mathbb{R}$ sont les fonctions de la forme :

$x \mapsto \dfrac{\ln(1 - x^2)}{2} + C,\ C \in \mathbb{R}$.

On cherche la primitive qui s'annule en 0 :

$$\frac{\ln(1 - 0^2)}{2} + C = 0 \Leftrightarrow C = 0.$$

Donc la primitive cherchée est $x \mapsto \dfrac{\ln(1 - x^2)}{2}$.

3. Calculer une intégrale $\int_a^b f(x)\,dx$

EXEMPLE : Calculer $\displaystyle\int_0^\pi (x^2 - \cos(2x))\,dx$.

1re étape : déterminer une primitive de f sur $[a\,;b]$.

Une primitive de $f : x \mapsto x^2 - \cos(2x)$ est $F : x \mapsto \dfrac{x^3}{3} - \dfrac{\sin(2x)}{2}$.

2e étape : appliquer la propriété du **III-4**.

$$\int_0^\pi (x^2 - \cos(2x))\,dx = \left[\frac{x^3}{3} - \frac{\sin(2x)}{2}\right]_0^\pi = \frac{\pi^3}{3} - \frac{\sin(2\pi)}{2} - \frac{0^3}{3} - \frac{\sin(0)}{2}$$

$$\int_0^\pi (x^2 - \cos(2x))\,dx = \frac{\pi^2}{3}.$$

4. Calculer l'aire « sous la courbe »

EXEMPLE : Soit f la fonction définie sur $D_f = [0\,;2\pi]$ par $f(x) = \cos(x)$ et C_f sa courbe représentative dans un repère orthonormal. Calculer l'aire A comprise entre C_f et l'axe des abscisses.

L'aire comprise entre la courbe et l'axe des abscisses est égale à l'intégrale de f lorsque f est positive et à l'opposé de l'intégrale de f lorsque f est négative. Il faut donc découper D_f en intervalles sur lesquels f est de signe constant.

1re étape : étudier le signe de *f*.

f est positive sur $\left[0\,;\dfrac{\pi}{2}\right]$, négative sur $\left[\dfrac{\pi}{2}\,;\dfrac{3\pi}{2}\right]$ et positive sur $\left[\dfrac{3\pi}{2}\,;2\pi\right]$.

2e étape : calculer les intégrales sur ces différents intervalles.

$$A = \int_0^{\frac{\pi}{2}} \cos(x)\,\mathrm{d}x - \int_{\frac{\pi}{2}}^{\frac{3\pi}{2}} \cos(x)\,\mathrm{d}x + \int_{\frac{3\pi}{2}}^{2\pi} \cos(x)\,\mathrm{d}x$$

$$= \Big[\sin(x)\Big]_0^{\frac{\pi}{2}} - \Big[\sin(x)\Big]_{\frac{\pi}{2}}^{\frac{3\pi}{2}} + \Big[\sin(x)\Big]_{\frac{3\pi}{2}}^{2\pi}$$

$$A = (1-0) - (-1\ -\ 1) + (0 - (-1)).$$

$A = 4$ (unités d'aire).

5. Étudier les variations d'une fonction définie par une intégrale

Appliquer le 3e théorème du **III-1**.

EXEMPLE : Étudier les variations de la fonction *f* définie sur $[-\pi\,;\pi]$ par :

$$f(x) = \int_0^x \sin^3(t)\,\mathrm{d}t.$$

Pour tout $x \in [0\,;2\pi]$, $f'(x) = \sin^3(x) = \big(\sin(x)\big)^3$.

$\sin^3(x)$ étant du même signe que $\sin(x)$, $f'(x)$ est positive sur $[0\,;\pi]$ et négative sur $[\pi\,;2\pi]$.

La fonction *f* est donc croissante sur $[0\,;\pi]$ et décroissante sur $[\pi\,;2\pi]$.

EXERCICES D'APPLICATION

6

Intégration

1 PRIMITIVES DE FONCTIONS POLYNÔMES | ★ | **5 min** | ▸ P. 213 |

Calculer les primitives des fonctions f définies (et continues) sur l'intervalle I par :

1. $f(x) = 3$, $I = \mathbb{R}$;

2. $f(x) = -2x + 1$, $I = \mathbb{R}$;

3. $f(x) = -x^2 + 3x + 1$, $I = \mathbb{R}$;

4. $f(x) = 12x^5 - 2x^3 + \dfrac{3}{2}x^2 + 1$, $I = \mathbb{R}$.

◢ Voir le cours, III.

2 PRIMITIVES | ★★ | **20 min** | ▸ P. 213 |

Déterminer les primitives des fonctions suivantes :

✓ 1. $f(x) = \dfrac{2}{x}$, $I =]0\,;+\infty[$;

2. $f(x) = \dfrac{1}{x}$, $I =]-\infty\,;0[$;

✓ 3. $f(x) = \dfrac{1}{3x+2}$, $I = \left]-\dfrac{2}{3}\,;+\infty\right[$;

✓ 4. $f(x) = \dfrac{x}{x^2+1}$, $I = \mathbb{R}$;

✓ 5. $f(x) = e^{3x+1}$, $I = \mathbb{R}$;

6. $f(x) = xe^{x^2}$, $I = \mathbb{R}$;

✓ 7. $f(x) = \dfrac{3}{\sqrt{x}}$, $I =]0\,;+\infty[$;

8. $f(x) = \dfrac{-6x-3}{\sqrt{x^2+x+1}}$, $I = \mathbb{R}$;

9. $f(x) = \dfrac{1}{5-x}$, $I =]-\infty\,;5[$;

10. $f(x) = \dfrac{e^{\frac{1}{x}}}{x^2}$ sur $\mathbb{R}^*$.

◢ Voir les savoir-faire 1 et 2.

3 | ★ | **10 min** | ▸ P. 213 |

Calculer les intégrales suivantes :

1. $J_1 = \displaystyle\int_0^{\pi} \cos(x)\, dx$;

2. $J_2 = \displaystyle\int_0^{\pi} \sin(x)\, dx$;

3. $J_3 = \displaystyle\int_0^{\frac{\pi}{4}} \sin(2x)\, dx$;

4. $J_4 = \displaystyle\int_0^{\frac{\pi}{3}} \cos(3x)\, dx$.

◢ Voir le savoir-faire 3.

4 CALCULS D'INTÉGRALES | ★ | **40 min** | ▸ P. 214 |

Calculer les intégrales suivantes.

1. $I_1 = \displaystyle\int_{-1}^{2} 3\,dx$;

2. $I_2 = \displaystyle\int_0^{5} (-5x+1)\,dx$;

3. $I_3 = \displaystyle\int_0^{2} (2x+1)^2\, dx$;

4. $I_4 = \displaystyle\int_0^2 \dfrac{1}{(2x+1)^2}\,dx$; 5. $I_5 = \displaystyle\int_{-2}^5 E(x)\,dx$

(E désigne la fonction partie entière) ;

6. $I_6 = \displaystyle\int_0^1 \dfrac{1}{x^2+6x+9}\,dx$; 7. $I_7 = \displaystyle\int_0^{\frac{\pi}{4}} \dfrac{\sin(x)}{\cos(x)}\,dx$;

8. $I_8 = \displaystyle\int_0^1 \dfrac{2x+1}{x^2+x+1}\,dx$; 9. $I_9 = \displaystyle\int_e^{e^2} \dfrac{\ln(x)}{x}\,dx$;

10. $I_{10} = \displaystyle\int_e^{e^2} \dfrac{1}{x\ln(x)}\,dx$; 11. $I_{11} = \displaystyle\int_0^1 e^{2x+1}\,dx$;

12. $I_{12} = \displaystyle\int_0^{\ln(3)} \dfrac{e^x}{(e^x+1)^2}\,dx.$

Voir les savoir-faire 1, 2 et 3.

5 FONCTION DÉFINIE PAR UNE INTÉGRALE | ★★ | **15 min** | ▸P. 215 |

Soit f la fonction définie sur $]0\,;+\infty[$ par $f(x) = \displaystyle\int_1^x \ln t\,dt$.
1. Calculer $f(1)$.
2. Étudier le signe de f sur $]1\,;+\infty[$, puis sur $]0\,;1[$.

Voir cours II : propriétés des intégrales.

3. Calculer $f'(x)$ pour tout $x > 0$.

Voir le cours, III.1.

4. Dresser le tableau de variations de f sur $]0\,;+\infty[$ (On n'étudiera pas les limites en 0 et $+\infty$). Vérifier les réponses obtenues au **2**.

Voir le savoir-faire 5.

5. Dériver la fonction G définie pour tout $x > 0$ par $G(x) = x\ln x - x$.
6. En déduire :
a. la valeur de $f(e)$;
b. la limite de f en 0 ;
c. la limite de f en $+\infty$.

6 VALEUR MOYENNE | ★ | **10 min** | ▸P. 215 |

1. Déterminer la valeur moyenne de la fonction $x \mapsto x^2$ sur $[0\,;5]$.
2. Déterminer la valeur moyenne de la fonction $x \mapsto \sin(x)$ sur $[0\,;\pi]$.
3. Déterminer la valeur moyenne de la fonction $x \mapsto \sin(x)$ sur $[0\,;2\pi]$.
4. Déterminer la valeur moyenne de la fonction $x \mapsto e^x$ sur $[0\,;1]$.

Voir la définition du cours, I.4.

7 APPLICATION EN MÉCANIQUE | ★ | **10 min** | ▶ P. 216 |

On lâche une bille dans un puits à sec de 15 mètres à l'instant initial 0.

On note t_0 l'instant où la bille atteint le fond du puits.

On néglige les frottements de l'air. On choisit un repère $(O ; \vec{j})$ où O est le fond du puits et $\vec{j}$ est dirigé vers le haut.

D'après le principe fondamental de la dynamique, le vecteur accélération $\vec{a}$ vaut, pour tout $t \in [0 ; t_0]$, $\vec{a}(t) = -g\vec{j}$ où g est l'unité de l'accélération de la pesanteur (on choisira $g = 9{,}81$ m.s^{-2}) ;

c'est-à-dire $a(t) = -g$.

1. Calculer pour tout $t \in [0 ; t_0]$, la vitesse $v(t)$ et la trajectoire $y(t)$.

2. Calculer t_0 à 10^{-2} près.

8 ALGORITHME, CALCUL D'AIRE | ★★ | **20 min** | ▶ P. 216 |

On note $\mathscr{C}_{\ln}$ la courbe de la fonction ln dans un repère orthonormé.

Le but de cet exercice est d'écrire un algorithme donnant l'aire $\mathscr{A}(a ; b)$ comprise entre $\mathscr{C}_{\ln}$, l'axe des abscisses et les droites d'équation $x = a$ et $x = b$, a et b étant deux réels strictement positifs tels que $a < b$.

1. Vérifier que la fonction $F_1 : x \mapsto x(\ln x - 1)$ est une primitive de la fonction ln sur $]0 ; +\infty[$.

2. Exprimer $\mathscr{A}$ en fonction de a et de b.

◢ Voir le savoir-faire 4. On distinguera les cas $a < b < 1$; $1 < a < b$ et $a < 1 < b$.

3. a. Déterminer les expressions de $\mathscr{A}(a ; b)$ en utilisant la fonction numérique F_1.

b. Écrire un algorithme associant, aux réels strictement positifs a et b, $a < b$, une valeur approchée de l'aire $\mathscr{A}$, exprimée en unités d'aire.

EXERCICES D'ENTRAÎNEMENT

9 FONCTION DÉFINIE PAR UNE INTÉGRALE | ★★ | **35 min** | ▶ P. 217 |

On considère une fonction f dérivable sur l'intervalle $]-\infty ; +\infty[$. On note $(\mathscr{C})$ sa courbe représentative dans un repère orthogonal. On donne le tableau de ses variations :

x	$-\infty$		0		2		$+\infty$
$f'(x)$		$+$		$+$	0	$-$	
$f(x)$					$1+e^{-2}$		

$-\infty$ ↗ 0 ↗ $1+e^{-2}$ ↘ 1

Soit g la fonction définie sur $]-\infty\,;+\infty[$ par $g(x)=\displaystyle\int_0^x f(t)\,\mathrm{d}t$.

Partie A

1. Que représente g pour la fonction f ?

2. a. Interpréter graphiquement $g(2)$.

b. Montrer que $0\leqslant g(2)\leqslant 2{,}5$.

◢ Utiliser l'encadrement de f obtenu dans le tableau de variations.

3. a. Soit x un réel supérieur à 2. Montrer que $\displaystyle\int_0^x f(t)\,\mathrm{d}t\geqslant\int_2^x f(t)\,\mathrm{d}t$, puis que $\displaystyle\int_0^x f(t)\,\mathrm{d}t\geqslant x-2$. En déduire que $g(x)\geqslant x-2$.

b. Déterminer la limite de la fonction g en $+\infty$.

4. Étudier le sens de variation de la fonction g sur l'intervalle $]-\infty\,;+\infty[$. (la limite de g en $-\infty$ sera étudiée dans la **partie B**).

Partie B

On admet que pour tout réel t, $f(t)=(t-1)\mathrm{e}^{-t}+1$.

1. a. Calculer la dérivée de la fonction $h:t\mapsto t\mathrm{e}^{-t}$.

b. En déduire une primitive F de f.

2. Vérifier que, pour tout réel x, $g(x)=x(1-\mathrm{e}^{-x})$.

3. Déterminer la limite de la fonction g en $-\infty$.

---

10 FRACTIONS RATIONNELLES | ★★ | 20 min | ▶P. 218 |

Soit f la fonction définie sur $\mathbb{R}\setminus\{-2\}$ par $f(x)=\dfrac{2x^3+7x^2+5x+3}{(x^2+1)(x+2)^2}$.

1. Déterminer les réels a, b, c, d tels que pour tout $x\neq-2$:

$$f(x)=\frac{a}{x+2}+\frac{b}{(x+2)^2}+\frac{cx+d}{x^2+1}.$$

2. En déduire une primitive de f sur $]-2\,;+\infty[$, puis sur $]-\infty\,;-2[$.

 Voir le savoir-faire 2.

---

11 | ★★ | 30 min | ▶P. 219 |

1. Résoudre dans $[0\,;2\pi]$ l'équation $\cos x=\sin x$, puis étudier le signe de $\cos(x)-\sin(x)$ sur $\left[0\,;\dfrac{\pi}{4}\right[$.

2. Soit $a\in\left]0\,;\dfrac{\pi}{4}\right[$. On pose :

$$I(a)=\int_0^a\frac{\cos x}{\cos x-\sin x}\,\mathrm{d}x\ \text{ et }\ J(a)=\int_0^a\frac{\sin x}{\cos x-\sin x}\,\mathrm{d}x.$$

a. Calculer $I(a) - J(a)$ puis $I(a) + J(a)$.

Voir le savoir-faire 3.

b. En déduire $I(a)$ et $J(a)$.

c. Déterminer la limite quand a tend vers $\dfrac{\pi}{4}$ de $I(a)$ et $J(a)$.

12 CALCUL D'UNE AIRE ★★ | **20 min** | ▸ **P. 220**

Soit f la fonction numérique de variable réelle définie sur $[0\,;\pi]$ par :

$$f(x) = -1 + \frac{1}{2}\sin^2(x).$$

On désigne par $\mathscr{C}$ la courbe représentative de f dans un plan P rapporté à un repère orthonormé $(O;\vec{i}\,;\vec{j})$ (unité graphique : 3 cm).

1. Étudier les variations de f. Construire la courbe $\mathscr{C}$ dans le plan P.

2. a. Exprimer $f(x)$ à l'aide de $\cos(2x)$.

Voir formules de duplication vues en 1re S.

b. Calculer, en cm², l'aire de la partie du plan P limitée par la courbe $\mathscr{C}$, les deux axes de coordonnées et la droite d'équation $x = \pi$.

Voir le savoir-faire 4.

13 ALGORITHME : ENCADREMENT D'UNE INTÉGRALE | ★★ | **30 min** | ▸ **P. 221**

La fonction $f : t \mapsto e^{-t^2}$ n'a pas de primitive explicite. Or la connaissance de $F(x) = \displaystyle\int_0^x e^{-t^2}\,dt$ est très utile en probabilités. On va donc, dans cet exercice, écrire un algorithme associant au réel x un encadrement de $F(x)$.

Le principe de l'encadrement est la méthode des rectangles.

Prenons $x = 2$. Nous cherchons à obtenir un encadrement de $F(2)$.

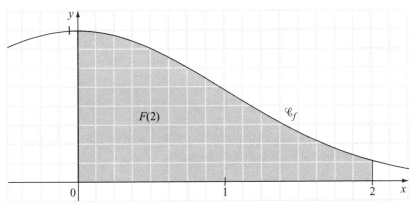

Dans le graphique ci-dessous, les rectangles ont pour base $[a\,;a+h]$ et pour hauteur $f(a)$. L'aire totale ainsi obtenue donne une approximation par excès de $F(2)$.

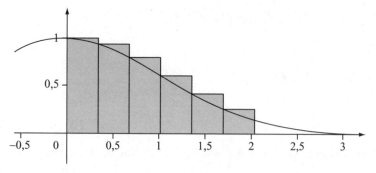

Dans le graphique ci-dessous, les rectangles ont pour base $[a\,;\,a+h]$ et pour hauteur $f(a+h)$. L'aire totale ainsi obtenue donne une approximation par défaut de $F(2)$.

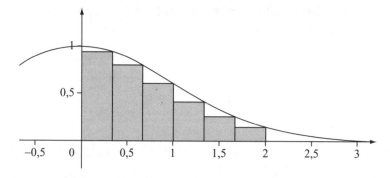

Plus le nombre de rectangles augmente et meilleure est l'approximation.

Soit x un réel positif et n un entier, $n \geqslant 1$. On veut obtenir n rectangles identiques dont les bases recouvrent l'intervalle $[0\,;\,x]$.

1. Exprimer, en fonction de n et de x, la largeur h de chaque rectangle.

2. On cherche, dans cette question, à approximer $F(x)$ par excès.

a. Exprimer, en fonction de n et de x, l'aire des trois premiers rectangles (on suppose $n \geqslant 3$), et celle du dernier rectangle.

b. En déduire que la somme des aires des rectangles est égale à :

$$\frac{x}{n} \times \left[f(0) + f\left(\frac{x}{n}\right) + f\left(2 \times \frac{x}{n}\right) + ... + f\left((n-1) \times \frac{x}{n}\right) \right]$$

c. Écrire un algorithme qui, aux valeurs de x et de n, associe la valeur approchée par excès obtenue par la méthode des rectangles.

Entrer l'expression de f dans la fonction numérique F_1 et utiliser la fonction « pour k allant de ... à ... ».

3. Exprimer en fonction de x et de n la somme des aires des rectangles (approximation de $F(x)$ par défaut).

4. Écrire un algorithme qui, aux valeurs de x et de n, associe l'encadrement de $F(x)$ donné par la méthode des rectangles.

5. Pour $x = 2$, tester cet algorithme pour des valeurs de n de plus en plus grandes, puis en déduire une valeur approchée à 10^{-2} près de $\int_0^2 e^{-t^2}\,dt$.

14   AVEC UN LOGICIEL DE CALCUL FORMEL | ★★ | **25 min** | ▶ **P. 222** |

On considère la fonction B définie sur $]0\,;+\infty[$ par $B(x) = 10 \times \dfrac{1 + \ln x}{x}$.

Sur un logiciel de calcul formel, on entre les commandes suivantes, et le logiciel renvoie les réponses notées en-dessous :

(Commande) B(x) : = 10*((1+ln(x))/x)

(Réponse 1) $x \to 10*\left(\dfrac{1 + \ln x}{x}\right)$

(Commande) dériver(B(x),x)

(Réponse 2) $\dfrac{10}{x^2} + \dfrac{10*(1 + \ln(x))*(-1)}{x^2}$

(Commande) résoudre(B(x) = 0,x)

(Réponse 3) [exp(−1)]

(Commande) résoudre(B(x) > 0,x)

(Réponse 4) $\left[x > \exp(-1)\right]$

(Commande) maximum(B(x), [exp(−1) ;10])

(Réponse 5) 10

(Commande) intégrer(B(x),x)

(Réponse 6) 5*ln(x)*(ln(x) + 2)

1.a. Traduire sur le graphique ci-dessous, illustrant la courbe représentative de la fonction B, les réponses 3, 4 et 5 renvoyées par le logiciel de calcul formel.

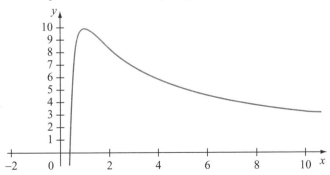

b. Justifier la réponse 3 renvoyée par le logiciel de calcul formel.

2. Retrouver par le calcul le maximum de la fonction B.

3. a. Vérifier que la réponse 6 donnée par le logiciel est bien une primitive de la fonction B.

b. Calculer $\displaystyle\int_1^4 B(x)\,dx$ en fonction de ln(2) puis en donner une valeur approchée à 10^{-3} près.

c. Interpréter graphiquement ce résultat et l'illustrer sur le graphique.

15 CALCUL DE VOLUMES ★★ | 45 min | ▶P. 224

Le calcul intégral permet de calculer le volume d'un solide.

On se place dans un repère orthonormé de l'espace et on admet le résultat suivant :

Soit un solide limité par les plans d'équations $z = a$ et $z = b\,(a < b)$.

Pour tout $t \in [a \;;\; b]$, on note $S(t)$ l'aire de la section du solide par le plan d'équation $z = t$.

Si la fonction S est continue sur $[a \;;\; b]$, alors le volume du solide est donné par :

$$V = \int_a^b S(t)\,dt.$$

◢ Voir le chapitre 8.

1. On considère le cylindre de révolution d'axe (Oz) de rayon $R = 3$ et de hauteur $h = 10$.

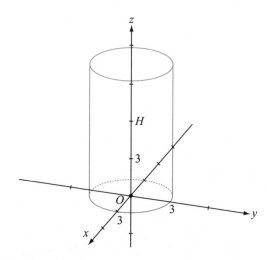

a. Déterminer l'aire $S(t)$ de l'intersection du cylindre avec le plan perpendiculaire à (Oz) passant par $H(0,0,t)$, pour $t \in [0 \;; 10]$.

◢ Quelle est la nature de cette intersection ?

b. Calculer le volume V_1 du cylindre, exprimé en unités de volume.

2. On considère le cône de révolution d'axe (Oz) de hauteur $h = 8$, de sommet O et dont la base a pour rayon $R = 3$.

a. Dessiner l'intersection du cône avec le plan (yOz).

b. Soit H$(0\,;\,0;\,t)$ avec $t \in [0\,;\,8]$. Représenter H sur le dessin précédent.

c. Déterminer l'aire $S(t)$ de l'intersection du cône avec le plan perpendiculaire à (Oz) passant par H.

◢ Quelle est la nature de cette intersection ? Il faut ensuite exprimer son rayon en fonction de t, en raisonnant dans le plan (yOz) (s'aider du dessin !).

d. Calculer le volume V_2 du cône, exprimé en unités de volume.

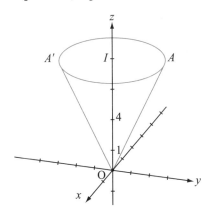

3. On considère la sphère de centre O et de rayon $R = 5$.

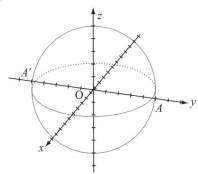

a. Déterminer l'aire $S(t)$ de l'intersection du cône avec le plan perpendiculaire à (Oz) passant par H$(0,0,t)$, $t \in [-5\,;\,5]$.

◢ Quelle est la nature de cette intersection ? Il faut ensuite exprimer son rayon en fonction de t, en raisonnant dans le plan (yOz), et à l'aide du théorème de Pythagore (s'aider d'un dessin !)

b. Calculer le volume V_3 de la sphère, exprimé en unités de volume.

EXERCICES D'APPROFONDISSEMENT

16 INTÉGRATION PAR PARTIES ★★ | 35 min | ▸ P. 225

1. Soient u et v deux fonctions dérivables sur un même intervalle I, continues et telles que leurs dérivées soient continues sur cet intervalle.

a. Rappeler la dérivée du produit de fonctions $u \times v$.

b. Démontrer que, pour tous réels a et b de l'intervalle I :

$$\int_a^b u'(x) \times v(x)\, dx = \left[u(x) \times v(x)\right]_a^b - \int_a^b u(x) \times v'(x)\, dx.$$

Cette méthode s'appelle l'intégration par parties.

2. Application.

Calculer, à l'aide d'intégration(s) par parties :

a. $I = \displaystyle\int_1^e x \ln(x) dx$. On posera ici $u'(x) = x$ et $v(x) = \ln(x)$.

◢ Commencer par choisir une primitive u de la fonction $u' : x \mapsto x$ et calculer v'.

b. $I = \displaystyle\int_1^2 x e^x dx$. On posera ici $u'(x) = e^x$ et $v(x) = x$.

◢ Que se passe-t-il si l'on pose $u(x) = e^x$ et $v'(x) = x$?

c. $I = \displaystyle\int_0^\pi x^2 \sin(x)\, dx$.

◢ On pourra faire deux intégrations par parties successives.

d. Soit $x > 0$. $F(x) = \displaystyle\int_1^x \ln(t) dt$. On posera ici $u'(t) = 1$ et $v(t) = \ln(t)$.

17 PARITÉ ET PÉRIODICITÉ ★★ | 10 min | ▸ P. 226

1. Soit f une fonction continue sur $\mathbb{R}$ et soit a un réel positif. On suppose de plus que f est paire. Exprimer $\displaystyle\int_{-a}^a f(x) dx$ en fonction de $\displaystyle\int_0^a f(x) dx$.

◢ La courbe représentative, dans un repère orthogonal, d'une fonction paire est symétrique par rapport à l'axe des ordonnées (pour tout x, $f(-x) = f(x)$).

2. Soit f une fonction continue sur $\mathbb{R}$ et soit a un réel positif. On suppose de plus que f est impaire. Calculer $\displaystyle\int_{-a}^a f(x) dx$.

◢ La courbe représentative, dans un repère orthogonal, d'une fonction impaire est symétrique par rapport à l'origine O du repère (pour tout x, $f(-x) = -f(x)$).

3. Soit f une fonction définie et continue sur $\mathbb{R}$ telle que f soit périodique de période T $(T > 0)$. Démontrer que pour tout réel a, $\displaystyle\int_a^{a+T} f(x)\mathrm{d}x = \int_0^T f(x)\mathrm{d}x$.

Soit F une primitive de f sur $\mathbb{R}$.
Montrer que la fonction H définie sur $\mathbb{R}$ par $H(x) = F(x+T) - F(x)$ est constante.

CONTRÔLE

18 **VRAI OU FAUX ?** | ★★ | **15 min** | ▶P. 227

1. Si f est une fonction continue sur un intervalle I et $a \in I$ alors pour tout $x \in I$, $f(x) = \displaystyle\int_a^x f(t)\mathrm{d}t + f(a)$.

2. Si f est une fonction continue sur $[a\,;\,b]$ telle que $\displaystyle\int_a^b f(x)\,\mathrm{d}x = 0$, alors f est nulle sur $[a\,;\,b]$.

3. Soit u une fonction continue et dérivable sur $[a\,;\,b]$ telle que u' soit continue sur cet ensemble, alors $\displaystyle\int_a^b \mathrm{e}^{u(x)} \times u'(x)\mathrm{d}x = \int_{u(a)}^{u(b)} \mathrm{e}^t\mathrm{d}t$.

4. La suite (S_n) définie, pour tout $n \in \mathbb{N}$, par $S_n = \displaystyle\int_0^1 x^n \mathrm{e}^{-x}\mathrm{d}x$ est croissante.

19 **SOMMES DE TERMES** | ★★★ | **45 min** | ▶P. 227

1. a. Montrer que tout réel x différent de (-1) vérifie l'égalité :
$$1 - x + x^2 - x^3 + \ldots + (-1)^{n-1}x^{n-1} = \frac{1}{1+x} - \frac{(-x)^n}{1+x}.$$

Reconnaître dans le premier membre de l'égalité une somme de termes consécutifs d'une suite géométrique.

b. En déduire l'égalité $\displaystyle\int_0^1 \frac{(-x)^n}{1+x}\mathrm{d}x = \ln 2 - \left[1 - \frac{1}{2} + \frac{1}{3} - \ldots + \frac{(-1)^{n-1}}{n}\right]$.

2. a. Montrer, pour tout entier naturel n différent de zéro et pour tout x élément de $[0\,;1]$, la double inégalité $-x^n \leqslant \dfrac{(-x)^n}{1+x} \leqslant x^n$.

Distinguer les cas n pair et n impair.

b. En déduire les inégalités, $-\dfrac{1}{n+1} \leqslant \displaystyle\int_0^1 \frac{(-x)^n}{1+x}\mathrm{d}x \leqslant \frac{1}{n+1}$; et la limite, quand n tend vers $+\infty$ de la suite : $U_n = 1 - \dfrac{1}{2} + \dfrac{1}{3} - \ldots + \dfrac{(-1)^{n-1}}{n}$.

CONTRÔLE

20 PROBLÈME ⎢ ★★ ⎢ **45 min** ⎢ ▶ P. 229 ⎢

Partie A

1. On considère la fonction f définie sur l'intervalle $[0 ; +\infty[$ par :
$$f(x) = \ln\left(1 + e^{-2x}\right).$$

a. Déterminer la limite de f en $+\infty$.

b. Étudier le sens de variation de f.

2. Pour tout $x \in [0 ; +\infty[$, on pose $F(x) = \int_0^x \ln(1 + e^{-2t})\,dt$. On ne cherchera pas à calculer $F(x)$.

a. Soit x_0 un réel strictement positif. Donner une interprétation géométrique de $F(x_0)$.

b. Étudier le sens de variation de F sur l'intervalle $[0 ; +\infty[$.

3. Soit a un réel strictement positif.

a. Montrer que, pour tout t appartenant à l'intervalle $[1 ; 1+a]$, $\dfrac{1}{1+a} \leqslant \dfrac{1}{t} \leqslant 1$.

b. En intégrant entre 1 et $1+a$ les membres de l'inégalité ci-dessus, établir que :
$$\frac{a}{1+a} \leqslant \ln\left(1+a\right) \leqslant a.$$

4. Soit x un réel strictement positif. Déduire de la question **3.** que :
$$\int_0^x \frac{e^{-2t}}{1 + e^{-2t}}\,dt \leqslant F(x) \leqslant \int_0^x e^{-2t}\,dt.$$

5. a. Calculer les deux intégrales de l'inégalité ci-dessus en fonction de x.

b. On admet que la limite de $F(x)$, lorsque x tend vers $+\infty$ existe et est un nombre réel noté λ. Établir que $\dfrac{1}{2}\ln 2 \leqslant \lambda \leqslant \dfrac{1}{2}$.

Partie B

1. Pour tout entier naturel n, on pose $u_n = \int_n^{n+1} \ln(1 + e^{-2t})\,dt$.

a. Montrer que, pour tout entier naturel n, $0 \leqslant u_n \leqslant \ln\left(1 + e^{-2n}\right)$.

◢ On pourra utiliser le sens de variations de la fonction f.

b. Déterminer la limite de la suite (u_n).

2. Pour tout entier naturel n, on pose $S_n = u_0 + u_1 + \ldots + u_n$.

a. Exprimer S_n en fonction de F et n.

b. La suite (S_n) est-elle convergente ? Dans l'affirmative, donner sa limite.

CORRIGÉS

$\boxed{1}$ 1. $F(x) = 3x + c,\ c \in \mathbb{R}$;   2. $F(x) = -x^2 + x + c,\ c \in \mathbb{R}$;

3. $F(x) = -\dfrac{x^3}{3} + \dfrac{3x^2}{2} + x + c,\ c \in \mathbb{R}$;

4. $F(x) = 2x^6 - \dfrac{x^4}{2} + \dfrac{x^3}{2} + x + c,\ c \in \mathbb{R}.$

◢ On dérivera toujours la primitive trouvée pour vérifier qu'elle correspond bien à l'énoncé.

$\boxed{2}$ 1. $F(x) = 2\ln|x| + c = \mathbf{2\ln x + c},\ c \in \mathbb{R}$ car $x > 0$ sur I.

2. $F(x) = \ln|x| + c = \mathbf{\ln(-x) + c},\ c \in \mathbb{R}$ car $x < 0$ sur I.

3. $F(x) = \dfrac{1}{3}\ln|3x+2| + c = \dfrac{\mathbf{1}}{\mathbf{3}}\mathbf{\ln(3x+2) + c},\ c \in \mathbb{R}$ (car $3x + 2 > 0$ sur I).

4. $F(x) = \dfrac{1}{2}\mathbf{\ln(x^2 + 1) + c},\ c \in \mathbb{R}$ (car $x^2 + 1 > 0$ sur $\mathbb{R}$).

5. $F(x) = \dfrac{1}{3}\mathbf{e}^{3x+1} + \mathbf{c},\ c \in \mathbb{R}.$ 6. $F(x) = \dfrac{\mathbf{1}}{\mathbf{2}}\mathbf{e}^{x^2} + \mathbf{c},\ c \in \mathbb{R}.$

7. $F(x) = \mathbf{6\sqrt{x} + c},\ c \in \mathbb{R}.$

8. On recherche une primitive du type $\sqrt{u}$ avec $u(x) = x^2 + x + 1$.

◢ $u(x) > 0$ sur $\mathbb{R}$ car $\Delta = -3$.

$$\left(\sqrt{u(x)}\right)' = \frac{2x+1}{2\sqrt{x^2 + x + 1}},\ \text{donc on déduit que :}$$

$$F(x) = -3\sqrt{x^2 + x + 1} + c,\ c \in \mathbb{R}.$$

9. Sur $]-\infty\,;5[$, $5 - x > 0$, donc on cherche une primitive du type $\ln(5 - x)$.

$\left(\ln(5-x)\right)' = -\dfrac{1}{5-x}$, donc $F(x) = -\mathbf{\ln(5 - x) + c},\ c \in \mathbb{R}.$

10. Sur $\mathbb{R}^*$ $\left(e^{\frac{1}{x}}\right)' = -\dfrac{1}{x^2}e^{\frac{1}{x}}$, donc $F(x) = -e^{\frac{1}{x}} + c,\ c \in \mathbb{R}.$

$\boxed{3}$ 1. $J_1 = \left[\sin(x)\right]_0^\pi = \sin\pi - \sin 0 = 0 - 0 = \mathbf{0}$;

2. $J_2 = \left[-\cos(x)\right]_0^\pi = 1 - (-1) = \mathbf{2}$;

3. $J_3 = \left[-\dfrac{\cos(2x)}{2}\right]_0^{\frac{\pi}{4}} = 0 - \left(-\dfrac{1}{2}\right) = \dfrac{\mathbf{1}}{\mathbf{2}}$;

4. $J_4 = \left[\dfrac{\sin(3x)}{3}\right]_0^{\frac{\pi}{3}} = 0 - 0 = \mathbf{0}.$

$\boxed{4}$ 1. $I_1 = \left[3x\right]_{-1}^{2} = 6 - (-3) = \mathbf{9}$;

2. $I_2 = \left[-\dfrac{5}{2}x^2 + x\right]_0^5 = -\dfrac{125}{2} + 5 - 0 = -\dfrac{\mathbf{115}}{\mathbf{2}}$;

3. $I_3 = \dfrac{1}{2}\left[\dfrac{(2x+1)^3}{3}\right]_0^2 = \dfrac{5^3}{6} - \dfrac{1}{6} = \dfrac{\mathbf{62}}{\mathbf{3}}$;

4. $I_4 = \dfrac{1}{-6}\left[\dfrac{1}{(2x+1)^3}\right]_0^2 = -\dfrac{1}{6\times125} + \dfrac{1}{6} = \dfrac{124}{750} = \dfrac{\mathbf{62}}{\mathbf{375}}$.

5. Il suffit de tracer la courbe représentative de $E(x)$ sur $[-2\,;\,5]$. On obtient 7 rectangles, dont un rectangle plat, et on voit que $\displaystyle\int_{-2}^{5} E(x)\mathrm{d}x = -2 - 1 + 1 + 2 + 3 + 4 = \mathbf{7}$.

6. Pour I_6, si on pose $u(x) = x^2 + 6x + 9$, alors $u'(x) = 2x + 6$, mais on ne retrouve pas une expression de ce type dans I_6. Il faut donc chercher à mettre u sous la forme d'un carré d'une expression du premier degré.
En effet, $x^2 + 6x + 9 = (x+3)^2$, d'où :

$$I_6 = \int_0^1 \dfrac{1}{x^2 + 6x + 9}\mathrm{d}x = \int_0^1 \dfrac{1}{(x+3)^2}\,\mathrm{d}x = \left[\dfrac{-1}{x+3}\right]_0^1 = -\dfrac{1}{4} + \dfrac{1}{3} = \dfrac{\mathbf{1}}{\mathbf{12}}.$$

7. $I_7 = \displaystyle\int_0^{\frac{\pi}{4}} \dfrac{\sin(x)}{\cos(x)}\,\mathrm{d}x = \left[-\ln\left|\cos(x)\right|\right]_0^{\frac{\pi}{4}} = -\ln\dfrac{\sqrt{2}}{2} + \ln(1)$.

$I_7 = -(\ln(\sqrt{2}) - \ln 2) = -\left(\dfrac{\ln 2}{2} - \ln 2\right) = \dfrac{\mathbf{\ln 2}}{\mathbf{2}}$.

8. $I_8 = \displaystyle\int_0^1 \dfrac{2x+1}{x^2 + x + 1}\,\mathrm{d}x = \left[\ln\left|x^2 + x + 1\right|\right]_0^1$.

$x^2 + x + 1$ est toujours positif car $\Delta = -3$, donc :
$$I_8 = \left[\ln(x^2 + x + 1)\right]_0^1 = \ln(3) - \ln(1) = \mathbf{\ln 3}.$$

9. $I_9 = \dfrac{1}{2}\displaystyle\int_e^{e^2} 2\ln x \times \dfrac{1}{x}\mathrm{d}x = \dfrac{1}{2}\left[(\ln x)^2\right]_e^{e^2} = \dfrac{2^2 - 1^2}{2} = \dfrac{\mathbf{3}}{\mathbf{2}}$.

Il fallait remarquer que si on pose $u(x) = \ln(x)$, alors $u'(x) = \dfrac{1}{x}$ et donc $\dfrac{\ln(x)}{x}$ est du type $u'u$.

10. $I_{10} = \displaystyle\int_e^{e^2} \dfrac{1}{x\ln(x)}\,\mathrm{d}x = \left[\ln(|\ln x|)\right]_e^{e^2} = \ln 2 - \ln 1 = \mathbf{\ln 2}$.

Ici, $\dfrac{1}{x\ln(x)}$ est du type $\dfrac{u'}{u}$.

11. $I_{11} = \displaystyle\int_0^1 e^{2x+1}\mathrm{d}x = \dfrac{1}{2}\left[e^{2x+1}\right]_0^1 = \dfrac{\mathbf{e^3 - e}}{\mathbf{2}}$.

12. $I_{12} = \int_0^{\ln(3)} \dfrac{e^x}{(e^x+1)^2} dx = -\left[\dfrac{1}{e^x+1}\right]_0^{\ln 3} = -\dfrac{1}{4} + \dfrac{1}{2} = \dfrac{\mathbf{1}}{\mathbf{4}}.$

◢ Ici, $\dfrac{e^x}{(e^x+1)^2}$ est du type $\dfrac{u'}{u^2}$.

$\boxed{5}$ 1. $f(1) = \int_1^1 \ln t \, dt = \mathbf{0}.$

2. Sur $]1 \,; +\infty[$, $x > 1$, donc pour tout $t \in]1 \,; x[$, $\ln(t) > 0$ sur $]1 ; +\infty[$ et l'intégrale d'une fonction positive sur un intervalle est positive, donc :

$$\int_0^x f(t) \, dt \geqslant \int_2^x f(t) \, dt.$$

Sur $]0 \,; 1[$, $x < 1$, donc pour tout $t \in]x \,; 1[$, $\ln(t) < 0$ et l'intégrale d'une fonction négative sur un intervalle est négative, donc $\int_x^1 \ln t \, dt < 0$.

De plus, $f(x) = -\int_x^1 \ln t \, dt$, donc $\mathbf{f(x) > 0}$ sur $]0 \,; 1[$.

3. Pour tout $x > 0$, $\mathbf{f'(x) = \ln(x)}$ d'après le cours **III.1**.

4.

x	0		1		$+\infty$
$f'(x)$		$-$	0	$+$	
$f(x)$			0		

0 étant le minimum de $f(x)$, et f étant strictement décroissante sur $]0 \,; 1[$, et strictement croissante sur $]1 \,; +\infty[$, on retrouve bien le résultat du **2.**

5. Pour tout $x > 0$, $G'(x) = 1 \times \ln(x) + x \times \dfrac{1}{x} - 1 = \mathbf{\ln(x)}.$

6. On en déduit que G est une primitive de $\ln(x)$. Or $f(x) = \int_1^x \ln t \, dt$ est la primitive de $\ln(x)$ qui s'annule en 1 d'après le cours **III.1**. Donc il existe un réel c tel que $G(x) = f(x) + c$.

$G(1) = -1$ donc $c = -1 \Leftrightarrow f(x) = G(x) + 1$ pour tout $x > 0$. D'où :

a. $f(e) = e\ln(e) - e + 1 = e \times 1 - e + 1 = \mathbf{1}.$

b. $\lim\limits_{x \to 0^+} x\ln(x) = 0$, donc $\lim\limits_{x \to 0^+} \mathbf{f(x) = 1}.$

c. $f(x) = x(\ln(x) - 1)$; or $\lim\limits_{x \to +\infty} \ln(x) - 1 = +\infty$, donc $\lim\limits_{x \to +\infty} \mathbf{f(x) = +\infty}.$

$\boxed{6}$ 1. $\dfrac{1}{5}\int_0^5 x^2 dx = \dfrac{1}{5}\left[\dfrac{x^3}{3}\right]_0^5 = \dfrac{\mathbf{25}}{\mathbf{3}}.$

2. $\dfrac{1}{\pi}\int_0^\pi \sin(x) dx = \dfrac{1}{\pi}\left[-\cos(x)\right]_0^\pi = \dfrac{\mathbf{2}}{\boldsymbol{\pi}}.$

3. $\dfrac{1}{2\pi}\int_0^{2\pi} \sin(x) dx = \dfrac{1}{2\pi}\left[-\cos(x)\right]_0^{2\pi} = \mathbf{0}.$

4. $\int_0^1 e^x dx = \left[e^x\right]_0^1 = \mathbf{e-1}.$

7 1. $v'(t) = a(t) = -9,81$, donc $v(t) = -9,81\,t + c = -9,81\,t$ car $v(0) = \mathbf{0}$.

$y'(t) = v(t)$, donc $y(t) = -9,81\,\dfrac{t^2}{2} + c'$ avec $y(0) = 15$ d'où $c' = 15$ et :

$$y(t) = -4,905\,t^2 + 15.$$

O étant le fonds du puits, $y(0) = 15$ car, au départ, la bille est en haut du puits et que $\vec{j}$ pointe vers le haut.

2. $y(t_0) = 0$, donc $-4,905\,t_0^2 + 15 = 0$ soit $t_0 = \sqrt{\dfrac{15}{4,905}} \approx \mathbf{1,75}$ **(secondes).**

8 1. Pour tout $x > 0$, $F_1'(x) = 1 \times \big(\ln(x) - 1\big) + x \times \dfrac{1}{x} = \ln(x) - 1 + 1 = \mathbf{ln(x)}$.

2. L'aire $\mathscr{A}(a\ ;\ b)$ comprise entre $\mathscr{C}_{\ln}$, l'axe des abscisses et les droites d'équation $x = a$ et $x = b$, a et b étant deux réels strictement positifs tels que $a < b$ est égale à $\displaystyle\int_a^b \ln(x)\mathrm{d}x$, là où la fonction ln est positive, ce qui est le cas sur $]1\ ;\ +\infty[$, donc si $1 < a < b$:

$$\mathscr{A}(a\ ;\ b) = \int_a^b \ln(x)\mathrm{d}x.$$

Là où la fonction ln est négative, c'est-à-dire sur $]0\ ;\ 1[$, donc si $a < b < 1$:

$$\mathscr{A}(a\ ;\ b) = -\int_a^b \ln(x)\mathrm{d}x.$$

Enfin, il faut découper la zone en intervalles sur lesquels la fonction est de signe constant si la fonction ln change de signe, donc si $a < 1 < b$:

$$\mathscr{A}(a\ ;\ b) = -\int_a^1 \mathbf{ln(x)dx} + \int_1^b \mathbf{ln(x)dx}.$$

3. a. F_1 est une primitive de la fonction ln, donc :
- si $1 < a < b$: $\mathscr{A}(a\ ;\ b) = \displaystyle\int_a^b \mathbf{ln(x)dx} = F_1(b) - F_1(a)$;

C'est la propriété du cours, III.4.

- si $a < b < 1$, $\mathscr{A}(a\ ;\ b) = -\displaystyle\int_a^b \mathbf{ln(x)dx} = F_1(a) - F_1(b)$;
- si $a < 1 < b$:

$$\mathscr{A}(a\ ;\ b) = -\int_a^1 \ln(x)\mathrm{d}x + \int_1^b \ln(x)\mathrm{d}x = -\big(F_1(1) - F_1(a)\big) + F_1(b) - F_1(1)$$

$$= F_1(b) + F_1(a) - 2F_1(1) = \mathbf{F_1(b) + F_1(a) + 2}.$$

b. D'où l'algorithme suivant, écrit sur Algobox :

1	**VARIABLES**
2	a EST_DU_TYPE NOMBRE
3	b EST_DU_TYPE NOMBRE
4	c EST_DU_TYPE NOMBRE
5	**DEBUT_ALGORITHME**
6	LIRE a
7	LIRE b

```
8        SI (a<1 ET b<1) ALORS
9           DEBUT_SI
10          c PREND_LA_VALEUR a*(log(a)-1)-b*(log(b)-1)
11          AFFICHER "A="
12          AFFICHER c
13          FIN_SI
14       SI (a<1 ET b>1) ALORS
15          DEBUT_SI
16          c PREND_LA_VALEUR b*(log(b)-1)+a*(log(a)-1)+2
17          AFFICHER "A="
18          AFFICHER c
19          FIN_SI
20       SI (a>1 ET b>1) ALORS
21          DEBUT_SI
22          c PREND_LA_VALEUR b*(log(b)-1)-a*(log(a)-1)
23          AFFICHER "A="
24          AFFICHER c
25          FIN_SI
26       FIN_ALGORITHME
```

9 **Partie A**

1. g **est la primitive de** f **qui s'annule en 0.**

2. a. f est positive sur $[0\,;2]$, donc $g(2) = \int_0^2 f(t)\,dt$ **est égale à l'aire comprise entre les droites d'équation** $x = 0$, $x = 2$, **l'axe des abscisses et la courbe représentant** f.

b. Sur $[0\,;2]$, f est positive, donc $0 \leqslant g(2)$.

De plus, le maximum de f sur cet intervalle est égal à $1 + e^{-2}$,

donc pour tout $t \in [0\,;2]$, $f(t) \leqslant 1 + e^{-2}$,

d'où $\int_0^2 f(t)\,dt \leqslant \int_0^2 (1 + e^{-2})\,dt$ par croissance de l'intégrale,

soit $g(2) \leqslant 2 \times (1 + e^{-2})$.

Or, $1 + e^{-2} \approx 1,135 < 1,25$, d'où $g(2) \leqslant \mathbf{2,5}$.

3. a. Si $x > 2$, alors $\int_0^x f(t)\,dt = \int_0^2 f(t)\,dt + \int_2^x f(t)\,dt = g(2) + \int_2^x f(t)\,dt$,

donc d'après le **2. b**, $\int_0^x f(t)\,dt \geqslant \int_2^x f(t)\,dt$.

Or, si $t > 2$, d'après le tableau de variation, $f(t) \geqslant 1$,

donc $\int_2^x f(t)\,dt \geqslant \int_2^x 1\,dt$, soit $\int_2^x f(t)\,dt \geqslant \big[t\big]_2^x$,

soit donc $\int_0^x f(t)\,dt \geqslant x - 2$.

Ainsi $g(x) \geqslant x - 2$.

b. D'après le **a.**, $\lim\limits_{x \to +\infty} g(x) \geqslant \lim\limits_{x \to +\infty} (x-2)$, mais $x - 2$ tend vers $+\infty$ quand x tend vers $+\infty$, donc par comparaison, $\lim\limits_{x \to +\infty} g(x) = +\infty$.

4. $g(x) = \int_0^x f(t)\,dt$, donc $g'(x) = f(x)$. D'après le tableau de variation de f, on déduit son signe, et donc les variations de g sur $\mathbb{R}$:

x	$-\infty$	0	$+\infty$
$g'(x) = f(x)$	$-$	0	$+$
$g(x)$			

Partie B

1. a. Pour tout $t \in \mathbb{R}$, $h'(t) = 1 \times e^{-t} + t \times (-e^{-t}) = (1-t)e^{-t}$.

b. On en déduit qu'une primitive de f est définie sur $\mathbb{R}$ par :

$$F(t) = -h(t) + t = -t\,e^{-t} + t.$$

2. Comme g est aussi une primitive de f, il existe $c \in \mathbb{R}$ tel que $g(x) = F(x) + c$. Or, g est la primitive de f qui s'annule en 0, et $F(0) = 0$, donc :

$$g(x) = -xe^{-x} + x = x(1 - e^{-x}).$$

3. $\lim\limits_{x \to -\infty} e^{-x} = \lim\limits_{x \to +\infty} e^{X} = +\infty$, donc on en déduit que $\lim\limits_{x \to -\infty}(1 - e^{-x}) = -\infty$ et donc :

$$\lim\limits_{x \to -\infty} g(x) = +\infty.$$

10 **1.** Pour tout $x \neq -2$:

$$\frac{a}{x+2} + \frac{b}{(x+2)^2} + \frac{cx+d}{x^2+1} = \frac{a(x+2)(x^2+1) + b(x^2+1) + (cx+d)(x+2)^2}{(x+2)^2(x^2+1)}$$

$$= \frac{(a+c)x^3 + (2a+b+4c+d)x^2 + (a+4c+4d)x + 2a+b+4d}{(x+2)^2(x^2+1)}.$$

D'où $f(x) = \dfrac{a}{x+2} + \dfrac{b}{(x+2)^2} + \dfrac{cx+d}{x^2+1}$

$\Leftrightarrow \dfrac{2x^3 + 7x^2 + 5x + 3}{(x^2+1)(x+2)^2}$

$$= \frac{(a+c)x^3 + (2a+b+4c+d)x^2 + (a+4c+4d)x + 2a+b+4d}{(x+2)^2(x^2+1)}$$

$$\Leftrightarrow \begin{cases} 2 = a+c \\ 2a+b+4c+d = 7 \\ a+4c+4d = 5 \\ 2a+b+4d = 3 \end{cases} \qquad \Leftrightarrow \begin{cases} 2 = a+c \\ a+4c+4d = 5 \\ 2a+b+4d = 3 \\ 2a+b+4c+d = 7 \end{cases}$$

$$\Leftrightarrow \begin{cases} c = 2-a \\ 4d = 3a-3 \\ b = -5a+6 \\ 2a-5a+6+8-4a+\dfrac{3a}{4}-\dfrac{3}{4} = 7 \end{cases} \Leftrightarrow \begin{cases} c = 2-a \\ d = \dfrac{3a}{4} - \dfrac{3}{4} \\ b = -5a+6 \\ a = 1 \end{cases} \Leftrightarrow \begin{cases} c = 1 \\ d = 0 \\ b = 1 \\ a = 1 \end{cases}.$$

Donc, pour tout $x \neq -2$, $f(x) = \dfrac{1}{x+2} + \dfrac{1}{(x+2)^2} + \dfrac{x}{x^2+1}$.

2. Les primitives de $\dfrac{1}{x+2}$ sont $\ln(|x+2|)+c$, $c \in \mathbb{R}$; celles de $\dfrac{1}{(x+2)^2}$ sont $-\dfrac{1}{x+2}+c'$, $c' \in \mathbb{R}$; celles de $\dfrac{x}{x^2+1}$ sont $\dfrac{1}{2} \times \ln(|x^2+1|)+c''$, $c'' \in \mathbb{R}$ (mais x^2+1 est toujours positif). Par conséquent :

une primitive de f sur $]-2\,;+\infty[$ est :

$$x \mapsto \ln(x+2) - \dfrac{1}{x+2} + \dfrac{1}{2}\ln(x^2+1) + c, c \in \mathbb{R} ;$$

une primitive de f sur $]-\infty\,;-2[$ est :

$$x \mapsto \ln(-x-2) - \dfrac{1}{x+2} + \dfrac{1}{2}\ln(x^2+1) + c, c \in \mathbb{R}.$$

11 1. • $\cos x = \sin x \Leftrightarrow \cos(x) = \cos\left(\dfrac{\pi}{2}-x\right) \Leftrightarrow (x = \dfrac{\pi}{2}-x+2k\pi,$

$k \in \mathbb{Z}$ ou $x = -\left(\dfrac{\pi}{2}-x\right)+2k\pi$, $k \in \mathbb{Z})$

$$\Leftrightarrow x = \dfrac{\pi}{4}+k\pi, k \in \mathbb{Z} \text{ ou } 0 = -\dfrac{\pi}{2}+2k\pi, k \in \mathbb{Z} \text{ (impossible)}$$

Les solutions dans $[0\,;2\pi]$ de l'équation $\cos x = \sin x$ sont donc :

$$\dfrac{\pi}{4} \text{ et } \dfrac{\pi}{4}+\pi = \dfrac{5\pi}{4}.$$

• La fonction $x \mapsto \cos(x) - \sin(x)$ est continue sur $[0\,;2\pi]$. Elle est donc de signe constant sur chacun des intervalles sur lesquels elle ne s'annule pas.

Ainsi, sur $\left[0\,;\dfrac{\pi}{4}\right[$, $\cos(x) - \sin(x)$ est du signe de $\cos(0) - \sin(0) = 1$.

Donc $\cos x - \sin x$ est strictement positif sur $\left[0\,;\dfrac{\pi}{4}\right[$ et $\cos x > \sin(x)$ sur $\left[0\,;\dfrac{\pi}{4}\right[$.

2. a. $I(a) - J(a) = \displaystyle\int_0^a \dfrac{\cos x - \sin x}{\cos x - \sin x}\,\mathrm{d}x = \int_0^a 1\,\mathrm{d}x = [x]_0^a = a.$

$$I(a) + J(a) = \int_0^a \dfrac{\cos x}{\cos x - \sin x}\,\mathrm{d}x + \int_0^a \dfrac{\sin x}{\cos x - \sin x}\,\mathrm{d}x = \int_0^a \dfrac{\cos x + \sin x}{\cos x - \sin x}\,\mathrm{d}x,$$

$$= -\int_0^a \dfrac{u'(x)}{u(x)}\,\mathrm{d}x, \text{ où } u(x) = \cos x - \sin x, \text{ d'où :}$$

$$I(a) + J(a) = -\Big[\ln|\cos x - \sin x|\Big]_0^a = -\big[\ln(\cos x - \sin x)\big]_0^a$$

(car $\cos x - \sin x$ est strictement positif sur $\left[0\,;\dfrac{\pi}{4}\right[$).

Donc $I(a) + J(a) = -\ln(\cos a - \sin a) + \ln(1)$;

$$\mathbf{I(a) + J(a) = -\ln(\cos a - \sin a).}$$

b. $\begin{cases} I(a)+J(a) = -\ln(\cos a - \sin a) \\ I(a)-J(a) = a \end{cases} \Leftrightarrow \begin{cases} a+2J(a) = -\ln(\cos a - \sin a) \\ I(a) = a+J(a) \end{cases}$

$$\Leftrightarrow \begin{cases} J(a) = \dfrac{-\ln(\cos a - \sin a) - a}{2} \\[2mm] I(a) = \dfrac{-\ln(\cos a - \sin a) + a}{2} \end{cases}.$$

c. $\lim\limits_{a \to \frac{\pi}{4}}(\cos a - \sin a) = 0^+$, donc $\lim\limits_{a \to \frac{\pi}{4}} -\ln(\cos a - \sin a) = +\infty$.

Donc $I(a)$ et $J(a)$ tendent vers $+\infty$ quand a tend vers $\dfrac{\pi}{4}$.

$\boxed{12}$ 1. f est dérivable sur $[0\,;\pi]$ et pour tout x réel :

$$f'(x) = \frac{1}{2} \times 2\cos(x) \times \sin(x) = \cos(x)\sin(x).$$

$\sin(x) > 0$ sur $[0\,;\pi]$; $\cos(x) > 0$ sur $\left]0\,;\dfrac{\pi}{2}\right[$ et $\cos(x) < 0$ sur $\left]\dfrac{\pi}{2}\,;\pi\right[$.

Donc $f'(x)$ est strictement positif sur $\left]0\,;\dfrac{\pi}{2}\right[$ et strictement négatif sur $\left]\dfrac{\pi}{2}\,;\pi\right[$.

Donc f est strictement croissante sur $\left]0\,;\dfrac{\pi}{2}\right[$ et strictement décroissante sur $\left]\dfrac{\pi}{2}\,;\pi\right[$.

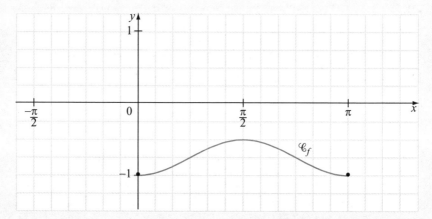

2. a. Pour tout réel a, $\cos(2a) = 1 - 2\sin^2 a$, d'où $\sin^2(a) = \dfrac{1 - \cos(2a)}{2}$.

Donc pour tout $x \in [0\,;\pi]$, $f(x) = -1 + \dfrac{1}{2} \times \dfrac{1 - \cos(2x)}{2} = \dfrac{-4}{4} + \dfrac{1 - \cos(2x)}{4}$

$$f(x) = \dfrac{-3 - \cos(2x)}{4}.$$

b. $f(x) = -1 + \dfrac{1}{2}\sin^2(x)$ avec $\dfrac{1}{2}\sin^2(x) \leqslant \dfrac{1}{2}$, donc $f(x) \leqslant -\dfrac{1}{2}$, donc f est négative sur $[0\,;\pi]$.

L'aire cherchée est donc égale à :

$$-\int_0^\pi f(x)dx = -\int_0^\pi \frac{-3-\cos(2x)}{4}dx = -\left[-\frac{3x}{4}-\frac{\sin(2x)}{8}\right]_0^\pi = +\frac{3\pi}{4}(cm^2).$$

$\boxed{13}$ 1. L'intervalle $[0\,;x]$ a pour étendue $x-0=x$, donc en découpant cette étendue en n morceaux de même longueur, on obtient la largeur h des rectangles :

$$h = \frac{x}{n}.$$

2. a. L'aire du premier rectangle est $h \times f(0) = \frac{x}{n} \times e^{-0^2} = \frac{x}{n}$.

Le 2e rectangle va de l'abscisse h à l'abscisse $h+h=2h$ et sa hauteur est $f(h)$, donc l'aire est $h \times f(h) = \frac{x}{n} \times f\left(\frac{x}{n}\right)$.

Le 3e rectangle va de l'abscisse $2h$ à l'abscisse $3h$, et sa hauteur est $f(2h)$, donc l'aire est $\frac{x}{n} \times f\left(\frac{2x}{n}\right)$.

Le dernier rectangle va de l'abscisse $(n-1)h$ à l'abscisse $nh=x$ et sa hauteur est $f((n-1)h)$, donc l'aire est $\frac{x}{n} \times f\left[(n-1)\times\frac{x}{n}\right]$.

b. La somme des aires des rectangles est donc :

$$S = \frac{x}{n} + \frac{x}{n} \times f\left(\frac{x}{n}\right) + \frac{x}{n} \times f\left(\frac{2x}{n}\right) + ... + \frac{x}{n} \times f\left[(n-1)\times\frac{x}{n}\right]$$

$$S = \frac{x}{n} \times \left(f(0) + f\left(\frac{x}{n}\right) + f\left(2\times\frac{x}{n}\right) + ... + f\left[(n-1)\times\frac{x}{n}\right]\right).$$

c. Pour k allant de 1 à n, il faut calculer l'aire des rectangles, puis les ajouter au fur et à mesure. La somme finale appelée S sera un majorant de l'aire sous la courbe. Cela donne, sous Algobox :

```
1       VARIABLES
2         x EST_DU_TYPE NOMBRE
3         n EST_DU_TYPE NOMBRE
4         S EST_DU_TYPE NOMBRE
5         k EST_DU_TYPE NOMBRE
6       DEBUT_ALGORITHME
7         LIRE x
8         LIRE n
9         S PREND_LA_VALEUR 0
10        POUR k ALLANT_DE 1 A n
11          DEBUT_POUR
12          S PREND_LA_VALEUR S+x/n*F1((k-1)*x/n)
13          FIN_POUR
14        AFFICHER "un majorant de l'aire cherchée est"
15        AFFICHER S
16      FIN_ALGORITHME
17
18      Fonction numérique utilisée :
19      F1(x)=exp(-x*x)
```

▶ • Il vaut mieux initialiser la valeur de S à 0, sinon on prend le risque qu'à chaque fois que l'algorithme sera lancé, il reprenne la valeur de S calculée précédemment.

• x^2 doit être écrit $x * x$.

3. La largeur des rectangles est toujours $h = \dfrac{x}{n}$, mais leur hauteur est maintenant $f\left(\dfrac{x}{n}\right)$ pour le premier rectangle, $f\left(2 \times \dfrac{x}{n}\right)$ pour le 2e, $f\left(3 \times \dfrac{x}{n}\right)$ pour le 3e, ..., $f\left(n \times \dfrac{x}{n}\right) = f(x)$ pour le dernier. Ce qui donne une somme des aires égale à :

$$\frac{x}{n} \times \left(f\left(\frac{x}{n}\right) + f\left(2 \times \frac{x}{n}\right) + f\left(3 \times \frac{x}{n}\right) + ... + f\left(n \times \frac{x}{n}\right) \right).$$

4.

```
1      VARIABLES
2        x EST_DU_TYPE NOMBRE
3        n EST_DU_TYPE NOMBRE
4        k EST_DU_TYPE NOMBRE
5        S1 EST_DU_TYPE NOMBRE
6        S2 EST_DU_TYPE NOMBRE
7      DEBUT_ALGORITHME
8        LIRE x
9        LIRE n
10       S1 PREND_LA_VALEUR 0
11       S2 PREND_LA_VALEUR 0
12       POUR k ALLANT_DE 1 A n
13         DEBUT_POUR
14           S1 PREND_LA_VALEUR S1+x/n*F1((k-1)*x/n)
15           S2 PREND_LA_VALEUR S2+x/n*F1(k*x/n)
16         FIN_POUR
17       AFFICHER "un majorant de l'aire cherchée est"
18       AFFICHER S1
19       AFFICHER "un minorant de l'aire cherchée est"
20       AFFICHER S2
21
22     FIN_ALGORITHME
23
24     Fonction numérique utilisée :
25     F1(x)=exp(-x*x)
```

5. Pour $n = 200$, on obtient S1 $\approx 0,886$ et S2 $\approx 0,877$, et l'amplitude de cet encadrement est S1−S2 $\approx 0,009 < 10^{-2}$. **Une valeur approchée à 10^{-2} près de** $\displaystyle\int_0^2 e^{-t^2} dt$ **est donc 0,88.**

14 **1. a.** Il s'agit de mettre en valeur la valeur de x pour laquelle $B(x) = 0$, c'est-à-dire le point d'intersection de la courbe avec l'axe des abscisses, puis l'intervalle $]e^{-1} ; +\infty[$ sur l'axe des abscisses (en pointillés sur le dessin). Et enfin, le maximum de B qu'on fera apparaître sous la forme d'une tangente horizontale.

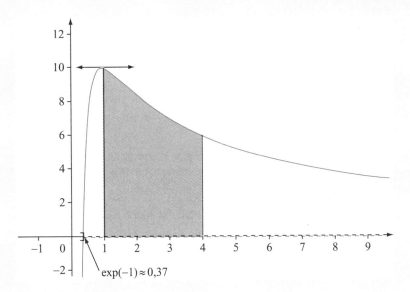

exp$(-1) \approx 0,37$

b. $B(x) = 0 \Leftrightarrow 10 \times \dfrac{1 + \ln x}{x} = 0$

$\Leftrightarrow 1 + \ln(x) = 0 \text{ car } x > 0$

$\Leftrightarrow \ln(x) = -1.$

$B(x) = 0 \Leftrightarrow x = e^{-1}.$

2. Pour tout $x \in \ ]0 \ ; +\infty[$, $B'(x) = 10 \times \dfrac{\dfrac{1}{x} \times x - (1 + \ln x)) \times 1}{x^2} = 10 \times \dfrac{\ln(x)}{x^2}.$

⬛ Il s'agit de la même réponse que celle donnée par le logiciel, mais qui n'avait pas été simplifiée.

$$B'(x) = 0 \Leftrightarrow \ln(x) = 0 \Leftrightarrow x = 1.$$

De plus, B' est du signe de $\ln(x)$, donc négatif si $x < 1$ et positif si $x > 1$, donc B est croissante sur $\ ]0 \ ; 1]$, décroissante sur $[1 \ ; +\infty[$, et elle atteint un maximum pour $x = 1$.
Ce maximum vaut $B(1) = 10 \times \dfrac{1 + \ln(1)}{1}.$

$$B(1) = 10.$$

3. a. Dérivons la fonction F donnée par le logiciel :

$$F(x) = 5\ln(x)\big(\ln(x) + 2\big).$$

$F'(x) = 5\left(\dfrac{1}{x}(\ln(x) + 2) + \ln(x)\dfrac{1}{x} \right) = 5 \times \dfrac{2\ln(x) + 2}{x} = B(x).$

Donc F est bien une primitive de B.

b. $\int_1^4 B(x)\,dx = [F(x)]_1^4 = F(4) - F(1) = 5\ln(4)(\ln(4)+2) - 0$

$\qquad\qquad = 5\ln(4)(\ln(4)+2) - 0$

$B(x)\,dx = 20\ln(2) \times (\ln(2)+1) \approx$ **23,472 unités d'aire.**

c. **Cette intégrale est l'aire en unités d'aire du domaine colorié en bleu sur le graphique, compris entre les droites d'équations $x = 1$, $x = 4$, l'axes des abscisses, et la courbe.**

$\boxed{15}$ 1. a. L'intersection du cylindre avec le plan perpendiculaire à (Oz) passant par H est un disque de rayon R = 3 centré sur l'axe (Oz). **Pour tout $t \in [0\,;10]$, $S(t) = \pi \times 3^2 = 9\pi$.**

b. $V_1 = \int_0^{10} S(t)\,dt = \int_0^{10} 9\pi\,dt$, donc $V_1 = $ **$90\pi \approx$ 282,74 unités de volume.**

2. a. et b. Dans le plan (yOz), la section du cône est le triangle OAA', où A(0 ; 3 ; 8) et A'(0 ; −3 ; 8).

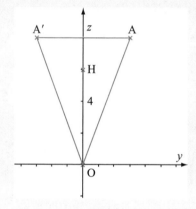

c. Le plan d'équation $z = t$ est un plan parallèle à la base du cône, donc l'intersection du cône avec ce plan est un disque de centre H.

Notons I le milieu de [AA'] et H' le point d'intersection de (OA) avec la parallèle à (IA) passant par H.

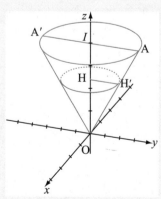

Considérons les triangles OIA et OHH'. Les droites (IA) et (HH') étant parallèles,

le théorème de Thalès permet d'affirmer que $\dfrac{HH'}{IA} = \dfrac{OH}{OI}$.

On en déduit que $HH' = \dfrac{OH \times IA}{OI} = \dfrac{t \times 3}{8}$.

D'où, **pour tout** $t \in [0\,;8]$, $S(t) = \pi \times HH'^2 = \pi \times \dfrac{9t^2}{64}$.

d. $V_2 = \displaystyle\int_0^8 \pi \times \dfrac{9t^2}{64}\mathrm{d}t = \dfrac{9\pi}{64} \times \displaystyle\int_0^8 t^2\mathrm{d}t = \dfrac{9\pi}{64} \times \left[\dfrac{t^3}{3}\right]_0^8 = \dfrac{9\pi}{64} \times \left(\dfrac{8^3}{3} - 0\right) = 24\pi.$

$V_2 \approx 75,40$ unités de volume.

3. a. La section de la sphère avec le plan (yOz) est le cercle de centre O et de rayon 5.
La parallèle à l'axe (Oy) passant par H coupe le cercle en deux points : notons H'
celui dont l'ordonnée y est positive.

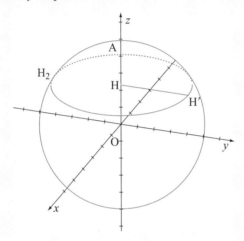

La section de la sphère avec le plan perpendiculaire à (Oz) passant par H est un
cercle de rayon HH'.

Le théorème de Pythagore appliqué au triangle rectangle OHH' permet d'affirmer
que $HH' = \sqrt{5^2 - t^2}$ (OH' = 5 car c'est un rayon de la sphère et OH = t).
D'où, pour tout $t \in [-5\,;5]$, $S(t) = \pi \times HH'^2 = \pi(25 - t^2).$

b. $V_3 = \displaystyle\int_{-5}^5 \pi(25 - t^2)\mathrm{d}t = \displaystyle\int_{-5}^5 25\pi\mathrm{d}t - \displaystyle\int_{-5}^5 \pi t^2\mathrm{d}t = 250\pi - \pi\displaystyle\int_{-5}^5 t^2\mathrm{d}t$

$$= 250\pi - \pi \times \left[\dfrac{t^3}{3}\right]_{-5}^5 = 250\pi - \dfrac{250}{3}\pi.$$

$V_3 = 500\,\dfrac{\pi}{3} \approx 523,60$ unités de volume.

16 **1. a. La dérivée du produit** $u \times v$ **est** $u' \times v + u \times v'.$
b. On sait que si F est une primitive de la fonction continue f :

$$\int_a^b f(t)\mathrm{d}t = \Big[F(t)\Big]_a^b = F(b) - F(a).$$

Or, $u \times v$ est une primitive de la fonction $u' \times v + u \times v'$. D'où :

$$\left[u(x) \times v(x)\right]_a^b = \int_a^b (u'(x) \times v(x) + u(x) \times v'(x))\, dx$$

$$= \int_a^b u'(x) \times v(x)dx + \int_a^b u(x) \times v'(x)dx.$$

D'où : $\int_a^b u'(x) \times v(x)dx = \left[u(x) \times v(x)\right]_a^b - \int_a^b u(x) \times v'(x)dx.$

2. a. On peut poser $u(x) = \dfrac{x^2}{2}$ (qui est bien une primitive de la fonction $x \mapsto x$), et :

$$v'(x) = \frac{1}{x}.$$

$$I = \int_1^e x\ln(x)dx = \left[\frac{x^2}{2} \times \ln(x)\right]_1^e - \int_1^e \frac{x^2}{2} \times \frac{1}{x}\, dx = \frac{e^2}{2} - \left[\frac{x^2}{4}\right]_1^e = \frac{e^2+1}{4}.$$

b. $I = \int_1^2 xe^x dx = \left[xe^x\right]_1^2 - \int_1^2 e^x dx = 2e^2 - e - e^2 + e = e^2.$

Si l'on pose $u'(x) = x$ et $v(x) = e^x$, on peut poser $u(x) = \dfrac{x^2}{2}$ (qui est bien une primitive de la fonction $x \mapsto x$), et on a $v'(x) = e^x$.

L'intégration par parties donne alors $I = \left[\dfrac{x^2}{2}e^x\right]_1^2 - \int_1^2 \dfrac{x^2}{2}e^x dx$. Ce résultat n'est pas exploitable car nous ne connaissons pas de primitive de $\dfrac{x^2}{2}e^x$.

c. Posons $u'(x) = \sin(x)$ et $v(x) = x^2$. Alors on peut poser $u(x) = -\cos(x)$ (qui est bien une primitive de la fonction sinus), et $v'(x) = 2x$.

$$I = \int_0^\pi x^2 \sin(x)\, dx = \left[-x^2\cos(x)\right]_0^\pi - \int_0^\pi -\cos(x)2x\, dx = \pi^2 + \int_0^\pi \cos(x)2x\, dx.$$

On pose ensuite deux nouvelles fonctions u et v : $u'(x) = \cos(x)$ et $v(x) = 2x$; alors $u(x) = \sin(x)$ et $v'(x) = 2$.

$$I = \pi^2 + \left(\left[2x\sin(x)\right]_0^\pi - \int_0^\pi \sin(x) \times 2\, dx\right) = \pi^2 + 0 - 2\left[-\cos(x)\right]_0^\pi = \pi^2 - 4.$$

d. $F(x) = \left[t\ln(t)\right]_1^x - \int_1^x t\frac{1}{t}dt$, d'où :

$$F(x) = x\ln(x) - x + 1.$$

17 **1.** $\int_{-a}^a f(x)dx = \int_{-a}^0 f(x)dx + \int_0^a f(x)dx.$ Or, f étant une fonction paire, $\mathcal{C}_f$ est symétrique par rapport à l'axe des ordonnées, donc $\int_{-a}^0 f(x)dx = \int_0^a f(x)dx$ et :

$$\int_{-a}^a f(x)dx = 2\int_0^a f(x)dx.$$

2. f étant une fonction impaire, $\mathcal{C}_f$ est symétrique par rapport au point O, donc :

$$\int_{-a}^0 f(x)dx = -\int_0^a f(x)dx \text{ et } \int_{-a}^a f(x)dx = 0.$$

3. f est périodique de période T, donc pour tout $x \in \mathbb{R}$, $f(x+T) = f(x)$.

On définit la fonction H sur $\mathbb{R}$ par $H(x) = F(x+T) - F(x)$, où F est une primitive de f sur $\mathbb{R}$.

H est dérivable sur $\mathbb{R}$ et $H'(x) = F'(x+T) - F'(x) = f(x+T) - f(x) = 0$.

Donc H est constante sur $\mathbb{R}$.

Donc, pour tout $a \in \mathbb{R}$, $H(a) = H(0)$ c'est-à-dire :

$$\int_a^{a+T} f(x)\mathrm{d}x = \int_0^T f(x)\mathrm{d}x.$$

18 **1. Faux.** f étant continue sur I avec a et $x \in I$, $\int_x^a f(t)\mathrm{d}t = F(x) - F(a)$, (où F est une primitive de f sur I), soit :

$$F(x) = \int_x^a f(t)\mathrm{d}t + F(a).$$

2. Faux si f n'est pas de signe constant.

Par exemple $\displaystyle\int_{-1}^1 x\,\mathrm{d}x = \left[\frac{x^2}{2}\right]_{-1}^1 = 1 - 1 = 0.$

3. Vrai. $\displaystyle\int_a^b \mathrm{e}^{u(x)} \times u'(x)\,\mathrm{d}x = \left[\mathrm{e}^{u(x)}\right]_a^b = \mathrm{e}^{u(b)} - \mathrm{e}^{u(a)},$

et $\displaystyle\int_{u(a)}^{u(b)} \mathrm{e}^t\mathrm{d}t = \left[\mathrm{e}^x\right]_{u(a)}^{u(b)} = \mathrm{e}^{u(b)} - \mathrm{e}^{u(a)},$

donc $\displaystyle\int_a^b \mathrm{e}^{u(x)} \times u'(x)\,\mathrm{d}x = \int_{u(a)}^{u(b)} \mathrm{e}^t\mathrm{d}t.$

4. Faux. Soit $n \in \mathbb{N}$,

$S_{n+1} - S_n = \displaystyle\int_0^1 x^{n+1}\mathrm{e}^{-x}\mathrm{d}x - \int_0^1 x^n\mathrm{e}^{-x}\mathrm{d}x = \int_0^1 (x^{n+1}\mathrm{e}^{-x} - x^n\mathrm{e}^{-x})\mathrm{d}x$

$S_{n+1} - S_n = \displaystyle\int_0^1 (x^{n+1} - x^n)\mathrm{e}^{-x}\mathrm{d}x = \int_0^1 x^n\mathrm{e}^{-x}(x-1)\mathrm{d}x.$

Or pour tout $x \in [0\,;1[$, $x^n\mathrm{e}^{-x} \geqslant 0$ et $(x-1) \leqslant 0$, donc la fonction $x \mapsto x^n\mathrm{e}^{-x}(x-1)$ est négative ou nulle sur $[0\,;1]$.

D'où $\displaystyle\int_0^1 x^n\mathrm{e}^{-x}(x-1)\mathrm{d}x \leqslant 0$ et $S_{n+1} \leqslant S_n$.

Donc la suite (S_n) est décroissante.

19 **1. a.** Soit $x \neq -1$,

$1 - x + x^2 - x^3 + \ldots + (-1)^{n-1} x^{n-1} = 1 + (-x) + (-x)^2 + (-x)^3 + \ldots + (-x)^{n-1}.$

Il s'agit de la somme des termes de la suite géométrique de raison $-x$ et de premier

terme 1, donc elle est égale à $\dfrac{1 - (-x)^n}{1 - (-x)} = \dfrac{1 - (-x)^n}{1 + x}$ d'où :

$$1 - x + x^2 - x^3 + \ldots + (-1)^n x^{n-1} = \frac{1}{1+x} - \frac{(-x)^n}{1+x}.$$

b. $\dfrac{(-x)^n}{1+x} = \dfrac{1}{1+x} - (1 - x + x^2 - x^3 + \ldots + (-1)^{n-1} x^{n-1})$ donc :

$$\int_0^1 \frac{(-x)^n}{1+x}\, \mathrm{d}x = \int_0^1 \frac{1}{1+x} - (1 - x + x^2 + x^3 + \ldots + (-1)^{n-1} x^{n-1})\mathrm{d}x$$

$$= \left[\ln\,(1+x)\right]_0^1 - \left[x - \frac{x^2}{2} + \frac{x^3}{3} - \frac{x^4}{4} + \ldots + (-1)^{n-1}\frac{x^n}{n}\right]_0^1$$

$$\int_0^1 \frac{(-x)^n}{1+x}\mathrm{d}x = \ln 2 - \left(1 - \frac{1}{2} + \frac{1}{3} - \frac{1}{4} + \ldots + \frac{(-1)^{n-1}}{n}\right).$$

2. a. Soit $x \in [0\,;\,1]$ et $n \in \mathbb{N}^*$.

Si n est pair, alors $(-x)^n = x^n$.

Or, $1 \leqslant 1 + x \Rightarrow 1 \geqslant \dfrac{1}{1+x} \Rightarrow x^n \geqslant \dfrac{x^n}{1+x}$ (car $x^n \geqslant 0$) d'où :

$0 \leqslant \dfrac{x^n}{1+x} \leqslant x^n$, et donc $-x^n \leqslant \dfrac{(-x)^n}{1+x} \leqslant x^n$.

Si n est impair, alors $(-x)^n = -x^n$.

Or, $1 \leqslant 1 + x \Rightarrow 1 \geqslant \dfrac{1}{1+x} \Rightarrow x^n \geqslant \dfrac{x^n}{1+x}$ (car $x^n \geqslant 0$) $\Rightarrow -x^n \leqslant \dfrac{-x^n}{1+x}$, d'où :

$-x^n \leqslant \dfrac{-x^n}{1+x} \leqslant 0 \leqslant x^n$, soit $-x^n \leqslant \dfrac{(-x)^n}{1+x} \leqslant x^n$.

Finalement, pour tout $x \in [0\,;1]$ et $n \in \mathbb{N}^*$:

$$-x^n \leqslant \frac{(-x)^n}{1+x} \leqslant x^n.$$

b. On en déduit (croissance de l'intégrale) que :

$$\int_0^1 -x^n\mathrm{d}x \leqslant \int_0^1 \frac{(-x)^n}{1+x}\, \mathrm{d}x \leqslant \int_0^1 x^n\mathrm{d}x$$

$$\left[-\frac{x^{n+1}}{n+1}\right]_0^1 \leqslant \int_0^1 \frac{(-x)^n}{1+x}\, \mathrm{d}x \leqslant \left[\frac{x^{n+1}}{n+1}\right]_0^1$$

$$-\frac{1}{n+1} \leqslant \int_0^1 \frac{(-x)^n}{1+x}\mathrm{d}x \leqslant \frac{1}{n+1}.$$

De plus, $\displaystyle\int_0^1 \frac{(-x)^n}{1+x}\mathrm{d}x = \ln 2 - \left(1 - \frac{1}{2} + \frac{1}{3} - \frac{1}{4} + \ldots + \frac{(-1)^{n-1}}{n}\right) = \ln 2 - U_n$ d'où :

$$U_n = \ln 2 - \int_0^1 \frac{(-x)^n}{1+x}\mathrm{d}x.$$

Or $-\dfrac{1}{n+1} \leqslant \displaystyle\int_0^1 \frac{(-x)^n}{1+x}\mathrm{d}x \leqslant \dfrac{1}{n+1}$ avec $\displaystyle\lim_{n\to+\infty} -\frac{1}{n+1} = \lim_{n\to+\infty}\frac{1}{n+1} = 0.$

Donc d'après le théorème des gendarmes, $\displaystyle\lim_{n\to+\infty}\int_0^1 \frac{(-x)^n}{1+x}\mathrm{d}x = 0.$

D'où $\displaystyle\lim_{n\to+\infty} U_n = \ln 2 - 0 = \ln 2.$

20 **Partie A**

1. a. $\lim\limits_{x \to +\infty} -2x = -\infty$, donc $\lim\limits_{x \to +\infty} 1 + e^{-2x} = 1$, d'où $\lim\limits_{x \to +\infty} \ln(1 + e^{-2x}) = 0$.

b. Pour tout $x \in [0\,;\,+\infty[$, $f'(x) = \dfrac{-2e^{-2x}}{1 + e^{-2x}}$. Or $e^{-2x} > 0$ quel que soit x, donc $1 + e^{-2x} > 0$ et $-2e^{-2x} < 0$. Ainsi $f'(x)$ est strictement négative, et **f est strictement décroissante sur $[0\,;\,+\infty[$.**

2. a. Pour tout $x \in]0\,;\,+\infty[$, $e^{-2x} > 0$, donc $1 + e^{-2x} > 1$ et $\ln\left(1 + e^{-2x}\right) > 0$.

Donc $F(x_0) = \displaystyle\int_0^{x_0} \ln(1 + e^{-2x})\,\mathrm{d}x$ **est l'aire du domaine compris entre les droites d'équation $x = 0$, $x = x_0$, l'axe des abscisses, et la courbe représentant la fonction f.**

b. La fonction f étant positive sur $[0\,;\,x_0]$, quel que soit le réel strictement positif x_0, l'intégrale de 0 à x_0 correspond à un domaine de plus en plus grand lorsque x_0 augmente, donc l'aire considérée augmente. Autrement dit, **F est strictement croissante sur $[0\,;\,+\infty[$.**

3. a. La fonction inverse étant strictement décroissante sur $[1\,;\,1+a]$, l'ordre des images de nombres de cet intervalle par cette fonction est inversé.
$1 \leqslant t \leqslant 1+a$, d'où :

$$\frac{1}{1+a} \leqslant \frac{1}{t} \leqslant 1.$$

b. Par croissance de l'intégrale,

$$\int_1^{1+a} \frac{1}{1+a}\,\mathrm{d}t \leqslant \int_1^{1+a} \frac{1}{t}\,\mathrm{d}t \leqslant \int_1^{1+a} 1\,\mathrm{d}t \iff \frac{1}{1+a}\left(1 + a - 1\right) \leqslant \left[\ln(t)\right]_1^{1+a} \leqslant 1 + a - 1$$

$$\iff \frac{a}{1+a} \leqslant \ln(1+a) \leqslant a.$$

4. Posons $a = e^{-2t}$, alors l'inégalité obtenue ci-dessus donne :

$$\frac{e^{-2t}}{1 + e^{-2t}} \leqslant \ln(1 + e^{-2t}) \leqslant e^{-2t}$$

puis en l'intégrant entre 0 et x :

$$\int_0^x \frac{e^{-2t}}{1 + e^{-2t}}\,\mathrm{d}t \leqslant F(x) \leqslant \int_0^x e^{-2t}\,\mathrm{d}t.$$

5. a. $\displaystyle\int_0^x \frac{e^{-2t}}{1 + e^{-2t}}\,\mathrm{d}t = -\frac{1}{2}\int_0^x \frac{-2e^{-2t}}{1 + e^{-2t}}\,\mathrm{d}t$: on reconnaît sous l'intégrale une fonction du type $\dfrac{u'}{u}$ où $u(t) = 1 + e^{-2t}$ est strictement positive.

Donc $\displaystyle\int_0^x \frac{e^{-2t}}{1 + e^{-2t}}\,\mathrm{d}t = -\frac{1}{2}\left[\ln(1 + e^{-2t})\right]_0^x = -\frac{1}{2}\ln(1 + e^{-2x}) + \frac{1}{2}\ln(1 + e^0).$

$$\int_0^x \frac{e^{-2t}}{1 + e^{-2t}}\,\mathrm{d}t = \frac{1}{2}\ln(2) - \frac{1}{2}\ln(1 + e^{-2x}).$$

$$\int_0^x e^{-2t} dt = -\frac{1}{2} \int_0^x -2e^{-2t} dt = -\frac{1}{2} \left[e^{-2t} \right]_0^x \text{ d'où :}$$

$$\int_0^x e^{-2t} dt = -\frac{1}{2} \left(e^{-2x} - 1 \right) = \frac{1}{2} (1 - e^{-2x}).$$

b. $\lim\limits_{x \to +\infty} (-2x) = -\infty$ donc $\lim\limits_{x \to +\infty} (e^{-2x}) = 0$, d'où :

$$\lim\limits_{x \to +\infty} \left(\frac{1}{2} \ln(2) - \frac{1}{2} \ln(1 + e^{-2x}) \right) = \frac{1}{2} \ln(2) - \frac{1}{2} \ln(1) = \frac{1}{2} \ln(2)$$

et $\lim\limits_{x \to +\infty} \frac{1}{2} (1 - e^{-2x}) = \frac{1}{2}$.

Les trois membres de l'inégalité du **4.** ont une limite, et d'après le théorème des gendarmes, on en déduit que :

$$\lim\limits_{x \to +\infty} \int_0^x \frac{e^{-2t}}{1 + e^{-2t}} dt \leqslant \lim\limits_{x \to +\infty} F(x) \leqslant \lim\limits_{x \to +\infty} \int_0^x e^{-2t} dt$$

$$\lim\limits_{x \to +\infty} \left(\frac{1}{2} \ln(2) - \frac{1}{2} \ln(1 + e^{-2x}) \right) \leqslant \lambda \leqslant \lim\limits_{x \to +\infty} -\frac{1}{2} (1 - e^{-2x}) \Leftrightarrow \frac{1}{2} \ln(2) \leqslant \lambda \leqslant \frac{1}{2}.$$

Partie B

1. a. On a démontré au **1.b.** de la **partie A** que f était strictement décroissante sur $]0\,;+\infty[$, donc pour tout entier naturel n, et pout tout $t \in [n\,;n+1]$, $f(n) \geqslant f(t) \geqslant f(n+1)$. De plus, $\lim\limits_{x \to +\infty} f(x) = 0$, d'où on déduit que f est positive sur $]0\,;+\infty[$, ce qui donne $f(n) \geqslant f(t) \geqslant 0$.

Puis en intégrant de n à $n+1$ les termes de cette inégalité :

$$\int_n^{n+1} \ln(1 + e^{-2n}) \, dt \geqslant \int_n^{n+1} \ln(1 + e^{-2t}) \, dt \geqslant 0$$

$$\ln(1 + e^{-2n}) \times 1 \geqslant u_n \geqslant 0.$$

b. D'après les calculs de limite du **5.b.**, $\lim\limits_{n \to +\infty} \ln(1 + e^{-2n}) = \ln(1) = 0$.

D'après le théorème des gendarmes, $\lim\limits_{x \to +\infty} u_n = 0$.

2. a. $S_n = u_0 + u_1 + \ldots + u_n$

$S_n = \int_0^1 \ln(1 + e^{-2t}) \, dt + \int_1^2 \ln(1 + e^{-2t}) dt + \ldots + \int_n^{n+1} \ln(1 + e^{-2t}) \, dt$, donc d'après la relation de Chasles pour les intégrales :

$$S_n = \int_0^{n+1} \ln(1 + e^{-2t}) \, dt = F(n+1).$$

b. D'après la **partie A**, la limite de F quand x tend vers $+\infty$ existe et vaut λ. **Donc la suite (S_n) est convergente et sa limite vaut** λ.

7 Nombres complexes

Dans tout ce chapitre, le plan est muni d'un repère orthonormé direct $(O ; \vec{u} ; \vec{v})$.

I ENSEMBLE DES NOMBRES COMPLEXES

1. Généralités

■ **Théorème**

Il existe un ensemble noté $\mathbb{C}$ contenant $\mathbb{R}$ tel que :
- $\mathbb{C}$ est muni d'une addition et d'une multiplication qui prolongent celles de $\mathbb{R}$ et qui vérifient les mêmes propriétés.
- Il existe un élément dans $\mathbb{C}$ noté i vérifiant $i^2 = -1$.
- Tout élément de $\mathbb{C}$ s'écrit de manière unique $a + ib$ où $(a ; b) \in \mathbb{R}^2$.

■ **Définitions**

Les éléments de $\mathbb{C}$ s'appellent nombres complexes et $\mathbb{C}$ s'appelle ensemble des nombres complexes.

■ **Vocabulaire**

Tout élément z s'écrit de manière unique sous la forme $a + ib$, où a, b sont des réels :
- cette écriture s'appelle **forme algébrique** de z.
- a s'appelle **partie réelle** de z et se note $\mathrm{Re}(z)$.
- b s'appelle **partie imaginaire** de z et se note $\mathrm{Im}(z)$.
- On dit que z est **imaginaire pur** si et seulement si $\mathrm{Re}(z) = 0$.

◢ $z \in \mathbb{R} \Leftrightarrow \mathrm{Im}(z) = 0$.
Pour tout nombre complexe z, Re(z) et Im(z) sont **des réels**.

■ **Propriété**

Deux nombres complexes sont égaux si et seulement si ils ont la même partie réelle et même partie imaginaire.

◢ En particulier, un nombre complexe est nul si et seulement si ses parties réelle et imaginaire sont nulles.

2. Interprétation géométrique

À tout nombre complexe $z = a + ib$, où $(a ; b) \in \mathbb{R}^2$, est associé le point M (respectivement le vecteur $\overrightarrow{OM}$ de coordonnées $(a ; b)$) et réciproquement.

On dit que M (respectivement $\overrightarrow{OM}$) est **l'image** de z (respectivement le vecteur image de z) et z l'**affixe** de M (resp. $\overrightarrow{OM}$). On le note z_M (resp. $z_{\overrightarrow{OM}}$).

Le plan est alors appelé **plan complexe**.

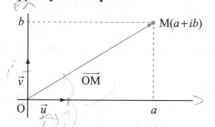

■ Propriétés :

Soient A et B deux points du plan :

- $z_{\overrightarrow{AB}} = z_B - z_A$;
- Si I est le milieu de $[AB]$: $z_I = \dfrac{z_A + z_B}{2}$.

II CONJUGUÉ D'UN NOMBRE COMPLEXE

■ Définition : soit un nombre complexe $z = a + ib$ (a et b sont réels).

On appelle **conjugué** de z le nombre complexe $\bar{z} = a - ib$.

■ Interprétation géométrique :

Soit z un nombre complexe et M le point du plan d'affixe z. Alors le point M' d'affixe $\bar{z}$ est le symétrique de M par rapport à l'axe des abscisses.

■ Propriétés

- z est réel si et seulement si $z = \bar{z}$.
- z est imaginaire pur si et seulement si $z = -\bar{z}$.
- pour tout nombre complexe z, $\bar{\bar{z}} = z$.

Pour tous nombres complexes z, z' et pour tout entier naturel n :

$$\overline{z + z'} = \bar{z} + \bar{z'} \, ; \, \overline{-z} = -\bar{z} \, ; \, \overline{z \times z'} = \bar{z} \times \bar{z'} \, ; \, \overline{z^n} = \bar{z}^n \, ;$$

$$\text{si } z \neq 0, \, \overline{\left(\frac{1}{z} \right)} = \frac{1}{\bar{z}} \text{ et } \overline{\left(\frac{z'}{z} \right)} = \frac{\bar{z'}}{\bar{z}}.$$

III MODULE ET ARGUMENT

1. Module d'un nombre complexe

■ Définition : soit $z = a + ib$ un nombre complexe (a et b réels). On appelle **module** de z et on note $|z|$ le réel $|z| = \sqrt{a^2 + b^2}$.

■ **Interprétation géométrique :** Soit z un nombre complexe et M le point du plan d'affixe z. Alors la distance OM est égale à $|z|$.

$|0| = 0$, et si z est réel $(z = a)$, alors le module de z est égal à la valeur absolue de a.

■ **Propriétés du module**

$(a+ib)(a-ib)$

$a^2 - (ib)^2$

$a^2 + b^2$

- $|z|^2 = z \times \overline{z} = a^2 + b^2$.
- $|z| = 0 \Leftrightarrow z = 0$.
- $|z \times z'| = |z| \times |z'|$ et $|z^n| = |z|^n$.
- si $z \neq 0$, $\left|\dfrac{1}{z}\right| = \dfrac{|1|}{|z|}$ et $\left|\dfrac{z'}{z}\right| = \dfrac{|z'|}{|z|}$.

2. Argument d'un nombre complexe non nul

Soit z un nombre complexe **non nul** et M le point d'affixe z.

Définition : on appelle **argument** de z toute mesure de l'angle orienté $(\vec{u} ; \overrightarrow{OM})$.

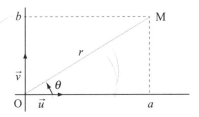

Soit θ une mesure de l'angle orienté $(\vec{u} ; \overrightarrow{OM})$. Alors $\arg(z) = \theta + 2k\pi \ (k \in \mathbb{Z})$.

- L'angle orienté $(\vec{u} ; \overrightarrow{OM})$ n'est défini que si M est distinct de O, c'est pourquoi 0 n'a pas d'argument.

- $\begin{cases} z \text{ est réel équivaut à } z=0 \text{ ou } \arg(z)=0+k\pi \ (k \in \mathbb{Z}). \\ z \text{ est imaginaire pur équivaut à } z=0 \text{ ou } \arg(z)=\dfrac{\pi}{2}+k\pi \ (k \in \mathbb{Z}). \end{cases}$

■ **Propriétés de l'argument**

Pour tous nombres complexes non nuls z, z' et tout entier naturel n :

- $\arg(z \times z') = \arg(z) + \arg(z') + 2k\pi \ (k \in \mathbb{Z})$,

  et $\arg(z^n) = n \times \arg(z) + 2k\pi \ (k \in \mathbb{Z})$.

- $\arg\dfrac{1}{z} = -\arg(z) + 2k\pi (k \in \mathbb{Z})$;

  $\arg\dfrac{z'}{z} = \arg(z') - \arg(z) + 2k\pi \ (k \in \mathbb{Z})$.

- Module et argument du conjugué de $z \in \mathbb{C}^*$:

$$|\bar{z}| = |z| \text{ et } \arg(\bar{z}) = -\arg(z) + 2k\pi \, (k \in \mathbb{Z}).$$

- Module et argument de l'opposé de $z \in \mathbb{C}^*$:

$$|-z| = |z| \text{ et } \arg(-z) = \pi + \arg(z) + 2k\pi \, (k \in \mathbb{Z}).$$

IV FORME TRIGONOMÉTRIQUE ET ÉCRITURE EXPONENTIELLE D'UN NOMBRE COMPLEXE NON NUL

1. Forme trigonométrique

Propriété : soit z un nombre complexe **non nul**.

- Si $|z| = r$ et $\arg(z) = \theta + 2k\pi \, (k \in \mathbb{Z})$, alors :

$$z = r\cos\theta + i \times r\sin\theta = r(\cos\theta + i\sin\theta).$$

- Si $z = a + ib$, avec $a, b \in \mathbb{R}$, alors $|z| = \sqrt{a^2 + b^2}$ et :

$\arg(z) = \theta + 2k\pi (k \in \mathbb{Z})$, où θ est donné par $\cos\theta = \dfrac{a}{\sqrt{a^2 + b^2}}$ et $\sin\theta = \dfrac{b}{\sqrt{a^2 + b^2}}$.

Définition : pour $z \neq 0$, l'écriture $z = r(\cos\theta + i\sin\theta)$ s'appelle **forme trigonométrique** de z.

2. Notation exponentielle

■ Pour tout réel θ, on pose $e^{i\theta} = \cos\theta + i\sin\theta$.

On adopte cette notation car la fonction $f : \theta \to \cos(\theta) + i\sin(\theta)$ vérifie l'égalité $f' = if$.

Définition : tout nombre complexe z non nul de module r et d'argument θ s'écrit $z = re^{i\theta}$: c'est l'**écriture exponentielle** de z.

■ **Règles de calcul :** Pour tous réels θ, θ', pour tout entier naturel n :

$$
\begin{aligned}
&\bullet \ e^{i(\theta + \theta')} = e^{i\theta} \times e^{i\theta'} \text{ et } \left(e^{i\theta}\right)^n = e^{in\theta}. \\[1em]
&\bullet \ \overline{\left(e^{i\theta}\right)} = e^{-i\theta} = \frac{1}{e^{i\theta}}. \\[1em]
&\bullet \ e^{i(\theta - \theta')} = \frac{e^{i\theta}}{e^{i\theta'}}.
\end{aligned}
$$

- Il s'agit des mêmes propriétés que pour les fonctions puissances et exponentielles.
- Pour effectuer des additions et des soustractions de nombres complexes, on utilise en général leur forme algébrique. Pour effectuer des multiplications et des quotients de nombres complexes non nuls, on utilise la notation exponentielle.

V ÉQUATIONS DU SECOND DEGRÉ

■ **Théorème :** l'équation $az^2 + bz + c = 0$ (où a, b et c sont réels tels que $a \neq 0$) admet pour solutions dans $\mathbb{C}$, ($\Delta = b^2 - 4ac$ est le discriminant de l'équation) :

- si $\Delta = 0$, une solution (dite double): $-\dfrac{b}{2a}$;

- si $\Delta > 0$, deux solutions réelles distinctes: $\dfrac{-b - \sqrt{\Delta}}{2a}$ et $\dfrac{-b + \sqrt{\Delta}}{2a}$;

- si $\Delta < 0$, deux solutions complexes conjuguées: $\dfrac{-b - i\sqrt{|\Delta|}}{2a}$ et $\dfrac{-b + i\sqrt{|\Delta|}}{2a}$.

VI DISTANCES ET ANGLES ORIENTÉS

Soit A et B deux points distincts du plan, alors :
- $AB = |z_B - z_A|$ et $(\vec{u} \, ; \overrightarrow{AB}) = \arg(z_B - z_A)$.

- Si C et D sont deux autres points distincts du plan, alors :

$$(\overrightarrow{AB} \, ; \overrightarrow{CD}) = \arg \frac{z_D - z_C}{z_B - z_A}.$$

Les points A, B, C étant deux à deux distincts,

- A, B et C sont alignés si, et seulement si, $\arg \dfrac{z_C - z_A}{z_B - z_A} = 0 + k\pi$ $(k \in \mathbb{Z})$.

- $(AB) \perp (AC)$ si, et seulement si, $\arg \dfrac{z_C - z_A}{z_B - z_A} = \dfrac{\pi}{2} + k\pi$ $(k \in \mathbb{Z})$.

SAVOIR-FAIRE

1. Opérations sur les nombres complexes écrits sous forme algébrique

- On effectue le produit de deux nombres complexes comme dans $\mathbb{R}$, en remplaçant i^2 par sa valeur -1.

EXEMPLE :

$$(3 + 2i)\left(5 - \frac{i}{2}\right) = 15 + 10i - \frac{3i}{2} - i^2 = 15 + \frac{17}{2}i + 1 = 16 + \frac{17}{2}i.$$

- Pour calculer l'inverse d'un nombre complexe z' ou le quotient de deux nombres complexes z et z', on multiplie numérateur et dénominateur par le conjugué $\overline{z'}$ du dénominateur, et on applique l'égalité $z'\overline{z'} = |z'|^2 = a^2 + b^2$:

si $z' = a' + ib' \neq 0$ alors $\dfrac{1}{z'} = \dfrac{\overline{z'}}{z'\overline{z'}} = \dfrac{a - ib}{a^2 + b^2}$.

et $\dfrac{z}{z'} = \dfrac{z \times \overline{z'}}{z' \times \overline{z'}} = \dfrac{(a + ib)(a' - ib')}{a^2 + b^2}$.

EXEMPLE : $\dfrac{1}{2-5i} = \dfrac{2+5i}{2^2+\left(-5\right)^2} = \dfrac{2+5i}{29}$

$$\dfrac{1}{2-5i} = \dfrac{2}{29} + \dfrac{5}{29}i.$$

Il faut toujours donner la réponse avec un dénominateur réel.

2. Résolution d'équation liant z et $\bar{z}$

On applique la propriété du cours **I.1.** : deux nombres complexes sont égaux si et seulement si ils ont même partie réelle et même partie imaginaire.

EXEMPLE : Résoudre dans $\mathbb{C}$ l'équation $iz - 3 = 2\bar{z}$.
Posons $z = a + ib$ avec a, b réels. Alors :
$$iz - 3 = 2\bar{z} \Leftrightarrow i\left(a + ib\right) - 3 = 2\left(a - ib\right)$$

$$\Leftrightarrow -b - 3 + ia = 2a - 2ib \Leftrightarrow \begin{cases} -b - 3 = 2a \text{ (même partie réelle)} \\ a = -2b \text{ (même partie imaginaire)} \end{cases}$$

$$\Leftrightarrow \ldots \Leftrightarrow \begin{cases} b = 1 \\ a = -2 \end{cases} \Leftrightarrow z = -2 + i.$$

Donc l'équation $iz - 3 = 2\bar{z}$ admet une unique solution : $z = -2 + i$.

3. Passer de la forme algébrique à la forme trigonométrique

EXEMPLE : Soit $z = \sqrt{3} - i$.
- On calcule d'abord le module de z : $|z| = \sqrt{\left(\sqrt{3}\right)^2 + 1^2} = 2$.
- On calcule ensuite $\cos\theta$ et $\sin\theta$, θ désignant un argument de z :

$$\cos\theta = \dfrac{a}{\sqrt{a^2+b^2}} = \dfrac{\sqrt{3}}{2} \text{ et } \sin\theta = \dfrac{b}{\sqrt{a^2+b^2}} = -\dfrac{1}{2}.$$

- On reconnaît une valeur remarquable de θ, et on en déduit $\arg(z)$:

$$\theta = -\dfrac{\pi}{6}, \text{ donc } \arg(z) = -\dfrac{\pi}{6} + 2k\pi\left(k \in \mathbb{Z}\right).$$

- On conclut : $z = 2\left(\cos\left(-\dfrac{\pi}{6}\right) + i\sin\left(-\dfrac{\pi}{6}\right)\right).$

4. Nature d'un triangle, d'un quadrilatère

EXEMPLE : On considère dans le repère orthonormal $(O\,;\vec{u}\,;\vec{v})$ les points A et B d'affixes $z_A = 2 + i$ et $z_B = 4 + i$. Soit M un point du plan d'affixe z. A quelle condition le triangle ABM est-il équilatéral ?
Pour déterminer z, il nous faut connaître la valeur (par exemple) du nombre complexe $\dfrac{z - z_A}{z_B - z_A}$.

Et pour connaître la valeur de $\dfrac{z - z_A}{z_B - z_A}$, il faut connaître son module et son argument.

Or $\arg\left(\dfrac{z - z_A}{z_B - z_A}\right) = (\overrightarrow{AB}\,;\overrightarrow{AM})$ et $\left|\dfrac{z - z_A}{z_B - z_A}\right| = \dfrac{AM}{AB}$ d'après le III. du cours.

D'où le raisonnement par étapes :

- **1re étape.** Interprétation des hypothèses en termes d'angles et de rapports de longueur

$$ABM \text{ est équilatéral} \iff (\overrightarrow{AB}\,;\overrightarrow{AM}) = \pm\dfrac{\pi}{3} + 2k\pi\,(k \in \mathbb{Z}) \text{ et } AB = AM$$

$$\iff (\overrightarrow{AB}\,;\overrightarrow{AM}) = \pm\dfrac{\pi}{3} + 2k\pi\,(k \in \mathbb{Z}) \text{ et } \dfrac{AB}{AM} = 1.$$

2e étape. Interprétation des hypothèses en termes de modules et d'arguments

$$ABM \text{ est équilatéral} \iff \arg\left(\dfrac{z - z_A}{z_B - z_A}\right) = \pm\dfrac{\pi}{3} + 2k\pi\,(k \in \mathbb{Z}) \text{ et } \left|\dfrac{z - z_A}{z_B - z_A}\right| = 1.$$

3e étape. Écriture exponentielle du quotient $\dfrac{z - z_A}{z_B - z_A}$.

$$ABM \text{ est équilatéral} \iff \dfrac{z - z_A}{z_B - z_A} = 1 \times e^{\frac{i\pi}{3}} \text{ ou } \dfrac{z - z_A}{z_B - z_A} = 1 \times e^{\frac{-i\pi}{3}}$$

$$\iff \dfrac{z - 2 - i}{2} = e^{\frac{i\pi}{3}} \text{ ou } \dfrac{z - 2 - i}{2} = e^{\frac{-i\pi}{3}}$$

$$\iff z = 2 + i + 2e^{\frac{i\pi}{3}} \text{ ou } z = 2 + i + 2e^{\frac{-i\pi}{3}}.$$

$e^{\frac{i\pi}{3}} = \cos\left(\dfrac{\pi}{3}\right) + i\sin\left(\dfrac{\pi}{3}\right) = \dfrac{1}{2} + i\dfrac{\sqrt{3}}{2}$ et $e^{\frac{-i\pi}{3}} = \overline{\left(e^{\frac{i\pi}{3}}\right)} = \dfrac{1}{2} - i\dfrac{\sqrt{3}}{2}$, donc :

ABM est équilatéral $\iff z = 3 + i\left(1 + \sqrt{3}\right)$ ou $z = 3 + i\left(1 - \sqrt{3}\right)$.

5. Ensembles de points

On se place dans le repère orthonormal $(O\,;\vec{u}\,;\vec{v})$ et on appelle A et B les points d'affixes a et b. Soit θ un réel.

- **L'ensemble des points M(z) tels que $\arg(z) = \theta + 2k\pi$ ($k \in \mathbb{Z}$) est la demi-droite $[OP)$ privée du point O, où P désigne le point d'affixe $e^{i\theta}$.**

En effet, $\arg(z) = \theta + 2k\pi(k \in \mathbb{Z}) \iff (\vec{u}\,;\overrightarrow{OM}) = \theta + 2k\pi(k \in \mathbb{Z})$.

- **L'ensemble des points M(z) tels que $\arg(z - a) = \theta + 2k\pi(k \in \mathbb{Z})$ est la demi-droite [AP) privée du point A, où P désigne le point d'affixe $a + e^{i\theta}$.**

En effet, $\arg(z-a) = \theta + 2k\pi\,(k \in \mathbb{Z}) \Leftrightarrow (\vec{u}\,;\overrightarrow{OM}) = \theta + 2k\pi\,(k \in \mathbb{Z})$.

- **L'ensemble des points M(z) tels que $\arg\left(\dfrac{z-a}{b}\right) = \dfrac{\pi}{2} + k\pi\,(k \in \mathbb{Z})$ est la droite passant par A et de vecteur normal $\overrightarrow{OB}$, privée du point A.**

En effet, $\arg\left(\dfrac{z-a}{b}\right) = \dfrac{\pi}{2} + k\pi\,(k \in \mathbb{Z})$

$\Leftrightarrow (\overrightarrow{OB}\,;\overrightarrow{AM}) = \dfrac{\pi}{2} + k\pi\,(k \in \mathbb{Z}) \Leftrightarrow \overrightarrow{AM} \perp \overrightarrow{OB}$.

- **L'ensemble des points M(z) tels que $\arg\left(\dfrac{z-a}{z-b}\right) = \dfrac{\pi}{2} + k\pi\ (k \in \mathbb{Z})$ est le cercle de diamètre $[AB]$ privé des points A et B.**

En effet, $\arg\left(\dfrac{z-a}{z-b}\right) = \dfrac{\pi}{2} + k\pi\ (k \in \mathbb{Z})$

$\Leftrightarrow (\overrightarrow{BM}\,;\overrightarrow{AM}) = \dfrac{\pi}{2} + k\pi\,(k \in \mathbb{Z}) \Leftrightarrow$ AMB rectangle en M.

- **Soit $k > 0$. L'ensemble des points M(z) tels que $|z-a| = k$ est le cercle de centre A et de rayon k.**

En effet, $|z-a| = k \Leftrightarrow AM = k$.

- **L'ensemble des points M(z) tels que $|z-a| = |z-b|$ est la médiatrice du segment [AB].**

En effet, $|z-a| = |z-b| \Leftrightarrow AM = BM \Leftrightarrow$ M est équidistant de A et de B.

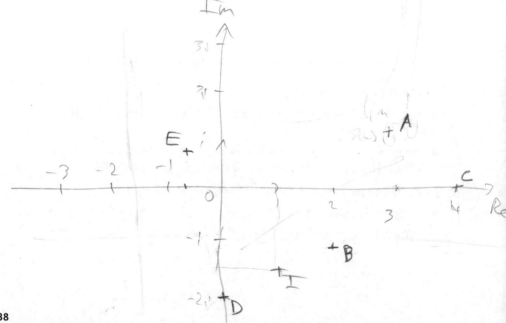

Dans tous les exercices, le plan est rapporté à un repère orthonormé direct $(O \, ; \vec{u} \, ; \vec{v})$

EXERCICES D'APPLICATION

1 FORME ALGÉBRIQUE ET OPÉRATIONS | ★ | 10 min | ▶ P. 249

1. Soient $z_1 = 1 - 5i$ et $z_2 = 2 + 3i$.
Ecrire sous forme algébrique les nombres complexes suivants :

a. $z_1 + z_2$; **b.** $z_1 \times z_2$; **c.** $\dfrac{z_1}{z_2}$; **d.** z_1^3.

◢ Voir le savoir-faire 1.

2. Résoudre dans $\mathbb{C}$ l'équation $(3 + 2i)z + 5i - 3 = 7 - i$.

2 PLAN COMPLEXE | ★★ | 15 min | ▶ P. 249

1. Placer dans le repère les points A, B, C, D et E d'affixes

$z_A = 3 + \dfrac{3}{2}i$, $z_B = 2 - i$, $z_C = 4$, $z_D = -2i$ et $z_E = -\dfrac{\sqrt{2}}{2} + i\dfrac{\sqrt{2}}{2}$.

2. Calculer l'affixe du milieu I de [BD].

3. Déterminer les affixes des points P et Q définis par :

$$\overrightarrow{AP} = 2\overrightarrow{AB} + \overrightarrow{AC} \text{ et } 3\overrightarrow{BQ} = \overrightarrow{BC}.$$

◢ Voir le cours I.2. pour les formules nécessaires aux questions 2. et 3.

3 PUISSANCES DE i | ★★ | 5 min | ▶ P. 250

1. Calculer i^2, i^3, i^4.
2. En déduire pour tout $n \in \mathbb{N}$, i^n.

◢ Distinguer les cas $n = 4p$, $n = 4p + 1$, $n = 4p + 2$, $n = 4p + 3$ avec $p \in \mathbb{N}$.

3. Que vaut i^{2012}, i^{2013} ?

4 AVEC LES CONJUGUÉS | ★★ | 20 min | ▶ P. 250

1. Montrer sans développer que $(3 + i)(2i - 10)(3 - i)(5 + i)$ est un réel.

◢ Utiliser $z\bar{z}$.

2. Calculer $\overline{z + \dfrac{2}{z} - \dfrac{2 + z}{\bar{z}}}$

◢ Voir propriété du II.

3. Déterminer les nombres complexes dont le carré est égal au conjugué.

Voir le savoir-faire 2.

5 ALGORITHME : PUISSANCES DE i | ★ | **15 min** | ▶P. 250

Cet exercice fait suite à l'exercice 2

1. Écrire un algorithme associant, à un entier positif n, le reste r de la division euclidienne de n par l'entier positif p, c'est-à-dire le reste entier obtenu lorsqu'on pose la division du nombre n par p.

On cherche le plus grand nombre de fois où p rentre dans n ; utiliser la boucle « Tant que ».

2. Écrire alors un algorithme, associant à l'entier naturel n, la valeur de i^n.

6 CALCULS DE MODULES ET ARGUMENTS | ★★ | **30 min** | ▶P. 251

Soit θ un réel.

Déterminer le module et un argument des nombres complexes suivants :

a. $z_1 = 1 + i$;   **b.** $z_2 = 2 - 2i\sqrt{3}$;   **c.** $z_3 = -\dfrac{\sqrt{3}}{2} + \dfrac{3}{2}i$;

d. $z_4 = \cos\theta - i\sin\theta$;   **e.** $z_5 = -\cos\theta + i\sin\theta$;   **f.** $z_6 = -3e^{i\theta}$.

• Voir le savoir-faire 3.

• Pour les d., e. et f., il faut utiliser les formules de trigonométrie pour retrouver une expression du type $\cos\theta' + i\sin\theta'$.

7 SECOND DEGRÉ | ★★ | **20 min** | ▶P. 252

1. Résoudre dans $\mathbb{C}$ l'équation $z^2 + 2z + 3 = 0$.

Voir le cours, V.

2. a. Résoudre dans $\mathbb{C}$ l'équation $z^2 = -z - 1$ (on notera j la solution dont la partie imaginaire est positive).

b. Sans remplacer j par son écriture algébrique, montrer que $j^3 = 1$, puis que :

$$j^2 = \frac{1}{j} = \bar{j}.$$

c. On note A le point d'affixe j et B d'affixe j^2. Quelle est la nature du triangle OAB ?

Voir le savoir-faire 4.

8 INTERPRÉTATION GRAPHIQUE DU MODULE
ET DE L'ARGUMENT | ★★ | **20 min** | ▶P. 252

Dans le plan complexe de repère orthonormal $(O \, ; \vec{u} \, ; \vec{v})$, on considère les points

A, B, C et D d'affixes respectives $2 + 3i\sqrt{3}$; $-\dfrac{\sqrt{3}}{3}i$; $-4 - 3i\sqrt{3}$; $-2 + \dfrac{\sqrt{3}}{3}i$.

1. Démontrer que le quadrilatère ABCD est un parallélogramme.

2. Démontrer que $\dfrac{z_D - z_B}{z_C - z_A}$ est un imaginaire pur. En déduire la nature du

parallélogramme ABCD.

◢ Voir le savoir-faire 4.

EXERCICES D'ENTRAÎNEMENT

9 SYSTÈMES D'ÉQUATIONS ET ÉQUATIONS
DU SECOND DEGRÉ | ★★ | **30 min** | ▶P. 253

1. Résoudre dans $\mathbb{C}$ le système d'équations :

$$\begin{cases} iz_1 - 3z_2 = -2 + 7i \\ (1 + 2i)z_1 - iz_2 = -3 + 2i \end{cases}$$

2. Résoudre dans $\mathbb{C}$ les équations suivantes, se ramenant à des équations du second degré :

a. $z^4 + 6z^2 + 25 = 0$ (on vérifiera que $(1 + 2i)^2 = -3 + 4i$).

◢ Poser $Z = z^2$.

$z^2 = z$

b. $4z^4 - 5z^3 + 9z^2 - 5z + 4 = 0$.

◢ Poser $Z = z + \dfrac{1}{z}$.

10 QCM | ★★ | **20 min** | ▶P. 254

Les assertions suivantes sont-elles vraies ou fausses ? Justifier votre réponse.

1. Diviser par i revient à multiplier par $-i$.

2. Pour tout $\theta \in [0 \, ; 2\pi[$, $\dfrac{e^{i\theta} + 1}{e^{i\theta} - 1}$ est réel.

3. On note $a = \sqrt{2 + \sqrt{2}} + i\sqrt{2 - \sqrt{2}}$

a. $a^2 = 4 + 2i\sqrt{2}$

b. $\cos\dfrac{\pi}{8} = \dfrac{\sqrt{2+\sqrt{2}}}{2}$

Partir de l'écriture exponentielle de a^2.

4. Pour tout $z \in \mathbb{C}$, $z + \overline{z} = 2\,\mathrm{Re}(z)$ et $z - \overline{z} = 2\,\mathrm{Im}(z)$.

11   ★★ | 45 min | ▶ P. 254

Déterminer l'ensemble des points M d'affixe z tel que :

1. $\arg(z) = \dfrac{\pi}{4} + 2k\pi$, $k \in \mathbb{Z}$.   2. $\arg(z - 1 + 2i) = \dfrac{\pi}{6} + 2k\pi$, $k \in \mathbb{Z}$.

3. $\arg\left(\dfrac{z - 5 + i}{z - 3 + 2i}\right) = \dfrac{\pi}{2} + k\pi$, $k \in \mathbb{Z}$.   4. $\arg(z) = \arg(\overline{z}) + 2k\pi$, $k \in \mathbb{Z}$.

5. $\arg(z) = \arg(-z) + 2k\pi$, $k \in \mathbb{Z}$.   6. $|z - 2i| = 5$.

7. $|z - 2i| = |z - 1 - i|$.   8. $z + \overline{z} = |z|^2$.

Voir le savoir-faire 5.

12   ★★ | 20 min | ▶ P. 255

Soit $a = \dfrac{\sqrt{2 + \sqrt{3}}}{2} + i\dfrac{\sqrt{2 - \sqrt{3}}}{2}$.

1. Déterminer a^2.

2. Déterminer le module et un argument de a^2.

3. En déduire les valeurs exactes de $\cos\dfrac{\pi}{12}$ et $\sin\dfrac{\pi}{12}$, puis celles de $\cos\dfrac{11\pi}{12}$ et $\sin\dfrac{11\pi}{12}$.

Utiliser les formules des angles associés vues en 1ʳᵉ S.

13   ★★ | 15 min | ▶ P. 256

Soient quatre points A, B, C, D d'affixes $z_A = -2 + 2i$, $z_B = -2 - 2i$, $z_C = -2i$, et $z_D = 4 + i$.

On construit les triangles isocèles ABM, BCN, CDP, DAQ tels que :

$$(\overrightarrow{MB}\,;\overrightarrow{MA}) = (\overrightarrow{NC}\,;\overrightarrow{NB}) = (\overrightarrow{PD}\,;\overrightarrow{PC}) = (\overrightarrow{QA}\,;\overrightarrow{QD}) = \dfrac{\pi}{2} + 2k\pi,\ k \in \mathbb{Z}.$$

On note I le milieu de $[BD]$, J celui de $[AC]$, K celui de $[MQ]$, L celui de $[NP]$.

1. Faire une figure.

2. Déterminer les affixes des points M, N, P et Q, puis de I, J, K et L et en déduire la nature du quadrilatère IJKL.

🔺 Voir savoir faire n°4.

14 ENSEMBLES DE POINTS ★★ | 30 min | ▸P. 257

Déterminer l'ensemble des points M d'affixe z tels que :

a. $|z| = z$;   **b.** $|z| = z + \bar{z}$;   **c.** $\left| \bar{z} + \dfrac{1}{3}i \right| = 3$;

d. $\arg(-z) = \dfrac{\pi}{4} + 2k\pi,\ k \in \mathbb{Z}$;   **e.** $\arg(\bar{z} + i) = \dfrac{\pi}{2} + 2k\pi,\ k \in \mathbb{Z}$.

🔺 Voir le savoir-faire 5 : il faut essayer de se ramener à une des formes $|z - a| = k$ ou $|z - a| = |z - b|$ ou $\arg(z) = \theta + 2k\pi\ (k \in \mathbb{Z})$ ou :

$$\arg\left(\frac{a - b}{c - d} \right) = \theta + 2k\pi\ (k \in \mathbb{Z}).$$

- Pour les **a.** et **b.**, comme cela ne semble pas possible d'obtenir des modules des deux côtés de l'égalité, on essaiera plutôt dans ce cas de poser $z = x + yi$ avec x et y réels.
- Pour le **c.**, on utilisera les propriétés des modules pour obtenir une des formes remarquables.
- Pour le **d.**, on utilisera les propriétés des arguments.

15 ★★ | 20 min | ▸P. 258

Soient A et B les points du plan complexe d'affixe $z_A = -1 + 3i$ et $z_B = 2 + 3i$.

1. Déterminer les affixes de C et de D pour que le quadrilatère ABCD soit un carré et que C ne soit pas sur l'axe des abscisses.

🔺 Voir le savoir-faire 4 ; on peut poser les inconnues z_C et z_D et écrire, puis résoudre trois équations traduisant les conditions pour que ABCD soit un carré $(\overrightarrow{AB} = \overrightarrow{DC}$; AB = AD et (AB) et (AD) sont perpendiculaires). Cependant, il est plus facile de faire le dessin, conjecturer les affixes de C et D et de vérifier qu'alors les trois conditions sont vérifiées.

2. Notons D′ l'intersection de (AB) et (OD).

a. Déterminer l'affixe $z_{D'}$ de D′.

b. Soit h l'application de plan dans lui même qui, à tout point M d'affixe z, associe le point M′ d'affixe $\dfrac{z}{2}$. Vérifier que $h(O) = O$ et que $h(D) = D'$.

c. Déterminer les affixes des points A′, B′, C′ images respectivement de A, B, C par h.

d. Quelle est la nature du quadrilatère A′B′C′D′ ?

Voir le savoir-faire 4.

Démontrer qu'il est inscrit dans le triangle OAB.

16   ★★★ | **50 min** | ▶ P. 259

1. Soit P le plan complexe rapporté à un repère direct $(O\,;\vec{u}\,;\vec{v})$ (unité graphique : 4 cm). On considère les points M d'affixe $-\dfrac{\sqrt{2}}{4}$, B d'affixe $\dfrac{\sqrt{2}}{4}-\dfrac{i}{2}$ et D d' affixe $\dfrac{\sqrt{2}}{4}+\dfrac{i}{2}$.

a. Calculer les affixes des vecteurs $\overrightarrow{MB}$, $\overrightarrow{MD}$ et $\overrightarrow{BD}$. En déduire les longueurs MB, MD et BD.

b. Soit M′ le symétrique de M par rapport à O. Vérifier que M′ est le milieu du segment $[BD]$.

c. En considérant les vecteurs $\overrightarrow{OB}$ et $\overrightarrow{OD}$, donner une interprétation géométrique de l'argument de $\dfrac{\sqrt{2}+2i}{\sqrt{2}-2i}$.

Calculer une valeur approchée au degré près de la mesure en degrés de l'angle géométrique $\widehat{BOD}$.

Écrire $\dfrac{\sqrt{2}+2i}{\sqrt{2}-2i}$ sous forme algébrique, puis utiliser la correspondance avec la forme trigonométrique.

2. La molécule de méthane est souvent représentée sous la forme d'un tétraèdre régulier ABCD, l'atome de carbone étant placé au centre O (c'est-à-dire en l'unique point tel que $\overrightarrow{OA}+\overrightarrow{OB}+\overrightarrow{OC}+\overrightarrow{OD}=\vec{0}$), les atomes d'hydrogène occupant les sommets. Comme unité de longueur, on prendra la longueur commune des arêtes.

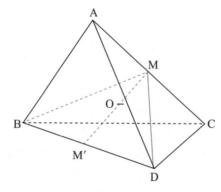

On note M le milieu du segment [AC], M′ le milieu du segment [BD].

a. Montrer que $MB = MD = \dfrac{\sqrt{3}}{2}$

b. Exprimer $\overrightarrow{OA} + \overrightarrow{OC}$ et $\overrightarrow{OB} + \overrightarrow{OD}$ à l'aide de $\overrightarrow{OM}$ et de $\overrightarrow{OM'}$. En déduire que O est le milieu du segment [MM'].

c. Utiliser la question 1. pour retrouver la mesure en degrés de l'angle géométrique $\widehat{BOD}$ entre les deux liaisons carbone hydrogène O–B et O–D.

17 | ★★★ | **60 min** | ▶P. 260 |

Le plan est muni d'un repère orthonormal direct $(O; \vec{u}; \vec{v})$ (unité graphique : 2 cm). On appelle A le point d'affixe $-2i$. A tout point M du plan d'affixe z, on associe le point M' d'affixe $z' = -2\bar{z} + 2i$.

1. On considère le point B d'affixe $b = 3 - 2i$. Déterminer la forme algébrique des affixes a' et b' des points A' et B' associés respectivement aux points A et B. Placer ces points sur un dessin.

2. Montrer que si M appartient à la droite (Δ) d'équation $y = -2$, alors M' appartient aussi à (Δ).

3. Démontrer que pour tout point M d'affixe z, $|z' + 2i| = 2|z + 2i|$; interpréter géométriquement cette égalité.

4. Pour tout point M distinct de A, on appelle θ un argument de $z + 2i$.

a. Justifier que θ est une mesure de l'angle $\left(\vec{u}; \overrightarrow{AM} \right)$.

b. Démontrer que $(z + 2i)(z' + 2i)$ est un réel négatif ou nul.

◢ Poser $z = x + yi$ avec x et y réels, puis retrouver des carrés de réels afin de déterminer le signe de l'expression obtenue.

c. En déduire un argument de $z' + 2i$ en fonction de θ.

d. Que peut-on en déduire pour les demi-droites [AM) et [AM') ?

◢ Voir le savoir-faire 5.

5. En utilisant les résultats précédents, proposer une construction géométrique du point M' associé au point M.

EXERCICES D'APPROFONDISSEMENT

18 RELATIONS ENTRE RACINES ET COEFFICIENTS
D'UN POLYNÔME DU SECOND DEGRÉ | ★★★★ | **60 min** | ▶P. 261|

Soient a, b, c trois complexes avec $a \neq 0$.
On note z_1 et z_2 les racines (éventuellement confondues) du polynôme P défini sur $\mathbb{C}$ par :

$$P(z) = az^2 + bz + c.$$

1. Donner l'expression factorisée de P.

2. a. En développant la relation trouvée à la question précédente, démontrer que :

$$z_1 + z_2 = -\frac{b}{a} \quad \text{et} \quad z_1 \times z_2 = \frac{c}{a}.$$

b. Applications

• Démontrer que $1+i$ est solution de l'équation $z^2 - (4+3i)z + 1 + 5i = 0$ et trouver l'autre à l'aide d'une des deux égalités précédentes.

• Résoudre, de même, dans $\mathbb{C}$ l'équation (E) $z^2 - (1-6i)z + 7 + i = 0$ (on remarquera que i est solution).

3. Soit S et P deux nombres réels.

a. Démontrer que le couple $(z_1 \; ; z_2)$ est solution de $\begin{cases} z_1 + z_2 = S \\ z_1 \times z_2 = P \end{cases}$ si et seulement

si z_1 et z_2 sont les solutions de l'équation $z^2 - Sz + P = 0$.

b. Applications : résoudre dans $\mathbb{C}$ les systèmes suivants :

$$\begin{cases} z_1 \times z_2 = -\dfrac{8}{21} \\ z_1 + z_2 = -\dfrac{2}{21} \end{cases} \quad \text{et} \quad \begin{cases} \dfrac{1}{z_1} + \dfrac{1}{z_2} = -\dfrac{1}{5} \\ z_1 \times z_2 = 10 \end{cases}$$

---

19 RACINES *N*-IÈMES DE L'UNITÉ | ★★★★ | 40 min | ▸ P. 262 |

1. Résoudre dans $\mathbb{C}$ l'équation (E_3) $z^3 = 1$. (on pourra rechercher le module et les arguments des solutions de (E_3) en utilisant l'écriture exponentielle).

2. a. Cas général : pour tout entier naturel non nul n, résoudre l'équation (E_n) :

$$z^n = 1.$$

b. On note $A_1, A_2, ..., A_n$ les points du plan d'affixe respectivement $1, e^{\frac{2i\pi}{n}}, e^{\frac{4i\pi}{n}} ...., e^{\frac{2i(n-1)\pi}{n}}$; démontrer que le polygone $A_1 A_2 .... A_n$ est régulier.

3. Déterminer les solutions de (E_4) et (E_5).

---

20 LINÉARISATION | ★★★ | 45 min | ▸ P. 263 |

1. Développer, pour tous $a, b \in \mathbb{C}, (a+b)^4$.

2. Démontrer que, pour tout $\theta \in \mathbb{R}$, $\cos(\theta) = \dfrac{e^{i\theta} + e^{-i\theta}}{2}$ et $\sin(\theta) = \dfrac{e^{i\theta} - e^{-i\theta}}{2i}$.

3. a. Soit θ un réel. À l'aide des deux questions précédentes, exprimer $\cos^4(\theta)$ en fonction de $\cos(4\theta)$ et $\cos(2\theta)$.

b. Déterminer une fonction dérivable sur $\mathbb{R}$ dont la dérivée est $x \to \cos^4(x)$.

4. De manière analogue à la question **3.**, déterminer une fonction dérivable sur $\mathbb{R}$ dont la dérivée est $x \to \sin^4(x)$.

CONTRÔLE

21 QCM | ★★ | **15 min** | ▶P. 264

1. L'équation $z^2 - z + (1+i) = 0$ admet dans $\mathbb{C}$:

a. deux racines réelles ;   b. deux racines complexes ;   c. une racine réelle.

2. Un argument de $-\sin\theta + i\cos\theta$ est :

a. $-\theta$;   b. $\dfrac{\pi}{2} + \theta$;   c. $\dfrac{\pi}{2} - \theta$.

3. On note A le point d'affixe 1 et B d'affixe $-2i$. L'ensemble des points M d'affixe $z \neq -2i$ tels que $\dfrac{z-1}{z+2i}$ est :

a. une droite ;   b. une droite privée d'un point ;

c. un cercle ;   d. un cercle privé d'un point.

4. L'ensemble des points M d'affixe z tels que $z = 1 + 2i + 5^{i\theta}$ où θ décrit $\mathbb{R}$ est :

a. une droite passant par les points d'affixe $1 + 2i$ et $5^{i\theta}$;

b. un cercle de centre $A(1 + 2i)$;   c. un cercle de centre $A(-1 - 2i)$.

5. Si $\theta \in [0 \,; 2\pi[\setminus \left\{ \dfrac{\pi}{2} \right\}$, alors $\dfrac{1 - i\,e^{i\theta}}{e^{i\theta} - i}$ est égal à :

a. $\dfrac{\cos\theta}{1 - \sin\theta}$;   b. $\dfrac{\sin\theta}{1 - \sin\theta}$;   c. $\dfrac{i\sin\theta}{1 - \sin\theta}$.

22 | ★★★ | **40 min** | ▶P. 265

On pose $a = e^{\frac{2\pi}{5}}$.

Partie A. Valeur exacte de $\cos\dfrac{2\pi}{5}$

1. Démontrer que $\dfrac{1}{2}\left(a + \dfrac{1}{a} \right) = \cos\dfrac{2\pi}{5}$.

2. Démontrer que $a^5 - 1 = 0$ et que $a^4 = \dfrac{1}{a} = \bar{a}$.

3. Démontrer que $a^4 + a^3 + a^2 + a + 1 = 0 \; (1)$.

4. On pose $Z = a + \dfrac{1}{a}$, démontrer que $Z^2 + Z - 1 = 0 \,(2)$.

5. Démontrer alors que la valeur exacte de $\cos\dfrac{2\pi}{5}$ est $\dfrac{-1 + \sqrt{5}}{4}$, puis déterminer celle de $\sin\dfrac{2\pi}{5}$.

Partie B. Construction d'un pentagone régulier

On considère les points A, B, C, D, E d'affixe respectivement $1, a, a^2, a^3, a^4$.

Soit H le point d'intersection de la droite (BE) avec l'axe des abscisses.

1. Démontrer que l'affixe de H est $\cos\dfrac{2\pi}{5}$.

2. On considère le cercle de centre Ω d'affixe $-\dfrac{1}{2}$ passant par le point J d'affixe i. Ce cercle coupe l'axe des abscisses en deux points M et N (M sera le point d'abscisse positive).

a. Démontrer que l'affixe de M vaut $a + a^4$ et en déduire que H est le milieu de [OM]

b. Démontrer que l'affixe de N vaut $a^2 + a^3$ et en déduire que le milieu de [CD] est le milieu de [ON].

3. En déduire une construction du pentagone régulier dont on connaît le centre O et le sommet A.

CONTRÔLE

23 **QUESTION DE COURS** | ★ | **15 min** | ▶ P. 267

1. On rappelle que pour tout $z \neq 0$, $\arg(z) = (\vec{u}\,;\overrightarrow{OM})$, où M est le point du plan complexe d'affixe z.

Démontrer que pour tous points A, B, C, D (d'affixes respectivement z_A, z_B, z_C, z_D) tels que A $\neq$ B et C $\neq$ D :

$$(\overrightarrow{AB}\,;\overrightarrow{CD}) = \arg\left(\frac{z_D - z_C}{z_B - z_A}\right) + 2k\pi,\ k \in \mathbb{Z}.$$

2. Application : Déterminer la position relative des droites (AB) et (CD) telles que $z_A = 1 + 4\mathrm{i}$; $z_B = 2 + 7\mathrm{i}$; $z_C = -3 + 3\mathrm{i}$; $z_D = 6$.

24 **FONCTIONS HOMOGRAPHIQUES : IMAGE DE DROITES, CERCLES, LIEUX GÉOMÉTRIQUES** | ★★★ | **40 min** | ▶ P. 268

Soit f l'application de $\mathbb{C}\setminus\{1\}$ dans $\mathbb{C}$ qui, à tout $z \neq 1$, associe :

$$f(z) = \frac{z + 2\mathrm{i}}{z - 1}.$$

On note A, M et M′ les points d'affixe respectives 1, z et $f(z)$.

1. Déterminer l'ensemble des points M tels que $f(z)$ soit réel.

2. Déterminer l'ensemble des points M tels que $f(z)$ soit imaginaire pur.

3. a. Résoudre dans $\mathbb{C}\setminus\{1\}$ l'équation $f(z) = 0$.

b. Déterminer l'ensemble des points M tels que $\arg(f(z)) = \dfrac{\pi}{2} + k\pi,\ k \in \mathbb{Z}$.

4. Déterminer l'ensemble des points M tels que $|f(z)| = 1$.

5. a. Démontrer que $|f(z) - 1| \times |z - 1| = \sqrt{5}$.

b. Déterminer l'image par f du cercle $(\mathscr{C})$ de centre A et de rayon R ($R > 0$).

CORRIGÉS

1 1. a. $z_1 + z_2 = 1 - 5i + 2 + 3i$

$$z_1 + z_2 = 3 - 2i.$$

b. $z_1 \times z_2 = (1-5i)(2+3i) = 2 + 3i - 10i - 15i^2 = 2 - 7i - 15 \times (-1)$

$$z_1 \times z_2 = 17 - 7i$$

c. $\dfrac{z_1}{z_2} = (1-5i) \times \dfrac{1}{2+3i} = (1-5i) \times \dfrac{(2-3i)}{2^2+3^2} = \dfrac{(1-5i)(2-3i)}{2^2+3^2} = \dfrac{-13-13i}{13}$

$$\dfrac{z_1}{z_2} = -1 - i.$$

d. $z_1^3 = (1-5i)^2(1-5i) = (1^2 - 10i + 25i^2)(1-5i) = (-24-10i)(1-5i)$

$$= -24 + 120i - 10i + 50i^2$$

$$z_1^3 = -74 + 110i.$$

2. $(3+2i)z + 5i - 3 = 7 - i \Leftrightarrow (3+2i)z = 10 - 6i \Leftrightarrow z = \dfrac{10-6i}{3+2i} = \dfrac{(10-6i)(3-2i)}{3^2+2^2}.$

$$(3+2i)z + 5i - 3 = 7 - i \Leftrightarrow z = \dfrac{18-38i}{13}.$$

◢ Une telle équation est une équation du premier degré, donc il s'agit d'isoler z comme on le ferait dans $\mathbb{R}$, mais il faut éliminer i du dénominateur avant de conclure.

2 1. Pour placer A, B, C et D, il suffit de savoir que la partie réelle est l'abscisse du point, et que la partie imaginaire est son ordonnée.
Pour placer E précisément, on remarque que :
$$z_E = \dfrac{-\sqrt{2}}{2} + i \dfrac{\sqrt{2}}{2} = \cos\left(\dfrac{3\pi}{4}\right) + i\sin\left(\dfrac{3\pi}{4}\right) = e^{i\frac{3\pi}{4}}.$$
Le module de z_E est égal à 1, donc E est sur le cercle de centre O et de rayon 1, et l'argument de z_E est égal à $\dfrac{3\pi}{4}$:
$(\vec{u}\,; \overrightarrow{OE}) = \dfrac{3\pi}{4} + 2k\pi$, $k \in \mathbb{Z}$, ce qui permet de placer E.

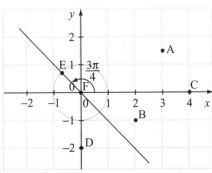

2. $z_I = \dfrac{z_B + z_D}{2} = \dfrac{2 - i - 2i}{2} = \dfrac{2 - 3i}{2}$, donc :

$$z_I = 1 - \frac{3}{2}i.$$

3. $\overrightarrow{AP} = 2\overrightarrow{AB} + \overrightarrow{AC} \Leftrightarrow z_P - z_A = 2(z_B - z_A) + z_C - z_A = 2z_B + z_C - 3z_A$

$$\Leftrightarrow z_P = 2z_B + z_C - 2z_A = 4 - 2i + 4 - 6 - 3i$$

$$\Leftrightarrow z_P = 2 - 5i$$

$$3\overrightarrow{BQ} = \overrightarrow{BC} \Leftrightarrow 3(z_Q - z_B) = z_C - z_B$$

$$\Leftrightarrow 3z_Q = z_C - z_B + 3z_B = z_C + 2z_B$$

$$\Leftrightarrow z_Q = \frac{4 + 4 - 2i}{3} \Leftrightarrow z_Q = \frac{8 - 2i}{3}.$$

3 **1.** $i^2 = -1$, $i^3 = i^2 \times i = -i$, $i^4 = i^2 \times i^2 = 1$.

2. Si $n = 4p$, alors $i^n = (i^4)^p = 1^p = 1$.

Si $n = 4p + 1$, alors $i^n = i^{4p} \times i = i$.

Si $n = 4p + 2$, alors $i^n = i^{4p} \times i^2 = -1$.

Si $n = 4p + 3$, alors $i^n = -i$.

3. $2012 = 4 \times 503$, donc $i^{2012} = 1$.

$2013 = 4 \times 503 + 1$, donc $i^{2013} = i$.

4 **1.** $(3 + i)(2i - 10)(3 - i)(5 + i) = (3 + i)(-2)(5 - i)(\overline{3 + i})\,(\overline{5 - i})$

$$= -2|3 + i|^2 |5 - i|^2 \in \mathbb{R}.$$

2. $\overline{z + \dfrac{2}{z} - \dfrac{2 + z}{z}} = \overline{z} + \dfrac{2}{\overline{z}} - \dfrac{2}{\overline{z}} - \dfrac{\overline{z}}{\overline{z}} = \overline{z} - 1.$

3. On pose $z = a + ib$, où a, $b \in \mathbb{R}$.

$z^2 = \overline{z} \Leftrightarrow (a^2 - b^2) + 2aib = a - ib \Leftrightarrow \begin{cases} a^2 - b^2 = a \\ 2ab = -b \end{cases} \Leftrightarrow \begin{cases} a^2 - b^2 = a \\ b(2a + 1) = 0 \end{cases} \Leftrightarrow \begin{cases} a^2 = a \\ b = 0 \end{cases}$

ou $\begin{cases} b^2 = \dfrac{3}{4} \\ a = -\dfrac{1}{2} \end{cases}$ $z^2 = \overline{z} \Leftrightarrow \begin{cases} a = 0 \\ b = 0 \end{cases}$ ou $\begin{cases} a = 1 \\ b = 0 \end{cases}$ ou $\begin{cases} a = -\dfrac{1}{2} \\ b = \dfrac{\sqrt{3}}{2} \end{cases}$ ou $\begin{cases} a = -\dfrac{1}{2} \\ b = -\dfrac{\sqrt{3}}{2} \end{cases}$.

Les nombres complexes dont le carré est égal au conjugué sont :

$$0 \;;\; 1 \;;\; -\frac{1}{2} + i\frac{\sqrt{3}}{2} \text{ et } -\frac{1}{2} - i\frac{\sqrt{3}}{2}.$$

5 **1.** Il faut tester si $p \times k \leqslant n$ pour $k = 0$, 1, 2, etc… et arrêter la boucle dès que $p \times k > n$. Soit K la plus grande valeur telle que $p \times k \leqslant n$, r est alors égal à $n - p \times k$.

Ce qui donne :
- Nombres à déclarer : n, p, r, k.
- Valeurs à donner au début de l'algorithme : n et p.
- Initialiser k à 0.
- Boucle : Tant que $p \times k \leqslant n$, affecter la valeur $k+1$ à k (la boucle s'arrête lorsque $p \times k > n$).
- Le reste est alors : $r = n - p \times (k-1)$.

Il faut revenir au rang $k-1$, car, au dernier rang k, $p \times k$ dépasse n.

2. Dans le cas de i^n, on doit chercher si $n = 4k$ ou $4k+1$ ou $4k+2$ ou $4k+3$, donc on fait en fait la division euclidienne de n par 4. Comme $p = 4$, on peut remplacer p par 4 dans la boucle et dans r, et ne pas demander la valeur de p au début. On complète l'algorithme précédent avec un test sur r :
- Si $r = 0$, alors on affiche le résultat : « i^n vaut 1 »
- Si $r = 1$, alors on affiche le résultat : « i^n vaut i »
- Si $r = 2$, alors on affiche le résultat : « i^n vaut -1 »
- Si $r = 3$, alors on affiche le résultat : « i^n vaut $-i$ »

6 **a.** z_1 $1 + i$ a pour module $\sqrt{1^2 + 1^2} = \sqrt{2}$,

donc $1 + i = \sqrt{2}\left(\dfrac{1}{\sqrt{2}} + \dfrac{i}{\sqrt{2}}\right) = \sqrt{2}\left(\dfrac{\sqrt{2}}{2} + i\dfrac{\sqrt{2}}{2}\right)$

d'où $\begin{cases} \cos\theta_1 = \dfrac{\sqrt{2}}{2} \\ \sin\theta_1 = \dfrac{\sqrt{2}}{2} \end{cases}$, donc $\theta_1 = \dfrac{\pi}{4}$ est un argument de z_1.

D'où l'écriture exponentielle $z_1 = \sqrt{2}\, e^{\frac{i\pi}{4}}$.

b. z_2 $2 - 2i\sqrt{3}$ a pour module $\sqrt{4 + 12} = 4$, donc $2 - 2i\sqrt{3} = 4\left(\dfrac{1}{2} - i\dfrac{\sqrt{3}}{2}\right)$

d'où $\begin{cases} \cos\theta_2 = \dfrac{1}{2} \\ \sin\theta_2 = -\dfrac{\sqrt{3}}{2} \end{cases}$, soit $\theta_2 = -\dfrac{\pi}{3}$ est un argument de z_2.

Ainsi $z_2 = 4e^{-\frac{i\pi}{3}}$.

c. z_3 $-\dfrac{3\sqrt{3}}{2} + \dfrac{3}{2}i$ a pour module $\sqrt{\dfrac{27}{4} + \dfrac{9}{4}} = 3$, donc $\dfrac{-3\sqrt{3}}{2} + \dfrac{3}{2}i = 3\left(-\dfrac{\sqrt{3}}{2} + \dfrac{i}{2}\right)$

d'où $\begin{cases} \cos\theta_3 = -\dfrac{\sqrt{3}}{2} \\ \sin\theta_3 = \dfrac{1}{2} \end{cases}$, soit $\theta_3 = \dfrac{5\pi}{6}$ est un argument de z_3 et $z_3 = 3e^{\frac{5i\pi}{6}}$.

d. Le module de z_4 est $\sqrt{(\cos\theta)^2 + (-\sin\theta)^2} = \sqrt{\cos^2\theta + \sin^2\theta} = \mathbf{1}$.

$z_4 = \cos\theta - i\sin\theta = \cos(-\theta) + i\sin(-\theta) = \mathbf{e^{-i\theta}}$ et un **argument de z_4 est $\theta_4 = -\theta$.**

e. Le module de z_5 est 1 et $z_5 = -\cos\theta + i\sin\theta = \cos(\pi-\theta) + i\sin(\pi-\theta)$

$$z_5 = \mathbf{e^{i(\pi-\theta)}} \text{ et } \theta_5 = \pi - \theta.$$

f. $|z_6| = |-3| \times |e^{i\theta}| = 3 \times 1 = \mathbf{3}$ et $z_6 = -3e = (-1) \times 3e^{i\theta} = e^{i\pi} \times 3e^{i\theta} = \mathbf{3e^{i(\pi+\theta)}}$.

Un argument de z_6 est $\pi + \theta$.

---

7 **1.** $z^2 + 2z + 3 = 0$

$\Delta = -8$, donc les solutions de l'équation sont :

$$\frac{-2 + i\sqrt{8}}{2} = \mathbf{-1 + i\sqrt{2}} \text{ et } \frac{2 - i\sqrt{8}}{2} = \mathbf{-1 - i\sqrt{2}}.$$

2. a. $z^2 = -z - 1 \Leftrightarrow z^2 + z + 1 = 0$

$\Delta = -3$, donc les solutions de l'équation sont :

$$\frac{-1 + i\sqrt{3}}{2} = \mathbf{j} \text{ et } \frac{-1 - i\sqrt{3}}{2} = \mathbf{\bar{j}}.$$

b. j est solution de l'équation $z^2 = -z - 1$, ce qui signifie que $j^2 = -j - 1$.

D'où $j^3 = -j^2 - j = -(-j-1) - j$, soit $\mathbf{j^3 = 1}$.

D'autre part, $j^2 = \dfrac{j^3}{j} = \dfrac{1}{j} = \dfrac{\bar{j}}{j\bar{j}} = \dfrac{\bar{j}}{|j|^2} = \dfrac{\bar{j}}{1}$, soit $\mathbf{j^2 = \bar{j}}$.

c. Soit A le point d'affixe j et B d'affixe j^2.

$$\text{OA} = |j| = \sqrt{\left(\frac{1}{2}\right)^2 + \left(\frac{\sqrt{3}}{2}\right)^2} = 1 \text{ et } \text{OB} = |j^2| = |\bar{j}| = 1 ;$$

$$\text{AB} = |j - j^2| = |j - \bar{j}| = |i\sqrt{3}| = \sqrt{3}.$$

Donc OAB est isocèle en O.

---

8 **1.** ABCD est un parallélogramme $\Leftrightarrow \overrightarrow{AB} = \overrightarrow{DC} \Leftrightarrow z_B - z_A = z_C - z_D$.

$$z_B - z_A = \left(-\frac{\sqrt{3}}{3}i\right) - \left(2 + 3i\sqrt{3}\right) = -2 + i\left(-3\sqrt{3} - \frac{\sqrt{3}}{3}\right);$$

$$z_C - z_D = \left(-4 - 3i\sqrt{3}\right) - \left(-2 + \frac{\sqrt{3}}{3}i\right) = -2 + i\left(-\frac{\sqrt{3}}{3} - 3\sqrt{3}\right).$$

Ainsi, ABCD est bien un parallélogramme.

2. $\dfrac{z_D - z_B}{z_C - z_A} = \dfrac{-2 + \dfrac{\sqrt{3}}{3}i - \left(-\dfrac{\sqrt{3}}{3}i\right)}{-4 - 3i\sqrt{3} - \left(2 + 3i\sqrt{3}\right)} = \dfrac{-2 + 2i\dfrac{\sqrt{3}}{3}}{-6 - 6i\sqrt{3}} = \dfrac{-1 + i\dfrac{\sqrt{3}}{3}}{-3 - 3i\sqrt{3}}$

$$= \frac{\left(-1+i\frac{\sqrt{3}}{3}\right)\left(-3+3i\sqrt{3}\right)}{\left(-3-3i\sqrt{3}\right)\left(-3+3i\sqrt{3}\right)} = \frac{3-3i\sqrt{3}-i\sqrt{3}+i^2\sqrt{3^2}}{9-9i\sqrt{3}+9i\sqrt{3}+9\sqrt{3^2}} = \frac{-4\sqrt{3}}{9+27} = -\frac{4\sqrt{3}}{36}i = \frac{-\sqrt{3}}{9}i,$$

qui est un imaginaire pur. Donc $\arg\left(\dfrac{z_D - z_B}{z_C - z_A}\right) = -\dfrac{\pi}{2}+2k\pi$, $k \in \mathbb{Z}$, c'est-à-dire que les segments [AC] et [BD] sont perpendiculaires : **le parallélogramme ABCD est donc un losange.**

$\boxed{9}$ 1. $\begin{cases} iz_1 - 3z_2 = -2+7i \\ (1+2i)z_1 - iz_2 = -3+2i \end{cases} \Leftrightarrow \begin{cases} z_1 = \dfrac{1}{i}(-2+7i+3z_2) \\ (1+2i)z_1 - iz_2 = -3+2i \end{cases}$

$\Leftrightarrow \begin{cases} z_1 = 2i+7-3iz_2 \\ (1+2i)(2i+7-3iz_2)-iz_2 = -3+2i \end{cases} \Leftrightarrow \begin{cases} z_1 = 2i+7-3iz_2 \\ 16i+3-3iz_2+6z_2-iz_2 = -3+2i \end{cases}$

$\Leftrightarrow \begin{cases} z_1 = 2i+7-3iz_2 \\ (-4i+6)z_2 = -6-14i \end{cases} \Leftrightarrow \begin{cases} z_1 = 2i+7-3iz_2 \\ (-2i+3)z_2 = -3-7i \end{cases}$

$\Leftrightarrow \begin{cases} z_1 = 2i+7-3iz_2 \\ z_2 = \dfrac{-3-7i}{3-2i} = \dfrac{(-3-7i)(3+2i)}{(3-2i)(3+2i)} = \dfrac{5-27i}{13} \end{cases} \Leftrightarrow \begin{cases} z_1 = \dfrac{10+11i}{13} \\ z_2 = \dfrac{5-27i}{13} \end{cases}$

Donc $S = \left\{ \dfrac{10+11i}{13} ; \dfrac{5-27i}{13} \right\}$

2. a. Posons $Z = z^2$, l'équation devient $Z^2 + 6Z + 25 = 0$. Notons Z_1 et Z_2 ses solutions.
$\Delta = -64 = -8^2$, d'où $Z_1 = \dfrac{-6+8i}{2} = -3+4i$ et $Z_2 = \dfrac{-6-8i}{2} = -3-4i$.
Donc $z^4 + 6z^2 + 25 = 0 \Leftrightarrow z^2 = -3+4i$ ou $z^2 = -3-4i$.
Or $(1+2i)^2 = 1-4+4i = -3+4i = Z_1$ donc les solutions de $z^2 = -3+4i$ sont $1+2i$ et $-(1+2i)$.
$-3-4i = \overline{-3+4i} = \overline{(1+2i)^2} = \overline{(1+2i)}^2 = (1-2i)^2 = Z_2$ donc les solutions de $z^2 = -3-4i$ sont $1-2i$ et $-(1-2i)$.
Les solutions de l'équation $z^4 + 6z^2 + 25 = 0$ sont donc $1+2i$, $-1-2i$, $1-2i$ et $-1+2i$.

b. $4z^4 - 5z^3 + 9z^2 - 5z + 4 = 0 \Leftrightarrow 4z^2 - 5z + 9 - \dfrac{5}{z} + \dfrac{4}{z^2} = 0$ (car $z \neq 0$)
$\Leftrightarrow 4\left(z^2 + \dfrac{1}{z^2}\right) - 5\left(z + \dfrac{1}{z}\right) + 9 = 0$ avec $Z^2 = z^2 + 2 + \dfrac{1}{z^2}$
$\Leftrightarrow 4(Z^2 - 2) - 5Z + 9 = 0 \Leftrightarrow 4Z^2 - 5Z + 1 = 0$ (E).

$\Delta = 9$, donc les solutions de (E) sont $\dfrac{5+3}{8} = 1$ et $\dfrac{5-3}{8} = \dfrac{1}{4}$.
Donc $4z^4 - 5z^3 + 9z^2 - 5z + 4 = 0 \Leftrightarrow \left(z + \dfrac{1}{z} = 1 \text{ ou } z + \dfrac{1}{z} = \dfrac{1}{4}\right)$.

$$\Leftrightarrow z^2+1=z \text{ ou } z^2+1=\frac{z}{4} \Leftrightarrow z^2-z+1=0 \text{ ou } z^2-\frac{z}{4}+1=0$$

$$\Leftrightarrow z=\frac{1+i\sqrt 3}{2} \text{ ou } z=\frac{1-i\sqrt 3}{2} \text{ ou } z=\frac{\frac{1}{4}+i\sqrt{\frac{63}{16}}}{2} \text{ ou } z=\frac{\frac{1}{4}-i\sqrt{\frac{63}{16}}}{2}$$

$$\Leftrightarrow z=\frac{1+i\sqrt 3}{2} \text{ ou } z=\frac{1-i\sqrt 3}{2} \text{ ou } z=\frac{1+i\sqrt{63}}{8} \text{ ou } z=\frac{1-i\sqrt{63}}{8}$$

$$\mathbf{S}=\left\{\frac{1+i\sqrt 3}{2};\frac{1-i\sqrt 3}{2};\frac{1+i\sqrt{63}}{8};\frac{1-i\sqrt{63}}{8}\right\}.$$

10 1. $\dfrac{1}{i}=\dfrac{1}{i}\times\dfrac{\bar i}{\bar i}=\dfrac{\bar i}{1}=-i$, **donc l'assertion est vraie.**

2. $\dfrac{e^{i\theta}+1}{e^{i\theta}-1}=\dfrac{e^{i\theta}+1}{e^{i\theta}-1}\times\dfrac{e^{-i\theta}-1}{e^{-i\theta}-1}=\dfrac{e^{i\theta-i\theta}-e^{i\theta}+e^{-i\theta}-1}{\left|e^{i\theta}-1\right|^2}$

$$=\frac{1-(\cos\theta+i\sin\theta)+(\cos(-\theta)+i\sin(-\theta))-1}{(\cos\theta-1)^2+\sin^2\theta}=\frac{-2i\sin(\theta)}{(\cos\theta-1)^2+\sin^2\theta},$$

qui est imaginaire pur, donc **l'assertion est fausse.**

3. a. $a^2=\left(\sqrt{2+\sqrt2}+i\sqrt{2-\sqrt2}\right)^2=2+\sqrt2+2i\sqrt{(2-\sqrt2)(2+\sqrt2)}-(2-\sqrt2)$

$=2\sqrt2+2i\sqrt2$. **Donc l'assertion est fausse.**

b. D'après la question précédente, $a^2=2\sqrt2+2i\sqrt2=4\left(\dfrac{\sqrt2}{2}+i\dfrac{\sqrt2}{2}\right)=4e^{\frac{i\pi}{4}}$, donc :

- $\left|a^2\right|=4$, d'où $|a|=2$

- $\arg\left(a^2\right)=\dfrac{\pi}{4}+2k\pi$, $k\in\mathbb{Z}$, soit $2\arg(a)=\dfrac{\pi}{4}+2k\pi$, $k\in\mathbb{Z}$,

donc $\arg(a)=\dfrac{\pi}{8}+k\pi$, $k\in\mathbb{Z}$, c'est-à-dire :

$$\arg(a)=\frac{\pi}{8}+2k\pi,\ k\in\mathbb{Z} \text{ ou } \arg(a)=\frac{\pi}{8}+\pi+2k\pi,\ k\in\mathbb{Z}.$$

Mais $\text{Re}(a)>0$, donc $\arg(a)=\dfrac{\pi}{8}+2k\pi$, $k\in\mathbb{Z}$ et $\cos\dfrac{\pi}{8}=\dfrac{\text{Re}(a)}{|a|}=\dfrac{\sqrt{2+\sqrt2}}{2}$.

Donc l'assertion est vraie.

4. $z-\bar z=\text{Re}(z)+i\,\text{Im}(z)-(\text{Re}(z)-i\,\text{Im}(z))=2i\,\text{Im}(z)$.

Donc l'assertion est fausse.

11 1. $\arg(z)=\dfrac{\pi}{4}+2k\pi$, $k\in\mathbb{Z}\Leftrightarrow(\vec u\,;\overrightarrow{OM})=\dfrac{\pi}{4}+2k\pi$, $k\in\mathbb{Z}$

L'ensemble cherché est la demi-droite d'origine O passant par le point d'affixe $e^{\frac{i\pi}{4}}$.

2. $\arg(z-1+2i)=\dfrac{\pi}{6}+2k\pi$, $k\in\mathbb{Z}\Leftrightarrow(\vec u\,;\overrightarrow{AM})=\dfrac{\pi}{6}+2k\pi, k\in\mathbb{Z}$, avec A le

point d'affixe $1-2i$.

De plus, $z_A + e^{\frac{i\pi}{6}} = 1 - 2i + \dfrac{\sqrt{3}}{2} + \dfrac{i}{2} = \dfrac{2+\sqrt{3}}{2} - \dfrac{3i}{2}$.

L'ensemble cherché est la demi-droite $]$ AB$)$ où A $(1-2i)$ et B $\left(\dfrac{2+\sqrt{3}}{2} - \dfrac{3i}{2}\right)$.

3. $\arg\dfrac{z-5+i}{z-3+2i} = \dfrac{\pi}{2} + k\pi$, $k \in \mathbb{Z}$.

Posons A $(3-2i)$ et B $(5-i)$. Alors $\arg\dfrac{z-5+i}{z-3+2i} = (\overrightarrow{AM}\,;\overrightarrow{BM})$.

$\arg\dfrac{z-5+i}{z-3+2i} = \dfrac{\pi}{2} + k\pi$, $k \in \mathbb{Z} \Leftrightarrow (\overrightarrow{AM}\,;\overrightarrow{BM}) = \dfrac{\pi}{2} + k\pi$, $k \in \mathbb{Z}$.

L'ensemble cherché est le cercle de diamètre [AB] privé des points A et B.

4. $\arg(z) = \arg(\overline{z}) + 2k\pi$, $k \in \mathbb{Z}$: il faut que $z \neq 0$ pour pouvoir considérer son argument.

Alors $z = r\,e^{i\theta}$, où $r > 0$ et $\theta \in \mathbb{R}$, donc $\overline{z} = r\,e^{-i\theta}$ et :

$\arg(z) = \arg(\overline{z}) + 2k\pi$, $k \in \mathbb{Z} \Leftrightarrow \theta = -\theta + 2k\pi$, $k \in \mathbb{Z} \Leftrightarrow 2\theta = 2k\pi, k \in \mathbb{Z}$

$$\Leftrightarrow \theta = 0 + k\pi,\ k \in \mathbb{Z}.$$

L'ensemble cherché est l'axe des abscisses privé de O.

5. $\arg(z) = \arg(-z) + 2k\pi$, $k \in \mathbb{Z}$.

Il faut que $z \neq 0$, donc on écrit $z = r\,e^{i\theta}$ où $r > 0$ et $\theta \in \mathbb{R}$.

Donc $-z = -r\,e^{i\theta} = e^{i\pi} \times r\,e^{i\theta} = r\,e^{i(\theta+\pi)}$ (car $-1 = e^{i\pi}$).

$\arg(z) = \arg(-z) + 2k\pi$, $k \in \mathbb{Z} \Leftrightarrow \theta = \theta + \pi + 2k\pi$, $k \in \mathbb{Z}$

$$\Leftrightarrow \pi = 0 + 2k\pi,\ k \in \mathbb{Z},\ \text{ce qui est absurde.}$$

Donc l'ensemble cherché est vide !

6. $|z - 2i| = 5$. Soit Ω le point d'affixe 2i, $|z - 2i| = 5 \Leftrightarrow \Omega M = 5$.

L'ensemble cherché est le cercle de centre $|$ et de rayon 5.

7. $|z - 2i| = |z - 1 - i|$.

Soit A le point d'affixe 2i et B le point d'affixe $1 + i$,

$$|z - 2i| = |z - 1 - i| \Leftrightarrow AM = BM.$$

L'ensemble cherché est la médiatrice du segment [AB].

8. $z + \overline{z} = |z|^2$.

Posons $z = x + iy$ où $x,\ y \in \mathbb{R}$,

$$z + \overline{z} = |z|^2 \Leftrightarrow 2x = x^2 + y^2 \Leftrightarrow x^2 - 2x + y^2 = 0$$
$$\Leftrightarrow x^2 - 2x + 1 - 1 + y^2 = 0 \Leftrightarrow (x-1)^2 + y^2 = 1.$$

L'ensemble cherché est le cercle de centre $\Omega(1)$ et de rayon 1.

12 Soit $a = \dfrac{\sqrt{2+\sqrt{3}}}{2} + i\dfrac{\sqrt{2-\sqrt{3}}}{2}$.

1. $a^2 = \dfrac{2+\sqrt{3}}{4} - \dfrac{2-\sqrt{3}}{4} + 2i\dfrac{\sqrt{(2+\sqrt{3})(2-\sqrt{3})}}{4} = \dfrac{\sqrt{3}}{2} + i\dfrac{\sqrt{1}}{2} = \dfrac{\sqrt{3}}{2} + \dfrac{i}{2}$.

2. On reconnaît que $a^2 = \dfrac{\sqrt{3}}{2} + \dfrac{i}{2} = e^{\frac{i\pi}{6}}$. **Donc** $\left|a^2\right| = 1$ **et** $\arg\left(a^2\right) = \dfrac{\pi}{6}$.

3. • $\left|a^2\right| = 1$, donc $|a| = 1$.

$\arg\left(a^2\right) = \dfrac{\pi}{6} + 2k\pi,\ k \in \mathbb{Z}$, c'est-à-dire $2\arg(a) = \dfrac{\pi}{6} + 2k\pi,\ k \in \mathbb{Z}$.

Donc $\arg(a) = \dfrac{\pi}{12} + k\pi,\ k \in \mathbb{Z}$, c'est-à-dire :

$$\arg(a) = \dfrac{\pi}{12} + 2k\pi,\ k \in \mathbb{Z} \text{ ou } \arg(a) = \dfrac{\pi}{12} + \pi + 2k\pi,\ k \in \mathbb{Z}.$$

Mais $\mathrm{Re}(a) > 0$, donc $\arg(a) = \dfrac{\pi}{12} + 2k\pi,\ k \in \mathbb{Z}$.

Donc $\cos\dfrac{\pi}{12} = \dfrac{\mathrm{Re}(a)}{|a|} = \dfrac{\sqrt{2+\sqrt{3}}}{2}$ et $\sin\dfrac{\pi}{12} = \dfrac{\mathrm{Im}(a)}{|a|} = \dfrac{\sqrt{2-\sqrt{3}}}{2}$.

• $\cos\dfrac{11\pi}{12} = \cos\left(\pi - \dfrac{\pi}{12}\right) = -\cos\left(\dfrac{\pi}{12}\right)$ et $\sin\dfrac{11\pi}{12} = \sin\left(\pi - \dfrac{\pi}{12}\right) = \sin\dfrac{\pi}{12}$, d'où :

$$\cos\dfrac{\pi}{12} = \dfrac{\sqrt{2+\sqrt{3}}}{2}\ ;\ \sin\dfrac{\pi}{12} = \dfrac{\sqrt{2-\sqrt{3}}}{2}\ ;$$

$$\cos\dfrac{11\pi}{12} = -\dfrac{\sqrt{2+\sqrt{3}}}{2}\ ;\ \sin\dfrac{11\pi}{12} = \dfrac{\sqrt{2-\sqrt{3}}}{2}.$$

13 **1.** Les triangles cités doivent donc être rectangles isocèles indirects en M, N, P et Q.

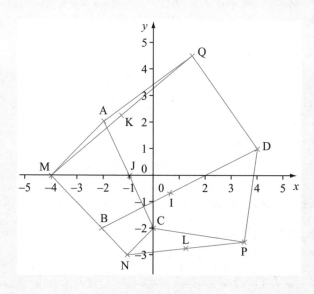

2. • Affixes des points M, N, P et Q

$\dfrac{-2+2\,i-z_M}{-2-2\,i-z_M}$ a pour module 1 (car MA = MB) et pour argument

$\dfrac{\pi}{2}+2k\pi$, $k \in \mathbb{Z}$, d'où $\dfrac{-2+2\,i-z_M}{-2-2\,i-z_M}= i$, d'où :

$-2+2\,i-z_M = -2\,i+2-i z_M \Leftrightarrow (-1+i)z_M = -4\,i+4 \Leftrightarrow z_M = \mathbf{-4}$.

de même, $\dfrac{-2-2\,i-z_N}{-2\,i-z_N}= i \Leftrightarrow z_N\left(1-i\right) = -1-2\,i \Leftrightarrow z_N = \mathbf{-1-3\,i}$;

de même, $\dfrac{-2\,i-z_P}{4+i-z_P}= i$, d'où $z_P\left(1-i\right)= 1-6\,i$, d'où $z_P = \mathbf{\dfrac{7}{2}-\dfrac{5}{2}\,i}$;

de même, $\dfrac{4+i-z_Q}{-2+2\,i-z_Q}= i$, d'où $z_Q\left(1-i\right)= 6+3\,i$, d'où $z_Q = \mathbf{\dfrac{3}{2}+\dfrac{9}{2}\,i}$.

• Coordonnées de I, J, K et L

$z_I = \dfrac{z_B+z_D}{2}= 1-\dfrac{i}{2}$; $z_J = \dfrac{z_A+z_C}{2}= -1$; $z_K = \dfrac{z_M+z_Q}{2}= -\dfrac{5}{4}+\dfrac{9}{4}\,i$;

$z_L = \dfrac{z_N+z_P}{2}= \dfrac{5}{4}-\dfrac{11}{4}\,i$

• $\overrightarrow{IK}\left(z_K-z_I\right)$, d'où $\overrightarrow{IK}\left(-\dfrac{9}{4}+\dfrac{11}{4}\,i\right)$ et $\overrightarrow{LJ}\left(z_J-z_L\right)$, d'où $\overrightarrow{LJ}\left(-\dfrac{9}{4}+\dfrac{11}{4}\,i\right)$.

$\overrightarrow{IK} = \overrightarrow{LJ}$, **donc IKJL est un parallélogramme.**

$\boxed{14}$ **a.** $\left|z\right|= z$ avec $z = x+i\,y \Leftrightarrow x^2+y^2 = x+i\,y$

$\Leftrightarrow \begin{cases}\sqrt{x^2+y^2}= x\\ 0 = y\end{cases} \Leftrightarrow \begin{cases}\sqrt{x^2}= x\\ y = 0\end{cases} \Leftrightarrow x$ est un réel positif et $y = 0$, donc $\mathbf{S} = \mathbb{R}^+$.

b. $\left|z\right|= z+\overline{z}$ avec $z = x+i\,y \Leftrightarrow \sqrt{x^2+y^2}= 2$

$x \Leftrightarrow x \geqslant 0$ et $x^2+y^2 = 4x^2 \Leftrightarrow x \geqslant 0$ et $3x^2-y^2 = 0$

$\Leftrightarrow x \geqslant 0$ et $\left(\sqrt{3}x-y\right)\left(\sqrt{3}x+y\right)= 0 \Leftrightarrow x \geqslant 0$ et $y = \sqrt{3}x$ ou $y = -\sqrt{3}x$.

Il s'agit donc des deux demi-droites d'abscisses positives et d'équations
$y = \sqrt{3}x$ **et** $y = -\sqrt{3}x$.

c. $\left|\overline{z}+\dfrac{1}{3}\,i\right|= 3 \Leftrightarrow \left|\overline{z-\dfrac{1}{3}\,i}\right|= 3$ (car $\overline{z}+\overline{z'}= \overline{z+z'}$) $\Leftrightarrow \left|z-\dfrac{1}{3}\,i\right|= 3$ (car $\left|z\right|= \left|\overline{z}\right|$).

Posons C le point d'affixe $z_C = \dfrac{1}{3}\,i$, alors $\left|\overline{z}+\dfrac{1}{3}\,i\right|= 3 \Leftrightarrow CM = 3$.

L'ensemble cherché est le cercle de centre C et de rayon 3.

d. $\arg\left(-z\right)= \dfrac{\pi}{4}+2k\pi$, $k \in \mathbb{Z} \Leftrightarrow \pi+\arg\left(z\right)= \dfrac{\pi}{4}+2k\pi$, $k \in \mathbb{Z} \Leftrightarrow \arg\left(z\right)$

$= -\dfrac{3\pi}{4}+2k\pi$, $k \in \mathbb{Z}$.

L'ensemble cherché est la demi-droite [OD) privée du point O et où D désigne le point d'affixe $e^{-\frac{3i\pi}{4}}$.

e. $\arg\left(\bar{z}+i\right)=\dfrac{\pi}{2}+2k\pi,\ k\in\mathbb{Z}\Leftrightarrow-\arg\left(z-i\right)=\dfrac{\pi}{2}+2k\pi,\ k\in\mathbb{Z}$ (car $\overline{z}+i=\overline{z-i}$

et $\arg\left(\bar{z}\right)=-\arg(z))\Leftrightarrow\arg\left(z-i\right)=-\dfrac{\pi}{2}+2k\pi,\ k\in\mathbb{Z}$. L'ensemble cherché est

la demi-droite [AF), privée du point A, où A est le point d'affixe i, où F désigne

le point d'affixe $e^{-\frac{i\pi}{2}}=-i$, c'est-à-dire une partie de l'axe des ordonnées

$(O\ ;\ \vec{v})$.

$\boxed{15}$ 1. En posant $D\left(-1+6i\right)$ et $C\left(2+6i\right)$, $\overrightarrow{AB}\,(3)$ et $\overrightarrow{DC}\,(3)$, donc $\overrightarrow{AB}=\overrightarrow{DC}$, donc ABCD est un parallélogramme.

De plus, $\dfrac{AB}{AD}=\dfrac{|3i|}{3}=1$ et $(\overrightarrow{AB}\ ;\ \overrightarrow{AD})=\arg\left(\dfrac{3i}{3}\right)=\dfrac{\pi}{2}+k\pi, k\in\mathbb{Z}$.

Donc ABCD est un carré.

2. Notons D' l'intersection de (AB) et (OD).

a. $D'\in(OD)$, donc il existe un réel k tel que $\overrightarrow{OD'}=k\overrightarrow{OD}$, donc :

$$z_{D'}=kz_{D}=-k+6ki.$$

Comme $D'\in(AB)$, $\mathrm{Im}\left(z_{D'}\right)=3$, soit $6k=3$ et $k=\dfrac{1}{2}$. Donc $\mathbf{D'\left(-\dfrac{1}{2}+3i\right)}$.

b. $h(O)=\dfrac{0}{2}=0$, donc $\mathbf{h(O)=O}$.

$h(D)=\dfrac{-1+6i}{2}=-\dfrac{1}{2}+3i=z_{D'}$, donc $\mathbf{h\left(D\right)=D'}$.

c. $\mathbf{A'\left(-\dfrac{1}{2}+\dfrac{3}{2}i\right),B'\left(1+\dfrac{3}{2}i\right)}$ et $\mathbf{C'\left(1+3i\right)}$.

d. • Nature de ABCD : $\overrightarrow{A'B'}\left(\dfrac{3}{2}\right)$ et $\overrightarrow{D'C'}\left(\dfrac{3}{2}\right)$. De plus, $\dfrac{A'D'}{A'B'}=\dfrac{\left|\dfrac{3}{2}i\right|}{\left|\dfrac{3}{2}\right|}=1$,

et $(\overrightarrow{A'B'}\ ;\ \overrightarrow{A'D'})=\arg\left(\dfrac{\dfrac{3}{2}i}{\dfrac{3}{2}}\right)=\arg(i)=\dfrac{\pi}{2}+2k\pi,\ (k\in\mathbb{Z})$.

Donc A'B'C'D' est un carré.

• $z_{\overrightarrow{AC'}}=2$ et $z_{\overrightarrow{AB}}=3$, donc $\overrightarrow{AC'}=\dfrac{2}{3}\overrightarrow{AB}$, donc $C'\in[AB]$.

De même, on montre que $\overrightarrow{AD'}=\dfrac{1}{6}\overrightarrow{AB}$, $\overrightarrow{OA'}=\dfrac{1}{2}\overrightarrow{OA}$, $\overrightarrow{OB'}=\dfrac{1}{2}\overrightarrow{OB}$.

$$D'\in[AB],\ A'\in[OA],\ B'\in[OB].$$

Le carré A'B'C'D' est donc inscrit dans le triangle OAB.

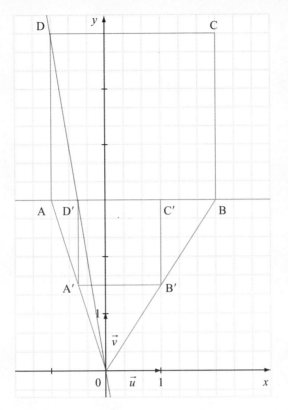

$\boxed{16}$ 1. a. $\overrightarrow{MB}\left(\dfrac{\sqrt{2}}{2}-\dfrac{i}{2}\right)$; $\overrightarrow{MD}\left(\dfrac{\sqrt{2}}{2}+\dfrac{i}{2}\right)$; $\overrightarrow{BD}(i)$

D'où $MB = MD = \sqrt{\dfrac{2}{4}+\dfrac{1}{4}} = \dfrac{\sqrt{3}}{2}$ et $BD = 1$.

b. M' a pour affixe $-z_M = \dfrac{\sqrt{2}}{4}$ et $\dfrac{z_B + z_D}{2} = \dfrac{\sqrt{2}}{2} = z_{M'}$

M' est donc bien le milieu de [BD].

c. $\arg\left(\dfrac{\sqrt{2}+2i}{\sqrt{2}-i}\right) = \arg\left(\dfrac{\left(\dfrac{\sqrt{2}}{4}+\dfrac{i}{2}\right)\times 4}{\left(\dfrac{\sqrt{2}}{4}-\dfrac{i}{2}\right)\times 4}\right) = (\overrightarrow{OB};\overrightarrow{OD}) + 2k\pi, \ k \in \mathbb{Z}.$

$\dfrac{\sqrt{2}+2i}{\sqrt{2}-2i} = \dfrac{\left(\sqrt{2}+2i\right)^2}{2+4} = \dfrac{2+4i\sqrt{2}-4}{6} = \dfrac{-1+i2\sqrt{2}}{3} = -\dfrac{1}{3}+i\dfrac{2\sqrt{2}}{3} = \cos\theta + i\sin\theta.$

D'où $\cos\left(\widehat{BOD}\right) = -\dfrac{1}{3}$ soit $\widehat{BOD} = \cos^{-1}\left(-\dfrac{1}{3}\right)$ d'où :

$\widehat{BOD} \approx$ **109 degrés à 1 degré près.**

2. a. Le triangle ABC est équilatéral, donc la médiane (MB) est aussi la hauteur de ABC. Donc MBA est rectangle en M et $MB^2 + MA^2 = AB^2$, soit $MB^2 + \left(\dfrac{1}{2}\right)^2 = 1^2$, donc :

$$MB = \sqrt{\dfrac{3}{4}} = \dfrac{\sqrt{3}}{2}.$$

De même dans le triangle équilatéral ACD :

$$MD = \dfrac{\sqrt{3}}{2}.$$

b. $\overrightarrow{OA} + \overrightarrow{OC} = \overrightarrow{OM} + \overrightarrow{MA} + \overrightarrow{OM} + \overrightarrow{MC} = \mathbf{2\,\overrightarrow{OM}},$ car M est le milieu de [AC] ;
$\overrightarrow{OB} + \overrightarrow{OD} = \overrightarrow{OM'} + \overrightarrow{M'B} + \overrightarrow{OM'} + \overrightarrow{M'D} = \mathbf{2\,\overrightarrow{OM'}},$ car M′ est le milieu de [BD].
Or $\overrightarrow{OA} + \overrightarrow{OB} + \overrightarrow{OC} + \overrightarrow{OD} = \vec{0}$, c'est-à-dire $2\overrightarrow{OM} + 2\overrightarrow{OM'} = \vec{0}$,
d'où $\overrightarrow{OM} + \overrightarrow{OM'} = \vec{0}$. **Donc O est le milieu du segment [MM′].**

c. MBD est un triangle de longueurs $MD = MB = \dfrac{\sqrt{3}}{2}$ et $BD = 1$: il est donc isométrique avec le triangle de la question **1.**, avec M′ milieu de [BD] et O milieu de [MM′]. **Donc $\widehat{BOD} \approx 109°$ à 1° près.**

$\boxed{17}$ **1.** $a' = -2\bar{a} + 2\,\mathrm{i} = -2(2\,\mathrm{i}) + 2\,\mathrm{i}$ et $b' = -2\bar{b} + 2\,\mathrm{i} = -2(3 + 2\,\mathrm{i}) + 2\,\mathrm{i}$ soit :

$$a' = -2\mathrm{i} \text{ et } b' = -6 - 2\mathrm{i}.$$

2. On pose $z = x + \mathrm{i}\,y$, où $x, y \in \mathbb{R}$. Si $M(z) \in \Delta$, alors $y = -2$
et $z' = -2(x + 2\mathrm{i}) + 2\mathrm{i} = -2x - 2\mathrm{i}$, d'où $\mathrm{Im}(z') = -2$ et $\mathbf{M' \in \Delta}$.

3. $|z' + 2\mathrm{i}| = |-2\bar{z} + 4\mathrm{i}| = |-2(\bar{z} - 2\mathrm{i})| = 2|\bar{z} - 2\mathrm{i}| = 2|\overline{z - 2\mathrm{i}}| = 2|z + 2\mathrm{i}|$. Pour tout M, $AM' = 2AM$, donc **M′ appartient au cercle de centre A et de rayon 2AM.**

4. a. $z + 2\mathrm{i} = z - z_A = z_{\overrightarrow{AM}}$.
Or $(\vec{u}\,; \overrightarrow{AM}) = \arg(z_{\overrightarrow{AM}}) + 2k\pi = \arg(z + 2\mathrm{i}) + 2k\pi = \theta + 2k\pi,\ k \in \mathbb{Z}$.

θ est donc une mesure de l'angle $(\vec{u}\,; \overrightarrow{AM})$.

b. Posons $z = x + \mathrm{i}\,y$, où $x, y \in \mathbb{R}$.
$(z + 2\mathrm{i})(z' + 2\mathrm{i}) = (z + 2\mathrm{i})(-2\bar{z} + 4\mathrm{i}) = -2|z|^2 + 4\mathrm{i}\,z - 4\mathrm{i}\,\bar{z} - 8$
$= -2(x^2 + y^2) - 8 + 4\mathrm{i}(2\mathrm{i}\,y) = -2(x^2 + y^2) - 8 - 8y.$

> On ne peut pas déterminer le signe de cette expression car *y* peut être positif ou négatif.

$(z + 2\mathrm{i})(z' + 2\mathrm{i}) = -2x^2 - 2(y^2 + 4y + 4) = -2x^2 - 2(y + 2)^2 \leqslant 0.$
Donc, **pour tout z, $(z + 2\mathrm{i})(z' + 2\mathrm{i})$ est un réel négatif ou nul.**

c. Les égalités suivantes sont valables modulo 2π, c'est-à-dire à $2k\pi$ près, $k \in \mathbb{Z}$:
$\arg\big((z+2\mathrm{i})(z'+2\mathrm{i})\big) = \pi$ (d'après **b.**)

Or $\arg\big((z+2\mathrm{i})(z'+2\mathrm{i})\big) = \arg(z+2\mathrm{i}) + \arg(z'+2\mathrm{i}) = \theta + \arg(z'+2\mathrm{i})$.

Donc $\arg(z'+2\mathrm{i}) = \pi - \theta + 2k\pi$, $k \in \mathbb{Z}$.

d. $(\vec{u}\,;\overrightarrow{\mathrm{AM}}) = \theta + 2k\pi$, $k \in \mathbb{Z}$ et $(\vec{u}\,;\overrightarrow{\mathrm{AM'}}) = \pi - \theta + 2k'\pi$, $k' \in \mathbb{Z}$.
De plus, A est sur l'axe des ordonnées.
Les demi-droites [AM) et [AM′) sont donc symétriques par rapport à l'axe (Oy).

On pourra s'aider d'un dessin pour déterminer la position relative des demi-droites.

5. Après avoir construit le symétrique de M par rapport à l'axe (Oy) (notons-le M″), il faut tracer la droite (AM″) et construire au compas le symétrique de A par rapport à M″ : c'est le point M′.

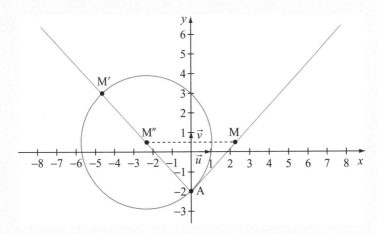

18 **1.** $\mathbf{P}(z) = a(z - z_1)(z - z_2)$.

2. a. $\mathrm{P}(z) = a(z - z_1)(z - z_2) = az^2 + (-az_1 - az_2)z + az_1z_2$.

Par identification des termes de même degré, $-a(z_1 + z_2) = b$, d'où :

$$z_1 + z_2 = -\frac{b}{a} \ \text{et}\ az_1z_2 = c,\ \text{d'où}\ z_1 \times z_2 = \frac{c}{a}.$$

b. • $(1+\mathrm{i})^2 - (4+3\mathrm{i})(1+\mathrm{i}) + 1 + 5\mathrm{i} = 2\mathrm{i} - 1 - 7\mathrm{i} + 1 + 5\mathrm{i} = 0$, donc $z_1 = 1+\mathrm{i}$ est **solution de l'équation $z^2 - (4+3\mathrm{i})z + 1 + 5\mathrm{i} = 0$.**

Alors $z_2 = -\dfrac{b}{a} - z_1 = 4 + 3\mathrm{i} - (1+\mathrm{i}) = 3 + 2\mathrm{i}$ **est également solution de l'équation** $z^2 - (4+3\mathrm{i})z + 1 + 5\mathrm{i} = 0$.

• $\mathrm{i}^2 - (1-6\mathrm{i})\mathrm{i} + 7 + \mathrm{i} = -1 - \mathrm{i} - 6 + 7 + \mathrm{i} = 0$, donc $z_1 = \mathrm{i}$ **est solution de (E).**

Alors $z_2 = -\dfrac{b}{a} - z_1 = 1 - 6\mathrm{i} - \mathrm{i} = 1 - 7\mathrm{i}$ **est l'autre solution de (E).**

3. a. $\begin{cases} z_1 + z_2 = S \\ z_1 \times z_2 = P \end{cases} \Leftrightarrow \begin{cases} z_2 = S - z_1 \\ z_1 \times (S - z_1) = P \end{cases} \Leftrightarrow \begin{cases} z_2 = S - z_1 \\ z_1{}^2 - Sz_1 + P = 0 \end{cases}$

$\Leftrightarrow z_1$ est solution de l'équation $z^2 - Sz + P = 0$ et $z_1 + z_2 = \dfrac{-(-S)}{1} = S$

$\Leftrightarrow z_1$ **et** z_2 **sont solutions de l'équation** $z^2 - Sz + P = 0.$

b. • $\begin{cases} z_1 \times z_2 = -\dfrac{8}{21} \\ z_1 + z_2 = -\dfrac{2}{21} \end{cases} \Leftrightarrow z_1$ et z_2 sont solutions de $z^2 + \dfrac{2}{21}z - \dfrac{8}{21} = 0$

$\Leftrightarrow z_1$ **et** z_2 **sont solutions de (E) :** $21z^2 + 2z - 8 = 0.$

Or les solutions de (E) sont $\dfrac{12}{21}$ et $-\dfrac{14}{21}$ (on les obtient en calculant $\Delta = 676 = 26^2$,

puis les racines du trinôme).

Donc les solutions du système sont les couples $\left(\dfrac{12}{21} ; -\dfrac{14}{21} \right)$ **et** $\left(-\dfrac{14}{21} ; \dfrac{12}{21} \right).$

• $\begin{cases} \dfrac{1}{z_1} + \dfrac{1}{z_2} = -\dfrac{1}{5} \\ z_1 \times z_2 = 10 \end{cases} \Leftrightarrow \begin{cases} \dfrac{z_1 + z_2}{z_1 z_2} = -\dfrac{1}{5} \\ z_1 z_2 = 10 \end{cases} \Leftrightarrow \begin{cases} z_1 + z_2 = -2 \\ z_1 z_2 = 10 \end{cases}$

$\Leftrightarrow z_1$ et z_2 sont solutions de (F) $z^2 + 2z + 10 = 0.$

Or les solutions de (F) sont $-1 + 6\,i$ et $-1 - 6\,i$ (car $\Delta = -36 = (6\,i)^2$)

Donc les solutions du système sont les couples :

$$(-1 + 6\,i ; -1 - 6\,i) \text{ et } (-1 - 6\,i ; -1 + 6\,i).$$

19 **1.** Soit z une solution de (E_3), z s'écrivant sous forme trigonométrique $z = \rho e^{i\theta}$, avec $\rho > 0$ et $\theta \in \mathbb{R}$.

De l'égalité $z^3 = \rho^3 e^{i3\theta} = 1$, on déduit que ($\rho^3 = 1$ et $3\theta = 0 + 2k\pi$, $k \in \mathbb{Z}$),

d'où ($\rho = 1$ et $\theta = 0 + \dfrac{2k\pi}{3}$, $k \in \mathbb{Z}$).

Les solutions de (E_3) **sont donc** 1, $e^{\frac{i2\pi}{3}}$ **et** $e^{\frac{i4\pi}{3}}$.

2. a. Soit z une solution de (E_n), z s'écrivant sous forme trigonométrique $z = \rho e^{i\theta}$, avec $\rho > 0$ et $\theta \in \mathbb{R}$.

De l'égalité $z^n = \rho^n e^{in\theta} = 1$, on déduit que $\rho^n = 1$ et $n\theta = 0 + 2k\pi$, $k \in \mathbb{Z}$, d'où

$\rho = 1$ et $\theta = 0 + \dfrac{2k\pi}{n}$, $k \in \mathbb{Z}$.

Les solutions de (E_n) **sont donc les** $e^{\frac{i2k\pi}{n}}$, k **variant de 0 à** $n - 1$.

b. Dans ce qui suit, k désigne un entier compris entre 1 et n (on posera $A_{n+1} = A_1$). Démontrons que tous les triangles OA_kA_{k+1} sont isocèles en O, de même angle principal.

$$OA_k = \left| e^{\frac{i2k\pi}{n}} \right| = 1, \; OA_{k+1} = \left| e^{\frac{i2(k+1)\pi}{n}} \right| = 1\,;$$

$$\text{et } (\overrightarrow{OA_k}\,;\overrightarrow{OA_{k+1}}) = \arg\left(\frac{e^{\frac{i2(k+1)\pi}{n}}}{e^{\frac{i2k\pi}{n}}} \right) = \arg\left(e^{\frac{i2\pi}{n}} \right) = \frac{2\pi}{n}\,[2\pi].$$

Les points A_n sont disposés régulièrement sur le cercle de centre O et de rayon 1. **Le polygone $A_1A_2\ldots A_n$ est donc régulier.**

◢ On aurait également obtenu ce résultat en démontrant que, pour tout k, $(\overrightarrow{OA_k}\,;\overrightarrow{OA_{k+1}}) = \frac{2\pi}{n}$ et $A_kA_{k+1} = \left| e^{\frac{i2\pi}{n}} - 1 \right|$ (valeur indépendante de k). Le polygone $A_1 A_2\ldots A_n$ a alors tous ses côtés de même longueur et tous ses angles au centre de même mesure.

3. Les solutions de (E_4) sont $e^{\frac{i0\pi}{4}}, e^{\frac{i2\pi}{4}}, e^{\frac{i4\pi}{4}}$ et $e^{\frac{i6\pi}{4}}$ soit 1, i, –1 et –i.

Les solutions de (E_5) sont $e^{\frac{i0\pi}{5}},\; e^{\frac{i2\pi}{5}},\; e^{\frac{i4\pi}{5}},\; e^{\frac{i6\pi}{5}}$ et $e^{\frac{i8\pi}{5}}$.

20 **1.** $(a+b)^4 = (a+b)^2 \times (a+b)^2$

$$= (a^2 + 2ab + b^2)(a^2 + 2ab + b^2)$$

$$(a+b)^4 = a^4 + 4a^3b + 6a^2b^2 + 4ab^3 + b^4.$$

2. Soit $\theta \in \mathbb{R}$, $\dfrac{e^{i\theta} + e^{-i\theta}}{2} = \dfrac{e^{i\theta} + \overline{e^{i\theta}}}{2} = \dfrac{2\,\mathrm{Re}(e^{i\theta})}{2} = \mathrm{Re}(e^{i\theta}) = \cos(\theta)\,;$

$$\dfrac{e^{i\theta} - e^{-i\theta}}{2i} = \dfrac{e^{i\theta} - \overline{e^{i\theta}}}{2i} = \dfrac{2i\,\mathrm{Im}(e^{i\theta})}{2i} = \mathrm{Im}(e^{i\theta}) = \sin(\theta)\,.$$

3. a. $\cos^4(\theta) = \left(\dfrac{e^{i\theta} + e^{-i\theta}}{2} \right)^4$

$$= \frac{1}{16}\left(e^{i4\theta} + 4e^{i3\theta}e^{-i\theta} + 6e^{i2\theta}e^{-2i\theta} + 4e^{i\theta}e^{-i3\theta} + e^{-i4\theta} \right)$$

$$= \frac{1}{16}\left(e^{i4\theta} + e^{-i4\theta} + 4e^{i2\theta} + 4e^{-2i\theta} + 6e^0 \right)$$

$$= \frac{1}{16}\left(2\cos(4\theta) + 8\cos(2\theta) + 6 \right)$$

$$\cos^4(\theta) = \frac{\cos(4\theta)}{8} + \frac{\cos(2\theta)}{2} + \frac{3}{8}.$$

b. Pour tout x réel, $\cos^4(x) = \dfrac{\cos(4x)}{8} + \dfrac{\cos(2x)}{2} + \dfrac{3}{8}$,

$\sin(4x)' = 4\cos(4x)$ et $(\sin(2x))' = 2\cos(2x)$, **donc une primitive de $\cos^4$**

est donc la fonction : $x \mapsto \dfrac{\sin(4x)}{32} + \dfrac{\sin(2x)}{4} + \dfrac{3x}{8}$.

4. $\sin^4(\theta) = \left(\dfrac{e^{i\theta} - e^{-i\theta}}{2i}\right)^4 = \dfrac{1}{16}\left(e^{i4\theta} - 4e^{i3\theta}e^{-i\theta} + 6e^{i2\theta}e^{-2i\theta} - 4e^{i\theta}e^{-i3\theta} + e^{-i4\theta}\right)$

$= \dfrac{1}{16}\left(e^{i4\theta} + e^{-i4\theta} - 4e^{i2\theta} - 4e^{-2i\theta} + 6\right) = \dfrac{1}{16}\left(2\cos(4\theta) - 8\cos(2\theta) + 6\right)$

$$\sin^4(\theta) = \dfrac{\cos(4\theta)}{8} - \dfrac{\cos(2\theta)}{2} + \dfrac{3}{8}.$$

Pour tout x réel, $\sin^4(x) = \dfrac{\cos(4x)}{8} - \dfrac{\cos(2x)}{2} + \dfrac{3}{8}$.

Une primitive de $\sin^4$ est donc la fonction : $x \to \dfrac{\sin(4x)}{32} - \dfrac{\sin(2x)}{4} + \dfrac{3x}{8}$.

21 1. i est une racine évidente de l'équation $z^2 - z + (1+i) = (z-i)(z+i-1)$.
L'autre racine est donc $1-i$ car $P = i \times (1-i) = i+1$.
Réponse b.

On ne peut calculer Δ que si le polynôme a des coefficients réels.

2. $\cos\left(\theta + \dfrac{\pi}{2}\right) = -\sin\theta$ et $\sin\left(\theta + \dfrac{\pi}{2}\right) = \cos\theta$.
Réponse b.

3. $\dfrac{z-1}{z+2i} \in \mathbb{R} \Leftrightarrow \arg\left(\dfrac{z-1}{z+2i}\right) = 0 + k\pi,\ k \in \mathbb{Z} \Leftrightarrow (\overrightarrow{BM};\overrightarrow{AM};) = 0 + k\pi,\ k \in \mathbb{Z}$

$\Leftrightarrow M \in (AB)$, mais $z_M \neq -2i = z_B$, donc M ne peut être confondu avec B.

Réponse b.

4. $z = 1 + 2i + 5e^{i\theta}, \theta \in \mathbb{R} \Leftrightarrow z - (1+2i) = 5e^{i\theta}, \theta \in \mathbb{R} \Leftrightarrow |z - (1+2i)| = 5 \Leftrightarrow AM = 5$.

$\Leftrightarrow M(z)$ appartient au cercle de centre $A(1+2i)$ et de rayon 5.

Réponse b.

5. $\dfrac{1 - ie^{i\theta}}{e^{i\theta} - i} = \dfrac{1 + \sin\theta - i\cos\theta}{\cos\theta + i(\sin\theta - 1)}$

$= \dfrac{(1 + \sin\theta - i\cos\theta)(\cos\theta + i(1 - \sin\theta))}{\cos^2\theta + \sin^2\theta - 2\sin\theta + 1}$

$= \dfrac{\cos\theta + \cos\theta \times \sin\theta + i - i\sin^2\theta - i\cos^2\theta + \cos\theta - \cos\theta\sin\theta}{\cos^2\theta + \sin^2\theta - 2\sin\theta + 1}$

$\cos^2\theta + \sin^2\theta = 1$, d'où :

$$\frac{1 - i\,e^{i\theta}}{e^{i\theta} - i} = \frac{2\cos\theta + i\left(1 - \sin^2\theta - \cos^2\theta\right)}{2\left(1 - \sin\theta\right)} = \frac{\cos\theta}{1 - \sin\theta}.$$

Réponse a.

On peut aussi tester les réponses proposées avec $\theta = 0$: on voit alors que seule la réponse a. ne donne pas 0.

22 On pose $a = e^{\frac{2i\pi}{5}}$.

Partie A

1. $\dfrac{1}{2}\left(a + \dfrac{1}{a}\right) = \dfrac{1}{2}\left(e^{\frac{2i\pi}{5}} + e^{-\frac{2i\pi}{5}}\right) = \dfrac{1}{2}\left(\cos\dfrac{2\pi}{5} + i\sin\dfrac{2\pi}{5} + \cos\left(-\dfrac{2\pi}{5}\right) + i\sin\left(-\dfrac{2\pi}{5}\right)\right)$

$$= \dfrac{1}{2} \times 2\cos\dfrac{2\pi}{5} = \boldsymbol{\cos\dfrac{2\pi}{5}}.$$

2. $a^5 - 1 = e^{2i\pi} - 1 = 0$ et $\dfrac{8\pi}{5} = \dfrac{-2\pi}{5} + 2\pi$, donc :

$$a^4 = \dfrac{1}{a} = e^{-\frac{2i\pi}{5}} = \cos\left(-\dfrac{2\pi}{5}\right) + i\sin\left(-\dfrac{2\pi}{5}\right) = \cos\dfrac{2\pi}{5} - i\sin\dfrac{2\pi}{5} = \boldsymbol{\bar{a}}$$

3. $a^4 + a^3 + a^2 + a + 1 = \dfrac{a^5 - 1}{a - 1} = \dfrac{0}{a - 1} = \boldsymbol{0}.$

4. $Z^2 + Z - 1 = \left(a + \dfrac{1}{a}\right)^2 + a + \dfrac{1}{a} - 1 = a^2 + 2a \times \dfrac{1}{a} + \dfrac{1}{a^2} + a + \dfrac{1}{a} - 1$

$$= \dfrac{a^4 + 2a^2 + 1 + a^3 + a - a^2}{a^2}$$

$$= \dfrac{a^4 + a^3 + a^2 + a + 1}{a^2} = \dfrac{0}{a^2} = \boldsymbol{0} \ (\text{car } a \neq 0).$$

5. $\cos\dfrac{2\pi}{5} = \dfrac{1}{2}Z$ et $Z^2 + Z - 1 = \boldsymbol{0}$.

$\Delta = 5$, les solutions Z_1 et Z_2 de l'équation $Z^2 + Z - 1 = 0$ sont donc $Z_1 = \dfrac{-1 + \sqrt{5}}{2}$ et $Z_2 = \dfrac{-1 - \sqrt{5}}{2}$.

Or, comme $0 < \dfrac{2\pi}{5} < \dfrac{\pi}{2}$, $\cos\dfrac{2\pi}{5} > 0$. Z_2 étant négatif et Z_1 positif,

nécessairement $\cos\dfrac{2\pi}{5} = \dfrac{1}{2}Z_1$, soit $\boldsymbol{\cos\dfrac{2\pi}{5} = \dfrac{-1 + \sqrt{5}}{4}}$;

$\sin\dfrac{2\pi}{5} = \sqrt{1 - \cos^2\dfrac{2\pi}{5}} = \sqrt{1 - \dfrac{6 - 2\sqrt{5}}{16}} = \sqrt{\dfrac{10 + 2\sqrt{5}}{16}}$, soit $\boldsymbol{\sin\dfrac{2\pi}{5} = \dfrac{\sqrt{10 + 2\sqrt{5}}}{4}}$.

Partie B.

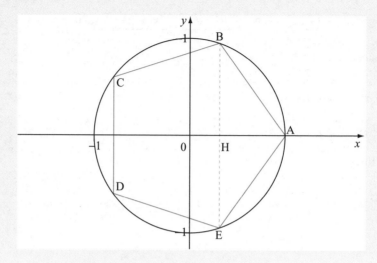

1. $a^4 = \overline{a}$, donc $\text{Re}(a^4) = \text{Re}(a)$, donc (BE) est parallèle à l'axe (Oy).

(BE) a pour équation $y = \text{Re}(a^4) = \text{Re}(a) = \cos\dfrac{2\pi}{5}$.

Donc H a pour affixe $z_H = \cos\dfrac{2\pi}{5}$.

2. a. $\Omega M = \sqrt{\dfrac{1}{4}+1} = \dfrac{\sqrt{5}}{2}$. Comme Ω et M appartiennent à l'axe des abscisses :

$$z_M = z_\Omega + \frac{\sqrt{5}}{2} = \frac{-1+\sqrt{5}}{2} = 2\cos\frac{2\pi}{5} = a+\overline{a} = a+a^4 \ ; \ z_H = \frac{z_M}{2} = \frac{z_O + z_M}{2},$$

donc H est le milieu de [OM].

b. De même, $\Omega N = \dfrac{\sqrt{5}}{2}$. Comme Ω et N appartiennent à l'axe des abscisses :

$$z_N = z_\Omega - \frac{\sqrt{5}}{2} = \frac{-1-\sqrt{5}}{2}.$$

Montrons que $a^2 + a^3 = z_N$:

$$a^2 + a^3 = e^{\frac{4i\pi}{5}} + e^{\frac{6i\pi}{5}} = e^{\frac{4i\pi}{5}} + e^{-\frac{4i\pi}{5}}$$

$$= 2\cos\left(\frac{4\pi}{5}\right) = 2\left(2\cos^2\frac{2\pi}{5} - 1\right)(\cos(2a) = 2\cos^2 a - 1)$$

$$= 4\frac{6-2\sqrt{5}}{16} - 2 = \frac{3-\sqrt{5}}{2} - \frac{4}{2} = \frac{-1-\sqrt{5}}{2}. \text{ Donc l'affixe de N vaut } a^2 + a^3.$$

Le mileu de [ON] a donc pour affixe $\dfrac{a^2 + a^3}{2}$, de même que celui de [CD].

3. Construisons le cercle trigonométrique et plaçons les points A(1), J(i) et $\Omega\left(-\dfrac{1}{2}\right)$.

$OA = |a| = 1 = OB = OC = OE$, donc les points sont sur le cercle $\mathscr{C}$ de centre O et de rayon 1.

Traçons le cercle de centre Ω passant par J. On obtient les points M et N, intersections de $\mathscr{C}_\Omega$ avec la droite (OA) et tels que $z_M > 0$.

Construisons au compas la médiatrice d_1 de [OM] et celle d_2 de [ON].

B et E sont les points d'intersection de d_1 avec C, avec $\text{Im}(z_B) > 0$.

C et D sont les points d'intersection de d_2 avec C, avec $\text{Im}(z_C) > 0$.

Il ne reste plus qu'à relier les points A, B, C, D et E pour obtenir le pentagone ABCDE.

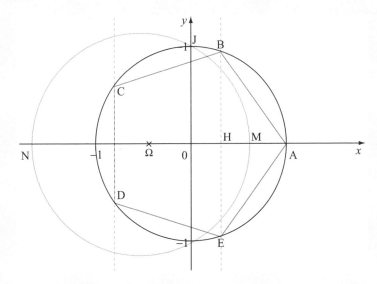

23 **1.** Soit M et N les points du plan vérifiant respectivement :
$$\overrightarrow{OM} = \overrightarrow{AB} \text{ et } \overrightarrow{ON} = \overrightarrow{CD}.$$

Alors $z_M = z_B - z_A$ et $z_N = z_D - z_C$,

et $(\vec{u} \,; \overrightarrow{AB}) = \arg(z_B - z_A)$; $(\vec{u} \,; \overrightarrow{CD}) = \arg(z_D - z_C)$.

$(\overrightarrow{AB} \,; \overrightarrow{CD}) = (\vec{u} \,; \overrightarrow{CD}) - (\vec{u} \,; \overrightarrow{AB}) = \arg(z_D - z_C) - \arg(z_B - z_A)$.

Donc $(\overrightarrow{AB} \,; \overrightarrow{CD}) = \arg \dfrac{z_D - z_C}{z_B - z_A} + 2k\pi, \ k \in \mathbb{Z}$.

2. $(\overrightarrow{AB} \,; \overrightarrow{CD}) = \arg\left(\dfrac{9-3i}{1+3i}\right) = \arg\left(\dfrac{(9-3i)(1-3i)}{1^2+3^2}\right) = \arg\left(\dfrac{9-3i-27i-9}{10}\right)$

$\qquad = \arg(-3i) = -\dfrac{\pi}{2}[2\pi].$

Les droites (AB) et (CD) sont donc orthogonales.

24 1. On pose $z = x + iy$ où $x,\, y \in \mathbb{R}$.

$$f(z) = \frac{z+2i}{z-1} = \frac{(z+2i)\overline{(z-1)}}{|z-1|^2} = \frac{x^2+y^2+2y-x+i(2x-y-2)}{(x-1)^2+y^2}.$$

$$f(z) \in \mathbb{R} \Leftrightarrow \begin{cases} 2x-y-2 = 0 \\ (x\,;\,y) \neq (1\,;\,0) \end{cases}.$$

L'ensemble cherché est donc la droite d'équation $y = 2x - 2$ privé du point A.

2. $f(z)$ est imaginaire pur équivaut à $\begin{cases} x^2 + y^2 + 2y - x = 0 \\ (x\,;\,y) \neq (1\,;\,0) \end{cases}$

c'est-à-dire $\begin{cases} \left(x - \dfrac{1}{2}\right)^2 + (y+1)^2 = \dfrac{5}{4} \\ (x\,;\,y) \neq (1\,;\,0) \end{cases}$

L'ensemble cherché est donc le cercle de centre $\Omega\left(\dfrac{1}{2}\,;-1\right)$ et de rayon $\dfrac{\sqrt{5}}{2}$ privé de A.

3. a. $f(z) = 0 \Leftrightarrow z = -2i$.

b. Soit $B(-2i)$, $\arg(f(z)) = \dfrac{\pi}{2} + k\pi,\ k \in \mathbb{Z} \Leftrightarrow (\overrightarrow{AM}\,;\,\overrightarrow{BM}) = \dfrac{\pi}{2} + k\pi,\ k \in \mathbb{Z}$.

Finalement, l'ensemble cherché est le cercle de diamètre [AB] privé de A et B.

4. $|f(z)| = 1 \Leftrightarrow \left|\dfrac{z+2i}{z-1}\right|^2 = 1 \Leftrightarrow |z+2i|^2 = |z-1|^2$

$$\Leftrightarrow \begin{cases} x^2 + (y+2)^2 = (x-1)^2 + y^2 \\ (x\,;\,y) \neq (1\,;\,0) \end{cases}$$

$$\Leftrightarrow \begin{cases} 4y+4 = -2x+1 \\ (x\,;\,y) \neq (1\,;\,0) \end{cases}$$

L'ensemble cherché est donc la droite d'équation $y = -\dfrac{x}{2} - \dfrac{3}{4}$.

Autre méthode possible :

$|f(z)| = 1 \Leftrightarrow \left|\dfrac{z+zi}{z-1}\right| = 1 \Leftrightarrow BM = AM$.

La droite cherchée est la médiatrice de [AB].

5. a. $|f(z) - 1| \times |z-1| = \left|\dfrac{z+2i}{z-1} - 1\right| \times |z-1| = |1+2i| = \sqrt{5}$.

b. $M(z) \in \mathscr{C} \Leftrightarrow |z-1| = R \Leftrightarrow |f(z) - 1| = \dfrac{\sqrt{5}}{R}$ $\left(\text{car } |f(z) - 1| = \dfrac{\sqrt{5}}{|z-1|}\right)$.

L'image de $\mathscr{C}$ par f est donc le cercle de centre A et de rayon $\dfrac{\sqrt{5}}{R}$.

8 Géométrie dans l'espace

I DROITES ET PLANS DE L'ESPACE

1. Règles fondamentales de géométrie dans l'espace

■ **Règle 1** : par trois points non alignés passe un plan et un seul.

■ **Règle 2** : si A et B sont deux points distincts d'un plan (P), alors la droite (AB) est incluse dans le plan (P).

■ **Règle 3** : tous les résultats de géométrie plane s'appliquent dans chaque plan de l'espace.

2. Positions relatives de droites et de plans

■ **Propriété 1 :** position relative de deux plans.

Deux plans distincts sont soit sécants **en une droite**, soit parallèles (parallèles disjoints ou confondus).

■ **Propriété 2 :** position relative d'un plan et d'une droite.

Une droite et un plan sont
$$\begin{cases} \text{soit sécants } \mathbf{en\ un\ point} \text{ ;} \\ \text{soit strictement parallèles (sans point commun).} \\ \text{soit contenus l'une dans l'autre.} \end{cases}$$

■ **Propriété 3 :** position relative de deux droites.

Deux droites distinctes sont
$$\begin{cases} \text{soit coplanaires et strictement parallèles} \\ \text{soit coplanaires et sécantes en un point.} \\ \text{soit non coplanaires} \end{cases}$$

EXEMPLE : Soit ABCD un tétraèdre. Les droites (AB) et (CD) sont ni sécantes, ni parallèles : elles sont non coplanaires.

◢ Un plan peut donc être défini par deux droites sécantes ou encore par deux droites parallèles disjointes.

3. Orthogonalité

■ **Définition :** Deux droites de l'espace sont dites **orthogonales** si leurs parallèles passant par un même point sont perpendiculaires.

En effet, ces parallèles sont sécantes donc coplanaires. Dans le plan qui les contient, s'appliquent les résultats de la géométrie plane, et donc la notion de droites perpendiculaires.

■ **Définition** : Une droite est **orthogonale** à un plan si elle est orthogonale à toutes les droites de ce plan.

● **Théorème** : Si une droite est orthogonale à deux droites sécantes d'un plan, alors elle est orthogonale à ce plan.

● **Conséquence** : Si une droite est orthogonale à deux droites sécantes d'un plan, alors elle est orthogonale à toutes les droites de ce plan.

II GÉOMÉTRIE VECTORIELLE

1. Caractérisation d'un plan par un point et deux vecteurs non colinéaires

■ Un point A de l'espace et deux vecteurs $\vec{u}$ et $\vec{v}$ **non colinéaires** définissent un plan (P).

■ Le plan (P) est l'ensemble des points M de l'espace pour lesquels il existe des réels α et β tels que $\overrightarrow{AM} = \alpha\,\vec{u} + \beta\,\vec{v}$.

2. Vecteurs coplanaires

■ Soient $\vec{u}$, $\vec{v}$ et $\vec{w}$ trois vecteurs de l'espace. Soit O un point quelconque de l'espace et A, B, C les points définis par $\vec{u} = \overrightarrow{OA}$, $\vec{v} = \overrightarrow{OB}$ et $\vec{w} = \overrightarrow{OC}$.

On dit que $\vec{u}$, $\vec{v}$ et $\vec{w}$ sont **coplanaires** si, et seulement si, les points O, A, B et C le sont.

● Deux vecteurs de l'espace sont toujours coplanaires.

● Trois vecteurs de l'espace sont coplanaires si, et seulement si, l'un d'entre eux peut s'écrire comme combinaison linéaire des deux autres.

3. Décomposition d'un vecteur en fonction de trois vecteurs non coplanaires

■ Soient $\vec{u}$, $\vec{v}$ et $\vec{w}$ trois vecteurs non coplanaires.

Alors tout vecteur de l'espace s'écrit, de manière unique, comme combinaison linéaire de $\vec{u}$, $\vec{v}$ et $\vec{w}$.

Autrement dit, pour tout vecteur $\overrightarrow{AB}$, il existe un unique triplet de réels $(\alpha\ ;\ \beta\ ;\ \gamma)$ tel que $\overrightarrow{AB} = \alpha\,\vec{u} + \beta\,\vec{v} + \gamma\,\vec{w}$.

4. Repérage dans l'espace

■ **Définition** : Un repère de l'espace est la donnée d'un point O, origine du repère, et un triplet $(\vec{i}\ ;\ \vec{j}\ ;\ \vec{k})$ de vecteurs non coplanaires.

■ **Théorème :** Pour tout point M plan, il existe un unique triplet de réels $(x \; ; \; y \; ; \; z)$ tel que $\overrightarrow{OM} = x\,\vec{i} + y\,\vec{j} + z\,\vec{k}$. Alors le point M, ainsi que le vecteur $\overrightarrow{OM}$, ont pour coordonnées le triplet $(x \; ; \; y \; ; \; z)$.

- Le vecteur $\overrightarrow{AB}$ a pour coordonnées $\begin{pmatrix} x_B - x_A \\ y_B - y_A \\ z_B - z_A \end{pmatrix}$.

- Les opérations sur les vecteurs de l'espace sont analogues à celles de géométrie plane.

■ **Condition de colinéarité**

Soient $\vec{u}\begin{pmatrix} x \\ y \\ z \end{pmatrix}$ et $\vec{v}\begin{pmatrix} x' \\ y' \\ z' \end{pmatrix}$ deux vecteurs non nuls. $\vec{u}$ et $\vec{v}$ sont colinéaires si, et seulement si, il existe un réel k tel que $\vec{v} = k\,\vec{u}$ c'est-à-dire tel que $\begin{cases} x' = kx \\ y' = ky \\ z' = kz \end{cases}$.

5. Représentation paramétrique d'une droite

■ **Propriété-définition (représentation paramétrique d'une droite)**

Soit (d) la droite passant par $A(x_A \; ; \; y_A \; ; \; z_A)$ et de vecteur directeur $\vec{u}(a \; ; \; b \; ; \; c)$. Soit M un point de l'espace.

Alors $M \in (d) \Leftrightarrow \overrightarrow{AM}$ et $\vec{u}$ sont colinéaires

$\Leftrightarrow$ il existe un réel t tel que $\begin{cases} x = x_A + ta \\ y = y_A + tb \\ z = z_A + tc \end{cases}$.

$\begin{cases} x = x_A + ta \\ y = y_A + tb, \; t \in \mathbb{R} \\ z = z_A + tc \end{cases}$ **est un système d'équations paramétriques de (d).**

III PRODUIT SCALAIRE DANS L'ESPACE

1. Vecteurs orthogonaux et repère orthonormé

■ **Définition :** Soient $\vec{u}$ et $\vec{v}$ deux vecteurs de l'espace.

Soient $\overrightarrow{AB}$ et $\overrightarrow{AC}$ des représentants respectivement de $\vec{u}$ et de $\vec{v}$.

Les vecteurs $\vec{u}$ et $\vec{v}$ sont dits **orthogonaux** si les droites (AB) et (AC) sont perpendiculaires.

Le repère de l'espace $(O \; ; \; \vec{i} \; ; \; \vec{j} \; ; \; \vec{k})$ est dit **orthonormé** si :

$$\begin{cases} \|\vec{i}\| = \|\vec{j}\| = \|\vec{k}\| \\ \vec{i} \perp \vec{j} \text{ et } \vec{i} \perp \vec{k} \text{ et } \vec{j} \perp \vec{k} \end{cases}$$

2. Les différentes expressions du produit scalaire

■ À l'aide de projections orthogonales

Soient $\vec{u}$ et $\vec{v}$ deux vecteurs tels que $\vec{u} \neq \vec{0}$ et $\vec{v'}$ **le projeté orthogonal de** $\vec{v}$ **sur** $\vec{u}$, alors :

$$\vec{u} \cdot \vec{v} = \vec{u} \cdot \vec{v'}$$

■ Avec des angles

Soient $\vec{u}$ et $\vec{v}$ deux vecteurs non nuls. Alors :

$$\vec{u} \cdot \vec{v} = \|\vec{u}\| \times \|\vec{v}\| \times \cos\,(\vec{u}\,;\vec{v}).$$

■ Dans un repère orthonormal

Dans l'espace muni du repère orthonormal $(O\,;\vec{i}\,;\vec{j}\,;\vec{k})$, le produit scalaire des

vecteurs $\vec{u}\begin{pmatrix} x \\ y \\ z \end{pmatrix}$ et $\vec{v}\begin{pmatrix} x' \\ y' \\ z' \end{pmatrix}$ est :

$$\vec{u} \cdot \vec{v} = xx' + yy' + zz'$$

3. Propriétés

■ Règles de calcul

Soient $\vec{u}$, $\vec{v}$ et $\vec{w}$ trois vecteurs.

- $\vec{0} \cdot \vec{u} = \vec{u} \cdot \vec{0} = 0$;
- $\vec{u} \cdot \vec{v} = \vec{v} \cdot \vec{u}$ (commutativité) ;
- $\vec{u} \cdot (\vec{v} + \vec{w}) = \vec{u} \cdot \vec{v} + \vec{u} \cdot \vec{w}$ (associativité) ;
- si $k \in \mathbb{R}$, alors $\vec{u} \cdot (k\,\vec{v}) = (k\,\vec{u}) \cdot \vec{v} = k \times (\vec{u} \cdot \vec{v})$.

■ Vecteurs orthogonaux

- On convient que le vecteur nul est orthogonal à tout vecteur du plan.
- Soient $\vec{u}$ et $\vec{v}$ deux vecteurs,
$\vec{u}$ et $\vec{v}$ sont orthogonaux si, et seulement si, $\vec{u} \cdot \vec{v} = 0$.

■ Norme et produit scalaire

■ Définition : Pour tout vecteur $\vec{u}$ de l'espace :

$$\vec{u} \cdot \vec{u} = \|\vec{u}\|^2.$$

■ Dans l'espace muni du repère orthonormal $(O\,;\vec{i}\,;\vec{j}\,;\vec{k})$:

- la norme du vecteur $\vec{u}\begin{pmatrix} x \\ y \\ z \end{pmatrix}$ est :

$$\|\vec{u}\| = \sqrt{x^2 + y^2 + z^2}.$$

- la distance entre deux points A et B est :

$$AB = \|\overrightarrow{AB}\| = \sqrt{(x_B - x_A)^2 + (y_B - y_A)^2 + (z_B - z_A)^2}.$$

4. Vecteur normal à un plan

■ **Définition :** (P) un plan de l'espace défini par le point A et deux vecteurs non colinéaires $\vec{u}$ et $\vec{v}$. Soit $\vec{n}$ un vecteur non nul. On dit que le vecteur $\vec{n}$ est **normal** au plan (P) si $\vec{n}$ est orthogonal à $\vec{u}$ et à $\vec{v}$.

◢ Si $\vec{n}$ est un vecteur normal à (P), alors $\vec{n}$ est orthogonal à tout vecteur du plan (P).

■ **Propriété :** Deux vecteurs normaux à un plan sont colinéaires.
■ Soit A un point de l'espace plan et $\vec{n}$ un vecteur non nul.
- L'ensemble des points M de l'espace tels que $\overrightarrow{AM} \cdot \vec{n} = 0$ est le plan passant par A et de vecteur normal $\vec{n}$.
- Dans un repère orthonormal, le plan d'équation cartésienne $ax + by + cz + d = 0$, avec $(a \,;\, b \,;\, c) \neq (0 \,;\, 0 \,;\, 0)$ a pour vecteur normal le

vecteur $\vec{n} \begin{pmatrix} a \\ b \\ c \end{pmatrix}$.

SAVOIR-FAIRE

1. Orthogonalité d'une droite et d'un plan

EXEMPLE : On considère un cube ABCDEFGH. Démontrer que les droites (AC) et (GC) sont perpendiculaires.

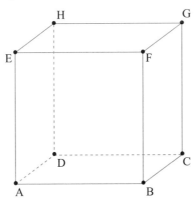

Il faut prouver que l'une des deux droites est orthogonale à un plan contenant l'autre, puis on en déduit qu'elle est orthogonale à toutes les droites de ce plan.

Voir le paragraphe I. 3. du cours.

DCGH et BCGF sont des faces carrées du cube, donc (GC) est perpendiculaire aux arêtes (DC) et (BC), qui sont deux droites sécantes du plan (ABC). Donc (GC) est orthogonale au plan (ABC), et donc à toutes les droites de ce plan. En particulier, (GC) est orthogonale à (AC), et comme elles sont sécantes en C, **les droites (GC) et (AC) sont coplanaires et perpendiculaires**.

2. Position relative de deux plans définis par leurs équations cartésiennes

EXEMPLE : On définit les plans :

$$(P)\,2x - 3y + 6z = 3,\ (Q)-\frac{x}{3}+\frac{y}{2}-z = 1\ \text{ et }\ (R)\,4x - 2y + z = 10.$$

Déterminer :

- l'intersection des plans (P) et (Q) ;
- l'intersection des plans (P) et (R).

Regarder si les vecteurs normaux aux deux plans sont colinéaires entre eux.

- **1er cas**. Si les vecteurs normaux sont colinéaires, alors les plans sont parallèles. Regarder alors si leurs équations sont équivalentes. Si oui, les plans sont confondus et $(P)\cap(Q)=(P)$. Si non, les plans sont disjoints et $(P)\cap(Q)=\varnothing$.

$$\overrightarrow{n_p}\begin{pmatrix}2\\-3\\6\end{pmatrix}\ \text{et}\ \overrightarrow{n_Q}\begin{pmatrix}-1/3\\1/2\\-1\end{pmatrix}$$ sont colinéaires $(\overrightarrow{n_p}=-6\,\overrightarrow{n_Q})$, donc (P) et (Q) sont parallèles.

De plus, $-\dfrac{x}{3}+\dfrac{y}{2}-z = 1 \Leftrightarrow 2x - 3y + 6z = -6$.

Les plans $(P)\,2x - 3y + 6z = 3$ et $(Q)\ 2x - 3y + 6z = -1$ sont disjoints : $(P)\cap(Q)=\varnothing$.

- **2e cas**. Si les vecteurs normaux ne sont pas colinéaires, alors les plans sont sécants. Leur intersection est alors une droite, dont on va déterminer un système d'équations paramétriques. Pour cela, on exprime les variables en fonction de z (ou de x ou de y), puis on pose $t = z$ ou $t = \lambda z$ avec $\lambda \neq 0$.

$$\overrightarrow{n_p}\begin{pmatrix}2\\-3\\6\end{pmatrix}\ \text{et}\ \overrightarrow{n_R}\begin{pmatrix}4\\-2\\1\end{pmatrix}$$ ne sont pas colinéaires car on ne peut trouver de coefficient de proportionnalité k entre eux. Les plans (P) et (R) sont donc sécants.

$$\begin{cases} 2x - 3y + 6z = 3 \\ 4x - 2y + z = 10 \end{cases} \Leftrightarrow \begin{cases} 2x = 3 + 3y - 6z \\ 4x - 2y + z = 10 \end{cases}$$

$$\Leftrightarrow \begin{cases} 2x = 3 - 6z + 3y \\ 2(3 - 6z + 3y) - 2y + z = 10 \end{cases} \Leftrightarrow \begin{cases} x = \dfrac{3}{2} - 3z + \dfrac{3}{2}y \\ 4y = 4 + 11z \end{cases}$$

$$\Leftrightarrow \begin{cases} x = \dfrac{3}{2} - 3z + \dfrac{3}{2}\left(1 + \dfrac{11}{4}z\right) \\ y = 1 + \dfrac{11}{4}z \end{cases} \Leftrightarrow \begin{cases} x = \dfrac{9}{8}z + 3 \\ y = \dfrac{11}{4}z + 1 \end{cases}.$$

Posons $t = \dfrac{z}{8}$.

L'intersection de (P) et de (R) est la droite (d) : $\begin{cases} x = 9t + 3 \\ y = 22t + 1, t \in \mathbb{R}. \\ z = 8t \end{cases}$

Le système d'équations paramétriques obtenu nous donne un vecteur directeur $\vec{u}$ et un point A de (d). On peut vérifier que A appartient aux deux plans et que $\vec{u}$ est orthogonal à leurs deux vecteurs normaux.

Ici $A(3 ; 1 ; 0)$ appartient à (P) et à (R) puisque $2 \times 3 - 3 \times 1 + 6 \times 0 = 3$ et que

$4 \times 3 - 2 \times 1 + 0 = 10$. De plus, $\vec{u}\begin{pmatrix} 9 \\ 22 \\ 8 \end{pmatrix}$ vérifie $\vec{u} \cdot \overrightarrow{n_P} = 2 \times 9 - 3 \times 22 + 6 \times 8 = 0$ et

$\vec{u} \cdot \overrightarrow{n_R} = 4 \times 9 - 2 \times 22 + 1 \times 8 = 0.$

3. Déterminer une équation cartésienne ou une représentation paramétrique d'un plan

• **1er cas.** On connaît un point A du plan (P) et un vecteur normal $\vec{n}$ au plan.

EXEMPLES : Déterminer une équation cartésienne du plan (P) passant par $A(1 ; -2 ; 3)$ et de vecteur normal $\vec{n}(4 ; 5 ; -6)$.

Soit $M(x ; y ; z)$ un point de l'espace.

$$M \in (P) \Leftrightarrow \overrightarrow{AM} \perp \vec{n} \Leftrightarrow \overrightarrow{AM} \cdot \vec{n} = 0$$
$$\Leftrightarrow (x - 1) \times 4 + (y + 2) \times 5 + (z - 3) \times (-6) = 0$$
$$\Leftrightarrow 4x + 5y - 6z + 24 = 0.$$

Une équation cartésienne de (P) est $4x + 5y - 6z + 24 = 0$.

• **2e cas.** On connaît un point A du plan (P) et deux vecteurs $\vec{v}$ et $\vec{w}$ de ce plan.

Voir propriété II-1.

EXEMPLES : Déterminer une représentation paramétrique du plan (P) caractérisé par le point $A(5 \ ; -1 \ ; 0)$ et les vecteurs $\vec{v}(1 \ ; 3 \ ; -2)$ et $\vec{w}(4 \ ; 7 \ ; -1)$.

Soit $M(x \ ; y \ ; z)$ un point de l'espace.

$M \in (P) \Leftrightarrow$ il existe deux réels α et β tels que $\overrightarrow{AM} = \alpha \ \vec{v} + \beta \ \vec{w}$

$$\Leftrightarrow \text{ il existe deux réels } \alpha \text{ et } \beta \text{ tels que } \begin{cases} x - 5 = \alpha \times 1 + \beta \times 4 \\ y + 1 = 3\alpha + 7\beta \\ z = -2\alpha - \beta \end{cases}$$

Une représentation paramétrique de (P) est :

$$\begin{cases} x = \alpha + 4\beta + 5 \\ y = 3\alpha + 7\beta - 1, \ \alpha \in \mathbb{R} \text{ et } \beta \in \mathbb{R}. \\ z = -2\alpha - \beta \end{cases}$$

4. Intersection d'une droite (d) et d'un plan (P) dans un repère orthogonal

Soit $\vec{u}$ un vecteur directeur de (d) et $\vec{n}$ un vecteur normal à (P). Regarder si $\vec{u}$ et $\vec{n}$ sont orthogonaux. Si oui, (d) et (P) sont parallèles. Si non, (d) et (P) sont sécants.

 Voir propriété 2 du I-2.

EXEMPLES : Déterminer l'intersection de la droite (d) $\begin{cases} x = 1 + 3t \\ y = -3t \quad , \ t \in \mathbb{R} \\ z = 5 \end{cases}$

avec le plan (P) $2x - y + 3z + 10 = 0$.

Ici, $\vec{u}\begin{pmatrix} 3 \\ -3 \\ 0 \end{pmatrix}$ dirige (d) et $\vec{n}\begin{pmatrix} 2 \\ -1 \\ 3 \end{pmatrix}$ est normal à (P).

$\vec{u} \cdot \vec{n} = 3 \times 2 - 3 \times (-1) + 0 \times 3 = 9 \neq 0$, donc (d) et (P) sont sécants et leur intersection est un point.

$M(x \ ; y \ ; z) \in (d) \cap (P)$

$\Leftrightarrow$ il existe un réel t tel que $\begin{cases} x = 1 + 3t \\ y = -3t \quad \text{et} \quad 2x - y + 3z + 10 = 0 \\ z = 5 \end{cases}$

$\Leftrightarrow$ il existe un réel t tel que $\begin{cases} x = 1 + 3t \\ y = -3t \quad \text{et} \quad 2(1 + 3t) - (-3t) + 3 \times 5 + 10 = 0 \\ z = 5 \end{cases}$

$\Leftrightarrow$ il existe un réel t tel que $\begin{cases} x = 1 + 3t \\ y = -3t \\ z = 5 \end{cases}$ et $t = -\dfrac{27}{9} = -3$

$\Leftrightarrow$ M$(-8\,;\,9\,;\,5)$.

Donc (d) et (P) sont sécants en $M(-8\,;\,9\,;\,5)$.

5. Position relative de deux droites

Soit (d) la droite passant par A et de vecteur directeur $\vec{u}$, et (d') la droite passant par A$'$ et de vecteur directeur $\vec{u}'$.

■ **1ᵉʳ cas.** $\vec{u}$ et $\vec{u}'$ sont colinéaires. Alors $(d)\,/\!/\,(d')$.
- Si A $\in (d')$, alors (d') et (d') sont confondues et $(d) \cap (d') = (d)$.
- Si A $\in (d')$, alors (d') et (d') sont disjointes et $(d) \cap (d') = \varnothing$.

■ **2ᵉ cas.** $\vec{u}$ et $\vec{u}'$ ne sont pas colinéaires. Alors (d) et (d') sont soit sécantes soit non coplanaires. Pour le savoir, on résout le système.

EXEMPLE : $(d) : \begin{cases} x = 5 + 3t \\ y = 2 + t \\ z = 1 - 4t \end{cases}, \; t \in \mathbb{R}$ et $(d') : \begin{cases} x = 2t' - 11 \\ y = 10 - 2t' \\ z = 4 + t' \end{cases}, \; t' \in \mathbb{R}$

$\vec{u}\begin{pmatrix} 3 \\ 1 \\ -4 \end{pmatrix}$ et $\vec{u}'\begin{pmatrix} 2 \\ -2 \\ 1 \end{pmatrix}$ ne sont pas colinéaires car on ne peut trouver de réel k tel que $\vec{u}' = k\vec{u}$.

Soit M$(x\,;\,y\,;\,z)$ un point de l'espace.

$M \in (d) \cap (d') \Leftrightarrow \begin{cases} x = 5 + 3t = 2t' - 11 \\ y = 2 + t = 10 - 2t' \\ z = 1 - 4t = 4 + t' \end{cases}$, où t et t' sont des réels ;

$\Leftrightarrow \begin{cases} x = 5 + 3t \\ y = 2 + t \\ z = 1 - 4t \end{cases}$ et $\begin{cases} 5 + 3t = 2t' - 11 \\ 2 + t = 10 + 2t' \\ 1 - 4t = 4 + t' \end{cases}$, où t et t' sont des réels ;

$\Leftrightarrow \begin{cases} x = 5 + 3t \\ y = 2 + t \\ z = 1 + 4t \end{cases}$ et $\begin{cases} 5 + 3(8 - 2t') = 2t' - 11 \\ t = 8 - 2t' \\ 1 - 4(8 - 2t') = 4 + t' \end{cases}$, où t et t' sont des réels ;

$$\Leftrightarrow \begin{cases} x = 5 + 3t \\ y = 2 + t \\ z = 1 - 4t \end{cases} \text{ et } \begin{cases} 40 = 8t' \\ t = 8 - 2t' \\ 7t' = 35 \end{cases}, \text{ où } t \text{ et } t' \text{ sont des réels ;}$$

$$\Leftrightarrow \begin{cases} x = 5 + 3t \\ y = 2 + t \\ z = 1 - 4t \end{cases} \text{ et } \begin{cases} t' = 5 \\ t = 8 - 2 \times 5 = -2, \text{ où } t \text{ et } t' \text{ sont des réels ;} \\ t' = 5 \end{cases}$$

$$\Leftrightarrow \begin{cases} x = 5 + 3 \times (-2) = -1 \\ y = 2 - 2 = 0 \\ z = 1 - 4 \times (-2) = 9 \end{cases}.$$

Donc (d) et (d') sont sécantes au point M $(-1\ ;\ 0\ ;\ 9)$ et $(d) \cap (d') = \{M\}$.

EXERCICES D'APPLICATION

1 SECTION DE CUBE, TÉTRAÈDRE ET ORTHOGONALITÉ

★★ | 30 min | ▸P. 289

1. On considère le cube ci-contre :

a. Soit M le point défini par :

$$\overrightarrow{EM} = \frac{3}{4}\,\overrightarrow{EA}.$$

Tracer la section du cube par le plan (MFD).

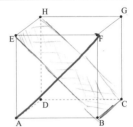

◢ Les droites d'intersection d'un plan avec deux plans (faces) parallèles sont parallèles entre elles.

b. Démontrer que la droite (AF) est orthogonale au plan (BEH).

◢ Chercher deux droites sécantes du plan (BEH) qui soient orthogonales à (AF) (voir le savoir-faire 1). En déduire que (AF) ⊥ (CE).

c. Soit N le milieu du segment [AB] et P le centre du carré BCGF. Tracer la section du cube par le plan (ENP).

◢ Construire le point d'intersection de (EN) avec la droite (FB).

2. On considère le tétraèdre ABCD représenté ci-contre :

I est le milieu de [AB], J est le milieu de [AC], et F vérifie $\overrightarrow{CF} = -2\,\overrightarrow{DF}$.

On veut tracer la section du tétraèdre par le plan (IJF).

On note (d) la droite d'intersection des plans (IJF) et (BCD).

a. Démontrer que (d) est parallèle à (IJ).

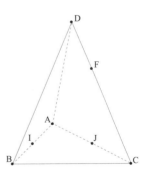

◢ Commencer par démontrer que (IJ) est parallèle au plan (BCF), puis consulter le paragraphe du cours « position relative de deux droites » et procéder par élimination.

b. Terminer le dessin de la section du tétraèdre par (IJF). Quelle est la nature du quadrilatère ainsi obtenu ?

2 ÉQUATIONS CARTÉSIENNES DE PLAN $\quad$ | ★ | 25 min | ▶ P. 290 |

L'espace est rapporté à un repère orthonormé $(O\,;\vec{i}\,;\vec{j}\,;\vec{k})$.

1. Déterminer une équation cartésienne du plan :

a. (xOy) ;

b. (yOz) ;

c. (xOz).

2. Déterminer une équation cartésienne du plan médiateur du segment [AB] où $A(-3\,;2\,;8)$ et $B(1\,;5\,;-2)$.

◢ Le plan médiateur d'un segment [AB] est constitué des points de l'espace équidistants de A et de B.

3. On considère le plan (P) caractérisé par le point $A(3\,;-1\,;2)$ et les vecteurs $\vec{u}(2\,;1\,;-1)$ et $\vec{v}(-3\,;-1\,;3)$.

a. Vérifier que $\vec{u}$ et $\vec{v}$ ne sont pas colinéaires.

b. Soit $M(x\,;y\,;z)$ un point de l'espace. À quelle condition M appartient-il à (P) ?

c. Soit le vecteur $\vec{w}(4\,;-6\,;2)$. Après avoir montré que $\vec{w}$ est un vecteur normal au plan (P), déterminer une équation cartésienne de (P).

◢ Voir le savoir-faire 3.

3 SYSTÈMES D'ÉQUATIONS PARAMÉTRIQUES DES DROITES $\quad$ | ★ | 15 min | ▶ P. 291 |

1. Déterminer un système d'équations paramétriques de la droite :

$$(D_1)\begin{cases}x = 0\\y = 0\end{cases}.$$

◢ Voir le savoir-faire 2.

2. Donner un système d'équations paramétriques de la droite (d) passant par $A(1\,;2\,;-3)$ et de vecteur directeur $\vec{u}\begin{pmatrix}4\\2\\-1\end{pmatrix}$.

◢ Voir le cours, II. 5.

3. Donner un système d'équations paramétriques de la droite (d') passant par les points $A(0\,;5\,;-7)$ et $B(6\,;-2\,;1)$.

4 COLINÉARITÉ, ALIGNEMENT | ★ | **30 min** | ▸P. 292 |

L'espace est rapporté à un repère orthonormé $(O ; \vec{i} ; \vec{j} ; \vec{k})$. On considère le plan caractérisé par le point $A(4 ; 2 ; -1)$ et les vecteurs $\vec{u}(3 ; 1 ; 5)$ et $\vec{v}(-2 ; -1 ; 0)$.

1. Vérifier que les vecteurs $\vec{u}$ et $\vec{v}$ sont pas colinéaires.

2. Les points $P(5 ; 2 ; 4)$ et $Q(0 ; -1 ; 10)$ appartiennent-ils au plan (P) ?

 Exprimer $\overrightarrow{AP}$ en fonction de $\vec{u}$ et $\vec{v}$.

3. Le point $S\left(7 ; -2 ; \dfrac{10}{3}\right)$ appartient-il à la droite (PR) où $R\left(2 ; \dfrac{3}{5} ; 3\right)$?

4. Déterminer un système d'équations paramétrique de la droite (PR).

 Voir le cours, II. 5.

5. Calculer les distances PQ et PR.

6. En déduire une valeur approchée à 10^{-1} près de la mesure en degrés de l'angle $\widehat{QPR}$.

5 REPÈRE QUELCONQUE | ★★ | **30 min** | ▸P. 293 |

On considère le tétraèdre ci-dessous. L'espace est rapporté au repère $(O ; I ; J ; K)$.

1. Donner les coordonnées des points A, B et C dans ce repère.

2. Soit H le centre de gravité du triangle OAC : H vérifie la relation $\overrightarrow{HO} + \overrightarrow{HA} + \overrightarrow{HC} = \vec{0}$.
Exprimer $\overrightarrow{OH}$ en fonction de $\overrightarrow{OA}$ et $\overrightarrow{OC}$.
En déduire les coordonnées du point H.

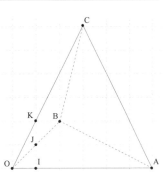

3. On note M le milieu de [AC]. Vérifier que O, H et M sont alignés.

4. Soit G le centre de gravité du tétraèdre : G vérifie la relation $\overrightarrow{GO} + \overrightarrow{GA} + \overrightarrow{GB} + \overrightarrow{GC} = \vec{0}$.
Exprimer $\overrightarrow{OG}$ en fonction de $\overrightarrow{OA}, \overrightarrow{OB}$ et $\overrightarrow{OC}$.
En déduire les coordonnées du point G.

5. Vérifier que G appartient à la droite (BH).

 Comme le repère n'est pas orthonormé, on ne peut calculer ni produits scalaires ni normes ou distances.

6 INTERSECTION DE DEUX PLANS | ★★ | **20 min** | ▶P. 294

Caractériser l'ensemble des points $M(x \; ; \; y \; ; \; z)$ tels que :

1. $\begin{cases} 2x - y + z = 3 \\ x + 2y - z = 1 \end{cases}$;

2. $\begin{cases} x - 3y + 7z = 1 \\ -7x + 21y - 49z = -7 \end{cases}$;

3. $\begin{cases} -x + 3y + z = 3 \\ 2x - 6y - 2z = 1 \end{cases}$;

◢ Voir le savoir-faire 2.

7 INTERSECTION D'UNE DROITE ET D'UN PLAN | ★★ | **25 min** | ▶P. 295

Déterminer l'intersection :

1. de la droite (d) définie par $\begin{cases} x = -1 + 3t \\ y = 2 - 5t \\ z = t \end{cases}$, $t \in \mathbb{R}$ avec le plan (P) d'équation

cartésienne $3x - 2y + 5z - 1 = 0$;

2. de la droite (d) définie par $\begin{cases} x = 2 + 6t \\ y = 3 - t \\ z = 12 \end{cases}$, $t \in \mathbb{R}$ avec le plan (P) d'équation

cartésienne $x + 6y + 3z - 7 = 0$;

3. de la droite (d) passant par $A(1 \; ; \; 2 \; ; \; 3)$ et de vecteur directeur $\vec{u} \begin{pmatrix} 3 \\ 2 \\ 1 \end{pmatrix}$ avec le

plan (P) caractérisé par la point $O(0 \; ; \; 0 \; ; \; 0)$ et les vecteurs $\vec{v} \begin{pmatrix} 1 \\ 0 \\ -1 \end{pmatrix}$ et $\vec{w} \begin{pmatrix} 0 \\ 3 \\ 0 \end{pmatrix}$.

◢ Voir le savoir-faire 4, et pour le **3.** le cours, II. 5

8 POSITIONS RELATIVES DE DROITES | ★★ | **20 min** | ▶P. 297

L'espace est rapporté à un repère orthonormé $(O \, ; \vec{i} \, ; \vec{j} \, ; \vec{k})$.
Déterminer les positions relatives des droites suivantes :

1. $(D_1) \begin{cases} x = -3 + 2t \\ y = 5 - t \\ z = 7 + 4t \end{cases}$, $t \in \mathbb{R}$ et $(D_2) \begin{cases} x = -5 - t \\ y = 6 + \dfrac{1}{2}t, \; t \in \mathbb{R}. \\ z = 2 - 2t \end{cases}$

2. (D_1) et (D_3) $\begin{cases} x = 4 + t \\ y = -6 - 3t, \ t \in \mathbb{R}. \\ z = 21 + 2t \end{cases}$

3. (D_1) et (D_4) $\begin{cases} x = -1 + 3t \\ y = 2 \\ z = 7 - 5t \end{cases}, \ t \in \mathbb{R}.$

4. (D_1) et (D_5) $\begin{cases} x = 3 - 3t \\ y = 2 + \dfrac{3}{2}t \ \text{où} \ t \in \mathbb{R}. \\ z = 19 - 6t \end{cases}$

◢ Voir le savoir-faire 5.

EXERCICES D'ENTRAÎNEMENT

9 VRAI OU FAUX ? ★★ | **20 min** | ▸P. **299**

Dire si les assertions suivantes sont vraies ou fausses :

1. Deux droites de l'espace sans point commun sont parallèles.

2. Deux droites parallèles à un même plan sont parallèles entre elles.

3. Trois droites concourantes sont coplanaires.

4. Deux droites de l'espace orthogonales à une même troisième sont parallèles entre elles.

5. La droite (AB) où $A(-1 ; 6 ; -1)$ et $B(2 ; 3 ; 5)$ admet pour système d'équations paramétriques :

$$\begin{cases} x = 1 - t \\ y = 4 + t \ , \ t \in \mathbb{R}. \\ z = 3 - 2t \end{cases}$$

6. La droite d'intersection des plans d'équations $2x + 4y - z - 2 = 0$ et $y - z + 3 = 0$ admet pour système d'équations paramétriques :

$$\begin{cases} x = -\dfrac{1}{2} + 3t \\ y = -2 + 2t \ , \ t \in \mathbb{R}. \\ z = 1 + 2t \end{cases}$$

10 SYSTÈME LINÉAIRE DE TROIS ÉQUATIONS À TROIS INCONNUES | ★★ | 30 min | ▶ P. 299

L'espace est rapporté à un repère orthonormé $(O; \vec{i}; \vec{j}; \vec{k})$.

1. Résoudre les systèmes suivants en vous aidant de leur interprétation géométrique :

a. $\begin{cases} \dfrac{x}{2} - y + z = 0 \\ -3x + 6y - z = 1 ; \\ x - 2y + \dfrac{z}{3} = 5 \end{cases}$

b. $\begin{cases} x - 2y + z = 5 \\ x + y + z = 1 ; \\ x - 3y = 5 \end{cases}$

> Les plans, dont les équations cartésiennes composent le système, sont-ils parallèles ?

2. Soient les points, $A(1 ; 3 ; -1)$, $B(3 ; 6 ; -2)$ $C(0 ; 4 ; 0)$.

a. Vérifier que les points A, B, C ne sont pas alignés.

b. Déterminer, en résolvant un système, quatre réels a, b, c, d tels que $(a, b, c) \neq (0, 0, 0)$ et $ax + by + cz + d = 0$, soit une équation cartésienne du plan (ABC).

11 PRODUIT SCALAIRE ET RELATION DE CHASLES | ★★★ | 15 min | ▶ P. 301

1. Soit A, B, C et D quatre points distincts de l'espace. Démontrer que les droites (AB) et (CD) sont orthogonales si, et seulement si : $AC^2 + BD^2 = AD^2 + BC^2$.

> On pourra, par exemple, exprimer $AC^2 - AD^2$, ainsi que $BC^2 - BD^2$ sous forme de produits scalaires.

2. On considère un tétraèdre ABCD tel que (AB) est orthogonale à (CD), et (BC) orthogonale à (AD). Montrer que (BD) est orthogonale à (AC).

12 DÉMONSTRATION DU THÉORÈME DU TOIT | ★★ | 15 min | ▶ P. 301

L'objectif de cet exercice est de démontrer le théorème du toit « Si deux plans sécants (P_1) et (P_2) contiennent respectivement des droites (d_1) et (d_2) parallèles entre elles, alors la droite d'intersection Δ de (P_1) et (P_2) est parallèle à (d_1) et à (d_2) ».

Pour cela, on munit l'espace d'un repère orthonormé $(O; \vec{i}; \vec{j}; \vec{k})$.

On considère deux plans sécants (P_1) et (P_2), de vecteurs normaux respectivement $\vec{n_1}$ et $\vec{n_2}$ et contenant tous deux le point I. On suppose qu'il existe deux droites (d_1) et (d_2) incluses respectivement dans (P_1) et (P_2) et telles que (d_1) et (d_2) soient parallèles.

Soit (Q) le plan caractérisé par le point I et les vecteurs $\vec{n_1}$ et $\vec{n_2}$.

1. Justifier la non colinéarité de $\overrightarrow{n_1}$ et $\overrightarrow{n_2}$.

2. Soit Δ la droite d'intersection de (P_1) et (P_2), et soit $\vec{u}$ un vecteur directeur de Δ. Démontrer que $\vec{u}$ est normal au plan (Q).

◢ Bien relire la définition d'un vecteur normal et sa conséquence.

3. Soit $\vec{v}$ un vecteur directeur de (d_1). Démontrer que $\vec{v}$ est également normal au plan (Q).

4. Conclure.

13 DÉMONSTRATION D'UNE PROPRIÉTÉ DU COURS | ★★ | **15 min** | ▶P. 301

L'objet de cet exercice est de démontrer que si une droite est orthogonale à deux droites sécantes d'un plan, alors elle est orthogonale à toutes les droites de ce plan.

Soit Δ une droite de vecteur directeur $\vec{u}$, et soit (P) un plan. On suppose qu'il existe deux droites sécantes (d_1) et (d_2) incluses dans le plan (P) et orthogonales à Δ.

Démontrer que toute droite (d) du plan (P) est orthogonale à Δ.

◢ Soient $\vec{v_1}$, $\vec{v_2}$ et $\vec{w}$ des vecteurs directeurs respectivement de (d_1), (d_2) et (d). Justifier que $\vec{w}$ peut s'écrire comme combinaison linéaire de $\vec{v_1}$ et $\vec{v_2}$, et utiliser le produit scalaire.

14 PERPENDICULAIRE COMMUNE À DEUX DROITES NON COPLANAIRES | ★★ | **20 min** | ▶P. 302

L'espace est muni d'un repère orthonormal $(O \; ; \vec{i} \; ; \vec{j} \; ; \vec{k})$.

Soient $A(1 \; ; 0 \; ; -1)$ $B(-1 \; ; 2 \; ; 3)$ deux points de l'espace et $\vec{u}(3 \; ; 2 \; ; 0)$, $\vec{v}(0 \; ; 1 \; ; 3)$ deux vecteurs de l'espace.

On appelle D_1 la droite passant par A et de vecteur directeur $\vec{u}$ et D_2 la droite passant par B et de vecteur directeur $\vec{v}$.

1. Vérifier que D_1 et D_2 ne sont pas coplanaires.

◢ Voir le savoir-faire 5.

2. On note H et H′ les pieds de la perpendiculaire commune Δ de D_1 et D_2.

a. Déterminer les coordonnées de H et de H′.

b. Donner un système d'équations paramétriques de Δ et calculer HH′ (HH′ s'appelle la distance entre les droites D_1 et D_2).

15 GÉOMÉTRIE NON REPÉRÉE | ★★ | 20 min | ▶ P. 303

Soit ABCDA′B′C′D′ un cube de côté 1.

On note I, J, K, L, M, N les centres respectivement des faces ABCD, CDD′C′, BCB′C′, A′B′C′D′, ADD′A′, ABB′A′.

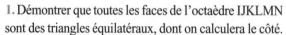

1. Démontrer que toutes les faces de l'octaèdre IJKLMN sont des triangles équilatéraux, dont on calculera le côté.

2. On veut montrer que les droites (IL), (KM), (NJ) sont concourantes au centre O du cube.

a. Démontrer que IJLN, JKNM, IKLM sont des carrés.

b. En déduire que les droites (IL), (KM), (NJ) sont concourantes au centre O de cube.

3. Calculer le volume de l'octaèdre IJKLMN.

 L'octaèdre est composé de deux pyramides IKLMJ et IKLMN.

EXERCICES D'APPROFONDISSEMENT

16 DISTANCE D'UN POINT À UNE DROITE | ★★★ | 30 min | ▶ P. 304

L'espace est muni d'un repère orthonormal $(O ; \vec{i} ; \vec{j} ; \vec{k})$.

Partie A.

Soit (P) le plan d'équation $2x + 3y + 5z - 1 = 0$.

1. Vérifier que $M(-1 ; 1 ; 0) \in (P)$, puis donner un vecteur normal à (P) que l'on notera $\vec{n}$.

2. Soit $A(1 ; -4 ; 5)$. On veut déterminer la distance du point A au plan (P), c'est-à-dire la distance AH, où H est le projeté orthogonal de A sur (P).

a. Exprimer $\overrightarrow{AM} . \vec{n}$ en fonction de la distance AH. En déduire $|\overrightarrow{AM} . \vec{n}|$.

 Utiliser la relation de Chasles.

b. En déduire la distance de A au plan (P).

Partie B.

Cas général. Soit (P) le plan d'équation $ax + by + cz + d = 0$ $(a, b, c, d \in \mathbb{R})$.

$M(x ; y ; z)$ désigne un point de (P), et $\vec{n}$ le vecteur de coordonnées $\begin{pmatrix} a \\ b \\ c \end{pmatrix}$.

Soit $A(x_A ; y_A ; z_A)$ un point de l'espace et H son projeté orthogonal sur le plan (P).

1. Exprimer $\left|\overrightarrow{AM}.\vec{n}\right|$ en fonction de AH, a, b et c

2. Montrer que $\left|\overrightarrow{AM}.\vec{n}\right| = \left|ax_A + by_A + cz_A + d\right|$.

3. Exprimer alors la distance de A à (P) en fonction de x, y, z, a, b, c et d.

17 PROBLÈME | ★★ | **1 hr** | ▶**P. 304** |

L'espace est muni du repère orthonormal direct $(O\,;\,\vec{i}\,;\,\vec{j}\,;\,\vec{k})$
Les parties A *et* B *peuvent être traitées de façon indépendante.*

Partie A.

Soit (P) le plan d'équation $x + y + z - 4 = 0$, et (P') le plan d'équation $6x + 3y - 2z - 6 = 0$.

1. Étudier la position relative des plans (P) et (P').

2. Établir un système d'équations paramétriques de la droite d'intersection de (P) et de (P').

3. Vérifier, pour tout point $M(x\,;\,y\,;\,z)$, l'équivalence :

$$M(x\,;\,y\,;\,z) \in (P) \cap (P') \Leftrightarrow \text{il existe un réel } t \text{ tel que } \begin{cases} x = 5t + 3 \\ y = -8t + 2 \\ z = 3t + 3 \end{cases}$$

Partie B.

On considère les points $A(1\,;\,0\,;\,0)$, $B(0\,;\,2\,;\,0)$ et $C(0\,;\,0\,;\,-3)$.
Soit (Q) le plan d'équation $x + y + z - 4 = 0$.

1. Soit $M(x\,;\,y\,;\,z)$ un point de l'espace. Établir que $M \in (AB)$ si, et seulement s'il existe un réel t tel que $\begin{cases} x = 1 - t \\ y = 2t \\ z = 0 \end{cases}$.

2. Après avoir montré que la droite (AB) et le plan (Q) sont sécants, déterminer les coordonnées de leur point d'intersection I.

3. Montrer que la droite (BC) coupe le plan (Q) au point $J(0\,;\,2,8\,;\,1,2)$.

4. Vérifier que $\overrightarrow{IJ}$ est colinéaire au vecteur $\vec{v}(5\,;\,-8\,;\,3)$.

5. Démontrer que les points A, B et C forment un plan.

6. Caractériser l'intersection des plans (ABC) et (Q).

CONTRÔLE

18 | ★★ | **20 min** | ▶**P. 306** |

Pour chaque question, dire quelles propositions sont correctes.

1. Le plan d'équation cartésienne $-3x + 2y - 7z + 1 = 0$ admet pour vecteur normal

a. $\vec{0}$;   b. $\vec{n}(3\,;\,2\,;\,-7)$;   c. $\vec{u}(6\,;\,-4\,;\,14)$.

2. Les plans d'équations respectivement $-3x + 2y - 7z + 1 = 0$
et $4x - y - 2z + 11 = 0$ sont :
a. parallèles ;   **b.** perpendiculaires ;   **c.** sécants.

3. L'intersection des plans d'équations $-9x + 18y + 6z - 27 = 0$
et $3x - 6y - 2z + 9 = 0$ est :
a. l'ensemble vide ;   **b.** une droite ;   **c.** un plan.

4. Les droites $(D_1) \begin{cases} x = 5 + 3t \\ y = 2 + t \\ z = 1 - 4t \end{cases} (t \in \mathbb{R})$ et $(D_2) \begin{cases} x = -11 + 2t \\ y = 10 - 2t \\ z = 4 + t \end{cases} (t \in \mathbb{R})$
sont :

a. parallèles ;   **b.** sécantes ;   **c.** orthogonales ;   **d.** non coplanaires.

5. Le plan d'équation cartésienne $x - y + z - 3 = 0$
et la droite $(D) \begin{cases} x = 1 - t \\ y = 2 + 3t, \ t \in \mathbb{R} \\ z = -1 + 3t \end{cases}$ sont :

a. parallèles ;   **b.** orthogonaux ;   **c.** ni parallèles ni orthogonaux.

CONTRÔLE

19   ★★ | 40 min | ▶ P. 307

Dans l'espace rapporté à un repère orthonormé $(O \, ; \vec{i} \, ; \vec{j} \, ; \vec{k})$, on donne les plans π_1 ayant pour équation cartésienne $x - z = 0$ et π_2 caractérisé par le point $A(3 \, ; 2 \, ; 1)$ et les vecteurs $\vec{u}(-1 \, ; 0 \, ; 1)$ et $\vec{v}(2 \, ; -1,0)$.

1. Déterminer une représentation paramétrique de π_2.

2. Déterminer un vecteur $\vec{n_2}(a \, ; b \, ; c)$ normal à π_2.

3. En déduire que π_2 admet pour équation cartésienne $x + 2y + z - 8 = 0$.

4. Déterminer les coordonnées des points d'intersection (notés respectivement M, N et P) du plan π_2 avec les axes du repère (Ox), (Oy) et (Oz).

5. Les plans π_1 et π_2 sont-ils sécants ? Si oui, sont-ils perpendiculaires ?

6. Établir un système d'équations paramétriques de la droite Δ, droite d'intersection des plans π_1 et π_2. Vérifier que Δ passe par le point $C(4 \, ; 0 \, ; 4)$ et admet pour vecteur directeur $\vec{t}(-1 \, ; 1 \, ; -1)$.

7. Déterminer l'abscisse du point L du plan π_1 de coordonnées $(x \, ; 2 \, ; 2)$, puis établir une équation de la sphère (S) de centre $A(3 \, ; 2 \, ; 1)$ et passant par L.

CORRIGÉS

1 **1. a.** Il s'agit de trouver, lorsqu'elles existent, les droites d'intersection entre le plan (MFD) et les plans contenant les faces du cube.

[MF] et [MD] sont deux segments communs aux faces du cube et au plan.

Puis l'intersection du plan avec la face DCGH est un segment parallèle à (MF) car les faces DCGH et ABFE sont parallèles. On obtient ainsi le segment [DI] où I est le point d'intersection du plan (MFD) et de l'arête [GC].

Enfin [IF] est l'intersection du plan avec la face BCGF car ces deux points sont communs à (MFD) et à la face BCGF.

◢ (IF) // (MD) car ces deux droites du plan (MFD) sont contenues dans deux plans parallèles. MFID est dont un parallélogramme.

La section du cube avec le plan (MFD) est donc le quadrilatère MFID.

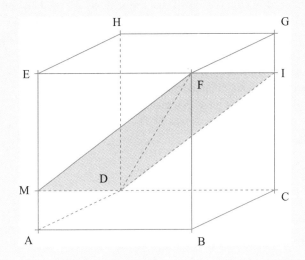

b. Les diagonales d'un carré étant perpendiculaires, (AF) et (BE) sont perpendiculaires.

La droite (HE) est orthogonale à la face ABFE, donc (HE) est orthogonale à toutes les droites de ce plan, et à (AF) en particulier.

Ainsi, (AF) est orthogonale à deux droites sécantes de (BHE), **donc (AF) est orthogonale au plan (BHE).** Elle est donc orthogonale à toutes les droites de (BHE), donc en particulier, **(AF) est orthogonale à (CE).**

c. [EN] est un segment commun à (ENP) et à la face ABFE.

(EN) et (FB) sont deux droites sécantes du plan (ABF). Appelons N′ leur point d'intersection. N′ est donc un point commun à (ENP) et à (FB).

N′ est donc aussi un point commun aux plans (ENP) et (FBC) : on en déduit que la droite (N′P) est commune aux plans (ENP) et (FBC), ce qui nous permet de tracer le segment [QR], intersection de (ENP) avec la face BCGF, Q étant sur [BC] et R sur [FG].

[NQ] est alors l'intersection de (ENP) avec la face ABCD et [RE] avec la face EFGH.

La section cherchée est ENQR.

2. a. D'après le théorème des milieux dans le plan (ABC), la droite (IJ) est parallèle à (BC),

et donc au plan (BCF) (ou (BCD)). Toute droite de (BCF) est donc soit parallèle, soit non coplanaire avec (IJ). En particulier, (d) est la droite commune à (BCF) et (IJF), donc c'est une droite de (BCF) coplanaire (dans (IJF)) avec (IJ), **donc (d) est parallèle à (IJ).**

b. (d) est une droite parallèle à (IJ) passant par F puisque F est un point commun à (BCD) et (IJF). On obtient ainsi le segment [FG], intersection de (IJF) avec la face BCD du tétraèdre.

G et I étant deux points de la face ABD, [IG] est un autre segment d'intersection. De même pour [JF] dans la face ACD. Le quadrilatère IJFG obtenu est donc un trapèze puisqu'il a deux côtés [IJ] et [GF] parallèles.

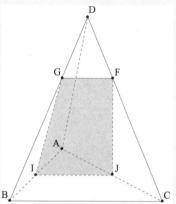

2 **1. a.** Une équation du plan (xOy) est $z = 0$.

b. Une équation du plan (yOz) est $x = 0$.

c. Une équation du plan (xOz) est $y = 0$.

2. $M(x ; y ; z)$ appartient au plan médiateur de [AB] si et seulement si MA = MB.

$$MA = MB \Leftrightarrow AM^2 = BM^2$$
$$\Leftrightarrow (x+3)^2 + (y-2)^2 + (z-8)^2 = (x-1)^2 + (y-5)^2 + (z+2)^2$$
$$\Leftrightarrow 8x + 6y - 20z = -47.$$

Le plan médiateur de [AB] a pour équation $8x + 6y - 20z = -47$.

3. a. Si $\vec{u}$ et $\vec{v}$ étaient colinéaires, alors il existerait $k \in \mathbb{R}$ tel que $\vec{v} = k \cdot \vec{u}$, ce

qui donnerait $\begin{cases} -3 = k \times 2 \\ -1 = k \times 1 \\ 3 = k \times (-1) \end{cases} \Leftrightarrow \begin{cases} k = -\dfrac{3}{2} \\ k = -1, \text{ ce qui est impossible.} \\ k = -3 \end{cases}$

Donc $\vec{u}$ et $\vec{v}$ ne sont pas colinéaires.

b. $\vec{u}$ et $\vec{v}$ n'étant pas colinéaires, ils définissent un repère du plan (P). Donc $M \in (P)$ si et seulement si il existe deux réels α et β tels que :

$$\overrightarrow{AM} = \alpha\vec{u} + \beta\vec{u} \Leftrightarrow \begin{cases} x - x_A = 2\alpha - 3\beta \\ y - y_A = \alpha - \beta \\ z - z_A = -\alpha + 3\beta \end{cases} \Leftrightarrow \begin{cases} \boldsymbol{x = 3 + 2\alpha - 3\beta} \\ \boldsymbol{y = -1 + \alpha - \beta} \\ \boldsymbol{z = 2 - \alpha + 3\beta} \end{cases}.$$

c. $\vec{w}$ est normal au plan (P) s'il est orthogonal à deux vecteurs non colinéaires de (P).

$\vec{w} \cdot \vec{u} = 4 \times 2 + (-6) \times 1 + 2 \times (-1) = 0$ et $\vec{w} \cdot \vec{v} = 4 \times (-3) + (-6) \times (-1) + 2 \times 3 = 0$, **donc $\vec{w}$ est un vecteur normal à (P).**

A étant un point de (P), $M \in (P)$ si et seulement si $\overrightarrow{AM} \cdot \vec{w} = 0$ ce qui est équivalent à :

$(x - 3) \times 4 + (y + 1) \times (-6) + (z - 2) \times 2 = 0 \Leftrightarrow 4x - 12 - 6y - 6 + 2z - 4 = 0$
$\Leftrightarrow 4x - 6y + 2z = 22.$

L'équation cartésienne de (P) est donc $4x - 6y + 2z = 22$.

$\boxed{3}$ **1.** $\begin{cases} x = 0 \\ y = 0 \end{cases} \Leftrightarrow \begin{cases} x = 0 \\ y = 0, \\ z = t \end{cases}$ donc $\begin{cases} \boldsymbol{x = 0} \\ \boldsymbol{y = 0}, \ \boldsymbol{t \in \mathbb{R}}, \ \textbf{est le système d'équations} \\ \boldsymbol{z = t} \end{cases}$

paramétriques de (D_1).

De plus, $\begin{pmatrix} x \\ y \\ z \end{pmatrix} = \begin{pmatrix} 0 \\ 0 \\ 0 \end{pmatrix} + t \begin{pmatrix} 0 \\ 0 \\ 1 \end{pmatrix}$, $t \in \mathbb{R}$, donc (D_1) est la droite passant par l'origine et

de vecteur directeur $\vec{k}$.

2. Les points de la droite (d) sont les points M tels que $\overrightarrow{AM}$ et $\vec{u}$ sont colinéaires,

donc ce sont les points tels que $\begin{cases} x - x_A = k \times 4 \\ y - y_A = k \times 2 \\ z - z_A = k \times (-1) \end{cases}$ où $k \in \mathbb{R}$. Donc $\begin{cases} \boldsymbol{x = 4k + 1} \\ \boldsymbol{y = 2k + 2}, \\ \boldsymbol{z = -k - 3} \end{cases}$

$\boldsymbol{k \in \mathbb{R}}$ **est un système d'équations paramétriques de (d).**

3. Le principe est le même qu'à la question précédente, avec $\overrightarrow{AB} \begin{pmatrix} x_B - x_A \\ y_B - y_A \\ z_B - z_A \end{pmatrix}$ pour vecteur directeur.

On obtient $\begin{cases} x - x_A = k \times 6 \\ y - y_A = k \times (-7), \quad k \in \mathbb{R}. \\ z - z_A = k \times 8 \end{cases}$ Donc $\begin{cases} x = 6k+1 \\ y = -7k+2, \, k \in \mathbb{R} \quad \text{est un} \\ z = 8k-3 \end{cases}$

système d'équations paramétriques de (d).

4 1. Vérifions s'il existe un réel $k \in \mathbb{R}$ tel que $\vec{u} = k\vec{v}$. On aurait alors $\begin{cases} 3 = k \times (-2) \\ 1 = k \times (-1) \\ 5 = k \times 0 \end{cases}$. La dernière équation n'a pas de solution, donc on ne peut pas trouver de réel k, **donc $\vec{u}$ et $\vec{v}$ ne sont pas colinéaires.**

2. $\vec{u}$ et $\vec{v}$ forment donc un repère de (P), donc $P \in (P)$ si et seulement si $\overrightarrow{AP}$ peut s'écrire comme combinaison linéaire de $\vec{u}$ et $\vec{v}$, c'est-à-dire s'il existe α et β réels tels que $\overrightarrow{AP} = \alpha\vec{u} + \beta\vec{v}$, ce qui équivaut à :

$\begin{cases} 5-4 = \alpha \times 3 + \beta \times (-2) \\ 2-2 = \alpha \times 1 + \beta \times (-1) \\ 4-(-1) = \alpha \times 5 + \beta \times 0 \end{cases} \Leftrightarrow \begin{cases} 1 = 3\alpha - 2\beta \\ 0 = \alpha - \beta \\ 5 = 5\alpha \end{cases} \Leftrightarrow \begin{cases} 1 = 3\alpha - 2\alpha \\ \alpha = \beta \\ \alpha = 1 \end{cases} \Leftrightarrow \alpha = \beta = 1.$

Ainsi, $\overrightarrow{AP} = \vec{u} + \vec{v}$, **donc P est bien un point du plan (P).**

• $Q \in (P) \Leftrightarrow$ il existe des réels α' et β' tels que $\begin{cases} 0-4 = \alpha' \times 3 + \beta' \times (-2) \\ -1-2 = \alpha' \times 1 + \beta' \times (-1) \\ 10-(-1) = \alpha' \times 5 + \beta' \times 0 \end{cases}$

$\Leftrightarrow \begin{cases} -4 = 3\alpha' - 2\beta' \\ -3 = \alpha' - \beta' \\ 11 = 5\alpha' \end{cases} \Leftrightarrow \begin{cases} -4 = 3 \times \dfrac{11}{5} - 2\beta' \\ -3 = \dfrac{11}{5} - \beta' \\ \dfrac{11}{5} = \alpha' \end{cases} \Leftrightarrow \begin{cases} \beta' = \left(\dfrac{33}{5}+4\right) \times \dfrac{1}{2} = \dfrac{53}{10} \\ \beta' = \dfrac{11}{5} + 3 = \dfrac{26}{5} \\ \beta' = \dfrac{11}{5} \end{cases}$, ce qui

est impossible, donc **$Q \notin (P)$.**

3. $S \in (PR) \Leftrightarrow \overrightarrow{PS}$ et $\overrightarrow{PR}$ sont colinéaires

$\Leftrightarrow$ il existe un réel k tel que $\overrightarrow{PS} = k \overrightarrow{PR}$.

Or $\overrightarrow{PS} \begin{pmatrix} 7-5 \\ -2-2 \\ \dfrac{10}{3}-4 \end{pmatrix}$, donc $\overrightarrow{PS} \begin{pmatrix} 2 \\ -4 \\ \dfrac{-2}{3} \end{pmatrix}$ et $\overrightarrow{PR} \begin{pmatrix} 2-5 \\ \dfrac{3}{5}-2 \\ 3-4 \end{pmatrix}$, donc $\overrightarrow{PR} \begin{pmatrix} -3 \\ \dfrac{-7}{5} \\ -4 \end{pmatrix}$.

Vérifions s'il existe un tel réel k tel que $\begin{cases} 2 = k \times (-3) \\ -4 = k \times \left(-\dfrac{7}{5}\right) \\ -\dfrac{2}{3} = k \times (-1) \end{cases}$ soit $\begin{cases} k = -\dfrac{2}{3} \\ k = \dfrac{20}{7} \\ k = \dfrac{2}{3} \end{cases}$.

Les vecteurs $\overrightarrow{PS}$ et $\overrightarrow{PR}$ ne sont pas colinéaires, et donc $S \notin (PR)$.

4. $M(x \; ; \; y \; ; \; z) \in (PR) \Leftrightarrow \overrightarrow{PM} \begin{pmatrix} x-5 \\ y-2 \\ z-4 \end{pmatrix}$ est colinéaire au vecteur $\overrightarrow{PR}$,

$\begin{cases} x - 5 = k \times (-3) \\ y - 2 = k \times (-\dfrac{7}{5}) \\ z - 4 = k \times (-1) \end{cases}$ avec $k \in \mathbb{R}$, **donc un système d'équations paramétriques**

de la droite (PR) est $\begin{cases} x = 5 - 3k \\ y = 2 - \dfrac{7}{5}\,k , \; k \in \mathbb{R}. \\ z = 4 - k \end{cases}$

5. $PQ = \sqrt{(x_Q - x_P)^2 + (y_Q - y_P)^2 + (z_Q - z_P)^2}$

$\quad\quad = \sqrt{(0-5)^2 + (-1-2)^2 + (10-4)^2} = \sqrt{25 + 9 + 36}$

soit $\mathbf{PQ = \sqrt{70}}$.

Autre méthode

$PR = \|\overrightarrow{PQ}\|$, donc en réutilisant les coordonnées du vecteur calculées au **4** :

$PR = \sqrt{(-3)^2 + -\dfrac{7}{5}^2 + (-1)^2} = \sqrt{\dfrac{299}{25}}$ soit $\mathbf{PR = \dfrac{\sqrt{299}}{5}}$.

6. $\overrightarrow{PQ} \cdot \overrightarrow{PR} = \|\overrightarrow{PQ}\| \times \|\overrightarrow{PR}\| \times \cos\,(\overrightarrow{PQ}\,;\,\overrightarrow{PR})$.

$\overrightarrow{PQ} \cdot \overrightarrow{PR} = (-5) \times (-3) + (-3) \times \left(\dfrac{-7}{5}\right) + 6 \times (-1) = 15 + \dfrac{21}{5} - 6 = \dfrac{66}{5} = 13,2$,

donc :

$\quad 13,2 = \sqrt{70} \times \dfrac{\sqrt{299}}{5} \times \cos\,(\overrightarrow{PQ}\,;\,\overrightarrow{PR})$, d'où $\cos\,(\overrightarrow{PQ}\,;\,\overrightarrow{PR}) \approx 0,456$ et :

$$\widehat{\mathbf{QPR}} \approx \cos^{-1}(\mathbf{0,456}) \approx \mathbf{62,9°}.$$

5 **1.** Par définition $I(1 \; ; \; 0 \; ; \; 0)$, et $\overrightarrow{OA} = 6\ \overrightarrow{OI},$, donc $\mathbf{A(6 \; ; \; 0 \; ; \; 0)}$.

De même $J(0 \; ; \; 1 \; ; \; 0)$ et $\overrightarrow{OB} = 2\ \overrightarrow{OJ}$, donc $\mathbf{B(0 \; ; \; 2 \; ; \; 0)}$;

et $K(0 \; ; \; 0 \; ; \; 1)$, $\overrightarrow{OC} = 3\ \overrightarrow{OK}$, donc $\mathbf{C(0 \; ; \; 0 \; ; \; 3)}$.

2. $\overrightarrow{HQ} + \overrightarrow{HA} + \overrightarrow{HC} = \vec{0} \Leftrightarrow \overrightarrow{HO} + \overrightarrow{HO} + \overrightarrow{OA} + \overrightarrow{HO} + \overrightarrow{OC} = \vec{0}$

$\Leftrightarrow 3 \ \overrightarrow{HO} + \overrightarrow{OA} + \overrightarrow{OC} = \vec{0} \Leftrightarrow \overrightarrow{OA} + \overrightarrow{OC} = 3 \ \overrightarrow{OH} \Leftrightarrow \overrightarrow{OH} = \frac{1}{3}(\overrightarrow{OA} + \overrightarrow{OC})$.

D'où les coordonnées de H $\left(\dfrac{1}{3} \times 6 \ ; \ \dfrac{1}{3} \times 0 \ ; \ \dfrac{1}{3} \times 3\right)$, c'est-à-dire **H$(2 \ ; \ 0 \ ; \ 1)$**.

3. M est le milieu de [AC], donc les coordonnées de M sont

$\left(\dfrac{x_A + x_C}{2} \ ; \ \dfrac{y_A + y_C}{2} \ ; \ \dfrac{z_A + z_C}{2}\right)$, c'est-à-dire M$\left(3 \ ; \ 0 \ ; \ \dfrac{3}{2}\right)$, et donc

$\overrightarrow{OM}\begin{pmatrix} 3 \\ 0 \\ \dfrac{3}{2} \end{pmatrix}$ et $\overrightarrow{OH}\begin{pmatrix} 2 \\ 0 \\ 1 \end{pmatrix}$. Ces deux vecteurs sont colinéaires, et $\overrightarrow{OM} = \dfrac{3}{2} \ \overrightarrow{OH}$, **donc**

les points O, M et H sont alignés.

4. $\overrightarrow{GO} + \overrightarrow{GA} + \overrightarrow{GB} + \overrightarrow{GC} = \vec{0} \Leftrightarrow \overrightarrow{GO} + \overrightarrow{GO} + \overrightarrow{OA} + \overrightarrow{GO} + \overrightarrow{OB} + \overrightarrow{GO} + \overrightarrow{OC} = \vec{0}$

$\Leftrightarrow \overrightarrow{OG} = \dfrac{1}{4}(\overrightarrow{OA} + \overrightarrow{OB} + \overrightarrow{OC})$, donc **G$\left(\dfrac{3}{2} ; \dfrac{1}{2} ; \dfrac{3}{4}\right)$**.

5. $\overrightarrow{BG}\begin{pmatrix} \dfrac{3}{2} - 0 \\ \dfrac{1}{2} - 2 \\ \dfrac{3}{4} - 0 \end{pmatrix}$ ce qui donne $\overrightarrow{BG}\begin{pmatrix} \dfrac{3}{2} \\ -\dfrac{3}{2} \\ \dfrac{3}{4} \end{pmatrix}$ et $\overrightarrow{BH}\begin{pmatrix} 2-0 \\ 0-2 \\ 1-0 \end{pmatrix}$ soit $\overrightarrow{BH}\begin{pmatrix} 2 \\ -2 \\ 1 \end{pmatrix}$.

$\overrightarrow{BG} = \dfrac{3}{4} \ \overrightarrow{BH}$, donc **G $\in (\mathbf{BH})$**.

6 L'intersection de deux plans peut être une droite, un plan, ou l'ensemble vide.

1. Des vecteurs normaux à ces deux plans sont $\vec{u}\begin{pmatrix} 2 \\ -1 \\ 1 \end{pmatrix}$ et $\vec{v}\begin{pmatrix} 1 \\ 2 \\ -1 \end{pmatrix}$. Ces deux vec-

teurs ne sont pas colinéaires, donc on cherche une droite d'intersection.

$\begin{cases} 2x - y + z = 3 \\ x + 2y - z = 1 \end{cases} \Leftrightarrow \begin{cases} 2x - y = 3 - z \\ x + 2y = 1 + z \end{cases} \Leftrightarrow \begin{cases} 2(-2y + 1 + z) - y = 3 - z \\ x = -2y + 1 + z \end{cases} \Leftrightarrow \begin{cases} y = \dfrac{3z - 1}{5} \\ x = \dfrac{7 - z}{5} \end{cases}$.

Posons $t = \dfrac{z}{5}$. $M(x\,;\,y\,;\,z)$ vérifie $\begin{cases} 2x - y + z = 3 \\ x + 2y - z = 1 \end{cases}$ si, et seulement

si, $\begin{cases} x = -t + 7/5 \\ y = 3t - 1/5 \\ z = 5t \end{cases}$, $t \in \mathbb{R}$. **Donc l'ensemble cherché est la droite passant par**

$A \begin{pmatrix} 7/5 \\ -1/5 \\ 0 \end{pmatrix}$ **et de vecteur directeur** $\vec{w} \begin{pmatrix} -1 \\ 3 \\ 5 \end{pmatrix}$.

2. Des vecteurs normaux à ces deux plans sont $\vec{u} \begin{pmatrix} 1 \\ -3 \\ 7 \end{pmatrix}$ et $\vec{v} \begin{pmatrix} -7 \\ 21 \\ -49 \end{pmatrix}$

$\vec{v} = -7\vec{u}$ donc les plans sont parallèles.

$\begin{cases} x - 3y + 7z = 1 \\ -7x + 21y - 49z = -7 \end{cases} \Leftrightarrow \begin{cases} x - 3y + 7z = 1 \\ x - 3y + 7z = 1 \end{cases}$ (on divise la seconde équation par (-7))

$$\Leftrightarrow x - 3y + 7z = 1.$$

Les deux plans sont confondus.
L'ensemble cherché est le plan d'équation $x - 3y + 7z = 1$.

3. Des vecteurs normaux à ces deux plans sont $\vec{u} \begin{pmatrix} -1 \\ 3 \\ 1 \end{pmatrix}$ et $\vec{v} \begin{pmatrix} 2 \\ -6 \\ -2 \end{pmatrix}$ $\vec{v} = -2\vec{u}$, donc

les plans sont parallèles.

$\begin{cases} -x + 3y + z = 3 \\ 2x - 6y + 2z = 1 \end{cases} \Leftrightarrow \begin{cases} -x + 3y + z = 3 \\ -x + 3y + z = -\dfrac{1}{2} \end{cases}$ (on divise la seconde équation par (-2))

$3 \neq -\dfrac{1}{2}$ donc le système n'admet pas de solution.

Les plans correspondant à ces équations sont strictement parallèles.
L'ensemble cherché est l'ensemble vide.

---

7   ◢   L'intersection d'une droite et d'un plan peut être un point, une droite, ou l'ensemble vide.

1. $\vec{u} \begin{pmatrix} 3 \\ -5 \\ 1 \end{pmatrix}$ est un vecteur directeur de (d) et $\vec{n} \begin{pmatrix} 3 \\ -2 \\ 5 \end{pmatrix}$ est un vecteur normal à (P).

$\vec{u} \cdot \vec{n} = 3 \times 3 - 5 \times (-2) + 1 \times 5 = 24 \neq 0$, donc $\vec{u}$ et $\vec{n}$ ne sont pas orthogonaux : (d)

et (P) sont donc sécants et leur intersection est un point.

$M(x\;;\;y\;;\;z) \in (d) \cap (P) \Leftrightarrow$ il existe un réel t tel que $\begin{cases} x = -1 + 3t \\ y = 2 - 5t \\ z = t \end{cases}$ et $3x - 2y + 5z - 1 = 0$.

Remplaçons x, y et z dans l'équation du plan pour trouver t :

$$3(-1 + 3t) - 2(2 - 5t) + 5t - 1 = 0 \Leftrightarrow -3 + 9t - 4 + 10t + 5t - 1 = 0$$

$$\Leftrightarrow 24t = 8 \Leftrightarrow t = \frac{1}{3}.$$

Donc $M(x\;;\;y\;;\;z) \in (d) \cap (P) \Leftrightarrow \begin{cases} x = -1 + 3 \times \dfrac{1}{3} = 0 \\ y = 2 - 5 \times \dfrac{1}{3} = \dfrac{1}{3} \\ z = \dfrac{1}{3} \end{cases}$.

Le point d'intersection est $M\left(0\;;\;\dfrac{1}{3}\;;\;\dfrac{1}{3}\right)$.

2. $\vec{u}\begin{pmatrix} 6 \\ -1 \\ 0 \end{pmatrix}$ est un vecteur directeur de (d) et $\vec{n}\begin{pmatrix} 1 \\ 6 \\ 3 \end{pmatrix}$ est un vecteur normal à (P).

$\vec{u} \cdot \vec{n} = 6 \times 1 - 1 \times 6 + 0 \times 3 = 0$, donc $\vec{u}$ et $\vec{n}$ sont orthogonaux : (d) est donc parallèle à (P).

$M(x\;;\;y\;;\;z) \in (d) \cap (P) \Leftrightarrow$ il existe un réel t tel que $\begin{cases} x = 2 + 6t \\ y = 3 - t \\ z = 12 \end{cases}$ et $x + 6y + 3z - 7 = 0$.

Remplaçons x, y et z dans l'équation du plan :

$2 + 6t + 6(3 - t) + 3 \times 12 = 0 \Leftrightarrow 2 + 6t + 18 - 6t + 24 = 0 \Leftrightarrow 44 = 0$, ce qui est impossible. Il n'y a donc pas de solution. Donc (d) est strictement parallèle à (P), **l'intersection est vide.**

3. $M(x\;;\;y\;;\;z)$ est un point de la droite (d) s'il vérifie le système d'équations paramétriques de celle-ci, $\begin{cases} x = 1 + t \times 3 \\ y = 2 + t \times 2 \\ z = 3 + t \times 1 \end{cases}$ avec $t \in \mathbb{R}$.

De plus, M est dans le plan (P) s'il existe α et β réels tels que $\overrightarrow{OM} = \alpha \vec{v} + \beta \vec{w}$,

c'est-à-dire $\begin{cases} x = \alpha \times 1 + \beta \times 0 \\ y = \alpha \times 0 + \beta \times 3 \\ z = \alpha \times (-1) + \beta \times 0 \end{cases}$, ce qui équivaut à $\begin{cases} x = \alpha \\ y = 3\beta \\ z = -\alpha \end{cases}$.

t, α et β doivent donc vérifier le système :

$$\begin{cases} \alpha = 1+3t \\ 3\beta = 2+2t \\ -\alpha = 3+t \end{cases} \Leftrightarrow \begin{cases} \alpha = 1+3t \\ 3\beta = 2+2t \\ -1-3t = 3+t \end{cases} \Leftrightarrow \begin{cases} \alpha = 1+3t \\ 3\beta = 2+2t \\ -4 = 4t \end{cases} \Leftrightarrow \begin{cases} \alpha = 1+3\times(-1) = -2 \\ 3\beta = 2+2\times(-1) = 0. \\ t = -1 \end{cases}$$

Il y a une unique solution, donc l'intersection entre la droite et le plan est un point,

de coordonnées $\begin{cases} x = \alpha = -2 \\ y = 3\beta = 0 \\ z = -\alpha = 2 \end{cases}$, donc **M(−2 ; 0 ; 2)**.

8 **1.** $\vec{u}\begin{pmatrix} 2 \\ -1 \\ 4 \end{pmatrix}$ est un vecteur directeur de (D_1) et $\vec{v}\begin{pmatrix} -1 \\ \dfrac{1}{2} \\ -2 \end{pmatrix}$ est un vecteur directeur de (D_2).

$\vec{u} = -2\,\vec{v}$, donc $\vec{u}$ et $\vec{v}$ sont colinéaires et **(D_1) et (D_2) sont parallèles**.

Le point $A\begin{pmatrix} -3 \\ 5 \\ 7 \end{pmatrix}$ appartient à (D_1). $A \in (D_2)$ si et seulement si il existe un réel t

tel que $\begin{cases} -3 = -5-t \\ 5 = 6+\dfrac{1}{2}t \\ 7 = 2-2t \end{cases}$, c'est-à-dire tel que $\begin{cases} t = -2 \\ 5 = 6+\dfrac{1}{2}\times(-2) = 5 \\ 7 = 2-2\times(-2) = 6 \end{cases}$, ce qui est impos-

sible, donc $A \notin (D_2)$, **donc les droites (D_1) et (D_2) sont parallèles disjointes**.

2. $\vec{w}\begin{pmatrix} 1 \\ -3 \\ 2 \end{pmatrix}$ est un vecteur directeur de (D_3). $\vec{u}$ et $\vec{w}$ ne sont pas colinéaires, donc

(D_1) et (D_3) ne sont pas parallèles. Sont-elles sécantes ?

$$M(x\ ;\ y\ ;\ z) \in (D_1) \cap (D_3) \Leftrightarrow \begin{cases} x = -3+2t = 4+t' \\ y = 5-t = -6-3t' \\ z = 7+4t = 21+2t' \end{cases}, \text{ où } t \text{ et } t' \text{ sont des réels.}$$

$$\Leftrightarrow \begin{cases} x = -3+2t \\ y = 5-t \\ z = 7+4t \end{cases} \text{ et } \begin{cases} -3+2t = 4+t' \\ 5-t = -6-3t' \\ 7+4t = 21+2t' \end{cases}, \text{ où } t \text{ et } t' \text{ sont des réels.}$$

$$\Leftrightarrow \begin{cases} x = -3+2t \\ y = 5-t \\ z = 7+4t \end{cases} \text{ et } \begin{cases} t' = 2t-7 \\ 5-t = -6-3(2t-7) \\ 7+4t = 21+2(2t-7) \end{cases}, \ t, t' \in \mathbb{R}.$$

$$\Leftrightarrow \begin{cases} x = -3 + 2t \\ y = 5 - t \\ z = 7 + 4t \end{cases} \text{ et } \begin{cases} t' = 2t - 7 \\ 5t = 10 \\ 7 = 7 \end{cases}, t, t' \in \mathbb{R}.$$

$$\Leftrightarrow \begin{cases} x = -3 + 2t \\ y = 5 - t \\ z = 7 + 4t \end{cases} \text{ et } \begin{cases} t = 2 \\ t' = -3 \end{cases} \Leftrightarrow \text{M a pour coordonnées } (1 ; 3 ; 15).$$

(D_1) et (D_3) sont donc sécantes au point M $(1 ; 3 ; 15)$.

Elles sont donc aussi coplanaires.

3. $\vec{\omega} \begin{pmatrix} 3 \\ 0 \\ -5 \end{pmatrix}$ est un vecteur directeur de (D_4).

$\vec{u}$ et $\vec{\omega}$ ne sont pas colinéaires, donc (D_1) et (D_4) ne sont pas parallèles. Sont-elles sécantes ?

$$\text{M}(x ; y ; z) \in (D_1) \cap (D_4) \Leftrightarrow \begin{cases} x = -3 + 2t = -1 + 3t' \\ y = 5 - t = 2 \\ z = 7 + 4t = 7 - 5t' \end{cases}, \text{ où } t \text{ et } t' \text{ sont des réels.}$$

$$\Leftrightarrow \begin{cases} x = -3 + 2t \\ y = 5 - t \\ z = 7 + 4t \end{cases} \text{ et } \begin{cases} -3 + 2t = -1 + 3t' \\ 5 - t = 2 \\ 7 + 4t = 7 - 5t' \end{cases}, \text{ où } t \text{ et } t' \text{ sont des réels.}$$

$$\Leftrightarrow \begin{cases} x = -3 + 2t \\ y = 5 - t \\ z = 7 + 4t \end{cases} \text{ et } \begin{cases} t' = \dfrac{4}{3} \\ t = 3 \\ t' = -\dfrac{12}{5} \end{cases}, \text{ ce qui est impossible. } (D_1) \text{ et } (D_4) \text{ ne sont ni}$$

parallèles, ni sécantes, **donc (D_1) et (D_4) ne sont pas coplanaires**.

4. $\vec{v} \begin{pmatrix} -3 \\ \dfrac{3}{2} \\ -6 \end{pmatrix}$ est un vecteur directeur de (D_5) et $\vec{v} = -\dfrac{3}{2} \vec{u}$, donc (D_1) et (D_5) sont

parallèles.

Le point A $\begin{pmatrix} -3 \\ 5 \\ 7 \end{pmatrix}$ appartient à (D_1).

$A \in (D_5) \Leftrightarrow$ il existe un réel t tel que $\begin{cases} -3 = 3 - 3t \\ 5 = 2 + \dfrac{3}{2}t \\ 7 = 19 - 6t \end{cases} \Leftrightarrow$ il existe un réel t tel que $t = 2$.

Les droites (D_1) et (D_5) sont parallèles et ont un point commun.

Donc les droites (D_1) et (D_5) sont confondues.

9 1. **Faux.** La droite (d_1) $\begin{cases} x = 1 \\ z = 0 \end{cases}$ et l'axe $(O\,;\,\vec{k})$ n'ont pas de point commun et ne sont pas parallèles.

Cette droite est la parallèle à l'axe $(O\,;\,\vec{j})$ passant par le point $(1\,;\,0\,;\,0)$.

2. **Faux.** Les droites (d_1) $\begin{cases} z = 1 \\ x = 0 \end{cases}$ et (d_2) $\begin{cases} z = 1 \\ y = 0 \end{cases}$ sont toutes deux parallèles au plan

d'équation $z = 0$ (qui est le plan (xOy)) et sont orthogonales entre elles.

3. **Faux.** Les axes $(O\,;\,\vec{i})$, $(O\,;\,\vec{j})$, et $(O\,;\,\vec{k})$ se coupent en O, mais ne sont pas coplanaires.

4. **Faux.** Les axes $(O\,;\,\vec{i})$, $(O\,;\,\vec{j})$, sont tous deux orthogonaux à l'axe $(O\,;\,\vec{k})$ et ne sont pas parallèles entre eux.

5. **Vrai.** Appelons (D) la droite définie par le système d'équations paramétriques ;

$\begin{cases} -1 = 1 - t \\ 6 = 4 + t \\ -1 = 3 - 2t \end{cases}$ ce qui équivaut à $t = 2$, donc $A \in (D)$ et $\begin{cases} 2 = 1 - t \\ 3 = 4 + t \\ 5 = 3 - 2t \end{cases} \Leftrightarrow t = 1,$

donc $B \in (D)$. Donc **(AB) = (D)**.

6. **Faux.** Le point $A\left(-\dfrac{1}{2}\,;\,-2\,;\,1\right)$ vérifie le système d'équations paramétriques.

Mais $2x_A + 4y_A - z_A - 2 = -12 \neq 0$, c'est-à-dire que la droite donnée n'est pas incluse dans le plan d'équation $2x + 4y - z - 2 = 0$.

10 1. a. Considérons les plans (P) $\dfrac{x}{2} - y + z = 0$, $(Q) -3x + 6y - z = 1$

et (R) $x - 2y + \dfrac{z}{3} = 5$. Les plans (Q) et (R) sont parallèles car leurs vecteurs

normaux $\vec{n_Q}\begin{pmatrix} -3 \\ 6 \\ -1 \end{pmatrix}$ et $\vec{n_R}\begin{pmatrix} 1 \\ -2 \\ \dfrac{1}{3} \end{pmatrix}$ sont colinéaires.

De plus, $x - 2y + \dfrac{z}{3} = 5 \Leftrightarrow -3x + 6y - z = -15$, donc (Q) et (R) sont disjoints.

À fortiori, il n'existe pas de point commun aux trois plans (P), (Q) et (R).

Le système $\begin{cases} \dfrac{x}{2} - y + z = 0 \\ -3x + 6y - z = 1 \\ x - 2y + \dfrac{z}{3} = 5 \end{cases}$ **n'admet donc pas de solution.**

b. Considérons les plans (P) $x - 2y + z = 5$, (Q) $x + y + z = 1$ et (R) $x - 3y = 5$.

Des vecteurs normaux à ces trois plans sont $\vec{u}\begin{pmatrix} 1 \\ -2 \\ 1 \end{pmatrix}$, $\vec{v}\begin{pmatrix} 1 \\ 1 \\ 1 \end{pmatrix}$ et $\vec{w}\begin{pmatrix} 1 \\ -3 \\ 0 \end{pmatrix}$. Ces

vecteurs pris deux par deux ne sont pas colinéaires, donc les plans (P), (Q) et (R)

sont deux à deux sécants et on doit résoudre le système :

$$\begin{cases} x - 2y + z = 5 \\ x + y + z = 1 \\ x - 3y = 5 \end{cases} \Leftrightarrow \begin{cases} -3y = 4 \\ -2y + 3y + z = 0 \\ x - 3y = 5 \end{cases} \Leftrightarrow \begin{cases} y = -\dfrac{4}{3} \\ z = -y = \dfrac{4}{3} \\ x = 5 + 3y = 1 \end{cases}.$$

La solution du système est le triplet $\left(1 \, ; \, -\dfrac{4}{3} \, ; \, \dfrac{4}{3} \right)$.

Interprétation géométrique

Les plans (P), (Q) et (R) se coupent en un point $I\left(1 \, ; \, -\dfrac{4}{3} \, ; \, \dfrac{4}{3} \right)$.

2. a. $\overrightarrow{AB}\begin{pmatrix} 3 - 1 \\ 6 - 3 \\ -2 + 1 \end{pmatrix}$, donc $\overrightarrow{AB}\begin{pmatrix} 2 \\ 3 \\ -1 \end{pmatrix}$ et $\overrightarrow{AC}\begin{pmatrix} -1 \\ 1 \\ 1 \end{pmatrix}$: ces deux vecteurs ne sont pas

colinéaires, **donc A, B et C ne sont pas alignés.**

b. $\overrightarrow{AB}$ et $\overrightarrow{AC}$ forment donc un repère du plan (ABC).

$M(x \, ; \, y \, ; \, z) \in$ (ABC) si, et seulement si, $\overrightarrow{AM}$ peut s'écrire comme combinaison linéaire de $\overrightarrow{AB}$ et $\overrightarrow{AC}$ si, et seulement si, il existe des réels α et β tels que :

$$\begin{cases} x - 1 = \alpha \times 2 + \beta \times (-1) \\ y - 3 = \alpha \times 3 + \beta \times 1 \\ z - (-1) = \alpha \times (-1) + \beta \times 1 \end{cases} \Leftrightarrow \begin{cases} x = 1 + 2\alpha - \beta \\ y = 3 + 3\alpha + \beta \\ z = -1 - \alpha + \beta \end{cases} \Leftrightarrow \begin{cases} \beta = 1 + 2\alpha - x \\ y = 3 + 3\alpha + 1 + 2\alpha - x \\ z = -1 - \alpha + 1 + 2\alpha - x \end{cases}$$

$$\Leftrightarrow \begin{cases} \beta = 1 + 2\alpha - x \\ y + x - 4 = 5\alpha \\ z = \alpha - x \end{cases} \Leftrightarrow \begin{cases} \beta = 1 + 2\alpha - x \\ \alpha = \dfrac{x + y - 4}{5} \\ z = \dfrac{x + y - 4}{5} - x \end{cases}$$

La dernière équation remise en forme nous donne l'équation cartésienne du plan (ABC) : $4x - y + 5z + 4 = 0$.

11 1. $AC^2 + BD^2 = AD^2 + BC^2 \Leftrightarrow AC^2 - AD^2 = BC^2 - BD^2$

$$\Leftrightarrow \left\| \overrightarrow{AC} \right\|^2 - \left\| \overrightarrow{AD} \right\|^2 = \left\| \overrightarrow{BC} \right\|^2 - \left\| \overrightarrow{BD} \right\|^2$$

$$\Leftrightarrow (\overrightarrow{AC} - \overrightarrow{AD}) \cdot (\overrightarrow{AC} + \overrightarrow{AD}) = (\overrightarrow{BC} - \overrightarrow{BD}) \cdot (\overrightarrow{BC} + \overrightarrow{BD})$$

$$\Leftrightarrow \overrightarrow{DC} \cdot (\overrightarrow{AC} + \overrightarrow{AD}) = \overrightarrow{DC} \cdot (\overrightarrow{BC} + \overrightarrow{BD})$$

$$\Leftrightarrow \overrightarrow{DC} \cdot (\overrightarrow{AC} + \overrightarrow{AD} + \overrightarrow{CB} + \overrightarrow{DB}) = 0$$

$$\Leftrightarrow \overrightarrow{DC} \cdot (2\overrightarrow{AB}) = 0$$

$$\Leftrightarrow \overrightarrow{DC} \cdot \overrightarrow{AB} = 0$$

$$\Leftrightarrow (AB) \perp (CD).$$

Donc les droites (AB) et (CD) sont orthogonales si et seulement si $AC^2 + BD^2 = AD^2 + BC^2$.

2. $\begin{cases} (AB) \perp (CD) \\ (BC) \perp (AD) \end{cases} \Leftrightarrow \begin{cases} AC^2 + BD^2 = AD^2 + BC^2 \\ BA^2 + CD^2 = BD^2 + CA^2 \end{cases}$

$$\Leftrightarrow AC^2 + BD^2 = AD^2 + BC^2 = AB^2 + CD^2$$

Alors $AB^2 + CD^2 = BC^2 + AD^2$, donc, d'après **1.**, $(BD) \perp (AC)$.

Donc, si (AB) est orthogale à (CD) et (BC) est orthogonale à (AD), alors (BD) est orthogonale à (AC).

12 1. Si $\overrightarrow{n_1}$ et $\overrightarrow{n_2}$ étaient colinéaires, alors $\overrightarrow{n_2}$ serait aussi un vecteur normal à (P_1) et donc (P_1) et (P_2) seraient parallèles. Comme de plus, ils ont le point I en commun, ils seraient confondus et non pas sécants. **Donc $\overrightarrow{n_1}$ et $\overrightarrow{n_2}$ ne peuvent pas être colinéaires.**

2. Δ est contenue dans (P_1), donc $\vec{u}$ est un vecteur du plan (P_1) et $\overrightarrow{n_1}$ est donc orthogonal à $\vec{u}$. De même, Δ est contenue dans (P_2), donc $\vec{u}$ est un vecteur du plan (P_2) et $\overrightarrow{n_2}$ est donc orthogonal à $\vec{u}$. **Ainsi, $\vec{u}$ est un vecteur normal au plan (Q).**

3. $\vec{v}$ est un vecteur directeur de (d_1) qui est incluse dans (P_1), donc $\vec{v}$ et $\overrightarrow{n_1}$ sont orthogonaux. De plus, (d_2) est parallèle à (d_1), donc $\vec{v}$ est aussi un vecteur directeur de (d_2) qui est incluse dans (P_2), donc $\vec{v}$ et $\overrightarrow{n_2}$ sont orthogonaux. **Ainsi, $\vec{v}$ est un vecteur normal au plan (Q).**

4. Donc $\vec{u}$ et $\vec{v}$ sont colinéaires, donc $\vec{v}$ est également un vecteur directeur de Δ, donc Δ **est parallèle à (d_1) et (d_2).**

13 Soit (d) une droite du plan (P). Soient $\overrightarrow{v_1}, \overrightarrow{v_2}$ et $\vec{w}$, des vecteurs directeurs respectivement de (d_1), (d_2) et (d).

(d_1) est orthogonale à Δ, donc $\vec{u} \cdot \overrightarrow{v_1} = 0$; (d_2) est orthogonale à Δ, donc $\vec{u} \cdot \overrightarrow{v_2} = 0$.

(d_1) et (d_2) sont sécantes, donc $\overrightarrow{v_1}$ et $\overrightarrow{v_2}$ ne sont pas colinéaires et ils forment un repère du plan (P).

(d) étant incluse dans (P), son vecteur directeur est aussi inclus dans (P), donc il peut s'écrire comme combinaison linéaire des deux vecteurs d'un repère de (P).

Ainsi, il existe deux réels α et β tels que $\vec{w} = \alpha \vec{v_1} + \beta \vec{v_2}$.

D'où $\vec{u} \cdot \vec{w} = \vec{u}(\alpha \vec{v_1} + \beta \vec{v_2}) = \alpha \vec{u} \cdot \vec{v_1} + \beta \vec{u} \cdot \vec{v_2} = \alpha \times 0 + \beta \times 0 = 0$. $\vec{u}$ et $\vec{w}$ sont donc orthogonaux, c'est-à-dire que Δ **est orthogonale à toute droite de (P)**.

14 1. $\vec{u}$ et $\vec{v}$ ne sont pas colinéaires, donc les droites D_1 et D_2 ne sont pas parallèles. Montrons que D_1 et D_2 ne sont pas sécantes. Si $M(x \ ; \ y \ ; \ z)$ est le point d'intersection de D_1 et D_2, alors il existe deux réels r et s tels que $\overrightarrow{AM} = r\vec{u}$ et $\overrightarrow{BM} = s\vec{v}$, c'est-à-dire :

$$\begin{cases} x - 1 = 3r \\ y = 2r \\ z + 1 = 0 \end{cases} \text{ et } \begin{cases} x + 1 = 0 \\ y - 2 = s \\ z - 3 = 3s \end{cases} \Leftrightarrow \begin{cases} x = 3r + 1 \\ y = 2r \\ z = -1 \end{cases} \text{ et } \begin{cases} x = -1 \\ y = s + 2 \\ z = 3s + 3 \end{cases},$$

donc $\begin{cases} 3r + 1 = -1 \\ 2r = s + 2 \\ -1 = 3s + 3 \end{cases}$, soit $\begin{cases} r = -\dfrac{2}{3} \\ -\dfrac{4}{3} = -\dfrac{4}{3} + 2 \\ s = -\dfrac{4}{3} \end{cases}$, ce qui est impossible.

D_1 et D_2 ne sont ni sécantes ni parallèles, **donc D_1 et D_2 ne sont pas coplanaires**.

2. **a.** $H \in D_1$ et $H' \in D_2$, donc il existe deux réels r et s tels que $H(1 + 3r \ ; \ 2r \ ; -1)$ et $H'(-1 \ ; 2 + s \ ; 3 + 3s)$. Alors :

$$\begin{cases} (HH') \perp D_1 \\ (HH') \perp D_2 \end{cases} \Leftrightarrow \begin{cases} \overrightarrow{HH'} \cdot \vec{u} = \vec{0} \\ \overrightarrow{HH'} \cdot \vec{v} = 0 \end{cases}, \text{ avec } \overrightarrow{HH'}\begin{pmatrix} -2 - 3r \\ 2 + s - 2r \\ 4 + 3s \end{pmatrix}.$$

Donc $\begin{cases} (HH') \perp D_1 \\ (HH') \perp D_2 \end{cases} \Leftrightarrow \begin{cases} 3(-2 - 3r) + 2(2 + s - 2r) = 0 \\ 2 + s - 2r + 3(4 + 3s) = 0 \end{cases} \Leftrightarrow \begin{cases} -13r + 2s = 2 \\ -2r + 10s = -14 \end{cases}$

$\Leftrightarrow \begin{cases} r = -\dfrac{8}{21} \\ s = -\dfrac{31}{21} \end{cases}$. **Donc** $H\left(-\dfrac{1}{7} \ ; -\dfrac{16}{21} \ ; -1\right)$ et $H'\left(-1 \ ; \dfrac{11}{21} \ ; -\dfrac{10}{7}\right)$.

b. $\overrightarrow{HH'}\begin{pmatrix} -\dfrac{6}{7} \\ \dfrac{9}{7} \\ -\dfrac{3}{7} \end{pmatrix}$. Le vecteur $\dfrac{7}{3}\overrightarrow{HH'}\begin{pmatrix} -2 \\ 3 \\ -1 \end{pmatrix}$ est encore un vecteur directeur de Δ.

Δ est définie par le point H et par son vecteur directeur $\dfrac{7}{3}\overrightarrow{HH'}$, **donc un système**

d'équations paramétriques de Δ **est** $\begin{cases} x = -\dfrac{1}{7} - 2t \\ y = -\dfrac{16}{21} + 3t, \ t \in \mathbb{R}. \\ z = -1 - t \end{cases}$

$HH' = \sqrt{-\dfrac{6}{7}^2 + \dfrac{9}{7}^2 + -\dfrac{3}{7}^2} = \sqrt{\dfrac{126}{49}} = \dfrac{3\sqrt{14}}{7}$.

Donc la distance entre les droites D_1 **et** D_2 **vaut** $\dfrac{3\sqrt{14}}{7}$.

15 1. Soit H le milieu de [CD], alors $(IH) \perp (CDD')$ et en particulier $(IH) \perp (HJ)$.

Donc, d'après le théorème de Pythagore dans IHJ rectangle en H, $IJ^2 = IH^2 + JH^2$.

Or $IH = \dfrac{1}{2} AD = \dfrac{1}{2}$ et $JH = \dfrac{1}{2}DD' = \dfrac{1}{2}$.

Donc $IJ^2 = IC^2 + JC^2 = \dfrac{1}{4} + \dfrac{1}{4} = \dfrac{1}{2}$, donc $IJ = \dfrac{1}{\sqrt{2}} = \dfrac{\sqrt{2}}{2}$.

On démontre de même que chacun des segments formés de deux points parmi I, J, K, L, M, N a pour longueur $\dfrac{\sqrt{2}}{2}$. **Donc chacune des faces de l'octaèdre IJKLMN est un triangle équilatéral de côté** $\dfrac{\sqrt{2}}{2}$.

2. a. $IJ = JL = LN = NI$, donc IJLN est un losange.

De plus, $IJ^2 + JL^2 = \dfrac{1}{2} + \dfrac{1}{2} = 1 = 1^2 = IL^2$. D'après la réciproque du théorème de Pythagore, on en déduit que IJL est rectangle en J.

IJLN est un losange avec un angle droit, **donc IJLN est un carré**.

De même, **JKNM et IKLM sont des carrés**.

b. Soit O le centre du cube. I et L étant les centres de deux faces opposées du cube, O est également le milieu du segment [IL]. Comme IJLN est un carré, O est également le milieu de l'autre diagonale [JN]. Puis comme JKNM est un carré, le milieu O de sa diagonale [JN] est également le milieu de son autre diagonale [KM].

À fortiori, O appartient aux droites (IL), (JN) et (KM).

Les trois droites (IL), (KM) et (NJ) sont concourantes en O.

3. L'octaèdre est composé des deux pyramides régulières IKLMJ et IKLMN.

$V_{IKLMJ} = \dfrac{1}{3} \text{ base} \times \text{hauteur} = \dfrac{1}{3} \times \text{Aire}(IKLM) \times OJ$

$= \dfrac{1}{3} \times IK^2 \times OJ = \dfrac{1}{3} \times \dfrac{1}{2} \times \dfrac{1}{2} = \dfrac{1}{12}$,

donc le volume de l'octaèdre est $2 \times \dfrac{1}{12} = \dfrac{1}{6}$.

16 **Partie A**

1. $2\times(-1)+3\times1+5\times0-1=0,$ donc $M\in(P).$

• D'après le cours, $\vec{n}\,(2\,;\,3\,;\,5)$ **est normal à** (P).

2. a. $\overrightarrow{AM}\cdot\vec{n}=(\overrightarrow{AH}+\overrightarrow{HM})\cdot\vec{n}=\overrightarrow{AH}\cdot\vec{n}+\overrightarrow{HM}\cdot\vec{n}=\overrightarrow{AH}\cdot\vec{n}+0$ car M et H sont 2 points de (P), $\overrightarrow{HM}$ est orthogonal au vecteur $\vec{n}$ normal au plan.
$\overrightarrow{AH}$ et $\vec{n}$ étant colinéaires, $\overrightarrow{AH}\cdot\vec{n}=\pm\,AH\times\|\vec{n}\|.$

Donc $|\overrightarrow{AM}\cdot\vec{n}|=|\overrightarrow{AH}\cdot\vec{n}|=AH\times\|\vec{n}\|=AH\times\sqrt{2^2+3^2+5^2}$ soit :

$$|\overrightarrow{AM}\cdot\vec{n}|=\sqrt{38}\times AH.$$

b. La distance de A au plan (P) est égale à AH.

Or $AH=\dfrac{|\overrightarrow{AM}\cdot\vec{n}|}{\sqrt{38}}$ d'après **2.**, et $\overrightarrow{AM}\begin{pmatrix}-1-1\\1+4\\0-5\end{pmatrix}.$

$\overrightarrow{AM}\cdot\vec{n}=-2\times2+5\times3-5\times5=-14,$ donc $|\overrightarrow{AM}\cdot\vec{n}|=14.$ Donc :

$$AH=\dfrac{14}{\sqrt{38}}\approx2,27.$$

Toujours vérifier que le résultat obtenu est positif.

Partie B

1. $\overrightarrow{AM}\cdot\vec{n}=(\overrightarrow{AH}+\overrightarrow{HM})\cdot\vec{n}=\overrightarrow{AH}\cdot\vec{n}+\overrightarrow{HM}\cdot\vec{n}=\overrightarrow{AH}\cdot\vec{n}+\vec{O}=\overrightarrow{AM}\cdot\vec{n}.$
$\overrightarrow{AH}$ et $\vec{n}$ étant colinéaires, $\overrightarrow{AH}\cdot\vec{n}=\pm AH\times\|\vec{n}\|.$
Donc $|\overrightarrow{AM}\cdot\vec{n}|=|\overrightarrow{AH}\cdot\vec{n}|=AH\times\|\vec{n}\|,$ soit $|\overrightarrow{AM}\cdot\vec{n}|=AH\sqrt{a^2+b^2+c^2}.$

2. $\overrightarrow{AM}\cdot\vec{n}=a(x-x_A)+b(y-y_A)+c(z-z_A)=ax+by+cz-(ax_A+by_A+cz_A).$
$M\in(P),$ donc $ax+by+cz+d=0,$ soit $ax+by+cz=-d.$
D'où $\overrightarrow{AM}\cdot\vec{n}=-d-(ax_A+by_A+cz_A)=-(ax_A+by_A+cz_A+d).$

$$|\overrightarrow{AM}\cdot\vec{n}|=|ax_A+by_A+cz_A+d|.$$

3. Donc la distance de $M(x\,;\,y\,;\,z)$ au plan (P) vaut $\dfrac{|\overrightarrow{AM}\cdot\vec{n}|}{\sqrt{a^2+b^2+c^2}},$ soit :

$$\dfrac{|ax_A+by_A+cz_A+d|}{\sqrt{a^2+b^2+c^2}}.$$

17 **Partie A**

1. (P) admet pour vecteur normal le vecteur $\vec{n}\,(1\,;1\,;1),$ et (P') admet pour vecteur normal le vecteur $\vec{n'}\,(6\,;3\,;-2).$
$\vec{n}$ et $\vec{n'}$ ne sont pas colinéaires, donc **les plans (P) et (P') sont sécants**.

2. Soit $M(x\,;\,y\,;\,z)$ un point de l'espace.

$$M \in (P) \cap (P') \Leftrightarrow \begin{cases} x+y+z-4=0 \\ 6x+3y-2y-6=0 \end{cases} \Leftrightarrow \begin{cases} x=4-z-y \\ 24-6z-6y+3y=2z+6 \end{cases}$$

$$\Leftrightarrow \begin{cases} x=\dfrac{5}{3}z-2 \\ y=-\dfrac{8}{3}z+6 \end{cases} \text{ d'où } M \in (P) \cap (P') \Leftrightarrow \begin{cases} x=\dfrac{5}{3}t-2 \\ y=-\dfrac{8}{3}t+6, \ t \in \mathbb{R}, \\ z=t \end{cases}$$

en posant $t=z$.

3. $\vec{u'}=3\vec{u}$, donc les vecteurs $\vec{u}\left(\dfrac{5}{3}\,;\,-\dfrac{8}{3}\,;\,1\right)$ et $\vec{u'}(5\,;\,-8\,;\,3)$ sont colinéaires.

$\vec{u'}$ est donc également un vecteur directeur de la droite d'intersection de (P) et (P').
Vérifions que le point $Q(3\,;\,-2\,;\,3)$ appartient bien à cette droite.

$3+(-2)+3-4=0$, donc $Q \in (P)$, et $6 \times 3+3 \times (-2)-2 \times 3-6=0$,
donc $Q \in (P')$.

$(P) \cap (P')$ est la droite passant par Q et de vecteur directeur $\vec{u'}$, dont un

système d'équations paramétriques est $\begin{cases} x=5t+3 \\ y=-8t-2. \\ z=3t+3 \end{cases}$

Partie B

1. Soit $M(x\,;\,y\,;\,z)$ un point de l'espace.

$M \in (AB) \Leftrightarrow \overrightarrow{AM}(x-1\,;\,y\,;\,z)$ et $\overrightarrow{AB}(-1\,;\,2\,;\,0)$ sont colinéaires

$\Leftrightarrow$ il existe un réel t tel que $\overrightarrow{AM}=t\,\overrightarrow{AB}$

$\Leftrightarrow$ il existe un réel t tel que $\begin{cases} x-1=-t \\ y=2t \\ z=0 \end{cases}$

$M \in (AB) \Leftrightarrow$ **il existe un réel t tel que** $\begin{cases} x=1-t \\ y=2t \\ z=0 \end{cases}$.

2. $\overrightarrow{AB}(-1\,;\,2\,;\,0)$ est un vecteur directeur de la droite (AB).

$\vec{n}(1\,;\,1\,;\,1)$ est un vecteur normal au plan (Q).

La droite (AB) est parallèle au plan (Q) si, et seulement si, $\overrightarrow{AB}$ et $\vec{n}$ sont orthogonaux. Dans le cas contraire, (AB) et (Q) sont sécants.

$\overrightarrow{AB} \cdot \vec{n} = -1 \times 1+2 \times 1+0 \times 1=1 \neq 0$,

donc $\overrightarrow{AB}$ et $\vec{n}$ ne sont pas orthogonaux, **donc (AB) et (Q) sont sécants.**

Soit I leur point d'intersection.

D'après **B-1.**, comme $I \in (AB)$, il existe un réel t tel que $\begin{cases} x_I = 1 - t \\ y_I = 2t \\ z_I = 0 \end{cases}$.

Comme $I \in (Q)$, : $x_I + y_I + z_I - 4 = 0$, soit $(1 - t) + 2t + 0 - 4 = 0$.

D'où $t = 3$ et $I(-2 ; 6 ; 0)$.

3. $\overrightarrow{BC}(0 ; -2 ; -3)$, donc $\overrightarrow{BC} \cdot \vec{n} = 0 - 2 - 3 \neq 0$, donc (BC) et (Q) sont sécants en un point J. $J \in (BC)$, donc il existe un réel t tel que $\overrightarrow{BJ} = t\,\overrightarrow{BC}$,

soit $\begin{cases} x_J = 0 \\ y_J - 2 = -2t \\ z_J = -3t \end{cases}$, d'où $\begin{cases} x_J = 0 \\ y_J = 2 - 2t \\ z_J = -3t \end{cases}$.

$J \in (Q)$ donc $x_J + y_J + z_J - 4 = 0$, soit $2 - 2t - 3t - 4 = 0$, d'où $t = -\dfrac{2}{5}$.

Donc $J\left(0 ; \dfrac{14}{5} ; \dfrac{6}{5}\right)$, ou encore $J(0 ; 2,8 ; 1,2)$.

4. Soit k un réel :

$$\overrightarrow{IJ} = k\vec{v} \Leftrightarrow \begin{pmatrix} 2 \\ -3,2 \\ 1,2 \end{pmatrix} = k\begin{pmatrix} 5 \\ -8 \\ 3 \end{pmatrix} \Leftrightarrow \begin{cases} 2 = 5k \\ -3,2 = -8k \\ 1,2 = 3k \end{cases} \Leftrightarrow k = 0,4.$$

$\overrightarrow{IJ} = 0,4\,\vec{v}$, **donc $\overrightarrow{IJ}$ et $\vec{v}$ sont colinéaires.**

5. $\overrightarrow{AB}(-1 ; 2 ; 0)$ et $\overrightarrow{BC}(0 ; -2 ; -3)$ ne sont pas colinéaires, **donc les points A, B et C forment un plan**.

6. Le point I appartient à la droite (AB), donc aussi au plan (ABC). I appartient donc au plan (ABC) et au plan (Q). Ces deux plans sont donc sécants, non confondus car (AB) n'est pas incluse dans (Q), et leur intersection est une droite.

J appartient à la droite (BC) incluse dans le plan (ABC) et aussi au plan (Q).

Comme J est distinct de I, **l'intersection des plans (ABC) et (Q) est la droite (IJ)**.

18 1. **Réponse c.** $\vec{n}\begin{pmatrix} -3 \\ 2 \\ -7 \end{pmatrix}$ est un vecteur directeur de la droite, donc $\vec{u} = -2\vec{n}$ également.

2. **Réponses b. et c.**

$\vec{n}\begin{pmatrix} -3 \\ 2 \\ -7 \end{pmatrix}$ et $\vec{n}'\begin{pmatrix} 4 \\ -1 \\ -2 \end{pmatrix}$ sont des vecteurs normaux respectivement

des plans d'équation $-3x + 2y - 7z + 1 = 0$ et $4x - y - 2z + 11 = 0$;
$\vec{n} \cdot \vec{n}' = -3 \times 4 + 2 \times (-1) - 7 \times (-2) = 0$, donc les deux plans sont orthogonaux.

3. **Réponse c.** $-9x + 18y + 6z - 27 = 0 \Leftrightarrow 3x - 6y - 2z + 9 = 0$ (on a divisé par (-3)), donc les deux plans sont confondus.

4. **Réponses c. et b.** : $\vec{u} \begin{pmatrix} 3 \\ 1 \\ -4 \end{pmatrix}$ et $\vec{u}' \begin{pmatrix} 2 \\ -2 \\ 1 \end{pmatrix}$ sont orthogonaux $(\vec{u} \cdot \vec{u}' = 0)$. Donc

(D_1) et (D_2) sont orthogonales.

De plus, $\begin{cases} 5 + 3t = -11 + 2t' \\ 2 + t = 10 - 2t' \\ 1 - 4t = 4 + t' \end{cases} \Leftrightarrow \begin{cases} 5 - 3 \times 2 = -11 - 3 \times 10 + 2t' - (-6t') \\ 2 + t = 10 - 2t' \\ 1 + 4 \times 2 = 4 + 4 \times 10 + 4(-2t') \end{cases}$

$\Leftrightarrow \begin{cases} 5 = t' \\ t = -2, \text{ donc } (D_1) \text{ et } (D_2) \text{ sont sécantes en M}(-1 \ ; 0 \ ; 9). \\ 5 = t' \end{cases}$

5. **Réponse c.** $\vec{n} \begin{pmatrix} 1 \\ -1 \\ 1 \end{pmatrix}$ est un vecteur normal au plan et $\vec{u} \begin{pmatrix} -1 \\ 3 \\ 3 \end{pmatrix}$ est un vecteur

directeur de la droite.
$\vec{u}$ et $\vec{n}$ ne sont pas colinéaires, donc le plan et la droite ne sont pas orthogonaux.
$\vec{u}$ et $\vec{n}$ ne sont pas orthogonaux $(\vec{u} \cdot \vec{n} = -1)$ donc le plan et la droite ne sont pas parallèles.

19 1. Soit $M(x \ ; y \ ; z)$ un point de l'espace.

$M \in \pi_2 \Leftrightarrow$ il existe deux réels α et β tels que $\overrightarrow{AM} = \alpha \vec{u} + \beta \vec{v}$.

$\Leftrightarrow$ il existe deux réels α et β tels que $\begin{cases} x - 3 = \alpha \times (-1) + \beta \times 2 \\ y - 2 = 0\alpha - 1\beta \\ z - 1 = \alpha + 0\beta \end{cases}$

Donc π_2 admet pour représentation paramétrique $\begin{cases} x = -\alpha + 2\beta + 3 \\ y = -\beta + 2 \\ z = \alpha + 1 \end{cases}$, $\alpha \in \mathbb{R}$, $\beta \in \mathbb{R}$.

2. Soit $\vec{n_2}(a \ ; b \ ; c)$ un vecteur normal à π_2.
Alors $\vec{n_2} \cdot \vec{u} = 0$ et $\vec{n_2} \cdot \vec{v} = 0$.
D'où $-a + c = 0$ et $2a - b = 0 \Leftrightarrow a = c$ et $b = 2a$.
Posons $a = 1$, alors $c = 1$ et $b = 2$.
$\vec{n_2}(1 \ ; 2 \ ; 1)$ est un vecteur normal à π_2.

Tous les vecteurs normaux à π_2 sont colinéaires à $\vec{n_2}$, donc tous les vecteurs égaux à $k \vec{n_2}$, où $k \in \mathbb{R}^*$, peuvent être choisis ; ce qui revient à dire que l'on peut choisir la valeur de a.

3. π_2 admet donc une équation cartésienne de la forme $x + 2y + z + d = 0$, $d \in \mathbb{R}$.

$A \in \pi_2$, donc $3 + 2 \times 2 + 1 + d = 0$, donc $d = -8$.

Finalement, π_2 a pour équation $x + 2y + z - 8 = 0$.

4. $M \in (Ox)$, donc $y_M = z_M = 0$, d'où $x_M - 8 = 0$ et **$M(8 ; 0 ; 0)$.**

$N \in (Oy)$, donc $x_M = z_M = 0$, d'où $2y_M - 8 = 0$ et **$N(0 ; 4 ; 0)$.**

De même, on trouve **$P(0 ; 0 ; 8)$.**

5. $\overrightarrow{n_1}(1 ; 0 ; -1)$ est normal à π_1.

$\overrightarrow{n_1}$ et $\overrightarrow{n_2}$ ne sont pas colinéaires donc les plans π_1 et π_2 sont sécants.

$\overrightarrow{n_1} . \overrightarrow{n_2} = 1 \times 1 + 0 \times 2 + (-1) \times 1 = 0$, donc $\overrightarrow{n_1} \perp \overrightarrow{n_2}$. **Les plans π_1 et π_2 sont orthogonaux.**

6. Les points de Δ doivent vérifier les équations des deux plans, donc le système :

$$\begin{cases} x - z = 0 \\ x + 2y + z - 8 = 0 \end{cases}$$

Posons $x = t$, $t \in \mathbb{R}$; on obtient le système

$$\begin{cases} x = t \\ z = t \\ t + 2y + t - 8 = 0 \end{cases}, \quad t \in \mathbb{R} \text{ équivalent à} \quad \begin{cases} x = t \\ y = 4 - t, \quad t \in \mathbb{R} \\ z = t \end{cases} \text{ qui est un système}$$

d'équations paramétriques de Δ.

Si $t = 4$, on obtient un point de Δ de coordonnées $(4 ; 0 ; 4)$, c'est le point C. Donc **$C \in \Delta$.**

D'après le système, un vecteur directeur $\vec{u}$ de Δ a pour coordonnées $(1 ; -1 ; 1)$ (ce sont les coefficients devant le paramètre t) et $-\vec{u}$ est également un vecteur directeur de Δ.

Donc Δ passe par C(4 ; 0,4) et admet pour vecteur directeur $-\vec{u}(-1 ; 1 ; -1)$.

7. $L \in \pi_1$ si et seulement si ses coordonnées vérifient l'équation de π_1, c'est-à-dire $x - 2 = 0$. **Donc $L(2 ; 2 ; 2)$.**

(S) a pour rayon $AL = \sqrt{(3-2)^2 + (2-2)^2 + (1-2)^2} = \sqrt{2}$ et pour centre A.

Soit $M(x ; y ; z)$ un point de l'espace,

$M \in (S) \Leftrightarrow AM = \sqrt{2} \Leftrightarrow AM^2 = 2 \Leftrightarrow (x-3)^2 + (y-2)^2 + (z-1)^2 = 2$.

Une équation cartésienne de (S) est donc $x^2 - 6x + y^2 - 4y + z^2 - 2z + 12 = 0$.

Probabilités conditionnelles

I PROBABILITÉS SUR UN ENSEMBLE FINI : RAPPELS

1. Notations et premières propriétés

On note $\Omega = \{e_1 \; ; \; e_2 \; ; \; \dots \; ; \; e_n\}$ l'ensemble des **événements élémentaires** (ou **univers**) d'une expérience aléatoire.

■ On définit une **probabilité** sur Ω en associant à chaque événement élémentaire e_i un nombre $p(e_i)$, appelé **probabilité de** e_i, tel que :

- pour tout i, $0 \leqslant p(e_i) \leqslant 1$;
- $p(e_1) + p(e_2) + \dots + p(e_n) = 1$ (la somme des probabilités des événements élémentaires vaut 1).

■ Un **événement** A est un sous-ensemble (ou partie) de Ω.

■ La **probabilité d'un événement** est la somme des probabilités des événements élémentaires qui le constituent.

■ L'**événement contraire** de A, noté $\overline{A}$, est l'ensemble de tous les événements élémentaires qui ne sont pas dans A.

A et B désignent deux événements.

■ L'événement « **A et B** », noté $A \cap B$ (se lit A inter B) est constitué des événements élémentaires qui sont à la fois dans A et dans B.

■ A et B sont **incompatibles** si $A \cap B = \varnothing$.

■ L'événement « **A ou B** », noté $A \cup B$ (se lit A union B) est constitué des événements élémentaires qui sont dans l'un au moins des événements A, B.

■ **Propriétés**

$$p(\varnothing) = 0 \text{ et } p(\Omega) = 1 ;$$
$$p(A) + p(\overline{A}) = 1 \text{ (ou } p(A) = 1 - p(\overline{A}), \text{ ou } p(\overline{A}) = 1 - p(A)) ;$$
$$p(A \cup B) = p(A) + p(B) - p(A \cap B).$$

Au chapitre 10, on étendra la notion de probabilité à des données continues avec les lois de probabilité à densité.

2. Cas particulier : l'équiprobabilité

■ **Définition** : lorsque tous les événements élémentaires ont la même probabilité, on dit que l'on est dans une situation d'**équiprobabilité**.

■ **Propriétés** : lorsqu'on est dans une situation d'équiprobabilité : pour tout événement A :

$$p(A) = \frac{\text{card}(A)}{\text{card}(\Omega)} = \frac{\text{nombre de cas favorables}}{\text{nombre de cas possibles}}.$$

Cette formule ne s'applique qu'en situation d'équiprobabilité ! On cherchera les indices qui permettent de s'en assurer : boules indiscernables au toucher, personnes désignées au hasard...

3. Variables aléatoires discrètes

Soit Ω un univers muni d'une probabilité p et $x_1, x_2, ..., x_n$ des nombres réels.

■ Définir une variable aléatoire X sur Ω, c'est associer à chaque élément de Ω un des nombres x_i. La variable X prenant les valeurs $x_1, x_2, ..., x_n$ est appelée **variable aléatoire**.

Les réels $p_i = p(X = x_i)$ constituent la **loi de probabilité** de X.

■ L'**espérance** de cette variable aléatoire est le nombre noté $E(X)$ égal à :

$$E(X) = \sum_{i=1}^{n} x_i \, p(X = x_i) = x_1 p_1 + x_2 p_2 + ... + x_n p_n.$$

■ La **variance** de cette variable aléatoire est le nombre noté $V(X)$ défini par :

$$V(X) = \sum_{i=1}^{n} (x_i - E(X))^2 \, p(X = x_i)$$
$$= (x_1 - E(X))^2 \times p_1 + (x_2 - E(X))^2 \times p_2 + ... + (x_n - E(X))^2 \times p_n.$$

■ L'**écart-type** d'une variable aléatoire X est donné par :

$$\sigma(X) = \sqrt{V(X)}.$$

■ **Propriétés**

● Soit a et b deux réels, X et Y deux variables aléatoires définies sur le même univers :

$$E(aX + b) = aE(X) + b$$
$$E(X + Y) = E(X) + E(Y) ;$$
$$V(aX + b) = a^2 V(X).$$

9

- La variance est également donnée par :

$$V(X) = E(X^2) - E(X)^2 = \sum_{i=1}^{n} p_i x_i^2 - E(X)^2.$$

4. Loi de Bernoulli – Loi binomiale

■ Définition

On appelle épreuve **de Bernoulli** une expérience aléatoire qui ne comporte que deux issues possibles, l'une notée S (succès) de probabilité p, l'autre E ou $\overline{S}$ (échec) de probabilité $q = 1 - p$.

Si X vaut 1 en cas de succès et 0 en cas d'échec, on dit que X suit une loi de Bernoulli de paramètre p.

■ Propriété

Si X suit une loi de Bernoulli de paramètre p :

$$E(X) = p \text{ et } V(X) = p(1 - p).$$

Cette loi se rencontre dans de nombreuses situations concrètes : pile ou face, faire ou ne pas faire 6 avec un dé, etc.

■ Définition

Répéter n fois et de manière indépendante la même épreuve de Bernoulli de paramètre p constitue une **épreuve de Bernoulli**. Si X désigne le **nombre de succès** au cours des n expériences, la loi de probabilité de la variable aléatoire X est appelée **loi binomiale** de paramètres n et p. On la note B(n ; p).

■ Propriété

Si X suit une **loi binomiale** B(n ; p), pour tout entier k avec $0 \leqslant k \leqslant n$:

$$p(X = k) = \binom{n}{k} p^k (1 - p)^{n-k}$$

où $\binom{n}{k}$ désigne le nombre de chemins menant à k succès au cours des n répétitions. De plus :

$$E(X) = np \text{ et } V(X) = np(1 - p).$$

Les coefficients $\binom{n}{k}$, appelés coefficients binomiaux, se calculent à la machine ou à l'aide du triangle de Pascal.

PROBABILITES CONDITIONNELLES

1. Arbres pondérés

■ Définition

Soit A et B deux événements avec $p(A) \neq 0$, on appelle **probabilité condition-nelle de B sachant A** le nombre $p_A(B) = \dfrac{p(A \cap B)}{p(A)}$.

> Cette égalité s'écrit également : $p(A \cap B) = p_A(B) \times p(A)$.
>
> Ainsi, en pondérant la branche reliant A à B par la probabilité de B sachant A, on trouve la probabilité de $A \cap B$ en multipliant les probabilités le long des branches.

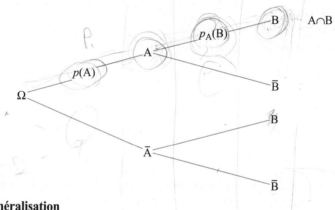

■ Généralisation

Si $\Omega = A_1 \cup A_2 \cup \ldots \cup A_n$, où les A_i sont deux à deux disjoints :

$$p(B) = p(A_1 \cap B) + p(A_2 \cap B) + \ldots + p(A_n \cap B).$$

Ainsi lorsque $p(A_i) \neq 0$ pour tout i :

$$p(B) = p(A_1) \times p_{A_1}(B) + p(A_2) \times p_{A_2}(B) + \ldots + p(A_n) \times p_{A_n}(B).$$

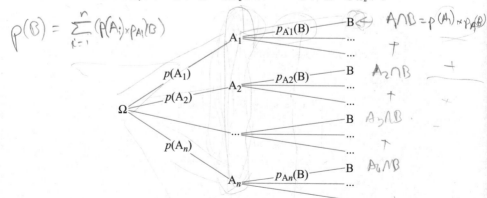

■ **Propriété (règle des nœuds)**

La somme des probabilités rencontrées sur les branches partant d'un même événement est égale à 1.

Ceci généralise la propriété $p(A) + p(\overline{A}) = 1$.

Sur l'arbre 1, par exemple, on a également $p_A(B) + p_A(\overline{B}) = 1$.

Voir le savoir-faire **1. 3.** pour l'utilisation de cette règle.

$$P_{\overline{A}}(B) + P_{\overline{A}}(\overline{B}) =$$

2. Indépendance

■ **Définition**

Deux événements A et B sont indépendants lorsque $p(A \cap B) = p(A) \times p(B)$.

$$B = \overline{A}$$

Si $p(A) \neq 0$, A et B sont indépendants si, et seulement si, $p_A(B) = p(B)$.

■ **Conséquence**

Lors de n expériences successives indépendantes :

$$p(E_1 \cap E_2 \cap \ldots \cap E_n) = p(E_1) \times p(E_2) \times \ldots \times p(E_n).$$

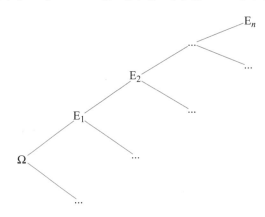

Ceci généralise un résultat vu en première pour la répétition d'expériences identiques indépendantes (par exemple pour une épreuve de Bernoulli).

SAVOIR-FAIRE

EXEMPLE : On s'intéresse à la situation suivante :

Dans un club de sport, on choisit un adhérent au hasard. On veut représenter les différentes éventualités par un arbre pondéré sachant que : 40 % des adhérents sont blonds ; parmi les adhérents blonds, 20 % ont les yeux marron et parmi les autres, 50 % ont les yeux marron.

1. Construire un arbre pondéré rendant compte de l'expérience

a. On note B l'événement « l'adhérent choisi est blond » et M l'événement « l'adhérent choisi a les yeux marron ».

On commence par représenter un arbre non pondéré où on classe les individus par la couleur de leurs cheveux, puis par la couleur de leurs yeux :

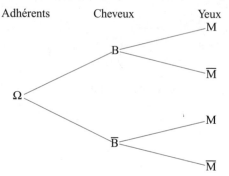

b. On calcule les probabilités menant à B et $\overline{B}$.

Comme le choix de l'adhérent se fait au hasard, il y a équiprobabilité de ce choix, donc $p(B) = \dfrac{40}{100} = 0,4$ et $p\left(\overline{B}\right) = 1 - p(B) = 0,6$.

c. On calcule $p_B(M)$.

Sachant que l'adhérent est blond, il aura les yeux marron avec probabilité :

$$p_B(M) = \frac{20}{100} = 0,2.$$

On en déduit $p_B(\overline{M}) = 1 - 0,2 = 0,8$.

d. On calcule $p_{\overline{B}}(M)$:

Sachant que l'adhérent n'est pas blond, il aura les yeux marron avec probabilité $p_{\overline{B}}(M) = \dfrac{50}{100} = 0,5$. On en déduit $p_{\overline{B}}(\overline{M}) = 1 - 0,5 = 0,5$.

e. On complète l'arbre.

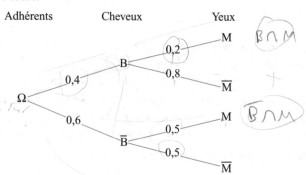

2. Exploiter la lecture d'un arbre pondéré pour calculer une probabilité

■ **Question 1 :** Quelle est la probabilité que l'adhérent choisi ait les cheveux blonds et les yeux marron ?

a. On traduit le problème à l'aide des événements B et M : on cherche $p(B \cap M)$.

b. On construit l'arbre pondéré du savoir-faire **1.**, puis on localise la branche qui mène à $(B \cap M)$: c'est la première.

c. On multiplie les probabilités rencontrées le long de cette branche :

$$p(B \cap M) = p(B) \times p_B(M) = 0,4 \times 0,2 = 0,08.$$

Attention à ne pas confondre $p(B \cap M)$ et $p_B(M)$.

■ **Question 2 :** Quelle est la probabilité qu'il ait les yeux marron ?

a. On traduit le problème à l'aide des événements B et M : on cherche $p(M)$.

b. On localise les branches qui finissent par M :
- la première qui correspond à $B \cap M$;
- la troisième qui correspond à $\overline{B} \cap M$.

c. On multiplie les probabilités rencontrées le long des branches :

$$p(M) = p(B) \times p_{\overline{B}}(M) + p\left(\overline{B}\right) \times p_{\overline{B}}(M) = 0,4 \times 0,2 + 0,6 \times 0,5 = 0,38.$$

3. Établir la dépendance ou l'indépendance de deux événements

Dans ce club, peut-on considérer qu'avoir les cheveux blonds et avoir les yeux marron sont des événements indépendants ?

a. On calcule $p(B) = 0,4$, puis $p(B \cap M) = 0,08$ et $p(M) = 0,38$ comme au savoir-faire **2.**

b. Il ne s'agit pas de se fier à son intuition, mais de comparer $p(B) \times p(M)$ à $p(B \cap M)$.

$p(B) \times p(M) = 0,4 \times 0,38 = 0,152$ et $p(B \cap M) = 0,08$.

Donc $p(B) \times p(M) \neq p(B \cap M)$: les événements B et M ne sont pas indépendants.

Comme $p(B) \neq 0$, on peut aussi comparer $p_B(M) = 0,2$ et $p(M) = 0,38$: $p_B(M) \neq p(M)$, donc B et M ne sont pas indépendants.

Probabilités conditionnelles

EXERCICES D'APPLICATION

EXERCICES

1 DO YOU SPEAK ENGLISH ? ★ | **10 min** | ▶P. 328

Une société comprend 65 % de cadres, et parmi ceux-ci, 70 % parlent anglais. Chez les autres employés, seuls 40 % parlent anglais. On interroge un employé de la société au hasard. On note C l'événement « la personne interrogée est un cadre » et A l'événement « la personne interrogée parle anglais ».

1. Déterminer $p(C)$ et $p_C(A)$.

2. Construire un arbre pondéré rendant compte de l'énoncé. On pourra utiliser $\overline{C}$ et $\overline{A}$ les événements contraires de C et A.

Pour la construction de l'arbre pondéré, voir le savoir-faire 1.

3. En déduire la probabilité que cet employé soit un cadre parlant anglais.

Pour l'utilisation de l'arbre pondéré, voir le savoir-faire 2.

4. Quelle est la probabilité qu'on interroge un employé parlant anglais ?

Il faut comptabiliser toutes les branches débouchant sur A.

2 GROUPES ET RHÉSUS. ★ | **10 min** | ▶P. 329

Voici la répartition des principaux groupes sanguins des habitants de la France :

	Groupe O	Groupe A	Groupe B	Groupe AB
Rhésus +	35,0 %	38,1 %	6,2 %	2,8 %
Rhésus −	9,0 %	7,2 %	1,2 %	0,5 %

On choisit une personne au hasard dans la population française.

On note R^+ l'événement « la personne a le rhésus + », O l'événement « la personne est du groupe O » etc. On a représenté un arbre illustrant cette expérience aléatoire.

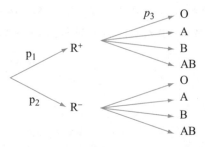

1. Déterminer p_1, p_2.

2. Donner une interprétation en langage courant de p_3, puis calculer p_3.

3. Quelle est la probabilité qu'une personne appartenant au groupe O soit de rhésus positif ?

Deux méthodes sont possibles : exploiter l'arbre ou ne considérer que les personnes de groupe O parmi les N habitants de la France.

4. Les événements être R^+ et O sont-ils indépendants ?

Pour l'indépendance de deux événements, voir le savoir-faire 3.

3 BLACK OR WHITE ? $\quad\mid \star \mid$ **15 min** $\mid$ ▶ **P. 329** $\mid$

Dans une urne U_1, il y a quatre boules noires et six boules blanches.

Dans une urne U_2, il y a trois boules noires et sept boules blanches.

Les boules sont indiscernables au toucher.

On choisit une urne au hasard, puis on tire au hasard une boule dans cette urne.

On note A l'événement « on choisit U_1 » et N l'événement « la boule tirée est noire ».

1. Représenter l'épreuve par un arbre non pondéré que vous compléterez au fur et à mesure.

2. Calculer $p(A)$.

3. Donner une interprétation en langage courant, puis calculer $p_A(N)$ et $p_{\overline{A}}(N)$ et compléter l'arbre.

4. Donner une interprétation en langage courant, puis calculer $p(N \cap A)$, $p(N \cap \overline{A})$ et $p(N)$.

5. En déduire la probabilité d'avoir choisi l'urne U_1 sachant qu'on a tiré une boule noire.

Voir les savoir-faire 1 et 2.

4 T'AS DE BEAUX YEUX... $\quad\mid \star \mid$ **15 min** $\mid$ ▶ **P. 331** $\mid$

Le pot de fin d'année des professeurs rassemble 45 hommes et 55 femmes. 40 % des femmes ont les yeux bleus. Au total, 50 professeurs ont les yeux bleus.

1. Représenter la situation à l'aide d'un tableau à double entrée complété à l'aide des données.

On pourra s'inspirer de l'exercice 2.

2. Une personne est désignée au hasard. On note F « la personne désignée est une femme » et B « la personne désignée a les yeux bleus ».

a. Calculer la probabilité des événements « cette personne est une femme » ;

« cette personne est une femme aux yeux bleus » ; « cette personne est un homme aux yeux bleus ».

b. Quelle est la probabilité que cette personne ait les yeux bleus sachant que c'est une femme ?

> Deux méthodes sont possibles : utiliser la formule de définition des probabilités conditionnelles ou ne considérer que la colonne des femmes.

c. Sachant que cette personne a les yeux bleus, quelle est la probabilité que cette personne soit une femme ?

3. Construire deux arbres pondérés pouvant correspondre à cette expérience aléatoire.

> On peut commencer par distinguer les individus suivant leur sexe… ou suivant la couleur de leurs yeux.

5 FIABILITÉ D'UN TEST ★ | 15 min | ▶P. 333

Une maladie contagieuse est en train de causer la disparition d'une espèce animale. 50 % des animaux sont déjà malades. Un laboratoire de recherche a mis au point un test de dépistage de cette maladie : si un animal est malade, le test est positif dans 99 % des cas ; si un animal n'est pas malade, le test est positif dans 0,1 % des cas. On examine un animal de cette espèce pris au hasard.

On note M l'événement « l'animal est malade », $\overline{M}$ son événement contraire et T l'événement « le test est positif ».

1. Déterminer $P(M)$, $P_M(T)$ et $P_{\overline{M}}(T)$.

> Il faut simplement traduire les données de l'énoncé.

2. En déduire $P(T)$.

> Commencez par construire un arbre pondéré (savoir-faire 1) en utilisant les résultats trouvés à la question 1.

3. Le laboratoire estime qu'un test est fiable si sa valeur prédictive positive, c'est-à-dire la probabilité qu'un animal soit malade sachant que le test est positif, est supérieure à 0,999. Ce test est-il fiable ?

6 CALIBRAGE ★ | 20 min | ▶P. 334

Dans un supermarché, trois producteurs « a », « b » et « c » fournissent respectivement 25 %, 35 % et 40 % des pommes vendues.

Certaines de ces pommes sont hors calibre, dans les proportions suivantes :
5 % pour le producteur « a », 4 % pour le producteur « b » et 1 % pour le producteur « c ».

On prend une pomme au hasard et on définit les événements suivants :
A : « La pomme vient du producteur « a » » ; B : « La pomme vient du producteur « b » » ; C : « La pomme vient du producteur « c » » ; D : « La pomme est hors calibre ».
Les résultats seront donnés à 10^{-4} près.

1. Traduire les données de l'énoncé en utilisant les notations des probabilités et tracer un arbre pondéré illustrant la situation.

> Pour la construction de l'arbre pondéré, voir le savoir-faire 1.

2. Calculer $p(D)$.

> Pour l'utilisation de l'arbre pondéré, voir le savoir-faire 2.

3. Quelle est la probabilité qu'une pomme vienne du producteur « a » sachant qu'elle est hors calibre ?

4. Calculer la probabilité qu'une pomme vienne du producteur « c » sachant qu'elle n'est pas hors calibre.

---

7 **UN DÉ, DEUX URNES** | ★★ | **10 min** | ▸P. 335 |

Une urne U contient trois boules noires et une blanche, une urne V deux boules noires et deux blanches. Toutes ces boules sont indiscernables au toucher. On lance un dé régulier à six faces et si on obtient 1, on tire une boule au hasard dans U, sinon on tire une boule au hasard dans V.
Quelle est la probabilité de tirer une boule blanche ?

> On pourra introduire les événements A : « l'urne choisie est U » et B : « la boule choisie est blanche » et construire un arbre pondéré.

---

8 **LOI BINOMIALE** | ★ | **20 min** | ▸P. 336 |

On lance deux dés bien équilibrés. On gagne si la somme des points obtenus est égale à 7.

1. Démontrer à l'aide d'un tableau à double entrée que la probabilité de gagner est $\dfrac{1}{6}$.

2. On lance 5 fois de suite deux dés bien équilibrés. On suppose que les jets sont indépendants.

a. Justifier que le nombre de succès suit une loi binomiale dont on précisera les paramètres.

b. En déduire la probabilité de gagner exactement deux fois.

EXERCICES D'ENTRAÎNEMENT

9 NAISSANCES INDÉPENDANTES ? | ★★★ | **45 min** | ▸**P. 337**

Dans une famille donnée, on suppose qu'à chaque naissance, la probabilité d'avoir une fille est la même que celle d'avoir un garçon. On note A l'événement « la famille a au plus une fille » et B l'événement « la famille a des enfants des deux sexes ».

Les événements A et B sont-ils indépendants :

a. dans une famille de deux enfants ?

◢ Construire un arbre pondéré pour envisager toutes les éventualités.

b. dans une famille de trois enfants ?

10 DÉ TRUQUÉ | ★★ | **30 min** | ▸**P. 339**

On dispose d'un dé à 6 faces. On désigne par p_k (k entier compris entre 1 et 6) la probabilité d'obtenir, lors d'un lancer, la face numérotée k.

Ce dé est pipé de sorte que :

- les faces ne sont pas équiprobables ;
- les nombres $p_1, p_2, p_3, p_4, p_5, p_6$ dans cet ordre sont six termes consécutifs d'une suite arithmétique ;
- les nombres p_1, p_2, p_4 dans cet ordre sont trois termes consécutifs d'une suite géométrique.

1. Démontrer que $p_k = \dfrac{k}{21}$ pour tout entier k compris entre 1 et 6.

◢ Pour diminuer le nombre d'inconnues, on essayera d'abord d'exprimer les p_i uniquement à l'aide de p_1 et de la raison r de la suite arithmétique, puis on trouvera un lien entre r et la raison q de la suite géométrique.

2. On lance ce dé une fois et on considère les événements suivants :

A « le nombre obtenu est pair » ;

B « le nombre obtenu est supérieur ou égal à 3 » ;

C « le nombre obtenu est 3 ou 4 ».

a. Calculer la probabilité de chacun de ces événements.

◢ Il suffit de décomposer ces événements à l'aide des événements élémentaires.

b. Calculer la probabilité que le nombre obtenu soit supérieur ou égal à 3 sachant qu'il est pair.

◢ Exploiter la formule du cours, II.

c. Les événements A et B sont-ils indépendants ? Les événements A et C sont-ils indépendants ?

▸ Pour l'indépendance de deux événements, voir le savoir-faire 3.

d. Reprendre la question **c.** en supposant cette fois le dé bien équilibré.

11 ENCORE DES NAISSANCES | ★★ | **30 min** | ▸ P. 340

Dans une maternité, on observe n naissances, n entier strictement positif. On admet que dans cette maternité la probabilité qu'un nouveau né soit une fille est de 0,49. Les naissances sont supposées indépendantes.

1. Combien de naissances faut-il attendre pour que la probabilité qu'il naisse au moins une fille soit supérieure à 0,95 ?

2. Combien de naissances faut-il attendre pour que la probabilité qu'il naisse au moins deux filles soit supérieure à 0,95 ?

12 LES PETITS CHEVAUX | ★★★ | **35 min** | ▸ P. 342

Au jeu des Petits Chevaux, on utilise un dé classique bien équilibré. Pour pouvoir entrer en jeu, on doit obtenir un 6. Si on n'obtient pas 6, on doit passer son tour.

Partie A. Algorithmique
Écrire un algorithme en langage courant qui donne le nombre de lancers de dé qu'il aura fallu attendre avant de pouvoir entrer en jeu.

▸ On peut simuler un dé classique avec la formule $E(6 \times a + 1)$ où E désigne la fonction partie entière et a un nombre aléatoire pris au hasard dans l'intervalle $[0 ; 1]$ (on parlera de loi uniforme sur $[0 ; 1]$ au chapitre suivant).

Partie B.
Calculer la probabilité de pouvoir entrer en jeu :
1. au premier tour de dé ;
2. au deuxième tour de dé ;

▸ Pour entrer en jeu au deuxième tour, il ne faut pas être entré en jeu au premier tour...

3. au n-ième tour de dé, n désignant un entier supérieur ou égal à 2.

▸ On peut dresser un arbre pondéré pour visualiser la situation.

13 ALLO ? | ★★ | 25 min | ▶P. 344

Au cours d'une enquête téléphonique, la probabilité que le correspondant ne décroche pas au premier appel est de 0,4 et s'il décroche, la probabilité qu'il réponde au questionnaire est de 0,3.

1. On note D_1 « la personne décroche au premier appel » et R « la personne répond au questionnaire lors du premier appel ».
Calculer la probabilité de l'événement R_1.

 On pourra construire un arbre pondéré.

2. Lorsqu'une personne ne décroche pas au premier appel, on la contacte une seconde fois.
La probabilité qu'elle ne réponde pas la seconde fois est 0,3 et la probabilité qu'elle réponde au questionnaire sachant qu'elle décroche est 0,2. Si une personne ne décroche pas non plus au second appel, on ne la contacte plus.
On note : D_2 « la personne décroche au second appel », R_2 « la personne répond au questionnaire lors du second appel » et R « la personne répond au questionnaire ». Montrer que la probabilité de l'événement R est 0,236.

 Compléter l'arbre précédent.

3. Sachant qu'une personne a répondu au questionnaire, calculer la probabilité qu'elle l'ait fait lors du premier appel. (Arrondir au millième.)

 On utilise la formule du cours...

4. Un enquêteur a une liste de 25 personnes à contacter. Les sondages auprès des personnes d'une même liste sont indépendants. Quelle est la probabilité pour que 25 % des personnes répondent au questionnaire ? (Arrondir au millième)

 Répétitions indépendantes d'une même expérience...

14 SERVICE APRÈS-VENTE BONJOUR ! | ★★ | 20 min | ▶P. 345

Un fabriquant de téléviseurs teste ses produits avant de les livrer chez ses clients. Si le test est positif, il livre le téléviseur au client. Sinon, il essaye de le réparer. Le test est positif pour 70 % des téléviseurs sortis de la chaine de fabrication, et 65 % des téléviseurs qu'il tente de réparer finissent par fonctionner et être livrés au client. Les autres sont détruits.
On note T l'événement « le test est positif » et C l'événement « le téléviseur est livré au client ». On choisit un téléviseur au hasard sortant de la chaîne de fabrication.

1. Déterminer les probabilités des événements T et C.

2. La fabrication d'un téléviseur coûte 1000 € au fabricant. Les réparations lui coûtent 50 € de plus. On note a le prix de vente d'un téléviseur, et X la variable aléatoire égale au gain algébrique réalisé par le fabricant pour un téléviseur sortant de la chaine de fabrication.

a. Déterminer la loi de probabilité de X en fonction de a.

🔺 Le gain algébrique est égal au prix de vente moins les coûts pour le fabricant.

b. Exprimer l'espérance de X en fonction de a.

🔺 Pour la formule de l'espérance, voir cours, I. 3.

c. À partir de quel prix de vente (arrondi à l'euro) l'entreprise peut-elle espérer réaliser des bénéfices ?

🔺 On veut un gain strictement positif.

EXERCICES D'APPROFONDISSEMENT

15 SUITE RÉCURRENTE ★★★ | 40 min | ▶ P. 347

Deux amis, Antoine et Bruno, n'ont qu'une seule manette à leur console de jeu. Ils se mettent d'accord sur le principe suivant : ils tirent à pile ou face (avec une pièce bien équilibrée) celui qui jouera la première partie, puis à chaque partie, si le joueur gagne, il peut jouer la partie suivante, sinon, il passe la manette à son voisin. On sait que lorsqu'Antoine joue une partie, il la gagne une fois sur deux, tandis que lorsque Bruno joue une partie, il la gagne une fois sur trois.

Pour tout entier $n \geqslant 1$, on note A_n l'événement « c'est Antoine qui joue la n-ième partie » et a_n la probabilité de l'événement A_n.

1. Déterminer a_1.

🔺 C'est la pièce qui décide...

2. Démontrer que pour tout $n \geqslant 1$, $a_{n+1} = -\dfrac{1}{6}a_n + \dfrac{2}{3}$.

🔺 On pourra construire un arbre pondéré partiel représentant les résultats de la n-ième partie puis de la $(n+1)$-ième partie.

3. Soit $u_n = a_n - \dfrac{4}{7}$ pour $n \in \mathbb{N}$, $n \geqslant 1$. Déterminer la nature de la suite (u_n). En déduire l'expression de a_n en fonction de n.

🔺 On commence par essayer d'exprimer u_{n+1} en fonction de u_n.

4. Déterminer la limite de la suite (a_n) quand n tend vers $+\infty$.

5. Calculer la probabilité que la n-ième partie soit gagnée.

16 DÉPISTAGE SYSTÉMATIQUE | ★★★ | **40 min** | ▸**P. 348** |

Une maladie atteint une fraction x (comprise entre 0 et 1) d'une population. On veut tester systématiquement tous les individus de cette population pour savoir s'ils sont porteurs de la maladie.

Un laboratoire pharmacologique produit un test de dépistage dont les caractéristiques sont les suivants :

- la probabilité qu'un individu atteint ait un test positif est $0,99$;
- la probabilité qu'un individu non atteint ait un test négatif est $0,99$.

On teste un individu au hasard dans la population. On note A l'événement « l'individu est atteint » et T l'événement « le test est positif ».

On va étudier la valeur prédictive positive du test $p_T(A)$ c'est-à-dire la probabilité qu'un individu dont le test est positif soit effectivement atteint.

1. Construire un arbre pondéré de cette expérience aléatoire.

2. Calculer la probabilité de l'événement T.

3. a. Établir que la valeur prédictive positive $p_T(A)$ du test est donnée par la fonction $f(x) = \dfrac{99x}{98x+1}$.

 Sans autre information dans l'énoncé, on utilise la formule du cours, II.

b. Étudier les variations de la fonction f sur $[0 ; 1]$.

c. Reproduire et compléter le tableau. Arrondir à 10^{-4} près.

x	0,001	0,01	0,1	0,5	0,9
$p_T(A)$					
$p_T(\overline{A})$					

d. En déduire l'inconvénient majeur de ce test s'il s'agit d'une maladie rare.

 Que devient x dans le cas d'une maladie rare ?

e. Que devient l'efficacité de ce test si on ne l'applique qu'à une population présentant des symptômes de la maladie ?

4. a. Démontrer que la probabilité $p_{\overline{T}}(\overline{A})$ qu'un individu ayant un test négatif ne soit pas atteint est donnée par la formule $f(1-x)$.

b. Quel est le sens de variation de $x \mapsto f(1-x)$ sur $[0 ; 1]$?

c. En déduire que si $x < 0,1$, $p_{\overline{T}}(\overline{A}) > 0,998$.

d. Que peut-on en déduire pour un individu dont le test est négatif dans le cas d'une maladie rare ?

CONTRÔLE

17 CONTRÔLE... DE QUALITÉ ★★ | 20 min | ▸ P. 351

Pour fabriquer un appareil on utilise successivement et dans cet ordre deux machines M_1 et M_2. La machine M_1 peut provoquer deux défauts d_1 et d_2.

Un relevé statistique permet d'estimer que :

- 4 % des appareils présentent le défaut d_1, et lui seul ;
- 2 % des appareils présentent le défaut d_2, et lui seul ;
- 1 % des appareils présentent à la fois les défauts d_1 et d_2.

1. On prélève au hasard un appareil à la sortie de M_1.

On note A l'événement « l'appareil présente le défaut d_1 » ; B l'événement « l'appareil présente le défaut d_2 ».

a. Calculer les probabilités des événements A et B notées respectivement $p(A)$ et $p(B)$.

Les événements A et B sont-ils indépendants ?

 Voir le savoir-faire 3.

b. Quelle est la probabilité pour que l'appareil présente le défaut d_1 sachant qu'il présente le défaut d_2 ?

c. Soit D l'événement « l'appareil présente au moins un défaut ».

Montrer que la probabilité de l'événement D est égale à 0,07.

d. Quelle est la probabilité pour que l'appareil ne présente aucun défaut ?

2. À la sortie de la machine M_1, les appareils en cours de fabrication passent par la machine M_2 qui peut provoquer un défaut d_3 dans les conditions suivantes :

- 60 % des appareils ayant au moins un défaut en sortant de M_1 présentent le défaut d_3 ;
- 3 % des appareils sans défaut à la sortie de M_1 présentent le défaut d_3.

On prélève au hasard un appareil après les passages successifs dans les machines M_1 et M_2.

On ne s'intéresse ici qu'aux événements C « l'appareil présente le défaut d_3 » et D « l'appareil présente au moins un défaut en sortant de M_1 »

a. Traduire les informations précédentes à l'aide d'un arbre pondéré.

On a déjà étudié D à la question **1.**

b. Quelle est la probabilité que l'on fabrique un appareil sans aucun défaut ?

18 EXERCICE 2   ★★ | **30 min** | ▶P. 352

Dans une fête foraine, un ticket enfant permet d'effectuer autant de tirs successifs qu'il est nécessaire pour crever un ballon. À chacun de ses tirs, on considère qu'un enfant a la probabilité 0,2 de crever le ballon. Le tireur s'arrête quand le ballon est crevé.

Partie A. Algorithmique

Écrire en langage courant un algorithme qui simule 100 parties et comptabilise le nombre moyen de tirs nécessaires pour crever le ballon.

On pourra utiliser la propriété (voir le chapitre suivant sur la loi uniforme) : pour un nombre aléatoire compris entre 0 et 1, la probabilité qu'il soit dans un intervalle $[a ; b] \subset [0 ; 1]$ est égale à $b - a$.

> ◢ Créer deux compteurs : le premier comptera le nombre de coups nécessaires pour crever le ballon dans une partie, et le second comptabilisera le nombre total de tirs pour les 100 parties.

Partie B.

1. a. Quelle est la probabilité qu'au bout de deux tirs le ballon soit intact ?

b. Quelle est la probabilité que deux tirs suffisent pour crever le ballon ?

c. Quelle est la probabilité p_n que n tirs suffisent pour crever le ballon ?

> ◢ Mieux vaut envisager l'événement contraire.

d. Pour quelles valeurs de n a-t-on $p_n > 0,99$?

2. Un deuxième stand de tir propose la règle suivante :

Dans un premier temps, le joueur lance un dé tétraédrique régulier dont les faces sont numérotées de 1 à 4 (la face obtenue avec un tel dé est la face cachée) ; soit k le numéro de la face obtenue. Le joueur a alors le droit à k tirs maximum pour crever le ballon.

Démontrer que, si le dé est bien équilibré, la probabilité de crever le ballon est égale à $0,4096$.

19 ROC   ★ | **10 min** | ▶P. 355

Soit A et B deux événements associés à une même expérience aléatoire.

1. Justifier l'égalité $p(A \cap \overline{B}) = p(A) - p(A \cap B)$.

2. En déduire que, si A et B sont indépendants, il en est de même de A et de $\overline{B}$.

> ◢ Penser à utiliser les résultats de la question 1.

CONTRÔLE

20 PANIER ? $\quad\quad$ ★★ | 25 min | ▸P. 356

Roselyne débute au basket-ball. Elle effectue des lancers francs successifs. Lorsqu'elle réussit le panier à un lancer, la probabilité qu'elle réussisse le panier au lancer suivant est égale à $\dfrac{1}{3}$. Lorsqu'elle manque le panier à un lancer, la probabilité qu'elle manque le panier au lancer suivant est égale à $\dfrac{4}{5}$.

On suppose qu'au premier lancer, elle a autant de chances de marquer le panier que de le manquer.

Pour tout entier n strictement positif, on considère les événements suivants :

A_n « Roselyne marque le panier au n-ième lancer »

B_n « Roselyne manque le panier au n-ième lancer ».

On pose $p_n = p(A_n)$.

1. Déterminer p_1 et montrer que $p_2 = \dfrac{4}{15}$.

◢ On pourra dresser un arbre pondéré pour p_2.

2. Montrer que pour tout entier naturel $n \geqslant 1$, $p_{n+1} = \dfrac{2}{15} p_n + \dfrac{1}{5}$.

◢ On pourra dresser un arbre pondéré représentant les n-ième et $(n+1)$-ième lancers.

3. Pour $n \geqslant 1$, on pose $u_n = p_n - \dfrac{3}{13}$.

Montrer que la suite $(u_n)_{n \geqslant 1}$ est une suite géométrique dont on donnera le premier terme u_1 et la raison q.

◢ On cherchera une relation entre u_{n+1} et u_n.

4. Écrire u_n, puis p_n, en fonction de n pour tout $n \geqslant 1$.

◢ Attention aux formules : la suite (u_n) démarre au rang 1.

5. Déterminer $\lim\limits_{n \to +\infty} p_n$.

21 IL NEIGE ? $\quad\quad$ ★★ | 10 min | ▸P. 359

En hiver, Monsieur Prudent sort de chez lui chaussé de bottes 8 fois sur 10. Il les met systématiquement lorsqu'il neige, et une fois sur trois lorsqu'il ne neige pas.

Quelle est la probabilité qu'il ne neige pas sachant qu'on vient de croiser Monsieur Prudent avec ses bottes ?

◢ On commencera par déterminer la probabilité p qu'il neige en résolvant une équation d'inconnue p.

1 1. Le choix de l'employé s'effectue au hasard, il y a donc équiprobabilité de ces choix. La probabilité d'interroger un cadre est alors égale à la proportion des cadres parlant anglais :

$$p(C) = \frac{65}{100} = 0,65.$$

Sachant que l'employé interrogé est un cadre, il parle anglais s'il fait partie des 70 % de cadres parlant anglais, donc :

$$p_C(A) = \frac{70}{100} = 0,7.$$

2. $p(\overline{C}) = 1 - p(C) = 0,35$ et $p_C(\overline{A}) = 1 - p_C(A) = 0,3$.

40 % des non-cadres parlent anglais, donc :

$$p_{\overline{C}}(A) = \frac{40}{100} = 0,4 \text{ et } p_{\overline{C}}(\overline{A}) = 1 - 0,4 = 0,6.$$

On en déduit l'arbre pondéré :

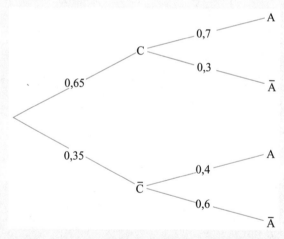

3. On détermine $p(C \cap A)$ en multipliant le long de la branche :

$$p(C \cap A) = p(C) \times p_C(A) = 0,5 \times 0,7.$$

$$\boxed{p(C \cap A) = 0,455.}$$

◢ 0,7 est la probabilité de A sachant C, pas la probabilité de $A \cap C$.

4. On additionne les probabilités des branches qui conduisent à l'événement A :
$p(A) = p(A \cap C) + p(A \cap \overline{C}) = 0,455 + 0,35 \times 0,4$, d'où :

$$\boxed{p(A) = 0,595.}$$

2 Les choix des individus sont équiprobables.

1. $p_1 = p(R^+) = p(O \cap R^+) + p(A \cap R^+) + p(B \cap R^+) + p(AB \cap R^+)$.

$$= \frac{35}{100} + \frac{38,1}{100} + \frac{6,2}{100} + \frac{2,8}{100} = \frac{82,1}{100} \text{ soit } p_1 = 0,821.$$

$$p_2 = p(R^-) = p\left(\overline{R^+}\right) = 1 - p(R^+) \text{ soit } p_2 = 0,179.$$

◢ On aurait pu calculer p_2 directement par la méthode employée pour p_1.

2. $p_3 = p_{R^+}(O)$ est la probabilité que la personne interrogée soit du groupe O sachant qu'elle a le Rhésus +.

$p(R^+) = 0,821 \neq 0$ donc $p_3 = p_R + (O) = \dfrac{p(O \cap R^+)}{p(R^+)} = \dfrac{0,35}{0,821}$

soit $p_3 \approx 0,426$ **à 10^{-3} près.**

3. On cherche $p_O(R^+)$.

• Pour utiliser la formule p. 312, on commence par calculer $p(O)$ à l'aide de l'arbre :

$$p(O) = p(R^+ \cap O) + p(R^- \cap O) = \frac{35}{100} + \frac{9}{100} = \frac{44}{100} = 0,44 \neq 0, \text{ donc :}$$

$$p_O(R^+) = \frac{p(R^+ \cap O)}{p(O)} = \frac{0,35}{0,44} \text{ soit } p_O(R^+) \approx 0,795 \text{ à } 10^{-3} \text{ près.}$$

• On peut considérer qu'on interroge au hasard un des $\dfrac{35+9}{100} \times N = \dfrac{44}{100} \times N$

Français de groupe O : il y a $\dfrac{35}{100} \times N$ Français de rhésus positif parmi eux, donc

$$p_O(R^+) = \frac{\dfrac{35}{100} \times N}{\dfrac{44}{100} \times N} = \frac{35}{44}, \text{ soit } p_O(R^+) \approx 0,795 \text{ à } 10^{-3} \text{ près.}$$

◢ On doit passer par les effectifs pour utiliser la formule $\dfrac{\text{nombre de cas favorables}}{\text{nombre de cas possibles}}$ de façon rigoureuse.

4. D'après **2.** et **3.**, $p_{R+}(O) \neq p(O)$, donc les événements O et R^+ ne sont pas indépendants.

◢ On pouvait aussi comparer $p(R^+)$ et $p_O(R^+)$, ou encore $p(O \cap R^+)$ et $p(O) \times p(R^+)$. Voir le cours, II. 2.

3 1. Il y a deux éventualités pour le choix de l'urne, correspondant aux événements A, pour l'urne U_1, et $\overline{A}$ pour l'urne U_2. Il y a deux éventualités pour le choix de la boule, correspondant aux événements N, pour une boule noire, et $\overline{N}$ pour une boule blanche. On en déduit l'arbre suivant :

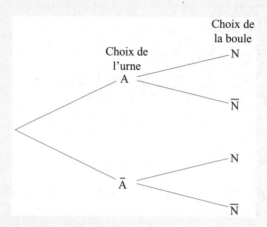

2. Le choix de l'urne, parmi les deux urnes possibles, se fait de façon équiprobable, donc $p(A)$, **la probabilité que l'urne choisie soit U_1, est égale à** $\dfrac{1}{2}$.

3. $p_A(N)$ est la probabilité que la boule choisie soit noire sachant que l'urne choisie est l'urne U_1. Dans l'urne U_1, il y a 4 boules noires parmi les 10 boules présentes. Le tirage de la boule se fait de façon équiprobable, donc :

$$p_A(N) = \frac{4}{10} = \frac{2}{5}.$$

$p_{\overline{A}}(N)$ est la probabilité que la boule choisie soit noire sachant que l'urne choisie est l'urne U_2. Dans l'urne U_2, il y a 3 boules noires parmi les 10 boules présentes. Le tirage de la boule se fait de façon équiprobable, donc :

$$p_{\overline{A}}(N) = \frac{3}{10}.$$

On peut alors compléter l'arbre pondéré :

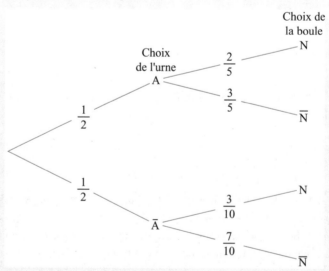

La règle des nœuds a permis de déterminer les probabilités $p(\overline{A})$, $p_A(\overline{N})$ et $p_{\overline{A}}(\overline{N})$.

4. $p(A \cap N)$ est la probabilité d'avoir choisi l'urne U_1 puis tiré une boule noire dans cette urne. Donc $p(A \cap N) = p(A) \times p_A(N) = \dfrac{1}{2} \times \dfrac{2}{5}$, soit $\boldsymbol{p(A \cap N) = \dfrac{1}{5}}$.

$p(\overline{A} \cap N)$ est la probabilité d'avoir choisi l'urne U_2 puis tiré une boule noire dans cette urne. Donc $p(\overline{A} \cap N) = p(A) \times p_{\overline{A}}(N) = \dfrac{1}{2} \times \dfrac{3}{10}$, soit $\boldsymbol{p(\overline{A} \cap N) = \dfrac{3}{20}}$.

D'où $p(N) = p(A \cap N) + p(\overline{A} \cap N) = \dfrac{1}{5} + \dfrac{3}{20}$, soit $\boldsymbol{p(N) = \dfrac{7}{20}}$.

5. On cherche $p_N(A)$.

$p(N) \neq 0$, donc $p_N(A) = \dfrac{p(A \cap N)}{p(N)} = \dfrac{\dfrac{1}{5}}{\dfrac{7}{20}} = \dfrac{1}{5} \times \dfrac{20}{7}$, soit $\boldsymbol{p_N(A) = \dfrac{4}{7}}$.

On trouve un résultat plus grand que $\dfrac{1}{2}$, ce qui est vraisemblable puisqu'on a une proportion plus importante de boules noires dans l'urne U_1.

4

1.

Sexe \ Yeux	Bleus	Non bleus	Total
Hommes	28 ②	17	45
Femmes	22 ①	33	55
Total	50	50	100

① $\dfrac{40}{100} \times 55 = 22$ femmes ont les yeux bleus, donc $55 - 22 = 33$ femmes n'ont pas les yeux bleus.

② $50 - 22 = 28$ hommes ont les yeux bleus, donc $45 - 28 = 17$ hommes n'ont pas les yeux bleus.

2. a. Le choix du professeur se fait au hasard donc les tirages sont équiprobables.

• La probabilité que la personne soit une femme est :

$$p(F) = \frac{55}{100} = 0,55.$$

• La probabilité que la personne soit une femme aux yeux bleus est :

$$p(F \cap B) = \frac{22}{100} = 0,22.$$

• La probabilité que la personne soit un homme aux yeux bleus est :

$$p(\overline{F} \cap B) = \frac{28}{100} = 0,28.$$

b. La probabilité que la personne ait les yeux bleus sachant que c'est une femme est $p_F(B)$.

Comme $p(F) \neq 0$:

$$p_F(B) = \frac{p(F \cap B)}{p(F)} = \frac{0,22}{0,55} = 0,4.$$

Autre méthode

On interroge au hasard une des 55 femmes, donc :

$$p_F(B) = \frac{22}{55} = 0,4.$$

c. Sachant que la personne a les yeux bleus, la probabilité que ce soit une femme est $p_B(F)$.

Comme $p(B) \neq 0$:

$$p_B(F) = \frac{p(F \cap B)}{p(B)} = \frac{0,22}{0,55} = 0,44.$$

Autre méthode

On interroge au hasard l'une des 50 personnes aux yeux bleus, donc :

$$p_B(F) = \frac{22}{55} = 0,44.$$

3. • Si on commence par distinguer les professeurs suivant la couleur de leurs yeux, puis suivant leur sexe, on obtient l'arbre :

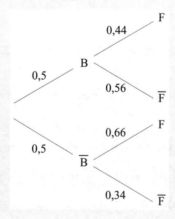

$p_{\overline{B}}(F)$ s'obtient comme au 2.c.

• Si on commence par distinguer les professeurs suivant leur sexe, puis suivant la couleur de leurs yeux, on obtient l'arbre :

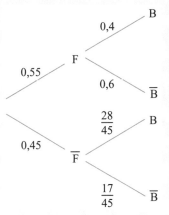

$p_{\bar{F}}(B)$ s'obtient comme au 2.b.

5   **1.** Le choix de l'animal est fait de façon équiprobable, donc :

$$p(M) = \frac{50}{100} = \mathbf{0,5}$$

$$p_M(T) = \frac{99}{100} = \mathbf{0,99}$$

$$p_{\bar{M}}(T) = \frac{0,1}{100} = \mathbf{0,001}.$$

2. De la question **1.**, on déduit à l'aide de la règle des nœuds que :

$$p_M\left(\bar{T}\right) = 1 - p_M(T) = 0,01 \text{ et } p_{\bar{M}}(\bar{T}) = 1 - p_{\bar{M}}(T) = 0,999.$$

On peut alors dresser un arbre pondéré :

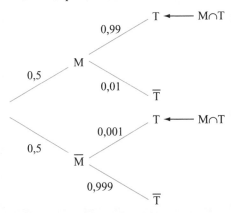

Seules les branches amenant à T sont utiles pour cette question, mais il vaut mieux compléter l'arbre dans sa totalité. On ne sait jamais...

On en déduit :

$$p(T) = p(M \cap T) + p\left(\overline{M} \cap T\right)$$

$$p(T) = p(M) \times p_M(T) + p(\overline{M}) \times p_{\overline{M}}(T)$$

$$p(T) = 0,5 \times 0,99 + 0,5 \times 0,001$$

$$\mathbf{p(T) = 0,4955}.$$

3. On cherche $p_T(M)$. Comme $p(T) \neq 0$:

$$p_T(M) = \frac{p(M \cap T)}{p(T)} = \frac{p_M(T) \times p(M)}{p(T)} = \frac{0,99 \times 0,5}{0,4955} = 0,998\ 991 \text{ (à } 10^{-6} \text{ près).}$$

$p_T(M) < 0,999$, donc **le test n'est pas fiable**.

6 1. Les pommes sont choisies au hasard donc les tirages sont équiprobables. On en déduit l'arbre pondéré :

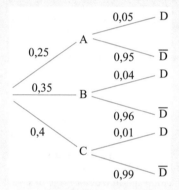

Les calculs n'ont pas été détaillés ici. En cas de difficultés, voir les méthodes à l'exercice **1**. par exemple.

2. En multipliant les probabilités sur les branches débouchant sur D :

$$p(D) = p(A \cap D) + p(B \cap D) + p(C \cap D)$$

$$p(D) = p(A) \times p_A(D) + p(B) \times p_B(D) + p(C) \times p_C(D)$$

$$p(D) = 0,25 \times 0,05 + 0,35 \times 0,04 + 0,4 \times 0,01$$

$$\mathbf{p(D) = 0,0305}.$$

3. La probabilité qu'une pomme vienne du producteur « a » sachant qu'elle est hors calibre est $p_D(A)$. Comme $p(D) \neq 0$:

$$p_D(A) = \frac{p(A \cap D)}{p(D)} = \frac{p(A) \times p_A(D)}{p(D)}$$

$$p_D(A) = \frac{0,25 \times 0,05}{0,0305} = \frac{0,0125}{0,0305} \simeq \mathbf{0,4098 \text{ (à } 10^{-4} \text{ près).}}$$

4. La probabilité qu'une pomme vienne du producteur « c » sachant qu'elle n'est pas hors calibre est $p_{\overline{D}}(C)$. Comme $p(\overline{D}) \neq 0$:

$$p_{\overline{D}}(C) = \frac{p(C \cap \overline{D})}{p(\overline{D})} = \frac{p(C) \times p_C(\overline{D})}{1 - p(D)} = \frac{0,99 \times 0,4}{0,9695} \approx \mathbf{0,4085 \text{ (à } 10^{-4} \text{ près).}}$$

$\boxed{7}$ On note A l'événement « l'urne choisie est U » et B l'événement « la boule choisie est blanche ».

Le dé est régulier, donc les résultats des lancers sont équiprobables, donc :

$$p(A) = \frac{1}{6} \text{ et } p(\overline{A}) = 1 - \frac{1}{6} = \frac{5}{6}.$$

Les boules sont indiscernables au toucher, donc les tirages dans chaque urne sont équiprobables.

Alors $p_A(B) = \frac{1}{4}$, donc $p_A(\overline{B}) = 1 - p_A(B) = \frac{3}{4}$;

$p_{\overline{A}}(B) = \frac{2}{4} = \frac{1}{2}$, donc $p_{\overline{A}}(\overline{B}) = \frac{1}{2}$.

D'où l'arbre pondéré :

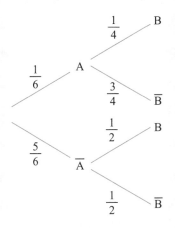

On en déduit :

$$p(B) = p(B \cap A) + p(\overline{A} \cap B)$$

$$p(B) = p(A) \times p_A(B) + p(\overline{A}) \times p_{\overline{A}}(B)$$

$$p(B) = \frac{1}{6} \times \frac{1}{4} + \frac{5}{6} \times \frac{1}{2}$$

$$p(B) = \frac{11}{24}.$$

En cas de difficulté pour l'utilisation de l'arbre pondéré, voir le savoir-faire 2.

8 **1.** Les dés sont bien équilibrés, donc les couples formés des résultats des dés sont équiprobables. Calculons les sommes correspondantes :

2ᵉ dé 1ᵉʳ dé	1	2	3	4	5	6
1	2	3	4	5	6	7
2	3	4	5	6	7	8
3	4	5	6	7	8	9
4	5	6	7	8	9	10
5	6	7	8	9	10	11
6	7	8	9	10	11	12

On distingue bien les deux dés (on peut penser à deux dés de couleurs différentes) pour travailler dans un univers (les 36 couples) où les événements élémentaires sont équiprobables (loi équirépartie). On pourra alors utiliser la formule $\dfrac{\text{nombre de cas favorables}}{\text{nombre de cas possibles}}$ pour calculer la probabilité la probabilité d'un événement. Voir le cours, I. 2.

Il y a donc 6 couples correspondant à la somme 7 donc la probabilité de gagner est :

$$p = \frac{6}{36} = \frac{1}{6} \approx 0,107 \text{ à } 10^{-3} \text{ près.}$$

2. a. On répète successivement cinq expériences indépendantes suivant une loi de Bernoulli de paramètre $\dfrac{1}{6}$. **Le nombre de succès suit alors une loi binomiale de paramètres $n = 5$ et $p = \dfrac{1}{6}$.**

b. On en déduit que la probabilité d'obtenir deux succès sur les 5 lancers est :

$$\binom{5}{2} p^2 (1-p)^3 = 10 \times \left(\frac{1}{6}\right)^2 \times \left(\frac{5}{6}\right)^3 = \frac{1\,250}{7\,776} = \frac{625}{3\,888} \approx 0,161 \ (\text{à } 10^{-3} \text{ près}).$$

Pour la définition et l'utilisation de la loi binomiale : voir le cours, I. 4.

$\binom{5}{2} = 10$ peut être obtenu :

- en construisant l'arbre correspondant au schéma de Bernoulli et en comptant le nombre de branches contenant 2 succès ;
- à l'aide du triangle de Pascal (voir cours de première) ;
- directement à la calculatrice : 5 $\boxed{\text{nCr}}$ 2.

9 Chaque naissance a deux issues possibles équiprobables F « avoir une fille » et G « avoir un garçon ».

a. On modélise la situation par un arbre pondéré :

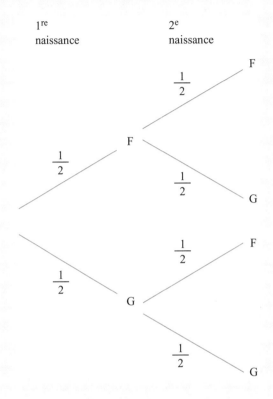

1re
naissance

2^e
naissance

Ainsi A = {(F;G);(G;F);(G;G)}, donc :

$$p(A) = \frac{1}{2} \times \frac{1}{2} + \frac{1}{2} \times \frac{1}{2} + \frac{1}{2} \times \frac{1}{2} \text{ soit } \boldsymbol{p(A) = \frac{3}{4}}.$$

B = {(F ; G) ; (G ; F)} donc $p(B) = \frac{1}{2} \times \frac{1}{2} + \frac{1}{2} \times \frac{1}{2}$ soit $\boldsymbol{p(B) = \frac{1}{2}}$.

A ∩ B = {(F ; G) ; (G ; F)} donc $\boldsymbol{p(A \cap B) = \frac{1}{2}}$.

Or, $p(A) \times p(B) = \frac{3}{4} \times \frac{1}{2} = \frac{3}{8}$.

$p(A) \times p(B) \neq p(A \cap B)$, donc **A et B ne sont pas indépendants**.

⬛ Sur la construction et l'utilisation de l'arbre pondéré : voir les savoir-faire 1 et 2.

Pour l'indépendance de deux événements : voir le savoir-faire 3.

b. L'arbre pondéré devient cette fois :

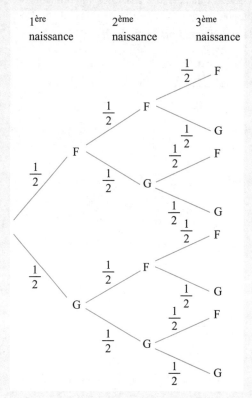

$A = \{(F \ ; \ G \ ; \ G) \ ; \ (G \ ; \ G \ ; \ G) \ ; \ (G \ ; \ G \ ; \ F) \ ; \ (G \ ; \ G \ ; \ G)\}$,

donc $p(A) = \dfrac{1}{2} \times \dfrac{1}{2} \times \dfrac{1}{2} \times 4 = \dfrac{1}{2}$.

$\overline{B} = \{(F \ ; \ F \ ; \ F) \ ; \ (G \ ; \ G \ ; \ G)\}$, donc $p(\overline{B}) = \dfrac{1}{2} \times \dfrac{1}{2} \times \dfrac{1}{2} \times 2 = \dfrac{1}{4}$.

D'où $p(B) = 1 - p(\overline{B}) = 1 - \dfrac{1}{4} = \dfrac{3}{4}$.

$A \cap B = \left\{(F \ ; \ G \ ; \ G), \ (G \ ; \ F \ ; \ G), \ (G \ ; \ G \ ; \ F)\right\}$,

donc $p(A \cap B) = \dfrac{1}{2} \times \dfrac{1}{2} \times \dfrac{1}{2} \times 3 = \dfrac{3}{8}$.

Autre méthode :

$A \cap \overline{B} = \{(G \ ; \ G \ ; \ G)\}$, donc $p(A \cap \overline{B}) = \dfrac{1}{2} \times \dfrac{1}{2} \times \dfrac{1}{2} = \dfrac{1}{8}$.

Or $p(A \cap B) + p(A \cap \overline{B}) = p(A)$, donc :

$$p(A \cap B) = p(A) - p(A \cap \overline{B}) = \dfrac{1}{2} - \dfrac{1}{8} = \dfrac{3}{8}.$$

D'autre part, $p(A) \times p(B) = \dfrac{1}{2} \times \dfrac{3}{4} = \dfrac{3}{8}$.

$p(A) \times p(B) = p(A \cap B)$, donc **A et B sont indépendants**.

◢ **Autre méthode :** si on appelle succès la naissance d'une fille, chaque naissance peut être considérée comme une épreuve de Bernoulli de paramètre $p = \dfrac{1}{2}$. Les naissances étant supposées indépendantes, le nombre X de filles nées dans une famille de 2 enfants (respectivement 3 enfants) suit une loi Binomiale de paramètres $n = 2$, $p = \dfrac{1}{2}$ (respectivement $n = 3$, $p = \dfrac{1}{2}$).

On interprète alors les événements A, B et $A \cap B$ à l'aide de X :

$A = $ « $X \leqslant 1$ » $ = $ « $X = 0$ ou $X = 1$ » : $p(A) = p(X = 0) + p(X = 1)$ connu pour une loi binomiale ;

$B = $ « $X \neq 0$ et $X \neq 2$ » (respectivement $B = $ « $X \neq 0$ et $X \neq 3$ ») : $p(B) = 1 - (p(X = 0) + p(X = 2))$;

(respectivement $p(B) = 1 - (p(X = 0) + p(X = 3))$)

$A \cap B = $ « $X = 1$ » : $p(A \cap B) = p(X = 1)$.

---

10 **1.** Soit r la raison de la suite arithmétique.

$p_2 = p_1 + r$, $p_3 = p_1 + 2r$, $p_4 = p_1 + 3r$, $p_5 = p_1 + 4r$ et $p_6 = p_1 + 5r$.

Donc $r \neq 0$ sinon $p_1 = p_2 = \ldots = p_6$ ce qui est contraire à l'énoncé.

Or la somme des probabilités des événements élémentaires vaut 1, donc $p_1 + p_2 + p_3 + p_4 + p_5 + p_6 = 1$. Donc $6p_1 + 15r = 1$. (1)

Soit q la raison de la suite géométrique. $p_2 = q \times p_1$ et $p_4 = q \times p_2$;

or $p_2 = p_1 + r$, donc $q_4 = q \times (p_1 + r) = q \times p_1 + q \times r = p_2 + q \times r$.

Or $q_4 = p_2 + 2r$, donc $q \times r = 2 \times r$, donc $q = 2$ car $r \neq 0$.

Ainsi $p_2 = 2p_1 = p_1 + r$, donc $p_1 = r$.

En remplaçant dans (1), on trouve $21p_1 = 1$, donc $p_1 = \dfrac{1}{21} = r$.

Donc $p_2 = p_1 + r = \dfrac{2}{21}, p_3 = p_2 + r = \dfrac{3}{21}, p_4 = p_3 + r = \dfrac{4}{21}$,

$p_5 = p_4 + r = \dfrac{5}{21}$ et $p_6 = p_5 + r = \dfrac{6}{21}$.

Ainsi $p_k = \dfrac{k}{21}$ pour tout entier k compris entre 1 et 6.

◢ Au bac, si on bloque sur ce genre de question, on peut la passer dans un premier temps et traiter la suite en utilisant le résultat donné dans l'énoncé.

2. a. Notons $\Omega = \{1 \,;\, 2 \,;\, 3 \,;\, 4 \,;\, 5 \,;\, 6\}$ l'univers de cette expérience aléatoire.

$A = \{2 \,;\, 4 \,;\, 6\}$, donc $p(A) = p_2 + p_4 + p_6 = \dfrac{2}{21} + \dfrac{4}{21} + \dfrac{6}{21} = \dfrac{12}{21}$, soit $\boldsymbol{p(A) = \dfrac{4}{7}}$.

$B = \{3\,;4\,;5\,;6\}$, donc $p(B) = p_3 + p_4 + p_5 + p_6 = \dfrac{3}{21} + \dfrac{4}{21} + \dfrac{5}{21} + \dfrac{6}{21} = \dfrac{18}{21}$,

soit $\boldsymbol{p(B) = \dfrac{6}{7}}$.

$C = \{3\,;4\}$, donc $p(C) = p_3 + p_4 = \dfrac{3}{21} + \dfrac{4}{21} = \dfrac{7}{21}$, soit $\boldsymbol{p(C) = \dfrac{1}{3}}$.

b. $p(A) \neq 0$, donc $p_A(B) = \dfrac{p(A \cap B)}{p(A)}$.

$A \cap B = \{4\,;6\}$, donc $p(A \cap B) = p_4 + p_6 = \dfrac{4}{21} + \dfrac{6}{21} = \dfrac{10}{21}$.

Donc $p_A(B) = \dfrac{\frac{10}{21}}{\frac{4}{7}} = \dfrac{10}{21} \times \dfrac{7}{4}$, soit $\boldsymbol{p_A(B) = \dfrac{5}{6}}$.

c. $p_A(B) \neq p(B)$, donc **A et B ne sont pas indépendants**.

$A \cap C = \{4\}$, donc $p(A \cap C) = p_4 = \dfrac{4}{21}$.

$p(A) \times p(C) = \dfrac{4}{7} \times \dfrac{1}{3} = \dfrac{4}{21} = p(A \cap C)$.

Donc A et C sont indépendants.

d. Si le dé est bien équilibré, $p_1 = p_2 = p_3 = p_4 = p_5 = p_6 = \dfrac{1}{6}$,

donc $p(A) = p_2 + p_4 + p_6 = \dfrac{1}{6} + \dfrac{1}{6} + \dfrac{1}{6} = \dfrac{1}{2}$,

$p(B) = p_3 + p_4 + p_5 + p_6 = \dfrac{4}{6} = \dfrac{2}{3}$,

$p(C) = p_3 + p_4 = 2 \times \dfrac{1}{6} = \dfrac{1}{3}$.

Donc $p(A \cap B) = p_4 + p_6 = \dfrac{1}{6} + \dfrac{1}{6} = \dfrac{1}{3}$,

$p(A) \times p(B) = \dfrac{1}{2} \times \dfrac{2}{3} = \dfrac{1}{3} = p(A \cap B)$,

donc A et B sont indépendants.

Ici, le dé étant bien équilibré, les probabilités correspondent aux proportions de cas favorables : la proportion des nombres pairs parmi les nombres supérieurs ou égaux à 3 (2 pairs pour 4 : proportion $\dfrac{2}{4} = \dfrac{1}{2}$) est bien la même que la proportion de nombres pairs dans les résultats possibles du dé (3 pairs pour 6 nombres : proportion $\dfrac{3}{6} = \dfrac{1}{2}$).

$p(A \cap C) = p_4 = \dfrac{1}{6}$, $p(A) \times p(C) = \dfrac{1}{2} \times \dfrac{1}{3} = \dfrac{1}{6} = p(A \cap C)$.

A et C sont indépendants.

11 **1.** Chaque naissance, si on appelle succès la naissance d'une fille, constitue une épreuve de Bernoulli de paramètre $p = 0,49$. Les n naissances successives, supposées indépendantes, constituent donc un schéma de Bernoulli. Si on note X le nombre de naissances de filles (de succès), X suit donc une loi binomiale de paramètres n et $p = 0,49$.

« Il nait au moins une fille » correspond à l'événement « $X \geqslant 1$ ». Son événement contraire est « $X = 0$ ».

◢ L'événement « $X = 0$ » ne contient qu'une seule éventualité, tandis que l'événement « $X \geqslant 1$ » en contient n.

Or, $p(X = 0) = \begin{pmatrix} n \\ 0 \end{pmatrix} \times p^0 \times (1-p)^n = 0,51^n,$

donc $p(X \geqslant 1) = 1 - p(X = 0) = 1 - 0,51^n.$

On cherche le plus petit entier naturel n tel que $1 - 0,51^n \geqslant 0,95$, ce qui équivaut successivement à :

$-0,51^n \geqslant -0,05$

$0,51^n \leqslant 0,05$, avec $0,51^n$ et $0,05$ strictement positifs

$\ln(0,51^n) \leqslant \ln(0,05)$ car ln est croissante sur $]0 \, ; +\infty[$

$n \ln(0,51) \leqslant \ln(0,05)$

$n \geqslant \dfrac{\ln(0,05)}{\ln(0,51)}$ car $\ln(0,51) < 0$ car $0 < 0,51 < 1$.

$\dfrac{\ln(0,05)}{\ln(0,51)} \approx 4,4$ à 10^{-1} près, donc **la plus petite valeur qui convient est $n = 5$**.

◢ On peut également voir que l'événement contraire de « il nait au moins une fille » est « il nait n garçons ». Ces n naissances indépendantes de garçons ayant chacune une probabilité $1 - 0,49 = 0,51$, on retrouve la probabilité de l'événement contraire : $0,51^n$.

Si la méthode précédente vous parait trop difficile, vous pouvez vous contenter d'une justification obtenue à la calculatrice en dressant un tableau de valeurs de $0,51^n$ pour n entier.

On saisit $Y = 0.51 \wedge X$ et on dresse le tableau avec $X_{min} = 1$ et un pas de 1.

On trouve pour n allant de 1 à 7 (par exemple) :

n	1	2	3	4	5	6	7
$0,51^n$ à 10^{-3} près	0,51	0,26	0,1326	0,068	0,035	0,018	0,009

Il semble que : $0,51^n < 0,05 \Leftrightarrow n \geqslant 5$.

C'est bien ce qu'on a trouvé plus haut.

On peut justifier cette observation : la suite $(0,51^n)_{n \in \mathbb{N}}$ est géométrique de premier terme $1 > 0$ et de raison $q = 0,51 \in]0 \, ; 1[$. Cette suite est donc bien strictement décroissante. Alors pour tout entier $n \geqslant 5$, $0,51^n \leqslant 0,51^5 < 0,05$.

2. Il nait au moins deux filles se traduit par « $X \geqslant 2$ ». On s'intéresse à nouveau à l'événement contraire « $X < 2$ » soit « $X = 0$ ou $X = 1$ ».

$$p(X < 2) = p(X = 0) + p(X = 1) = 0,51^n + \binom{n}{1} \times 0,49^1 \times 0,51^{n-1}$$

$$= 0,51^n + n \times 0,49 \times 0,51^{n-1}.$$

Ainsi $p(X \geqslant 2) = 1 - (0,51^n + n \times 0,49 \times 0,51^{n-1})$.

On cherche le plus petit entier $n > 1$ tel que :

$1 - (0,51^n + n \times 0,49 \times 0,51^{n-1}) > 0,95 \Leftrightarrow 0,51^n + n \times 0,49 \times 0,51^{n-1} < 0,05$.

À la calculatrice, on saisit $Y = 0.51 \wedge X + X * 0.49 * 0.51 \wedge (X - 1)$ et on dresse le tableau avec $X_{min} = 1$ et un pas de 1.

On trouve pour n allant de 1 à 8 :

n	1	2	3	4	5	6	7	8
$0,51^n + n \times 0,49 \times 0,51^{n-1}$ à 10^{-3} près	1	0,76	0,515	0,328	0,2	0,119	0,069	0,04

$0,51^n + n \times 0,49 \times 0,51^{n-1} > 0,05$ pour $n \leqslant 7$;

$0,51^n + n \times 0,49 \times 0,51^{n-1} > 0,05$ pour $n = 8$.

Il faut donc attendre 8 naissances.

 La suite définie par

$u_n = 0,51^n + n \times 0,49 \times 0,51^{n-1}$ est strictement décroissante :

$u_{n+1} - u_n = 0,51^{n+1} + (n+1) \times 0,49 \times 0,51^n - (0,51^n + n \times 0,49 \times 0,51^{n-1})$

$\qquad = 0,51 \times 0,51 \wedge n + 0,49n \times 0,51^n + 0,49 \times 0,51^n - 0,51^n - 0,49n \times 0,51^{n-1}$

$\qquad = (0,51 + 0,49) \times 0,51^n + 0,49n \times (0,51^n - 0,51^{n-1}) - 0,51^n$

$\qquad = 0,51^n + 0,49n \times (0,51^{n-1} \times 0,51 - 0,51^{n-1}) - 0,51^n$

$\qquad = 0,49n \times 0,51^{n-1} \times (0,51 - 1) = -0,49^2 \times n \times 0,51^{n-1} < 0$.

Donc la plus petite valeur cherchée est bien $n = 8$.

12 **Partie A**

Entrées : aucune

Initialisation : N = 1 (N désigne le nombre de lancers de dés pour pouvoir entrer dans le jeu)
Traitement : d est un nombre aléatoire égal à E(6 × a + 1) où a est aléatoire pris au hasard dans l'intervalle [0 ; 1].
Tant que d ≠ 6,
    N devient N + 1
    On recalcule d par la même formule
Fin de la boucle tant que

Sorties : Faire afficher N.

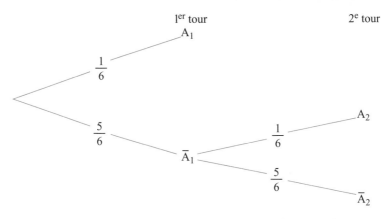 Si on programme cet algorithme, on doit penser à déclarer les variables N et d dès le début (comme des nombres).

Partie B

Pour $n \in \mathbb{N}^*$, on note A_n l'événement « pouvoir entrer en jeu au n-ième tour de dé ». Le dé est bien équilibré, donc ses six faces sont équiprobables. À chaque tour de dé, la probabilité d'obtenir un 6 est donc $p = \dfrac{1}{6}$ et la probabilité de ne pas obtenir un 6 est $q = 1 - p = \dfrac{5}{6}$.

1. On entre en jeu au premier tour de dé si on obtient un 6, donc :

$$p(A_1) = p = \frac{1}{6}.$$

2. On rentre en jeu au deuxième lancer si on n'a pas obtenu un 6 au premier tour de dé et si on obtient un 6 au deuxième tour de dé. Les résultats des lancers de dé étant indépendants :

$$p(A_2) = p \times q = \frac{5}{6} \times \frac{1}{6} = \frac{5}{36}.$$

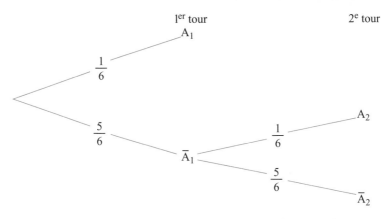 On visualise mieux la situation avec un arbre pondéré :

1er tour   2e tour

A_1

$\dfrac{1}{6}$

$\dfrac{5}{6}$

$\overline{A_1}$

$\dfrac{1}{6}$

A_2

$\dfrac{5}{6}$

$\overline{A_2}$

Donc $A_2 \subset \overline{A_1}$, d'où $A_2 = \overline{A_1} \cap A_2$ et $p(A_2) = p(\overline{A_1}) \times p_{\overline{A_1}}(A_2) = \dfrac{5}{6} \times \dfrac{1}{6}$.

3. Soit $n \in \mathbb{N}$, $n \geqslant 2$. On rentre en jeu au n-ième tour de dé si on n'a pas obtenu 6 au cours de $n-1$ premiers tours de dé, et si on obtient un 6 au n-ième tour. Les résultats des lancers étant indépendants :

$$p(A_n) = \left(= \frac{5^{n-1}}{6^n} \right) \times q = \left(\frac{5}{6} \right)^{n-1} \times \frac{1}{6}.$$

On visualise mieux la situation à l'aide d'un arbre pondéré :

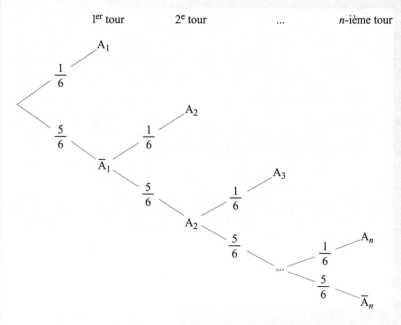

$$p(A_n) = p(\overline{A_1} \cap \overline{A_2} \cap \cdots \cap \overline{A_{n-1}} \cap A_n) = \left(\frac{5}{6}\right)^{n-1} \times \frac{1}{6}.$$

Cette formule est vraie également pour $n = 1$ avec la convention $\left(\dfrac{5}{6}\right)^0 = 1$.

13 **1.** Les données conduisent immédiatement à l'arbre pondéré :

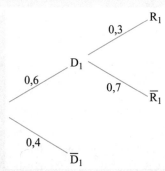

Ainsi $p(R_1) = p(D_1 \cap R_1) = p(D_1) \times p_{D_1}(R_1) = 0,6 \times 0,3$

$p(R_1) = 0,18$.

En cas de difficultés, voir le savoir-faire 2.

2. On complète l'arbre précédent :

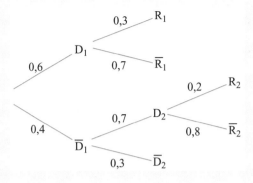

$R = R_1 \cup R_2$ avec R_1 et R_2 incompatibles, donc $p(R) = p(R_1) + p(R_2)$.
Des probabilités conditionnelles inscrites dans l'arbre, on déduit :

$$p(R_2) = 0,4 \times 0,7 \times 0,2 = 0,056.$$

Donc $p(R) = 0,18 + 0,056$, soit $\boldsymbol{p(R) = 0,236}$.

◢ On donne la valeur de $p(R)$ dans l'énoncé : il y a de fortes chances pour qu'on en ait besoin dans la suite !

3. $p(R) \neq 0$, donc $p_R(R_1) = \dfrac{p(R \cap R_1)}{p(R)}$. Or $R \cap R_1 = R_1$, donc :

$$p_R(R_1) = \frac{0,18}{0,236} \approx \boldsymbol{0,763 \text{ à } 10^{-3} \text{ près}}.$$

4. Pour chaque personne contactée, l'expérience a deux issues, R, le succès de probabilité $0,236$ et $\overline{R}$, l'échec, de probabilité $1 - 0,236 = 0,764$. Il s'agit donc d'une épreuve de Bernoulli de paramètre $p = 0,236$.
L'enquêteur répète 25 expériences de Bernoulli, identiques et indépendantes.
Le nombre de succès obtenus suit donc une loi binomiale de paramètres $n = 25$ et $p = 0,236$.
La probabilité que 20 % des personnes, soit que $\dfrac{20}{100} \times 25 = 5$ personnes répondent, est la probabilité d'obtenir 5 succès.

Elle vaut $\dbinom{25}{5} \times 0,236^5 \times 0,764^{20} \simeq \boldsymbol{0,179 \text{ à } 10^{-3} \text{ près}}$.

◢ $\dbinom{25}{5} = 53130$ se calcule directement à la calculatrice en tapant 25 nCr 5.

14 **1.** Les téléviseurs sont testés de façon équiprobable, donc $\boldsymbol{p(T) = \dfrac{70}{100}}$ et sachant que le test est négatif, le téléviseur est livré dans 65 % des cas, donc $p_{\overline{T}}(C) = \dfrac{65}{100}$.

On en déduit l'arbre pondéré suivant :

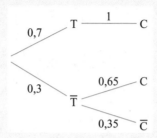

La règle des nœuds a permis de déterminer les probabilités $p(\overline{T})$ et $p_{\overline{T}}(\overline{C})$.

$$p(C) = p(T \cap C) + p(\overline{T} \cap C)$$
$$p(C) = p(T) \times p_T(C) + p(\overline{T}) \times p_{\overline{T}}(C)$$
$$p(C) = 0,7 \times 1 + 0,3 \times 0,65$$
$$\boldsymbol{p(C) = 0,895}.$$

2. a. Le gain est $a - 1000$ lorsque le test est positif:
$$p(X = a - 1\,000) = p(T \cap C) = p(T) \times p_T(C)$$
$$p(X = a - 1\,000) = 0,7 \times 1$$
$$\boldsymbol{p(X = a - 1\,000) = 0,7}.$$

Le gain est $a - 1\,000 - 50 = a - 1\,050$ lorsque le test est négatif, mais que le téléviseur est réparé. Donc $p(X = a - 1\,050) = p(\overline{T} \cap C) = p(\overline{T}) \times p_{\overline{T}}(C)$.

$$p(X = a - 1\,050) = 0,3 \times 0,65$$
$$\boldsymbol{p(X = a - 1\,050) = 0,195}.$$

Le gain est $-1\,050$ lorsque le test est négatif et que la réparation échoue.
Donc $p(X = -1\,050) = p(\overline{T} \cap \overline{C}) = p(\overline{T}) \times p_{\overline{T}}(\overline{C}) = 0,3 \times 0,35$
$$\boldsymbol{p(X = -1\,050) = 0,105}.$$

On peut résumer la loi de probabilité de la variable aléatoire X dans un tableau :

x_i	$-1\,050$	$a - 1\,050$	$a - 1\,000$
$p(X = x_i)$	0,105	0,195	0,7

La somme des probabilités obtenues doit valoir 1 : cela permet de détecter une erreur, ou de calculer une des valeurs lorsqu'on a déjà trouvé toutes les autres.

b. L'espérance de X est :

$$E(X) = (a - 1\ 000) \times 0,7 + (a - 1\ 050) \times 0,195 - 1\ 050 \times 0,105$$

$$\mathbf{E(X) = 0,895a - 1\ 015}.$$

c. L'entreprise peut espérer réaliser des bénéfices équivaut successivement à

$$E(X) > 0 ; 0,895a - 1\ 015 > 0 ; a > \frac{1\ 015}{0,895}.$$

Or $\dfrac{1\ 015}{0,895} \approx 1\ 134,08$ à 10^{-2} près, donc **l'entreprise peut espérer réaliser des bénéfices à partir d'un prix de vente de 1 135 euros.**

15 **1.** La pièce étant bien équilibrée, on a équiprobabilité des résultats pile et face.

Donc $p(A_1) = \dfrac{1}{2}$.

2. On traduit l'énoncé. Pour $n \in \mathbb{N}$, $n \geqslant 1$, $p_{A_n}(A_{n+1}) = \dfrac{1}{2}$,

donc $p_{A_n}\left(\overline{A}_{n+1}\right) = \dfrac{1}{2}$ et $p_{\overline{A}_n}\left(\overline{A}_{n+1}\right) = \dfrac{1}{3}$, donc $p_{\overline{A}_n}(A_{n+1}) = \dfrac{2}{3}$;

ou on traduit l'énoncé à l'aide d'un arbre pondéré (partiel).

Soit $n \in \mathbb{N}$, $n \geqslant 1$.

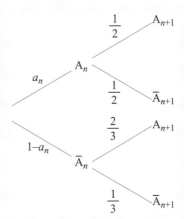

Soit alors $n \in \mathbb{N}$, $n \geqslant 1$:

$$a_{n+1} = p(A_{n+1}) = p_{A_n}(A_{n+1}) \times p(A_n) + p_{\overline{A}_n}(A_{n+1}) \times p(\overline{A}_n).$$

Donc $a_{n+1} = \dfrac{1}{2} \times a_n + \dfrac{2}{3} \times (1 - a_n) = \left(\dfrac{1}{2} - \dfrac{2}{3}\right) a_n + \dfrac{2}{3} = -\dfrac{1}{6} a_n + \dfrac{2}{3}$.

3. Soit $n \in \mathbb{N}$, $n \geqslant 1$. $u_{n+1} = a_{n+1} - \dfrac{4}{7} = -\dfrac{1}{6} a_n + \dfrac{2}{3} - \dfrac{4}{7} = -\dfrac{1}{6} a_n + \dfrac{2}{21}$

$$= -\dfrac{1}{6}\left(a_n - 6 \times \dfrac{2}{21}\right) = -\dfrac{1}{6}\left(a_n - \dfrac{4}{7}\right)$$

$$u_{n+1} = -\dfrac{1}{6} u_n.$$

Donc (u_n) est une suite géométrique de premier terme $u_1 = a_1 - \dfrac{4}{7} = \dfrac{1}{2} - \dfrac{4}{7} = -\dfrac{1}{14}$ et de raison $q = -\dfrac{1}{6}$.

On en déduit que pour tout $n \in \mathbb{N}$, $n \geqslant 1$,

$$u_n = u_1 \times q^{n-1} = -\dfrac{1}{14} \times \left(-\dfrac{1}{6}\right)^{n-1}.$$

D'où $a_n = u_n + \dfrac{4}{7}$ soit $\boldsymbol{a_n = -\dfrac{1}{14} \times \left(-\dfrac{1}{6}\right)^{n-1} + \dfrac{4}{7}}$.

Attention, le premier terme de la suite est u_1.

4. $-1 < -\dfrac{1}{6} < 1$ donc $\displaystyle\lim_{N \to +\infty} \left(-\dfrac{1}{6}\right)^N = 0$.

Or $\displaystyle\lim_{n \to +\infty} n - 1 = +\infty$, donc $\displaystyle\lim_{n \to +\infty} \left(-\dfrac{1}{6}\right)^{n-1} = 0$. Donc $\displaystyle\boldsymbol{\lim_{n \to +\infty} a_n = \dfrac{4}{7}}$.

5. Lorsque la n-ième partie est gagnée, elle l'est soit par Antoine, soit par Bruno. Ainsi si on note G_n l'événement « la n-ième partie est gagnée » :
$G_n = (G_n \cap A_n) \cup \left(G_n \cap \overline{A_n}\right)$, cette réunion étant disjointe.
Donc :

$$p(G_n) = p_{A_n}(G_n) \times p(A_n) + p_{\overline{A_n}}(G_n) \times p(\overline{A_n}).$$

Or, $p_{A_n}(G_n) = \dfrac{1}{2}$ et $p_{\overline{A_n}}(G_n) = \dfrac{1}{3}$, $p(A_n) = a_n$ et $p(\overline{A_n}) = 1 - a_n$.

Donc $p(G_n) = \dfrac{1}{2}a_n + \dfrac{1}{3}(1 - a_n)$

$$p(G_n) = \dfrac{1}{6}a_n + \dfrac{1}{3} = \dfrac{1}{6} \times \left(-\dfrac{1}{14}\right) \times \left(-\dfrac{1}{6}\right)^{n-1} + \dfrac{1}{6} \times \dfrac{4}{7} + \dfrac{1}{3}.$$

$$\boldsymbol{p(G_n) = \dfrac{1}{14} \times \left(-\dfrac{1}{6}\right)^n + \dfrac{9}{21} = \dfrac{1}{14} \times \left(-\dfrac{1}{6}\right)^n + \dfrac{3}{7}}.$$

16 1. L'individu testé ayant été choisi au hasard, ce test se fait de façon équiprobable parmi tous les individus de cette population. La fraction d'individus atteints de cette population étant x, $p(A) = x$.

On a également $p_A(T) = 0,99$ et $p_{\overline{A}}(\overline{T}) = 0,99$, d'où l'arbre pondéré complété avec la règle des nœuds.

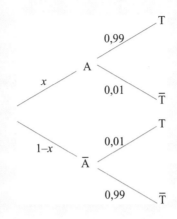

2. $p(T) = p(A) \times p_A(T) + p(\overline{A}) \times p_{\overline{A}}(T)$

$p(T) = x \times 0,99 + (1-x) \times 0,01$

$\boldsymbol{p(T) = 0,98x + 0,01}$.

En cas de difficultés, voir le savoir-faire 2.

3. a. $p(T) = 0,98x + 0,01 \neq 0$ donc $p_T(A) = \dfrac{p(A \cap T)}{p(T)} = \dfrac{p(A) \times p_A(T)}{p(T)}$

$p_T(A) = \dfrac{x \times 0,99}{0,98x + 0,01} = \dfrac{0,99x \times 100}{(0,98x + 0,01) \times 100}$

soit $\boldsymbol{p_T(A) = \dfrac{99x}{98x + 1} = f(x)}$.

b. Pour trouver les variations de f, on étudie le signe de f.

f est dérivable sur $\mathbb{R} \setminus \left\{ -\dfrac{1}{98} \right\}$, donc sur $[0 \ ; 1]$.

$f'(x) = \dfrac{99(98x + 1) - 99x \times 98}{(98x + 1)^2} = \dfrac{99}{(98x + 1)^2}$.

Donc $f' > 0$ sur $[0 \ ; 1]$ et f **est strictement croissante sur $[0 \ ; 1]$**.

c. $p_T(\overline{A}) = 1 - p_T(A)$ d'où le tableau :

x	0,001	0,01	0,1	0,5	0,9
$p_T(A)$	0,090 2	0,5	0,916 7	0,99	0,998 9
$p_T(\overline{A})$	0,909 8	0,5	0,083 3	0,01	0,001 1

On utilise la calculatrice avec la fonction $Y = (99X) / (98X + 1)$: ne pas oublier les parenthèses !

d. S'il s'agit d'une maladie rare, la proportion x d'individus atteints est proche de zéro, donc la probabilité que la personne testée soit atteinte sachant que le test est positif est faible : **on risque donc d'alerter inutilement des individus sains.**

e. Si la population présente des symptômes de la maladie, la proportion x d'individus atteints parmi cette population se rapproche de 1. Il s'ensuit que la probabilité d'être malade sachant que le test est positif devient très proche de 1, donc que **le test devient davantage prédictif.**

4. a. $p(\overline{T}) = 1 - p(T) = 1 - (0,98x + 0,01) = 0,99 - 0,98x \neq 0$ car $x \in [0 \ ; \ 1]$.

Donc $p_{\overline{T}}(\overline{A}) = \dfrac{p(\overline{A} \cap \overline{T})}{p(T)} = \dfrac{p(\overline{A}) \times p_{\overline{A}}(\overline{T})}{p(T)}$

$$p_{\overline{T}}(\overline{A}) = \frac{(1-x) \times 0,99}{0,99 - 0,98x} = \frac{(1-x) \times 99}{99 - 98x} = \frac{99 \times (1-x)}{98(1-x) + 1}$$

$$p_{\overline{T}}(\overline{A}) = f(1 - x).$$

Sans autre information dans l'énoncé, on utilise la formule du cours, II.

b. Soit a, b deux réels dans $[0 \ ; \ 1]$ tels que $a < b$.
Alors $0 \leqslant a < b \leqslant 1$.
Donc $0 \geqslant -a > -b \geqslant -1$, donc $1 \geqslant 1 - a > 1 - b \geqslant 0$.
Or f est strictement croissante sur $[0 \ ; \ 1]$ d'après **3. b.**
Donc $f(1 - a) > f(1 - b)$.
Donc $x \mapsto f(1 - x)$ est strictement décroissante sur $[0 \ ; \ 1]$.

Autre méthode : on dérive $g(x) = f(1 - x)$ à l'aide de la dérivée d'une composée. On obtient $g'(x) = -1 \times f'(1 - x) < 0$ sur $[0 \ ; \ 1]$ car $f' > 0$ sur $\mathbb{R}$ d'après les calculs faits en **2.b.**

c. Si $x < 0,1$, $0 \leqslant x < 0,1$, donc $0,9 < 1 - x \leqslant 1$,
donc $f(1 - x) > f(0,9)$, soit $f(1 - x) > 0,998$, soit :

$$p_{\overline{T}}(\overline{A}) > 0,998.$$

d. Dans le cas d'une maladie rare, x est proche de zéro donc certainement inférieur à 0,1. La probabilité que l'individu ne soit pas atteint sachant que le test est négatif est très proche de 1 : **cela doit pouvoir le rassurer.**

17 1. Avec un tableau à double entrée (les chiffres entre parenthèses correspondent à l'ordre de remplissage des cases à la lecture de l'énoncé).

Fréquence en % correspondant aux événements	B		$\overline{B}$		Total	
A	1	(3)	4	(1)	5	(4)
$\overline{A}$	2	(2)	93	(8)	95	(6)
Total	3	(5)	97	(7)	100	

Ou avec un diagramme de Venn, plus visuel :

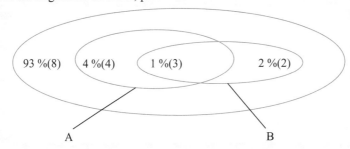

a. Le choix de l'appareil sorti de la machine M_1 se fait de façon équiprobable. Il y a 4% + 1% = 5% de machines présentant le défaut d_1 (seul ou couplé avec le défaut 2).

Donc $p(A) = \dfrac{5}{100} = 0,05$.

De même, $p(B) = \dfrac{2+1}{100} = \dfrac{3}{100} = 0,03$ et $p(A \cap B) = \dfrac{1}{100} = 0,01$.

Ainsi $p(A) \times p(B) = 0,05 \times 0,03 = 0,0015 \neq p(A \cap B)$.

Donc A et B ne sont pas indépendants.

b. $p(B) \neq 0$, donc $p_B(A) = \dfrac{p(A \cap B)}{p(B)} = \dfrac{0,01}{0,03}$. soit $\boldsymbol{p_B(A) = \dfrac{1}{3}}$.

◢ C'est la formule du cours, II.

◢ **Autre méthode :** si on note N le nombre d'appareils produits par la machine M_1. Sachant qu'on a $\dfrac{3}{100} \times N$ appareils ayant le défaut d_2, on choisit l'un des $\dfrac{1}{100} \times N$ appareils ayant aussi le défaut d_1 parmi eux, avec la probabilité $\dfrac{\dfrac{1}{100} \times N}{\dfrac{3}{100} \times N} = \dfrac{1}{3}$.

c. $D = A \cup B$, donc le diagramme de Venn (ou le tableau à double entrée) donne directement :

$$p(D) = \frac{4+1+2}{100} = \frac{7}{100}.$$

$$\mathbf{p(D) = 0,07.}$$

On peut aussi utiliser la formule :

$p(D) = p(A \cup B) = p(A) + p(B) - p(A \cap B) = 0,05 + 0,03 - 0,01 = 0,07.$

d. $p(\overline{D}) = 1 - p(D) = 0,93.$

2. a. Les appareils sont tirés de façon équiprobable, donc $p_D(C) = \dfrac{60}{100} = 0,6$ et

$p_D(\overline{C}) = 1 - p_D(C) = 0,4$ (règle des nœuds) ; $p_{\overline{D}}(C) = \dfrac{3}{100} = 0,03$ et

$p_{\overline{D}}(\overline{C}) = 0,97.$ D'où l'arbre pondéré :

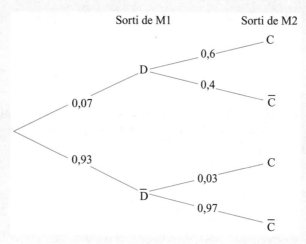

En cas de difficultés, voir le savoir-faire 2.

b. $p(\overline{D} \cap \overline{C}) = p(\overline{D}) \times p_{\overline{D}}(\overline{C}) = 0,93 \times 0,97$, soit $\mathbf{p(\overline{D} \cap \overline{C}) = 0,9021}.$

18

Entrées : aucune

Initialisation : T = 0 (T désigne le nombre de tirs au total pour les 100 parties)

Traitement : Pour i allant de 1 à 100

N = 1 (N désigne le nombre de tirs nécessaires pour crever le ballon)

a est un nombre aléatoire pris au hasard dans l'intervalle [0 ; 1].

Tant que a > 0,2

    N devient N + 1
    On choisit un nouveau nombre aléatoire a
Fin de la boucle tant que

◢ Cette boucle s'arrête quand $a \leqslant 0,2$, c'est-à-dire pour $a \in [0;0,2]$, ce qui a bien pour probabilité $0,2 - 0 = 0,2$.

> T devient $T + N$ (on ajoute N à T)
> Fin de la boucle pour.
> Sorties : Faire afficher $T/100$.

◢ À chaque partie, il faut penser à réinitialiser le nombre de tirs N.

Partie B.

1. a. Pour $k \in \mathbb{N}^*$, on note C_k l'événement « le ballon crève au k-ième tir » et I_k l'événement « le ballon est intact au k-ième tir ».

Sachant que le ballon est intact à l'issu d'un tir, la probabilité de crever le ballon au tir suivant est $p = 0,2$ donc la probabilité de laisser intact le ballon est $q = 1 - 0,2 = 0,8$.

Le ballon est intact au bout de deux tirs s'il est intact au premier tir (événement I_1) et au second tir (événement I_2).

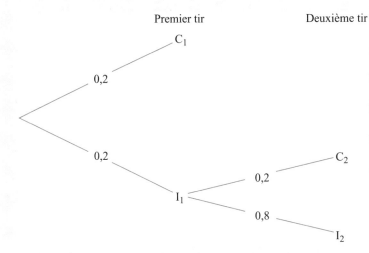

Premier tir   Deuxième tir

On en déduit :

$$p(I_1 \cap I_2) = p(I_1) \times p_{I_1}(I_2) = 0,8 \times 0,8 = 0,8^2$$

$$\boldsymbol{p(I_1 \cap I_2) = 0,64.}$$

b. L'événement A « deux tirs suffisent pour crever le ballon » est l'événement contraire de « au bout de deux tirs le ballon est intact ».

Donc $p(A) = 1 - p(I_1 \cap I_2) = 1 - 0,64$.

$$\boldsymbol{p(A) = 0,36.}$$

On obtient le même résultat en écrivant $A = C_1 \cup (I_1 \cap C_2)$ et utilisant les branches correspondantes de l'arbre pondéré : $p(A) = 0,2 + 0,8 \times 0,2 = 0,36$.

c. Soit B l'événement « au bout de n tirs le ballon est intact ». C'est l'événement contraire de « n tirs suffisent à crever le ballon ».

B est réalisé lorsque chacun des n tirs consécutifs laisse le ballon intact :

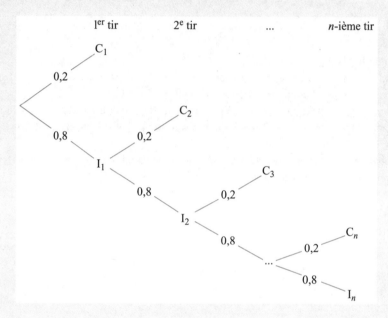

$B = I_1 \cap I_2 \cap \ldots \cap I_n$, donc $p(B) = 0,8^n$.

Ainsi $p_n = p(\overline{B}) = 1 - p(B)$ soit $\boldsymbol{p_n = 1 - 0,8^n}$.

Ici, le passage à l'événement contraire est indispensable car il est beaucoup trop long d'effectuer un calcul direct en suivant les branches favorables à l'événement cherché.

d. $p_n > 0,99$ équivaut successivement à :

$1 - 0,8^n > 0,99$; $-0,8^n > -0,01$; $0 < 0,8^n < 0,01$;

$\ln(0,8)^n < \ln 0,01$ car ln est strictement croissante sur $]0\,;+\infty[$;

$n \ln 0,8 < \ln 0,01$; $n > \dfrac{\ln 0,01}{\ln 0,8}$ car $\ln 0,8 < 0$.

Or $\dfrac{\ln 0,01}{\ln 0,8} \simeq 20,6$ à 10^{-1} près.

Donc $\boldsymbol{p_n > 0,99}$ **pour n entier, $n \geqslant 21$.**

◢ Si cette méthode précédente vous parait trop difficile, vous pouvez vous contenter d'une justification obtenue à la calculatrice en dressant un tableau de valeurs de $p_n = 1 - 0,8^n$ pour n entier.

On saisit $Y = 1 - 0,8 \wedge X$ et on dresse le tableau avec $X_{min} = 1$ et un pas de 1.

On trouve $p_{20} \approx 0,988$ à 10^{-3} près et $p_{21} \approx 0,991$ à 10^{-3} près.

Or la suite $(0,8^n)_{n \in \mathbb{N}}$ est géométrique de premier terme $1 > 0$ et de raison $q = 0,8 \in]0 \; ; \; 1[$. Cette suite est donc strictement décroissante. Donc la suite (p_n) est strictement croissante.

Ainsi $p_n > 0,99 \Leftrightarrow n \geqslant 21$: ce qu'on avait trouvé plus haut.

2. Soit X la variable aléatoire correspondant au numéro de la face obtenue. Le dé étant régulier, X prend 4 valeurs 1, 2, 3 et 4, de façons équiprobables donc avec la même probabilité $\dfrac{1}{4}$.

On note E l'événement « le joueur crève le ballon ».

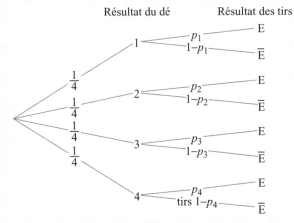

Pour n entier compris entre 1 et 4, sachant $(X = n)$, E est réalisé lorsque n tirs ont suffi pour crever le ballon, soit $p_{(X=n)}(E) = p_n$.

On en déduit :

$$p(E) = \frac{1}{4} p_1 + \frac{1}{4} p_2 + \frac{1}{4} p_3 + \frac{1}{4} p_4$$

$$p(E) = \frac{1}{4} \times (1 - 0,8) + \frac{1}{4} \times (1 - 0,8^2) + \frac{1}{4} \times (1 - 0,8^3) + \frac{1}{4} \times (1 - 0,8^4)$$

$$\boldsymbol{p(E) = 0,4096.}$$

19 **1.** On peut écrire $A = (A \cap B) \cup (A \cap \overline{B})$ où $A \cap B$ et $A \cap \overline{B}$ sont disjoints, donc $p(A) = p(A \cap B) + p(A \cap \overline{B})$.

On en déduit :

$$p(A \cap \overline{B}) = p(A) - p(A \cap B).$$

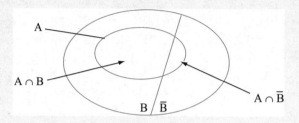

On dit que B et $\overline{B}$ forment une partition de l'univers : leur réunion, disjointe, est égale à l'univers tout entier.

2. Si A et B sont indépendants, $p(A \cap B) = p(A) \times p(B)$.

Donc $p(A \cap \overline{B}) = p(A) - p(A) \times p(B) = p(A) \times (1 - p(B)) = p(A) \times p(\overline{B})$.

Donc A et $\overline{B}$ sont indépendants.

20 **1.** Au premier lancer, réussir ou manquer le panier sont équiprobables, donc :
$p_1 = p(A_1) = \dfrac{1}{2}$ et $p(B_1) = \dfrac{1}{2}$.

D'ailleurs, $B_1 = \overline{A_1}$, donc on a bien $p(B_1) = 1 - p(A_1) = \dfrac{1}{2}$.

Pour le deuxième lancer :

$p_{A_1}(A_2) = \dfrac{1}{3}$ et, comme $B_2 = \overline{A_2}$, $p_{A_1}(B_2) = 1 - p_{A_1}(A_2) = \dfrac{2}{3}$.

$p_{B_1}(B_2) = \dfrac{4}{5}$, donc $p_{B_1}(A_2) = \dfrac{1}{5}$.

On en déduit l'arbre pondéré :

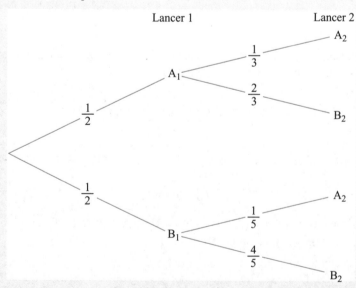

Alors

$$p_2 = p(A_2) = p(A_1 \cap A_2) + p(B_1 \cap A_2)$$

$$= p(A_1) \times p_{A1}(A_2) + p(B_1) \times p_{B1}(A_2)$$

$$p_2 = \frac{1}{2} \times \frac{1}{3} + \frac{1}{2} \times \frac{1}{5} = \frac{1}{6} + \frac{1}{10}$$

$$= \frac{1}{6} + \frac{1}{10} = \frac{5}{30} + \frac{3}{30}$$

$$= \frac{8}{30}.$$

$$\boldsymbol{p_2 = \frac{4}{15}.}$$

◢ En cas de difficultés, voir le savoir-faire 2.

2. Soit $n \geqslant 1$ $p_{A_n}(A_{n+1}) = \frac{1}{3}$, donc $p_{A_n}(B_{n+1}) = \frac{2}{3}$;

$p_{B_n}(B_{n+1}) = \frac{4}{5}$, donc $p_{B_n}(A_{n+1}) = \frac{1}{5}$.

Enfin $B_n = \overline{A_n}$, donc $p(B_n) = 1 - p(A_n) = 1 - p_n$.

D'où l'arbre pondéré :

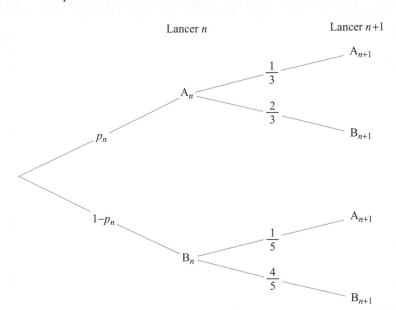

On en déduit :

$$p_{n+1} = p(A_{n+1})$$

$$= p(A_n) \times p_{A_n}(A_{n+1}) + p(B_n) \times p_{B_n}(A_{n+1})$$

$$= p_n \times \frac{1}{3} + (1 - p_n) \times \frac{1}{5} = \frac{1}{3} \times p_n - \frac{1}{5} \times p_n + \frac{1}{5}$$

$$= \left(\frac{1}{3} - \frac{1}{5}\right) \times p_n + \frac{1}{5}$$

$$= \left(\frac{5}{15} - \frac{3}{15}\right) \times p_n + \frac{1}{5}$$

$$p_{n+1} = \frac{2}{15} \times p_n + \frac{1}{5}$$

3. Soit $n \geqslant 1$. $u_{n+1} = p_{n+1} - \frac{3}{13}$

$$= \left(\frac{2}{15} p_n + \frac{1}{5}\right) - \frac{3}{13}$$

$$= \frac{2}{15} p_n + \frac{1}{5} - \frac{3}{13}$$

$$= \frac{2}{15} p_n + \frac{13}{65} - \frac{15}{65}$$

$$= \frac{2}{15} p_n - \frac{2}{65}$$

$$= \frac{2}{15}\left(p_n - \frac{15}{2} \times \frac{2}{65}\right)$$

$$= \frac{2}{15}\left(p_n - \frac{3}{13}\right)$$

$$u_{n+1} = \frac{2}{15} u_n.$$

Donc la suite $(u_n)_{n \geqslant 1}$ est géométrique de premier terme :

$$u_1 = p_1 - \frac{3}{13} = \frac{1}{2} - \frac{3}{13} = \frac{13}{26} - \frac{6}{26} = \frac{7}{26}$$

et de raison $q = \dfrac{2}{15}$.

4. Pour tout $n \geqslant 1$, $u_n = u_1 \times q^{n-1} = \dfrac{7}{26} \times \left(\dfrac{2}{15}\right)^{n-1}$.

D'où $p_n = u_n + \dfrac{3}{13} = \dfrac{7}{26} \times \left(\dfrac{2}{15}\right)^{n-1} + \dfrac{3}{13}$.

On a bien $\dfrac{7}{26} \times \left(\dfrac{2}{15}\right)^{0} + \dfrac{3}{13} = \dfrac{7}{26} + \dfrac{3}{13} = \dfrac{7}{26} + \dfrac{6}{26} = \dfrac{13}{26} = \dfrac{1}{2} = p_1$

et $\dfrac{7}{26} \times \left(\dfrac{2}{15}\right)^{1} + \dfrac{3}{13} = \dfrac{7}{13 \times 15} + \dfrac{3}{13} = \dfrac{7}{13 \times 15} + \dfrac{3 \times 15}{13 \times 15} = \dfrac{52}{13 \times 15} = \dfrac{4}{15} = p_2$.

5. $-1 < \dfrac{2}{15} < 1$ donc $\displaystyle\lim_{N \to +\infty} \left(\dfrac{2}{15}\right)^{N} = 0$ or $\displaystyle\lim_{n \to +\infty} n-1 = +\infty$, donc $\displaystyle\lim_{n \to +\infty} \left(\dfrac{2}{15}\right)^{n-1} = 0$.

Ainsi $\displaystyle\lim_{n \to +\infty} p_n = \dfrac{3}{13}$.

21 On note B l'événement « M. Prudent met ses bottes » et N l'événement « il neige ». L'énoncé donne $p(\text{B}) = \dfrac{8}{10}$, $p_N(\text{B}) = 1$ et $p_{\overline{N}}(\text{B}) = \dfrac{1}{3}$, donc $p_{\overline{N}}(\overline{\text{B}}) = \dfrac{2}{3}$ d'après la règle des nœuds. On pose $p = p(\text{N})$. Donc $p(\overline{\text{N}}) = 1 - p$. On en déduit l'arbre pondéré suivant :

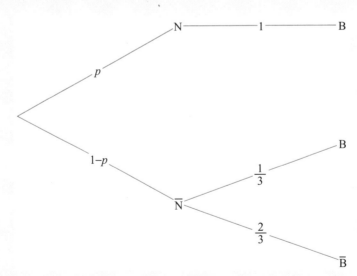

Ainsi $p(\text{B}) = p(\text{N} \cap \text{B}) + p(\overline{\text{N}} \cap \text{B})$

$= p(\text{N}) \times p_N(\text{B}) + p(\overline{\text{N}}) \times p_{\overline{N}}(\text{B})$,

$= p \times 1 + (1-p) \times \dfrac{1}{3}$.

Or $p(\mathrm{B}) = \dfrac{8}{10}$, d'où :

$$p + (1-p) \times \dfrac{1}{3} = \dfrac{8}{10} \Leftrightarrow p + \dfrac{1}{3} - \dfrac{1}{3} \times p = \dfrac{8}{10}$$

$$\Leftrightarrow \dfrac{2}{3} \times p = \dfrac{8}{10} - \dfrac{1}{3} = \dfrac{24}{30} - \dfrac{10}{30} = \dfrac{14}{30} = \dfrac{7}{15}$$

$$\Leftrightarrow p = \dfrac{3}{2} \times \dfrac{7}{15} = \dfrac{7}{10}.$$

On cherche $p_{\mathrm{B}}\left(\overline{\mathrm{N}}\right)$.

Comme $p(\mathrm{B}) = \dfrac{8}{10} \neq 0$, $p_{\mathrm{B}}\left(\overline{\mathrm{N}}\right) = \dfrac{p\left(\mathrm{B} \cap \overline{\mathrm{N}}\right)}{p(\mathrm{B})} = \dfrac{p\left(\overline{\mathrm{N}}\right) \times p_{\overline{\mathrm{N}}}(\mathrm{B})}{p(\mathrm{B})}$

Or $p\left(\overline{\mathrm{N}}\right) = 1 - p = \dfrac{3}{10}$, donc $p_{\mathrm{B}}\left(\overline{\mathrm{N}}\right) = \dfrac{\dfrac{3}{10} \times \dfrac{2}{3}}{\dfrac{8}{10}} = \dfrac{\dfrac{2}{10}}{\dfrac{8}{10}} = \dfrac{2}{10} \times \dfrac{10}{8}$.

D'où :

$$p_{\mathrm{B}}\left(\overline{\mathrm{N}}\right) = \dfrac{1}{4}.$$

10 Lois continues Échantillonnage Estimation

I DENSITÉ DE PROBABILITÉ

On considère un univers Ω muni d'une probabilité p et X une variable aléatoire à valeurs dans un intervalle I de $\mathbb{R}$.

■ **Définition :** on dit que **X suit une loi continue** s'il existe une fonction f continue et positive sur I telle que, pour tout intervalle J inclus dans I, $p(X \in J)$ est égale à l'aire de la partie du plan formée par les points $M(x \ ; y)$ vérifiant $x \in J$ et $0 \leqslant y \leqslant f(x)$.

 La partie du plan formée par les points $M(x \ ; y)$ vérifiant $x \in I$ et $0 \leqslant y \leqslant f(x)$ doit avoir une aire égale à 1.

• En particulier, si $I = [a \ ; b]$, X suit une loi continue sur I signifie qu'il existe une fonction f continue, positive sur I et vérifiant $\int_a^b f(x)\mathrm{d}x = 1$ telle que pour tout intervalle $[c \ ; d]$ inclus dans I, $p(X \in [c \ ; d]) = \int_c^d f(x)\mathrm{d}x$.

 Voir II, la loi uniforme.

• Si $I = [a \ ; +\infty[$, X suit une loi continue sur I signifie qu'il existe une fonction f continue, positive sur I, et vérifiant $\lim\limits_{d \to +\infty} \int_a^d f(x)\mathrm{d}x = 1$, telle que pour tout intervalle $[c \ ; d]$ inclus dans I, $p(X \in [c \ ; d]) = \int_c^d f(x)\mathrm{d}x$ et pour tout $c \geqslant a$, $p(X \in [c \ ; +\infty[) = \lim\limits_{d \to +\infty} \int_c^d f(x)\mathrm{d}x = 1 - \int_a^c f(x)\mathrm{d}x$.

 Voir III, la loi exponentielle.

• Si $I = \mathbb{R}$, X suit une loi continue sur I signifie qu'il existe une fonction f continue, positive sur I, et vérifiant $\lim\limits_{c \to -\infty} \int_c^0 f(x)\mathrm{d}x + \lim\limits_{d \to +\infty} \int_0^d f(x)\mathrm{d}x = 1$, telle que pour tout intervalle $[c \ ; d]$ inclus dans I, $p(X \in [c \ ; d]) = \int_c^d f(x)\mathrm{d}x$, pour tout $c \in \mathbb{R}$, $p(X \in [c \ ; +\infty[) = \lim\limits_{t \to +\infty} \int_c^t f(x)\mathrm{d}x$ et pour tout $d \in \mathbb{R}$, $p(X \in]-\infty \ ; d]) = \lim\limits_{c \to -\infty} \int_c^d f(x)\mathrm{d}x$.

Voir IV, la loi normale.

Vocabulaire : f est la densité de probabilité de X.

■ **Propriété :** une variable aléatoire X suivant une loi continue ne « charge pas les points » ; pour tout $c \in$ I, $p(X = c) = 0$. En particulier :

$$p\big(X \in [c\,;d]\big) = p\big(X \in [c\,;d[\big) = p\big(X \in \,]c\,;d]\big) = p\big(X \in \,]c\,;d[\big),$$

ce qu'on écrira parfois $p\big(X \in (c\,;\,d)\big)$.

II LOI UNIFORME

■ **Définition :** soit a et b deux réels tels que $a < b$. X suit une **loi uniforme** sur $[a\,;b]$ si X est une variable aléatoire continue de densité f telle que $f(x) = \dfrac{1}{b-a}$ sur I $= [a\,;\,b]$.

C'est la loi correspondant au choix d'un nombre au hasard dans l'intervalle $[a\,;b]$.

■ **Propriété :** si X suit une loi uniforme sur $[a\,;\,b]$,

pour tout $(c\,;\,d) \subset [a\,;\,b]$, $p\big(X \in (c\,;\,d)\big) = \dfrac{d-c}{b-a}$.

■ Son espérance est :

$$E(X) = \int_a^b x f(x)\mathrm{d}x = \int_a^b \frac{x}{b-a}\,\mathrm{d}x = \frac{a+b}{2}.$$

III LOI EXPONENTIELLE

■ **Définition :** soit λ un réel strictement positif. X suit une **loi exponentielle** de paramètre λ si X est une variable aléatoire continue de densité f définie par $f(x) = \lambda e^{-\lambda x}$ sur $I = [0\,;+\infty[$.

■ C'est **la loi de durée de vie sans vieillissement** : si s et t sont deux réels appartenant à $[0\,;+\infty[$, la probabilité de l'événement « $X \geqslant s+t$ » sachant « $X \geqslant s$ » est égale à la probabilité de l'événement « $X \geqslant t$ ».

On parle de **loi sans mémoire**. Voir l'exercice 4.

■ Son espérance est :

$$E(X) = \lim_{d \to +\infty} \int_0^d x f(x)\mathrm{d}x = \frac{1}{\lambda}.$$

IV LOI NORMALE

1. Loi normale centrée réduite N(0 ; 1)

■ **Définition :** X suit une loi normale centrée réduite N(0 ; 1) si X admet pour densité la fonction f définie sur $\mathbb{R}$ par $f(x) = \dfrac{1}{\sqrt{2\pi}} e^{-\frac{x^2}{2}}$.

Ainsi, pour tout réel a et b tels que $a \leqslant b$, $p(a \leqslant X \leqslant b) = \int_a^b \frac{1}{\sqrt{2\pi}} e^{-\frac{x^2}{2}} dx$.

■ **Propriété :** la densité f est paire, donc sa courbe est symétrique par rapport à l'axe des ordonnées, d'où :

• L'aire de la partie du plan situé sous la courbe de f, au dessus de l'axe des abscisses et à droite de l'axe des ordonnées est égale à $\frac{1}{2}$.

• Pour tout réel u, $p(X \leqslant -u) = p(X \geqslant u)$.

Son espérance est $E(X) = \lim_{c \to -\infty} \int_c^0 x f(x) dx + \lim_{d \to +\infty} \int_0^d x f(x) dx = 0$.

(X est **centrée**), on note généralement $\mu = 0$.

• Sa variance est $V(X) = E((X - E(X))^2) = 1$ (X est **réduite**), et son écart-type est $\sigma = \sqrt{V(X)} = 1$.

■ **Théorème :**

si X suit une loi $N(0 \,;\, 1)$, pour tout $\alpha \in \left]0 \,;\, 1\right[$, il existe un unique réel u_α tel que $p(-u_\alpha \leqslant X \leqslant u_\alpha) = 1 - \alpha$.

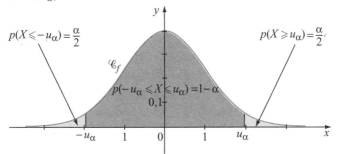

EXEMPLES :

• Pour $\alpha = 0,05$, $u_{0,05} \approx 1,96$ à $0,01$ près :

$$p(-1,96 \leqslant X \leqslant 1,96) = 0,95.$$

• Pour $\alpha = 0,01$, $u_{0,01} \approx 2,58$ à $0,01$ près :

$$p(-2,58 \leqslant X \leqslant 2,58) = 0,99.$$

Visualisation du théorème pour $\alpha = 0,05$:

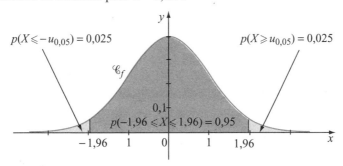

2. Loi normale N(μ ; σ^2)

■ **Définition :** une variable aléatoire X suit une loi normale N(μ ; σ^2) si la variable $Z = \dfrac{X - \mu}{\sigma}$ suit une loi normale N(0 ; 1).

■ **Propriété :** si X suit une loi normale N(μ ; σ^2) :

$$E(X) = \mu \text{ et } V(X) = E\big((X - E(X))^2\big) = \sigma^2.$$

■ **Propriété :** si X suit une loi normale N(μ ; σ^2), alors :

$$p(\mu - \sigma \leqslant X \leqslant \mu + \sigma) \approx 0{,}68 \text{ à } 0{,}01 \text{ près ;}$$
$$p(\mu - 2\sigma \leqslant X \leqslant \mu + 2\sigma) \approx 0{,}95 \text{ à } 0{,}01 \text{ près ;}$$
$$p(\mu - 3\sigma \leqslant X \leqslant \mu + 3\sigma) \approx 0{,}997 \text{ à } 0{,}001 \text{ près.}$$

EXEMPLE : Pour $\mu = 3{,}5$ et $\sigma^2 = 2$:

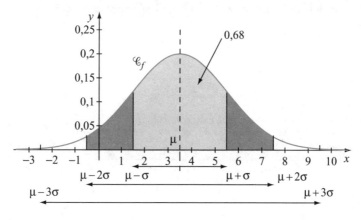

3. Théorème de Moivre-Laplace

Théorème : soit $p \in \,]0 \,;\, 1[$. On suppose que, pour tout entier $n \geqslant 1$, la variable aléatoire X_n suit une loi binomiale B(n ; p). On pose $Z_n = \dfrac{X_n - np}{\sqrt{np(1 - p)}}$.

Alors, pour tous réels a et b tels que $a < b$, $\displaystyle\lim_{n \to +\infty} p(a \leqslant Z_n \leqslant b) = \int_a^b \dfrac{1}{\sqrt{2\pi}} e^{-\frac{x^2}{2}} \,dx$,

c'est-à-dire $\displaystyle\lim_{n \to +\infty} p(a \leqslant Z_n \leqslant b) = p(a \leqslant Z \leqslant b)$, où Z est une variable aléatoire de loi N(0 ; 1).

V INTERVALLE DE FLUCTUATION ASYMPTOTIQUE

■ **Propriété :** soit $n \in \mathbb{N}^*$ et $p \in \,]0 \,;\, 1[$. Si la variable aléatoire X_n suit une loi B(n, p), alors pour tout réel $\alpha \in \,]0 \,;\, 1[$, $\displaystyle\lim_{n \to +\infty} p\left(\dfrac{X_n}{n} \in I_n\right) = 1 - \alpha$, où

$$I_n = \left[p - u_\alpha \frac{\sqrt{p(1-p)}}{\sqrt{n}} ; p + u_\alpha \frac{\sqrt{p(1-p)}}{\sqrt{n}} \right] \text{ et } u_\alpha \text{ est l'unique réel tel que}$$

$p(-u_\alpha \leqslant Z \leqslant u_\alpha) = 1 - \alpha$ où Z suit une loi normale N(0 ; 1).

■ **Vocabulaire :** l'intervalle $I_n = \left[p - u_\alpha \frac{\sqrt{p(1-p)}}{\sqrt{n}} ; p + u_\alpha \frac{\sqrt{p(1-p)}}{\sqrt{n}} \right]$ est

appelé **intervalle de fluctuation asymptotique au seuil $1 - \alpha$.**

◢ Si la variable aléatoire X_n suit une loi B(n, p), lorsque $n \geqslant 30$, $np \geqslant 5$ et $n(1-p) \geqslant 5$, on utilise l'approximation $p\left(\frac{X_n}{n} \in I_n \right) = 1 - \alpha$.

EXEMPLE IMPORTANT: si $n \geqslant 30$, $np \geqslant 5$ et $n(1-p) \geqslant 5$:

$$p\left(\frac{X_n}{n} \in \left[p - 1,96 \frac{\sqrt{p(1-p)}}{\sqrt{n}} ; p + 1,96 \frac{\sqrt{p(1-p)}}{\sqrt{n}} \right] \right) \approx 0,95.$$

■ **Application à la prise de décision** : si on connait la proportion p d'un caractère dans la population totale (cas 1), ou si on fait une hypothèse sur la valeur de cette proportion p (cas 2), on détermine la valeur de la fréquence f observée sur un échantillon de taille n tiré aléatoirement dans la population :

• Si f est dans l'intervalle de fluctuation asymptotique au seuil $1 - \alpha$, on déclare au seuil de $1 - \alpha$ la conformité de l'échantillon pour le cas 1, ou on valide l'hypothèse faite sur la valeur de p pour le cas 2.

• Si f n'est pas dans l'intervalle de fluctuation asymptotique au seuil $1 - \alpha$, on rejette au risque α (de rejeter à tort) la conformité de cet échantillon pour le cas 1, ou la valeur de p pour le cas 2.

◢ Voir le savoir-faire 3.

VI   INTERVALLE DE CONFIANCE

■ **Propriété :** soit $n \in \mathbb{N}^*$ et $p \in \left] 0 ; 1 \right[$. Soit X_n une variable aléatoire suivant une loi B(n ; p). Pour $n \geqslant 30$, $np \geqslant 5$ et $n(1-p) \geqslant 5$, alors :

$$p\left(\frac{X_n}{n} - \frac{1}{\sqrt{n}} \leqslant p \leqslant \frac{X_n}{n} + \frac{1}{\sqrt{n}} \right) \geqslant 0,95.$$

◢ Dans plus de 95 % des réalisations de la variable aléatoire X_n, $p \in \left[f - \frac{1}{\sqrt{n}} ; f + \frac{1}{\sqrt{n}} \right]$ où f est la fréquence observée (la réalisation de $\frac{X_n}{n}$ correspondante). Ceci a déjà été vu en classe de seconde.

L'intervalle $\left[f - \dfrac{1}{\sqrt{n}} \;;\; f + \dfrac{1}{\sqrt{n}} \right]$ est appelé **intervalle de confiance** au niveau de confiance 0,95 pour p.

> Dans d'autres disciplines, on utilise l'intervalle :
> $$\left[f - 1{,}96\,\frac{\sqrt{f(1-f)}}{\sqrt{n}} \;;\; f + 1{,}96\,\frac{\sqrt{f(1-f)}}{\sqrt{n}} \right].$$

■ **Application** : lorsqu'un caractère touche une proportion p inconnue de la population, on détermine la fréquence f de réalisation de ce caractère sur un échantillon de taille $n \geqslant 30$. Si $nf \geqslant 5$ et $n(1 - f) \geqslant 5$, on peut conclure qu'un intervalle de confiance au niveau de confiance 0,95 pour p est :

$$\left[f - \frac{1}{\sqrt{n}} \;;\; f + \frac{1}{\sqrt{n}} \right].$$

On dit que l'on a estimé la proportion p dans la population totale par intervalle de confiance à partir de la fréquence f observée sur l'échantillon.

> Voir le savoir-faire 4.

SAVOIR-FAIRE

1. Calculer une probabilité avec une loi continue

EXEMPLE : On cherche la probabilité de l'événement « $X \in [1\,;4]$ ».

a. Si X suit une loi uniforme sur $[-2\,;10]$.

X admet une densité de probabilité définie sur $[-2\,;10]$ par :

$$f(x) = \frac{1}{10 - (-2)} = \frac{1}{12}.$$

$[1\,;4] \subset [-2\,;10]$, donc $p\big(X \in [1\,;4]\big) = \displaystyle\int_{1}^{4} \frac{1}{12}\,\mathrm{d}x = \frac{4 - 1}{12} = \frac{3}{12}$

soit $p\big(X \in [1\,;4]\big) = \dfrac{1}{4}.$

> Voir l'exercice 1 pour d'autres exemples.

b. **Si X suit une loi exponentielle de paramètre $\lambda = 0{,}1$.**

X admet une densité de probabilité définie sur $[0\,;+\infty[$ par :

$$f(x) = \lambda \mathrm{e}^{-\lambda x} = 0{,}1 \mathrm{e}^{-0{,}1 x}.$$

$[1\ ;\ 4] \subset [-2\ ;\ 10]$, donc $p\big(X \in [1\ ;\ 4]\big) = \displaystyle\int_{1}^{4} 0,1\mathrm{e}^{-0,1x}\mathrm{d}x = \left[-\mathrm{e}^{-0,1x}\right]_{1}^{4}$

$= -\mathrm{e}^{-0,4} - (-\mathrm{e}^{-0,1})$ soit $\boldsymbol{p\big(X \in [1\ ;\ 4]\big) = \mathrm{e}^{-0,1} - \mathrm{e}^{-0,4}}.$

Voir l'exercice 3 pour d'autres exemples.

c. Si X suit une loi N(2,5 ; 0,25) un cas particulier à (re-connaître).

$\mu = 2,5$ et $\sigma = \sqrt{0,25} = 0,5$, donc $[1\ ;\ 4] = [\mu - 3\sigma\ ;\ \mu + 3\sigma]$.

On en déduit (voir cours) que $\boldsymbol{p\big(X \in [1\ ;\ 4]\big) = 0,997}$ **à = 0,001 près.**

Voir les exercices 6 et 14 pour d'autres exemples et le savoir-faire 2 pour un cas plus général.

2. Utiliser une calculatrice pour calculer avec une loi normale N(μ ; σ^2)

EXEMPLE : X suit une loi N(3 ; 4).

a. Déterminer $p\big(X \in [1\ ;\ 4]\big)$. Ici $\mu = 3$ et $\sigma^2 = 4$, donc $\sigma = \sqrt{4} = 2$ (car $\sigma \geqslant 0$).

• Texas Instrument (à partir de la TI 82 Stats) : 2nd VAR permet d'entrer dans le menu Distr pour utiliser la commande normalcdf, dont la syntaxe est normalcdf(1, 4, 3, 2), où on entre dans l'ordre les bornes a et b de l'intervalle, la valeur μ, puis de σ.

• Casio (à partir de la Graph 35+) : MENU STATS onglet DIST puis Norm pour utiliser la commande Ncd dont la syntaxe est Ncd(Lower : 1 ; Upper : 4 ; σ : 2 ; μ : 3).

Attention : c'est la valeur de σ qu'on rentre, et pas de σ^2 !

On obtient $\boldsymbol{p\big(X \in [1\ ;\ 4]\big) \approx 0,533}$ **à 0,001 près.**

b. Déterminer $p(X \leqslant 4)$.

On peut utiliser l'approximation $p(X \leqslant 4) \approx p\big(X \in [-10^{99}\ ;\ 4]\big)$.

• Texas : normalcdf (-E99 , 4 , 3 , 2).

Casio : Ncd(Lower : $-$1E+99 ; Upper : 4 ; σ : 2 ; μ : 3) ;

Attention : là encore, c'est la valeur de σ qu'on rentre !

On obtient $\boldsymbol{p(X \leqslant 4) \approx 0,69}$ **à 0,01 près.**

c. Déterminer a tel que $p(X \leqslant a) = 0,8$.

• Texas : 2nd VAR permet d'entrer dans le menu Distr pour utiliser la commande invNorm : invNorm (0.8, 3, 2).

⚠ Attention à l'utilisation du point comme séparateur décimal.

• Casio : MENU STATS onglet DIST puis Norm pour utiliser la commande InvN(Tail : Left ; Area : 0,8 ; σ : 2 ; μ : 3)

⚠ Attention : là encore, c'est la valeur de σ que l'on rentre !

On obtient $\alpha \approx 4,68$ à $0,01$ près.

3. Construire et utiliser un intervalle de fluctuation asymptotique au seuil $1 - \alpha$

Une entreprise de 1 250 salariés emploie 525 femmes. On suppose que la proportion de femmes dans la population active du pays où est implantée l'entreprise, est de 40 %. Peut-on considérer, au risque de 10 %, que l'entreprise exerce une discrimination à l'embauche vis-à-vis des femmes ?

Sous l'hypothèse que le recrutement des femmes par l'entreprise est conforme à la répartition dans la population totale, le nombre de femmes dans l'entreprise doit correspondre à la réalisation d'une loi binomiale de paramètres $n = 1\,250$ et $p = \dfrac{40}{100} = 0,4$. On détermine alors l'intervalle de fluctuation asymptotique au seuil $1 - \dfrac{10}{100} = 0,9$ pour la fréquence du succès pour la loi B(1 250 ; 0,4).

Comme $n = 1\,250 \geqslant 30$, $np = 1\,250 \times 0,4 = 500 \geqslant 5$,

$n(1 - p) = 1\,250 \times 0,6 = 750 \geqslant 5$, on peut utiliser l'intervalle :

$$\left[p - u_\alpha \frac{\sqrt{p(1-p)}}{\sqrt{n}} \; ; \; p + u_\alpha \frac{\sqrt{p(1-p)}}{\sqrt{n}} \right].$$

On doit déterminer $u_{0,1}$ défini par $p(-u_{0,1} \leqslant X \leqslant u_{0,1}) = 1 - 0,1 = 0,9$ où X suit une loi N(0 ; 1). Par symétrie de la courbe de la fonction densité de la loi de X :

$$p(-u_{0,1} \leqslant X \leqslant u_{0,1}) = 2p(0 \leqslant X \leqslant u_{0,1}) = 2\left(p(X \leqslant u_{0,1}) - \frac{1}{2} \right),$$

car $p(X \leqslant 0) = \dfrac{1}{2}$.

D'où $p(-u_{0,1} \leqslant X \leqslant u_{0,1}) = 2p(X \leqslant u_{0,1}) - 1$ et on cherche $u_{0,1}$ tel que $2p(X \leqslant u_{0,1}) - 1 = 0,9$ soit $p(X \leqslant u_{0,1}) = 0,95$.

◢ On procède comme au savoir-faire **2** question **3**.

• Texas : 2nd VAR permet d'entrer dans le menu Distr pour utiliser la commande invNorm : invNorm(0.95, 0 , 1).

◢ Attention à l'utilisation du point comme séparateur décimal.

• Casio : MENU STATS onglet DIST puis Norm pour utiliser la commande InvN(Tail : Left ; Area : 0,95 ; σ : 1 ; μ : 0).

On obtient $u_{0,1} \approx 1,645$ à $0,001$ près.

D'où l'intervalle de fluctuation asymptotique au seuil de 90% :

$$\left[0,4 - 1,645 \times \frac{\sqrt{0,4(1-0,4)}}{\sqrt{1\ 250}} ; 0,4 + 1,645 \times \frac{\sqrt{0,4(1-0,4)}}{\sqrt{1\ 250}} \right]$$

$$= \left[0,377 ; 0,423 \right],$$

en arrondissant les bornes à $0,001$ près.

La fréquence observée de femmes dans l'entreprise est $f = \dfrac{525}{1\ 250} = 0,42$.

Cette fréquence appartient à l'intervalle de fluctuation asymptotique, donc on peut déclarer que l'échantillon est conforme au modèle au seuil de 90 % : **l'entreprise n'exerce pas de discrimination à l'embauche vis-à-vis des femmes au seuil de 90 %**.

◢ Pour le seuil de 80 %, on trouverait un intervalle plus contraignant car on prendrait le risque de rejeter 20 % d'échantillons conformes au lieu de 10 % : $u_{0,2} \approx 1,282$ à $0,001$ près donne l'intervalle [0,382 ; 0,418] qui ne contient pas f. On devrait alors conclure, au risque de 20 %, que l'entreprise exerce une discrimination à l'embauche vis-à-vis des femmes.

4. Déterminer un intervalle de confiance au niveau de confiance 0,95

EXEMPLE : le 18 avril 2002, un institut de sondage annonce que sur un échantillon représentatif de 1020 personnes :

204 ont déclaré vouloir voter pour Jacques Chirac ;

184 ont déclaré vouloir voter pour Lionel Jospin ;

139 ont déclaré vouloir voter pour Jean-Marie Le Pen.

a. Déterminer les intervalles de confiance au niveau de confiance 0,95 de la proportion de votes pour chacun des trois candidats.

Sur l'échantillon de taille $n = 1020$, la fréquence observée d'intentions de vote pour Jacques Chirac est $f = \dfrac{204}{1\ 020} = 0,20$.

$n = 100 \geqslant 30$, $n \times f = 204 \geqslant 5$ et $n \times (1 - f) = 816 \geqslant 5$, donc l'intervalle de confiance au niveau 0,95 de la proportion de vote dans la population totale est $\left[f - \dfrac{1}{\sqrt{n}} \,;\, f + \dfrac{1}{\sqrt{n}} \right] = \left[0,2 - \dfrac{1}{\sqrt{1\,020}} \,;\, 0,2 + \dfrac{1}{\sqrt{1\,020}} \right]$; soit $\left[0,169 \,;\, 0,231 \right]$ en arrondissant les bornes à 0,001 près.

De même pour Lionel Jospin :

$$\left[\dfrac{184}{1\,020} - \dfrac{1}{\sqrt{1\,020}} \,;\, \dfrac{184}{1\,020} + \dfrac{1}{\sqrt{1\,020}} \right] = \left[0,149 \,;\, 0,212 \right].$$

Enfin pour Jean-Marie Le Pen :

$$\left[\dfrac{139}{1\,020} - \dfrac{1}{\sqrt{1\,020}} \,;\, \dfrac{139}{1\,020} + \dfrac{1}{\sqrt{1\,020}} \right] = \left[0,105 \,;\, 0,168 \right].$$

b. Les résultats du premier tour de l'élection étaient : Jacques Chirac 19,9 % ; Jean-Marie Le Pen 16,9 % ; Lionel Jospin 16,2 %.
Ces résultats étaient-ils conformes aux prévisions ?

On constate que $\dfrac{19,9}{100} = 0,199 \in \left[0,169 \,;\, 0,231 \right]$; $0,169 \in \left[0,149 \,;\, 0,212 \right]$, mais $0,169 \notin \left[0,105 \,;\, 0,168 \right]$.

Les fréquences de votes réelles pour Jacques Chirac et Lionel Jospin sont bien dans leurs intervalles de confiance au seuil 0,95 mais celle concernant Jean-Marie Le Pen n'y est pas.

Au niveau de confiance 95 %, les résultats concernant Jacques Chirac et Lionel Jospin étaient conformes aux prévisions, mais pas celui concernant Jean-Marie le Pen.

EXERCICES D'APPLICATION

1 **LOI UNIFORME : LE COURS** ★ | **10 min** | ▶ **P. 385**

X suit une loi uniforme sur $[-2\,;\,3]$.

1. Donner sa fonction de densité f et la représenter dans un repère orthonormé d'unité 2 cm.

2. Calculer les probabilités et faire apparaitre sur le graphique les domaines correspondants :

a. $p(X \in [-1\,;\,2])$;   **b.** $p(X = 1)$;   **c.** $p(X \geqslant 1)$.

◢ En cas de difficultés, voir le savoir-faire 1.

3. Déterminer l'espérance de la variable X.

2 **TIRAGE ALÉATOIRE** ★★ | **15 min** | ▶ **P. 386**

On choisit un nombre réel au hasard X dans l'intervalle $[0\,;\,1]$.

1. Quelle est la loi de X ?

2. Quelle est la probabilité qu'il soit compris entre 0,15 et 0,4 ?

3. Quelle est la probabilité qu'il comporte exactement un chiffre après la virgule ?

4. Quelle est la probabilité que sa deuxième décimale soit un 9 sachant qu'il est inférieur à 0,5 ?

3 **LOI EXPONENTIELLE : LE COURS** ★ | **10 min** | ▶ **P. 386**

X suit une loi exponentielle de paramètre $\lambda = 2$.

1. Déterminer sa fonction de densité f et la représenter dans un repère orthonormé d'unité 5 cm.

2. Calculer les probabilités et faire apparaitre sur le graphique les domaines correspondants :

a. $p(X \in [1\,;\,2])$;   **b.** $p(X = 1)$;   **c.** $p(X \geqslant 1)$.

◢ En cas de difficultés, voir le savoir-faire 1.

3. Déterminer l'espérance de la variable X.

4 **DURÉE DE VIE D'UNE AMPOULE** ★★ | **20 min** | ▶ **P. 388**

Une ampoule a une durée de vie en heures notée T. On suppose qu'elle suit une loi exponentielle de paramètre $\lambda = \dfrac{1}{20\,000} = 5 \times 10^{-5}$.

1. Quelle est la probabilité que l'ampoule dure moins de 4 000 heures ?

2. Quelle est la probabilité que l'ampoule dure plus de 10 000 heures ?

3. Quelle est la probabilité que l'ampoule dure plus de 10 000 heures sachant qu'elle a duré plus de 4 000 heures ?

4. Combien de temps peut-on espérer faire fonctionner cette ampoule ?

On pourra utiliser le cours, III ou remarquer que $T > 10\,000$ implique $T > 4\,000$.

5. Le fabriquant annonce que son ampoule a été améliorée : son nouveau paramètre, noté α, assure une durée de vie supérieure à $10\,000$ heures avec une probabilité égale à 0,95. Déterminer α.

5 LOI NORMALE CENTRÉE RÉDUITE : LE COURS | ★ | **10 min** | ▶ **P. 389**

X suit une loi normale centrée réduite N(0 ; 1).

1. Donner sa fonction de densité f et la représenter dans un repère orthogonal d'unités 2 cm en abscisses et 5 cm en ordonnée.

2. Calculer les probabilités (arrondies à 0,001 près) et faire apparaitre sur le graphique les domaines correspondants :

a. $p\left(X \in [-1 ; 2]\right)$;   **b.** $p\left(X \in [-2 ; 2]\right)$ **c.** $p\left(X = 1\right)$

d. $p(X \leqslant 2)$;   **e.** $p(X \leqslant -1)$;   **f.** $p(X \geqslant 1)$.

En cas de difficultés, voir le savoir-faire 2.

3. Déterminer l'espérance de la variable X.

6 LOI NORMALE $N(\mu ; \sigma^2)$ | ★★ | **15 min** | ▶ **P. 391**

À la naissance, le poids en kg des nouveaux nés est une variable aléatoire X qui peut être modélisée par une loi normale de moyenne $\mu = 3,4$ et d'écart-type $\sigma = 0,5$.

1. Dans la réalité, on ne peut pas avoir de poids négatif ; vérifier que $p\left(X < 0\right)$ est très petit pour la loi proposée.

2. Quelle est la probabilité qu'un nouveau né ait un poids compris entre 2,9 kg et 3,9 kg à la naissance ?

3. Quelle loi suit la variable aléatoire $Z = \dfrac{X - 3,4}{0,5}$?

C'est du cours !

4. Calculer la probabilité qu'un nouveau né pèse moins de 2,8 kg à la naissance.

a. Directement à la calculatrice avec l'approximation :

$$p(X \leqslant 2,8) \approx p(X \in [10^{-99} ; 2,8]).$$

b. Sans calculatrice, en utilisant le fait que :

$$p(-1,2 < Z \leqslant 0) \approx 0,385 \text{ à } 0,001 \text{ près}.$$

c. Sans calculatrice, en utilisant le fait que :

$$p(Z < 1,2) \approx 0,885 \text{ à } 0,001 \text{ près}.$$

7 INTERVALLE DE FLUCTUATION ★ | **10 min** | ▸ P. **393**

Les baguettes du batteur Travis Baker (du groupe Blink 182) mesurent 414 mm de long. Le fabricant certifie en fait que la longueur L, en mm, d'une baguette produite dans son usine suit une loi normale de moyenne 414 et d'écart-type 1.

1. Montrer que $p(413 \leqslant L \leqslant 415) \approx 0,68$ à 10^{-2} près.

2. Le contrat stipule que les baguettes livrées à Travis doivent avoir une longueur comprise entre 413 mm et 415 mm. On prélève 100 baguettes au hasard produites au cours d'une journée. On suppose que le nombre total de baguettes produites est suffisant pour qu'on puisse assimiler ce contrôle à 100 tirages successifs identiques indépendants d'une même épreuve de Bernoulli de paramètre $p = 0,68$.

a. Donner l'intervalle de fluctuation asymptotique au seuil de 95 % de la fréquence des baguettes conformes.

◢ Voir le cours, V.

b. Sur les 100 baguettes testées, 61 sont conformes. Faut-il, au seuil de 95 %, procéder à un réglage de la machine ?

8 INTERVALLE DE CONFIANCE TEST DE DÉPISTAGE | ★ | **10 min** | ▸ P. **393**

Une angine peut être due à un virus (on parle d'angine virale) ou à une bactérie (on parle d'angine bactérienne). Seules les angines bactériennes sont efficacement combattues par les antibiotiques. Un laboratoire a mis au point un test basé sur un prélèvement de salive afin de savoir si l'angine nécessite la prise d'antibiotiques : ce test doit être positif si l'angine est bactérienne, négative sinon.

Sur 400 malades atteints d'une angine bactérienne, le test a été positif 336 fois. Sur 100 malades atteints d'une angine virale, le test a été positif 15 fois.

1. a. Déterminer la proportion de malades ayant un test positif parmi ceux ayant une angine bactérienne.

b. En déduire un intervalle de confiance au niveau de confiance 0,95 de la sensibilité du test (c'est-à-dire la proportion de tests positifs lorsque l'angine est bactérienne).

◢ Voir le cours, VI.

2. Déterminer un intervalle de confiance au niveau de confiance 0,95 de la spécificité du test (c'est-à-dire la proportion de tests négatifs lorsque l'angine n'est pas bactérienne).

3. Un test est satisfaisant quand sa sensibilité et sa spécificité dépassent toutes les deux 90 %. Peut-on, au niveau de confiance 0,95, affirmer que ce test est satisfaisant ?

EXERCICES D'ENTRAÎNEMENT

9 LOI UNIFORME ★★ | 10 min | ▸P. 394

Yann arrive à l'arrêt de bus de Port-Neuf entre 7h et 7h30. On fait l'hypothèse qu'il peut y arriver à tout instant avec les mêmes chances.

On note X l'heure, représentée par le nombre de minutes après 7h, où Yann arrive à cet arrêt.

1. Quelle loi peut-on attribuer à X ? Quelle est sa densité ?

2. Quelle est la probabilité que Yann arrive :

a. entre 7h11 et 7h22 ?

b. après 7h28 ?

c. à 7h13 exactement ?

3. À partir de 7 heures le matin, les bus passent toutes les quinze minutes à cet arrêt. Quelle est la probabilité que Yann attende :

a. moins de cinq minutes le prochain bus ?

b. plus de dix minutes le prochain bus ?

10 ANCIEN EXERCICE. QCM LOI EXPONENTIELLE ★★ | 30 min | ▸P. 394

Cet exercice est un questionnaire à choix multiples constitué de six questions : chacune comporte trois réponses, une et une seule étant exacte.

On s'intéresse à la durée de vie, exprimée en années, d'un appareil ménager avant la première panne. On peut modéliser cette situation par une loi de probabilité p de durée de vie sans vieillissement, définie sur l'intervalle $[0, +\infty[$. Ainsi, la probabilité d'un intervalle $[0, t[$, notée $p([0, t[)$, est la probabilité que l'appareil ménager tombe en panne avant l'instant t.

Cette loi est telle que $p([0, t[) = \int_0^t \lambda e^{-\lambda x}\,dx$, où t est un nombre réel positif représentant le nombre d'années (loi exponentielle de paramètre λ, avec $\lambda > 0$).

1. Pour $t \geqslant 0$, la valeur exacte de $p([t, +\infty[)$ est :

a. $1 - e^{-\lambda t}$ b. $e^{-\lambda t}$ c. $1 + e^{-\lambda t}$

⊿ On peut utiliser l'événement contraire.

2. La valeur de t pour laquelle $p([0, t[) = p([t, +\infty[)$ est :

a. $\dfrac{\ln 2}{\lambda}$ b. $\dfrac{\lambda}{\ln 2}$ c. $\dfrac{\lambda}{2}$

3. D'après une étude statistique, la probabilité que l'appareil tombe en panne avant la fin de la première année est 0,18. La valeur exacte de λ est alors :

a. $\ln\left(\dfrac{50}{41}\right)$ b. $\ln\left(\dfrac{41}{50}\right)$ c. $\dfrac{\ln(82)}{\ln(100)}$

4. Sachant que cet appareil n'a connu aucune panne au cours des deux premières années après sa mise en service, la probabilité qu'il ne connaisse aucune panne l'année suivante est :

a. $p\big([1,+\infty[\big)$ b. $p\big([3,\ +\infty[\big)$ c. $p[2\ ;\ 3[$

Dans la suite de l'exercice on prendra $\lambda = 0,2$.

5. La probabilité que l'appareil n'ait pas eu de panne au cours des trois premières années, arrondie à 10^{-4} près, est :

a. 0,5523   b. 0,5488   c. 0,4512

6. Dix appareils neufs de ce type ont été mis en service en même temps. On désigne par X la variable alatoire égale au nombre d'appareils qui n'ont pas de panne au cours des trois premières années.

La valeur la plus proche de la probabilité de l'événement « $X = 4$ » est :

a. 0,5555   b. 0,8022   c. 0,1607

Identifier la loi de X.

11 TEMPS D'ATTENTE | ★★ | **25 min** | ▶**P. 395**

On modélise le temps d'attente entre deux clients à un guichet comme une variable aléatoire X suivant une loi exponentielle de paramètre strictement positif.

Le temps moyen d'attente est donné par $\lim\limits_{t\to+\infty} \displaystyle\int_0^t \lambda x e^{-\lambda x}\,dx$.

1. a. Déterminer deux réels a et b tels que la fonction définie par :

$$g(x) = (ax + b)e^{-\lambda x}$$

soit une primitive de la fonction $x \mapsto \lambda x e^{-\lambda x}$ sur $[0\ ;\ +\infty[$.

b. En déduire l'expression de $\displaystyle\int_0^t \lambda x e^{-\lambda x}\,dx$ en fonction de $t \geqslant 0$.

c. Vérifier alors que le temps moyen d'attente entre deux clients est $\dfrac{1}{\lambda}$.

2. Le temps moyen d'attente est de 5 min. Quelle est la probabilité d'attendre plus de 10 minutes ? plus de 5 minutes ?

Commencer par trouver λ.

3. Quelle est la probabilité d'attendre encore au moins 5 minutes sachant qu'on a déjà attendu 10 minutes ? Comment expliquez-vous ce résultat ?

12 LOI NORMALES ET VACHES À LAIT | ★★ | **30 min** | ▶**P. 397**

On admet que la production laitière annuelle, en litres, d'une vache laitière peut être modélisée par une variable aléatoire à densité X, suivant une loi normale de moyenne $\mu = 5\,000$ et d'écart-type $\sigma = 300$.

Les résultats seront arrondis à 0,001 près.

1. Calculer la probabilité qu'une vache produise entre 4900 et 5100 litres de lait par an.

2. Calculer la probabilité qu'elle produise moins de 4800 litres par an :

a. Première méthode : en approchant $p(X \leqslant x)$ par $p(-10^{99} \leqslant X \leqslant x)$.

b. Deuxième méthode : après avoir justifié la propriété

« si $x \leqslant \mu$, $p(X \leqslant x) = 0,5 - p(x \leqslant X \leqslant \mu)$. »

3. Calculer la probabilité qu'une vache produise plus de 5250 litres par an :

a. Première méthode : en approchant $p(X \leqslant x)$ par $p(x \leqslant X \leqslant 10^{99})$.

b. Deuxième méthode : après avoir justifié la propriété ;

« si $x \geqslant \mu$, $p(X \geqslant x) = 0,5 - p(x \leqslant X \leqslant \mu)$. »

4. Calculer la production maximale prévisible des 20% de vaches les moins productives du troupeau, c'est-à-dire la valeur x telle que $p(X \leqslant x) = 0,20$. Arrondir au litre.

a. Première méthode : directement avec la « répartition normale réciproque » de la calculatrice.

▸ Voir le savoir-faire 2.

b. Deuxième méthode : sachant que, si Z suit une loi normale centrée réduite, $p(Z \leqslant a) = 0,2 \Leftrightarrow a = -0,842$ (arrondi à 0,001 près).

5. Calculer la production minimale prévisible des 30 % des vaches les plus productives.

a. Première méthode : directement avec la « répartition normale réciproque » de la calculatrice.

b. Deuxième méthode : sachant que si Z suit une loi normale centrée réduite, $P(Z \leqslant a) = 0,7 \Leftrightarrow a = 0,524$ (arrondi à 0,001 près).

---

13 **POMME DE TERRE ET LOI NORMALE** ★★ | 15 min | ▸ P. 399

Dans mon potager, le poids X d'une pomme de terre suit une loi normale de paramètres μ et σ^2. Sur 200 pommes de terre récoltées, 120 font moins de 200 g et 185 font plus de 120 g.

1. Déterminer $p(X \leqslant 200)$ et $p(X \leqslant 120)$.

2. En déduire, en utilisant la variable aléatoire $Z = \dfrac{X - \mu}{\sigma}$, que μ et σ sont solutions du système $\dfrac{200 - \mu}{\sigma} = 0,25$; $\dfrac{120 - \mu}{\sigma} = -1,44$. (résultats arrondis au centième)

▸ Voir le savoir-faire 3.

3. Déterminer les valeurs de μ et σ (arrondir à 0,1 près).

4. Quel est le pourcentage de pommes de terre pesant entre 150 et 180 g ?

5. On a récolté une pomme de terre au hasard. Sachant qu'elle pèse plus de 150g, quelle est la probabilité qu'elle pèse moins de 180 g ?

14 QUALITÉ DU TEST   ★★ | 20 min | ▶P. 400

Un producteur de semences vend un mélange de graines qui donneront soit des fleurs rouges, soit des fleurs bleues. Il annonce une proportion de 20 % de fleurs rouges.

Un organisme de contrôle plante des échantillons de 50 graines aléatoirement prélevées chez ce producteur. La production est suffisamment importante pour considérer qu'il s'agit de tirages au hasard avec remise.

Le protocole est le suivant : sur un échantillon, on compte le nombre de fleurs rouges obtenues.

Soit X la variable aléatoire correspondant au nombre de fleurs rouges observées sur un échantillon de taille 50.

On accepte l'hypothèse selon laquelle la proportion de graines de fleurs rouges est $p = 0,2$, lorsque la fréquence de fleurs rouges f observée sur l'échantillon se situe dans l'intervalle de fluctuation asymptotique au seuil de 95 % pour la fréquence $\dfrac{X}{50}$.

Partie A.

On se place sous l'hypothèse $p = 0,2$.

1. Démontrer que X suit une loi binomiale de paramètres $n = 50$ et $p = 0,2$.

2. Déterminer l'intervalle de fluctuation asymptotique au seuil de 95 % pour la fréquence $\dfrac{X}{50}$.

◢ Voir le cours V et le savoir-faire 3.

3. Quelle est la probabilité de rejeter à tort un échantillon ?
On donne $p(X \leqslant 4) \approx 0,0185$ et $p(X \leqslant 15) \approx 0,9692$ à 10^{-4} près.

◢ $p(X \leqslant 4)$ s'obtient soit avec le tableur = LOI.BINOMIALE(4 ; 50 ; 0,2 ; 1), soit en calculant $p(X = k) = \dbinom{50}{k} 0,2^k \times 0,8^{50-k}$ pour k allant de 0 à 4 et en additionnant les valeurs obtenues.

Partie B.

Suite à une fausse manœuvre, la proportion de graines de fleurs rouges dans le mélange vendu est, en réalité, de 30 %. On considère la variable aléatoire Y correspondant au nombre de fleurs rouges sur un échantillon de taille 50.

1. Donner les paramètres de la loi binomiale suivie par Y.

2. Quelle est la probabilité de décider, à tort, que la proportion annoncée (20 %) est respectée alors qu'elle est de 30 % ? Cette méthode semble-t-elle fiable pour détecter l'erreur ?
On donne $p(Y \leqslant 4) \approx 0,00017$ et $p(Y \leqslant 15) \approx 0,56918$ à 10^{-5} près.

On accepte à tort la valeur de 20% si la fréquence de l'échantillon observé tombe dans l'intervalle construit **partie A**.

15 SONDAGE ★★ | 10 min | ▸P. 402

Un candidat à une élection a interrogé 250 personnes sur un marché. 54 % ont promis de voter pour lui.

1. Ce sondage lui assure-t-il d'être élu au niveau de confiance 0,95 ?

Quelle proportion p de votants dans la population totale faut-il pour être élu?

2. Quel est le nombre minimal $n \geqslant 30$ de personnes à interroger pour qu'une proportion de 54 % de promesses de vote assure au candidat d'être élu au niveau de confiance 0,95 ?

16 L'URNE SECRÈTE. ★★ | 30 min | ▸P. 403

Un sac contient 400 billes indiscernables au toucher. Chacune est noire ou rouge, mais on ne connait pas la répartition exacte de chaque couleur.

1. On répète 50 fois l'expérience suivante : on tire une bille au hasard et on note sa couleur, puis on la remet dans l'urne. Sur les 50 billes obtenues, 16 sont rouges.

a. Donner, avec un niveau de confiance 0,95, un encadrement de la proportion de billes rouges dans le sac.

Voir le cours VI et le savoir-faire 4.

b. Pour en avoir le cœur net, on vide le sac et on compte : il y avait en fait 190 billes rouges dans le sac.
Était-ce prévisible aux vues de l'intervalle de confiance précédent ?

2. La fréquence observée étant bien en-dessous de la valeur réelle de la proportion de billes rouges, on s'interroge sur la façon dont ont été réalisés les 50 tirages précédents.

a. À l'aide du logiciel Algobox, simuler 100 fois l'expérience précédente (50 tirages successifs avec remise) et comptabiliser le nombre de simulations où l'on a tiré 16 billes rouges ou moins. Que constatez-vous ?

L'épreuve de Bernoulli correspondant au tirage d'une boule rouge, de paramètre $p = \dfrac{190}{400}$ peut être simulée avec floor(random()+190/400) qui renvoie 1 avec probabilité $p = \dfrac{190}{400}$ et 0 sinon. La variable x comptabilisera au fur et à mesure le nombre de boules rouges tirées.

b. Écrire l'intervalle de fluctuation asymptotique de la proportion de billes rouges obtenues sur 50 tirages successifs indépendants avec remise.

Voir le cours, V.

c. Que peut-on en conclure au seuil de 95 % pour la qualité des 50 tirages réalisés au 1. ?

d. Quelle est la probabilité qu'on ait rejeté à tort cette série de 50 tirages ?

On cherche la probabilité pour qu'on obtienne effectivement 16 billes rouges au cours de 50 tirages successifs avec remise dans cette urne.

EXERCICES D'APPROFONDISSEMENT

17 LOI UNIFORME ★★ | **15 min** | ▶**P. 404**

La médiathèque ferme à 18h. George et Katja décident de s'y retrouver après 16h. Les instants d'arrivée X de George et Y de Katja sont assimilés à des variables aléatoires de loi uniforme sur $[0 ; 2]$ (X et Y représentent le temps, en heure, écoulé depuis 16h). D'un commun accord, chacun attendra l'autre au maximum un quart d'heure, mais pas après 18h. On cherche la probabilité, p qu'ils se retrouvent effectivement à la médiathèque.

1. Traduire les données de l'énoncé à l'aide de X, Y et de l'écart $|Y - X|$.

2. Dans un repère orthonormé d'unité 5 cm, tracer les droites d'équation $y = x + 0,25$ et $y = x - 0,25$, puis colorier l'ensemble E des points $M(x ; y)$ dont les coordonnées vérifient, $0 \leqslant x \leqslant 2$; $0 \leqslant y \leqslant 2$ et $|y - x| \leqslant 0,25$.

3. On admettra que p est le quotient de l'aire coloriée par l'aire du carré de système d'inéquations $0 \leqslant x \leqslant 2$; $0 \leqslant y \leqslant 2$. En déduire la valeur de p.

18 DISCRIMINATION ★★★ | **30 min** | ▶**P. 405**

L'entreprise GrobraSA emploie 1350 salariés, dont 560 femmes.

1. Dans une entreprise de 1 350 salariés ne faisant pas de discrimination à l'embauche, donner l'intervalle de fluctuation asymptotique au seuil de 95 % de la proportion de femmes. Peut-on raisonnablement dire que cette entreprise respecte la parité ?

Voir le savoir-faire 3.

2. Sous l'impulsion d'une nouvelle direction, l'entreprise décide d'embaucher x femmes. x désigne un entier naturel.

a. Déterminer la fréquence $f(x)$ du nombre de femmes dans l'entreprise.

b. Quel doit être le nombre de femmes embauchées pour assurer un respect strict de la parité, c'est-à-dire tel que $f(x) = \dfrac{1}{2}$.

3. Dans une entreprise de $1350 + x$ salariés ne faisant pas de discrimination à l'embauche :

a. Donner l'intervalle de fluctuation asymptotique $[a(x)\,;b(x)]$ au seuil de 0,95.

b. Étudier les variations de la fonction définie pour $x \in [0\,;\,230]$ par :

$$g(x) = \frac{x+560}{x+1\,350} + \frac{0,98}{x+1\,350} - 0,5.$$

c. En déduire le nombre minimal de femmes devant être embauchées pour pouvoir affirmer que l'entreprise GrosbraSA respecte la parité au seuil de 95 %.

19 TAILLE D'ÉCHANTILLON ET PRÉCISION DE L'INTERVALLE DE CONFIANCE | ★★ | 30 min | ▸P. 408

Dans une population de lapins, une proportion p, inconnue, est albinos. Un échantillon de taille n, choisi au hasard dans cette population, présente une proportion observée f d'albinos.

On suppose que $n \geqslant 30$, $nf \geqslant 5$ et $n(1-f) \geqslant 5$.

1. Donner l'intervalle de confiance IC_n au niveau de confiance 0,95 pour p, puis son amplitude.

Cette amplitude est appelée **précision de l'estimation** au niveau de confiance 0,95.

2. Dans cette question seulement, on suppose que $IC_n = [0,31\,;\,0,35]$.

Déterminer la fréquence f observée de ce caractère et le nombre n d'individus de l'échantillon.

3. Soit $a > 0$ fixé.

a. Quelle doit être la valeur minimale de n pour que la précision de l'estimation au niveau de confiance 0,95 soit inférieure ou égale à a ?

◢ La précision est d'autant plus « grande » quand a est « petit ».

b. Déterminer cette valeur minimale pour $a = 0,5$; $a = 0,3$; $a = 0,1$; $a = 0,05$; $a = 0,01$.

c. Comment décririez-vous l'évolution de la valeur minimale de la taille de l'échantillon n quand on veut « augmenter » la précision de l'estimation au niveau de confiance 0,95 ?

4. Il existe un autre intervalle de confiance au niveau 0,95 utilisé en économie :

c'est $J_n = \left[f - 1,96\,\frac{\sqrt{f(1-f)}}{\sqrt{n}}\,;f + 1,96\,\frac{\sqrt{f(1-f)}}{\sqrt{n}} \right].$

a. Déterminer la précision de l'estimation au niveau de confiance 0,95 pour cet intervalle.

b. Soit $a > 0$ fixé. Quelle doit être la valeur minimale de n pour que la précision de l'estimation au niveau de confiance 0,95 soit inférieure ou égale à a ?

c. Si $f = 0,1$, déterminer cette valeur minimale pour $a = 0,5$; $a = 0,3$; $a = 0,1$; $a = 0,05$; $a = 0,01$.

d. Si $f = 0,5$, déterminer cette valeur minimale pour $a = 0,5$; $a = 0,3$; $a = 0,1$; $a = 0,05$; $a = 0,01$.

e. Pour quelle valeur de f diriez-vous qu'il est nettement préférable d'utiliser J_n plutôt que IC_n ?

CONTRÔLE

20 LE COURS $\quad$ | ★★ | 20 min | ▸P. 410 |

Partie A. ROC

On rappelle que si X suit une loi exponentielle de paramètre λ :

- sa fonction de densité est la fonction définie sur $[0 \; ; +\infty[$ par $f(t) = \lambda e^{-\lambda t}$.

- son espérance est la limite quand x tend vers $+\infty$ de $\int_0^x tf(t)\,dt$.

Soit g la fonction définie sur $[0 \; ; +\infty[$ par $g(t) = -t e^{-\lambda t}$.

1. Dériver g.

2. En déduire la valeur de $\int_0^x tf(t)\,dt$ pour $x > 0$.

3. Calculer l'espérance de X en fonction de λ.

◢ • $\lim\limits_{x \to -\infty} e^x = 0$ et $\lim\limits_{x \to -\infty} x e^x = 0$.

• Pour la définition de $E(X)$, voir cours III.

Partie B.

Y suit une loi uniforme sur l'intervalle $[0 \; ; 3]$.

1. Calculer $p(1 \leqslant Y \leqslant 2,5)$.

◢ Voir le savoir-faire 1.

2. Calculer $p(Y > 2)$.

Partie C.

Z suit une loi normale $N(\mu \; ; \sigma^2)$.

1. Si $\mu = 0$ et $\sigma^2 = 1$:

a. Comment appelle-t-on la loi de Z ?

b. Donner la fonction de densité de la loi de X.

c. Quelle particularité a sa courbe représentative dans un repère orthogonal ?

d. Donner alors $p(-1,96 \leqslant Z \leqslant 1,96)$.

◢ Voir le savoir-faire 1.

2. Si $\mu = 3$ et $\sigma^2 = 2$, calculer $p(1 \leqslant Z \leqslant 2,5)$ à $0,001$ près.

◢ Voir le savoir-faire 2.

21 COMPOSANTS DÉFECTUEUX $\star\star$ | 35 min | ▸ P. 411

Les parties A et B sont indépendantes

Alain fabrique, en amateur, des appareils électroniques. Il achète pour cela, dans un magasin, des composants en apparence tous identiques, mais dont certains présentent un défaut. On estime que la probabilité qu'un composant vendu dans le magasin soit défectueux est égale à 0,02.

Partie A.

On admet que le nombre de composants présentés dans le magasin est suffisamment important pour que l'achat de 50 composants soit assimilé à 50 tirages indépendants avec remise, et on appelle X le nombre de composants défectueux achetés. Alain achète 50 composants.

1. Quelle est la probabilité qu'exactement deux des composants achetés soient défectueux ? Donner une valeur approchée de cette probabilité à 10^{-1} près.

2. Quelle est la probabilité qu'au moins un des composants achetés soit défectueux ? Donner une valeur approchée de cette probabilité à 10^{-2} près.

3. Quel est, par lot de 50 composants achetés, le nombre moyen de composants défectueux ?

Partie B.

On suppose que la durée de vie T_1 (en heures) de chaque composant défectueux suit une loi exponentielle de paramètre $\lambda_1 = 5 \times 10^{-4}$ et que la durée de vie T_2 (en heures) de chaque composant non défectueux suit une loi exponentielle de paramètre $\lambda_2 = 10^{-4}$.

1. Calculer la probabilité que la durée de vie d'un composant soit supérieure à 1 000 heures en valeurs exactes, puis approchées à 10^{-2} près.

a. si ce composant est défectueux ;

b. si ce composant n'est pas défectueux.

Donner une valeur approchée de ces probabilités 10^{-2} près.

2. Soit T la durée de vie (en heures) d'un composant acheté au hasard. Démontrer que la probabilité que ce composant soit encore en état de marche après t heures de fonctionnement est :

$$P(T \geqslant t) = 0,02e^{-5 \times 10^{-4}t} + 0,98e^{-10^{-4}t}.$$

(on rappelle que la probabilité qu'un composant vendu dans le magasin soit défectueux est égale à 0,02).

3. Sachant que le composant acheté est encore en état de fonctionner 1 000 heures après son installation, quelle est la probabilité que ce composant soit défectueux ? On donnera une valeur approchée à 10^{-2} près.

CONTRÔLE

22 ROC ★★ | 10 min | ▶ P. 413

On rappelle que si X suit une loi normale centrée réduite :

- sa fonction de densité est la fonction définie sur $\mathbb{R}$ par $f(t) = \dfrac{1}{\sqrt{2\pi}} e^{-\frac{t^2}{2}}$;

- son espérance est définie par $E(X) = \lim\limits_{x \to -\infty} \int_x^0 tf(t)\mathrm{d}t + \lim\limits_{y \to +\infty} \int_0^y tf(t)\mathrm{d}t$.

1. Déterminer une primitive g de la fonction $t \to tf(t)$ sur $\mathbb{R}$.

2. En déduire la valeur de $E(X)$.

23 ET 1, ET 2, ET 3 σ ★★ | 15 min | ▶ P. 413

Une raffinerie de sucre en poudre produit des paquets d'un kg de sucre. Le poids d'un paquet peut être modélisé par une variable aléatoire X suivant une loi normale d'espérance $\mu = 1\,000$ et d'écart-type $\sigma = 2$.

Le paquet est jugé conforme si son poids est compris entre 994 g et 1 006 g.

1. Donner, sans calculatrice, la probabilité qu'un paquet prélevé aléatoirement en sortie d'usine soit non conforme.

◢ Voir le cours, IV et le savoir-faire 1.

2. Pour déceler des anomalies de réglage en temps réel, on mesure le poids des paquets de sucre directement en sortie de la chaine de production et on compare à deux indicateurs d'alerte $1\,000 - h$ et $1\,000 + h$ définis par :

$$p(1\,000 - h < X < 1\,000 + h) = 0,99.$$

a. Quelle est la loi de probabilité de la variable aléatoire Z définie par $Z = \dfrac{X - 1\,000}{2}$?

b. En déduire sans calculatrice la valeur de ces indicateurs d'alerte.

En cas de difficultés, voir le cours IV.

24 REPRÉSENTATIVITÉ D'UN ÉCHANTILLON | ★★ | 25 min | ▸P. 414 |

L'indice de masse corporelle, IMC, se calcule par la formule :

$$\text{IMC} = \frac{Poids\ en\ kg}{(taille\ en\ m)^2}.$$

D'après l'OMS (Organisation Mondiale de la Santé), une personne est en surpoids si son IMC est supérieur à 25.

Soucieux de la santé de ses administrés, le Maire d'une commune lance une étude pour estimer le pourcentage p d'individus en surpoids dans sa ville : deux instituts de sondages interrogent respectivement 750 individus et 900 individus, pris au hasard dans la population et calculent leur IMC. Le premier institut trouve 29% d'individus en surpoids et le deuxième 21 %.

1. Le Maire s'étonne de l'écart entre ces deux résultats : est-ce légitime ?
On pourra comparer les intervalles de confiance au niveau 0,95 pour le pourcentage de personnes en surpoids dans cette commune dans chacune des deux études.

Voir le cours, VI et le savoir-faire 4.

2. Pour expliquer cette différence, le Maire met en cause la représentativité des échantillons interrogés. Le premier comptait 370 hommes et 380 femmes, le second 390 hommes et 510 femmes. Le pourcentage d'hommes dans cette commune étant de 47 %, mettriez-vous en cause la représentativité des échantillons interrogés, et si, oui, à laquelle des deux études le Maire devrait-il, selon vous, se fier ?
On pourra déterminer les intervalles de fluctuation asymptotique au seuil de 95 % pour la proportion d'hommes dans des échantillons de taille 750 et 900 et comparer avec les fréquences observées dans les deux échantillons interrogés.

Voir le cours, V et le savoir-faire 3.

CORRIGÉS

1   1. f est la fonction définie sur $[-2\ ;\ 3]$ par $f(x) = \dfrac{1}{3-(-2)} = \dfrac{1}{5}$.

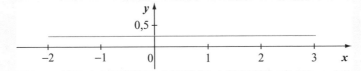

2. a. $[-1\ ;\ 2] \subset [-2\ ;\ 3]$, donc

$$p(X \in [-1\ ;\ 2]) = \int_{-1}^{2} f(x)\mathrm{d}x = \int_{-1}^{2} \frac{1}{5}\,\mathrm{d}x = \left[\frac{1}{5}x\right]_{-1}^{2} = \frac{2-(-1)}{5}$$

d'où $\boldsymbol{p\left(X \in [-1\ ;\ 2]\right) = \dfrac{3}{5}}$.

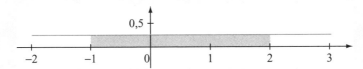

b. Une loi uniforme ne charge pas les points, donc $p(X = 1) = 0$.

On vérifie ce résultat en écrivant $\displaystyle\int_{1}^{1} \frac{1}{5}\,\mathrm{d}x = 0$.

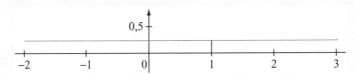

c. « $X \geqslant 1$ » = « $X \in [1\ ;\ 3]$ » et

$$p\left(X \in [1\ ;\ 3]\right) = \int_{1}^{3} f(x)\mathrm{d}x = \int_{1}^{3} \frac{1}{5}\,\mathrm{d}x = \left[\frac{1}{5}x\right]_{1}^{3} = \frac{3-1}{5} = \frac{2}{5},$$

donc $\boldsymbol{P(X \geqslant 1) = \dfrac{2}{5}}$.

3. $E(X) = \displaystyle\int_{-2}^{3} xf(x)\mathrm{d}x = \int_{-2}^{3} \frac{x}{5}\,\mathrm{d}x = \left[\frac{1}{5}\frac{x^2}{2}\right]_{-2}^{3} = \frac{1}{10}\left(3^2 - (-2)^2\right) = \frac{1}{10}(9-4) = \frac{5}{10}$,

d'où $\boldsymbol{E(X) = \dfrac{1}{2}}$.

On peut aussi utiliser la formule du cours : $E(X) = \dfrac{a+b}{2} = \dfrac{-2+3}{2} = \dfrac{1}{2}$.

2 1. Le réel X obtenu suit une loi uniforme sur l'intervalle $[0\,;1]$.

2. $p(0,15 \leqslant X \leqslant 0,4) = 0,4 - 0,15$

$p(0,15 \leqslant X \leqslant 0,4) = 0,25.$

3. L'événement considéré est l'événement :

$$\ll X = 0,1 \text{ ou } X = 0,2 \text{ ou ... ou } X = 0,9 \gg$$

réunion de neuf événements disjoints 2 à 2 et de probabilité nulle (pour tout entier $i, 1 \leqslant i \leqslant 9$, $p\left(X = \dfrac{i}{10}\right) = 0$), donc la probabilité cherchée est :

$$\sum_{i=1}^{9} p\left(x = \dfrac{i}{10}\right) = 0.$$

4. On cherche la probabilité conditionnelle de l'événement :

A $\ll X \in [0.09\,;0,1[$ ou $X \in [0,19\,;0,2[$ ou ... ou $X \in [\,0,99\,;1[$ $\gg$,

sachant que l'événement B $\ll X \in [0\,;0,5[$ $\gg$ est réalisé.

$p(\text{B}) = p(X \in [0\,;0,5[) = 0,5 - 0 \neq 0$, donc $p_\text{B}(\text{A}) = \dfrac{p(\text{A} \cap \text{B})}{p(\text{B})}$.

$p(\text{A} \cap \text{B}) = p(X \in [0,09\,;0,1[$ ou $X \in [0,19\,;0,2[$ ou $X \in [0,49\,;0,5[)$

$p(\text{A} \cap \text{B}) = (0,1 - 0,09) + (0,2 - 0,19) + ... + (0,5 - 0,49)$

(car ces événements sont deux à deux disjoints)

$p(\text{A} \cap \text{B}) = 5 \times 0,01 = 0,05.$

Donc $p_\text{B}(\text{A}) = \dfrac{0,05}{0,5}$ soit $p_\text{B}(\text{A}) = 0,1.$

3 1. f est la fonction définie sur $[0\,;+\infty[$ par $f(x) = 2e^{-2x}$.

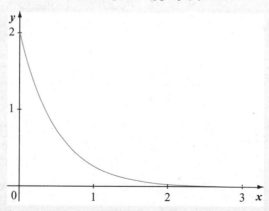

Voir le cours, III.

2. a. $[1 \; ; \; 2] \subset [0 \; ; \; +\infty[$,

donc $p(X \in [1 \; ; \; 2]) = \displaystyle\int_1^2 f(x)\mathrm{d}x = \int_1^2 2\mathrm{e}^{-2x}\mathrm{d}x = [-\mathrm{e}^{-2x}]_1^2 = -\mathrm{e}^{-4} - (-\mathrm{e}^{-2})$

soit $p(X \in [1 \; ; \; 2]) = \mathrm{e}^{-2} - \mathrm{e}^{-4}$.

Penser à vérifier que l'on obtient bien ici un résultat positif.

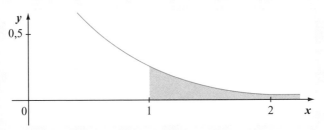

b. Une loi uniforme ne charge pas les points, donc $p(X = 1) = 0$

On le vérifie en écrivant $\displaystyle\int_1^1 2\mathrm{e}^{-2x}\mathrm{d}x = 0$.

c. « $X \geqslant 1$ » = « $X \in [1 \; ; \; +\infty[$ », donc :

$p(X \geqslant 1) = \displaystyle\lim_{t \to +\infty} \int_1^t f(x)\mathrm{d}x = \lim_{t \to +\infty} \left[-\mathrm{e}^{-2x}\right]_1^t = \lim_{t \to +\infty} (\mathrm{e}^{-2} - \mathrm{e}^{-2t})$.

Or $\displaystyle\lim_{t \to +\infty} -2t = -\infty$ et $\lim_{T \to -\infty} \mathrm{e}^T = 0$, donc $p(X \geqslant 1) = \mathrm{e}^{-2}$.

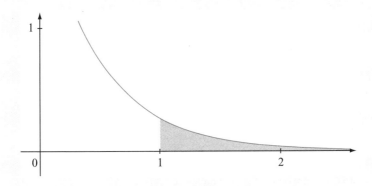

Autre méthode : $p(X \geqslant 1) = 1 - p(x < 1) = 1 - \left(\displaystyle\int_0^1 2\mathrm{e}^{-2x}\mathrm{d}x\right) = 1 - \left[-\mathrm{e}^{-2x}\right]_0^1$

$= 1 - (\mathrm{e}^{-2} - \mathrm{e}^0) = 1 - (\mathrm{e}^{-2} - 1) = \mathrm{e}^{-2}$.

3. $E(X) = \dfrac{1}{\lambda} = \dfrac{1}{2}$.

4 1. $p(T \leqslant 4\,000) = \int_0^{4\,000} \lambda e^{-\lambda t} dt = \left[-e^{-\lambda t} \right]_0^{4\,000} = -e^{-5 \times 10^{-5} \times 4 \times 10^3} + 1$

$p(T \leqslant 4\,000) = 1 - e^{-0,2} \approx 0,18$ (à 10^{-2} près).

2. $p(T > 10\,000) = 1 - p(T \leqslant 10\,000) = 1 - \int_0^{10\,000} \lambda e^{-\lambda t} dt = 1 - \left[e^{-0,5} - 1 \right] = e^{-0,5}$.

▸ **Autre méthode** : comme à l'exercice 3, on peut calculer :

$$p(X > 10\,000) = \lim_{x \to +\infty} \int \lambda e^{-\lambda x} dx = \lim_{t \to +\infty} \left(e^{-\lambda t} + e^{-\lambda \times 10\,000} \right)$$
$$= e^{-1000\lambda} = e^{-0,5}$$

$p(T > 10\,000) = e^{-0,5} \approx 0,61$ (à 10^{-2} près).

▸ La loi exponentielle « ne charge pas les points ».

Prendre des inégalités strictes ou larges ne change pas la probabilité.

C'est le cas pour toutes les lois de probabilité à densité.

3. Comme $p(T > 4\,000) = 1 - p(T \leqslant 4\,000) = e^{-0,2} \neq 0$, on peut conditionner par l'événement $(T \geqslant 4\,000)$ avec:

$$p_{(T > 4\,000)}(T > 10\,000) = \frac{p(T > 10\,000 \text{ et } T > 4\,000)}{p(T > 4\,000)}.$$

Or, l'événement $(T > 10\,000)$ contient l'événement $(T > 4\,000)$ donc:

$$p_{(T > 4\,000)}(T > 10\,000) = \frac{p(T > 10\,000)}{p(T > 4\,000)} = \frac{e^{-0,5}}{e^{-0,2}} = e^{-0,3}$$

$p_{(T > 4\,000)}(T > 10\,000) = e^{-0,3} \approx 0,74$ (à 10^{-2} près).

▸ **Autre méthode** : la loi exponentielle est « sans mémoire », donc :

$$p_{(T > 4\,000)}(T > 4\,000 + 6\,000) = p(T > 6\,000) = e^{-6000\lambda} = e^{-0,3}$$

4. L'espérance de la durée de vie de l'ampoule est:

$$E(T) = \frac{1}{\lambda} = 20\,000 \text{ heures}.$$

5. $p(T > 10\,000) = 1 - \int_0^{10\,000} \alpha e^{-\alpha t} dt = e^{-\alpha \times 10\,000}$,

Alors $p(T > 10\,000) = 0,95$ équivaut successivement à :

$e^{-\alpha \times 10\,000} = 0,95$ (quantités strictement positives)

$-\alpha \times 10\,000 = \ln 0,95$ (car ln est strictement croissante sur $]0 \,;\, +\infty[$;

$$\alpha = \frac{-\ln 0,95}{10\,000}$$

$$\alpha \approx 5 \times 10^{-6} \text{ (à } 10^{-6} \text{ près).}$$

5 1. La fonction f est définie sur $\mathbb{R}$ par $f(x) = \dfrac{1}{\sqrt{2\pi}}\,e^{-\frac{x^2}{2}}$.

◢ Voir le cours, IV 1.

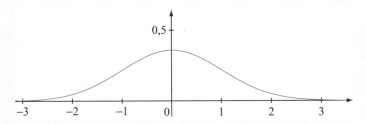

2. a. $\mu = 0$ et $\sigma = 1$, donc à la calculatrice :
Texas : normalcdf $(-1, 2, 0, 1)$;
Casio : Ncd(Lower : -1 ; Upper : 2 ; σ :1 ; μ :0).
On obtient **$p(X \in [-1 ~;~ 2]) \approx 0{,}819$ à $0{,}001$ près**.

◢ Voir le savoir-faire 2.

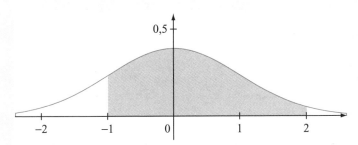

b. À la calculatrice
Texas : normalcdf $(-2, 2, 0, 1)$;
Casio : Ncd(Lower : -2 ; Upper : 2 ; σ :1 ; μ :0).
On obtient **$p(X \in [-2 ~;~ 2]) \approx 0{,}954$ à $0{,}001$ près**.

◢ C'est un peu plus précis que le résultat du cours, IV 2., (à connaître) :
$p(X \in [\mu - 2\sigma ~;~ \mu + 2\sigma]) \approx 0{,}95$ à 10^{-2} près.

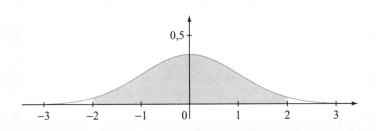

f étant paire, $p(X \in [-2\;;\;2]) = 2 \times p(X \in [0\;;\;2])$.

c. La loi normale ne charge pas les points, donc $\boldsymbol{p(X = 1) = 0}$.

On le vérifie car $\displaystyle\int_{1}^{1} \frac{1}{\sqrt{2\pi}} e^{-\frac{x^2}{2}}\,dx = 0$.

d. $p(X \leqslant 2) = p(X \leqslant 0) + p(0 < X \leqslant 2)$.
Or $p(X \leqslant 0) = 0,5$ et à la calculatrice :
Texas : normalcdf $(0, 2, 1)$;
Casio : Ncd (Lower : 0 ; Upper : 2 ; σ : 1 ; μ : 0).
On obtient :
$p(0 < X \leqslant 2) \approx 0,477$,
donc $\boldsymbol{p(X \leqslant 2) \approx 0,977}$ **à 0,001 près**.

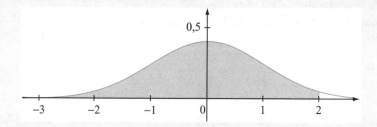

Autre méthode : on approche $p(X \leqslant 2)$ par $p(X \in [-10^{99}\;;\;2])$.
À la calculatrice :
Texas : normalcdf $(-E99, 2, 0,1)$
Casio : Ncd (Lower : $-1E + 99$; Upper : 2 ; σ : 1 ; μ : 0).

e. À la calculatrice
Texas : normalcdf $(-E99, -1, 0, 1)$;
Casio : Ncd(Lower : $-1E + 99$; Upper : -1 ; σ : 1 ; μ : 0) ;
on obtient : $p(-10^{99} \leqslant X \leqslant -1) \approx 0,159$ à 0,001 près,
donc $\boldsymbol{p(X \leqslant -1) \approx 0,159}$.

Autre méthode : $p(X \leqslant -1) = p(X \leqslant 0) - p(-1 < X \leqslant 0)$.
Or $p(X \leqslant 0) = 0,5$ et $p(-1 < X \leqslant 0) \approx 0,341$ à 0,001 près
Texas : normalcdf $(-1, 0, 0, 1)$;
Casio : Ncd(Lower : -1 ; Upper : 0 ; σ : 1 ; μ : 0) ;
donc $p(X \leqslant -1) \approx 0,159$ à 0,001 près.

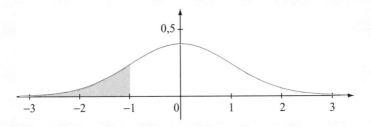

f. Par symétrie, $p(X \geqslant 1) = p(X \leqslant -1) \approx \mathbf{0{,}159}$ à $\mathbf{0{,}001}$ près.

Autres méthodes :

• On approche $p(X \geqslant 1)$ par $p(X \in [1 \ ; \ 10^{99}])$

À la calculatrice :

Texas : normalcdf $(1, \text{E99}, 0, 1)$;

Casio : Ncd(Lower : 1 ; Upper : 1E + 99 ; $\sigma : 1$; $\mu : 0$) ;

$p(1 \leqslant X \leqslant 10^{99}) \approx 0{,}159$ à $0{,}001$ près, donc $\mathbf{p(X \geqslant 1) \approx 0{,}159}$.

• On utilise $p(X \geqslant 1) = 1 - p(X < 1)$.

Or $p(X < 1) = p(X \leqslant 0) + p(0 \leqslant X < 1) = 0{,}5 + p(0 \leqslant X < 1)$.

À la calculatrice :

Texas : normalcdf $(0, 1, 0, 1)$;

Casio : Ncd(Lower : 0 ; Upper : 1 ; $\sigma : 1$; $\mu : 0$) ;

on obtient $p(0 \leqslant X < 1) \approx 0{,}341$ à $0{,}001$ près,

d'où $p(X \leqslant 1) \approx 1 - (0{,}5 + 0{,}341) \approx \mathbf{0{,}159}$ à $0{,}001$ près.

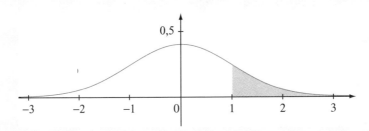

3. L'espérance de la loi normale centrée réduite est $E(X) = 0$.

$\boxed{6}$ **1.** L'approximation $p(X < 0) \approx p\left(X \in \left[-10^{99} \ ; \ 0\right[\right)$ donne ;

Texas : normalcdf $(-\text{E99}, 0, 3.4, 0.5)$;

Casio : Ncd(Lower : $-1\text{E} + 99$; Upper : 4 ; $\sigma : 0.5$; $\mu : 3.4$) ;

on obtient $p(X < 0) \approx \mathbf{5{,}23 \times 10^{-12}}$ à $\mathbf{10^{-14}}$ près.

◢ Voir le savoir-faire 2.

Autre méthode :

$$p(X < 0) = p(0 \leqslant 3{,}4) - p(0 \leqslant X < 3{,}4) = \frac{1}{2} - p(0 \leqslant X < 3{,}4)$$

donne en fait $p(0 \leqslant X < 3{,}4) = 0{,}5$ pour des raisons d'arrondi, d'où $p(X < 0) = 0$.

2. $[2{,}9 \; ; \; 3{,}9] = [\mu - \sigma \; ; \; \mu + \sigma]$, donc $p(X \in [2{,}9 \; ; \; 3{,}9]) \approx 0{,}68$ à $0{,}01$ près.

• Voir le cours, IV. 2.

• **Autre méthode** à la calculatrice

Texas : normalcdf (2.9, 3.9, 3.4, 0.5) ;

Casio : Ncd(Lower : 2.9 ; Upper : 3.9 ; σ:0.5 ; μ:3.4).

3. Par définition, $Z = \dfrac{X - \mu}{\sigma}$ **suit une loi normale centrée réduite.**

4. a. À la calculatrice

Texas : normalcdf (−E99, 2.8, 3.4, 0,5) ;

Casio : Ncd(Lower : −1E + 99 ; Upper : 2.8 ; σ:0.5 ; μ:3.4) ;

on obtient $p(X \leqslant 2{,}8) \approx 0{,}115$ à 10^{-3} près.

b. $p(X \leqslant 2{,}8) = p(X - 3{,}4 \leqslant -0{,}6) = p\left(\dfrac{X - 3{,}4}{0{,}5} \leqslant -\dfrac{0{,}6}{0{,}5}\right) = p(Z \leqslant -1{,}2)$ (1)

car on divise par $0{,}5 > 0$

Z suit une loi N(0 ; 1), donc :

$p(Z \leqslant -1{,}2) = p(Z \leqslant 0) - p(-1{,}2 < Z \leqslant 0) \approx 0{,}5 - 0{,}385 \approx 0{,}115$ à 10^{-3} près.

Donc $p(X \leqslant 2{,}8) \approx 0{,}115$ à 10^{-3} près.

$p(-1{,}2 < Z \leqslant 0) \approx 0{,}385$ s'obtient à la calculatrice :

Texas : normalcdf (−1.2, 0, 0,1) ;

Casio : Ncd(Lower : −1.2 ; Upper : 0 ; σ:1 ; μ:0).

c. On utilise également l'égalité (1) $p(X \leqslant 2{,}8) = p(Z \leqslant -1{,}2)$ où Z suit une loi N(0 ; 1). Par symétrie de la courbe de la fonction densité de la loi normale centrée réduite, $p(Z \leqslant -1{,}2) = p(Z \geqslant 1{,}2)$, donc $p(Z \leqslant -1{,}2) = 1 - p(Z < 1{,}2) \approx 0{,}115$ à 10^{-3} près. Donc $p(X \leqslant -2{,}8) \approx 0{,}115$ à 10^{-3} près.

$p(Z < 1{,}2) \approx 0{,}885$ à10^{-3} près s'obtient :

• Soit directement par approximation à la calculatrice :

Texas : normalcdf (−E99, 1.2, 0,1) ;

Casio : Ncd(Lower : −1E + 99 ; Upper : 1.2 ; σ:1 ; μ:0).

• Soit avec $p(Z < 1{,}2) = p(Z < 0) + p(0 \leqslant Z < 1{,}2)$,

puis $p(Z < 0) = 0{,}5$ et $p(0 \leqslant Z < 1{,}2) \approx 0{,}385$ avec la calculatrice :

Texas : normalcdf (0, 1.2, 0, 1) ;

Casio : Ncd(Lower : 0 ; Upper : 1.2 σ:1 ; μ:0).

7 | **1.** L suit une loi normale de moyenne $\mu = 414$ et d'écart-type $\sigma = 1$, donc :
$p(413 \leqslant L \leqslant 415) = p(L \in [\mu - \sigma\,;\,\mu + \sigma])$, donc, d'après le cours IV. 2 :

$$p(413 \leqslant L \leqslant 415) \approx 0{,}68 \text{ à } 10^{-2} \text{ près.}$$

Autre méthode à la calculatrice

Texas : normalcdf(413, 415, 414, 1) ;

Casio : Ncd(Lower : 413 ; Upper : 415 ; σ : 1 ; μ : 414).

2. a. Si on appelle succès le fait qu'une baguette est conforme, c'est-à-dire que sa longueur est comprise dans l'intervalle [413 ; 415], chaque tirage peut s'assimiler à une épreuve de Bernoulli de paramètre $p = 0{,}68$. En répétant 100 fois cette même épreuve de Bernoulli de façon indépendante, le nombre X de baguettes conformes, correspondant au nombre de succès du schéma de Bernoulli, suit une loi binomiale B(100 ; 0,68).
$n = 100 \geqslant 30$, $np = 100 \times 0{,}68 = 68 \geqslant 5$ et $n(1-p) = 100 \times 0{,}32 = 32 \geqslant 5$,
donc on peut utiliser l'intervalle de fluctuation asymptotique au seuil de 95 % pour la fréquence $\dfrac{X}{100}$ des baguettes conformes donné par :

$$I = \left[\, p - 1{,}96\,\frac{\sqrt{p(1-p)}}{\sqrt{n}}\,;\, p + 1{,}96\,\frac{\sqrt{p(1-p)}}{\sqrt{n}}\,\right]$$

$$I = \left[\, 0{,}68 - 1{,}96\,\frac{\sqrt{0{,}68 \times (1-0{,}68)}}{\sqrt{100}}\,;\, 0{,}68 + 1{,}96\,\frac{\sqrt{0{,}68 \times (1-0{,}68)}}{\sqrt{100}}\,\right]$$

$I = [0{,}59\,;\,0{,}77]$ (les bornes ont été arrondies à 0,01 près).

b. On observe une fréquence $f = \dfrac{61}{100} = 0{,}61$ de baguettes conformes dans le lot :
f est dans l'intervalle de fluctuation au seuil de 95 %, **donc on ne procèdera pas au réglage de la machine.**

8 | **1. a.** La proportion de malades ayant un test positif parmi ceux ayant une angine bactérienne est, dans l'échantillon :

$$f = \frac{336}{400} = 0{,}84.$$

b. L'échantillon contient $n = 400$ individus,
donc $n \geqslant 30$, $n \times f = 400 \times \dfrac{336}{400} = 336 \geqslant 5$ et $n \times (1-f) = 400 \times \dfrac{64}{400} = 64 \geqslant 5$.

On peut estimer la proportion de tests positifs lorsque l'angine est bactérienne dans l'ensemble de la population au niveau de confiance 0,95 par l'intervalle :

$$\left[\, f - \frac{1}{\sqrt{n}}\,;\, f + \frac{1}{\sqrt{n}}\,\right] = \left[\, 0{,}84 - \frac{1}{\sqrt{400}}\,;\, 0{,}84 + \frac{1}{\sqrt{400}}\,\right] = \left[\mathbf{0{,}79\,;\,0{,}89}\right].$$

2. Il y a 85 tests négatifs lorsque l'angine n'est pas bactérienne, donc la proportion de tests négatifs est $f' = \dfrac{85}{100} = 0,85$ pour cet échantillon de $n' = 100$ individus, $n' \geqslant 30$, $n' \times f' \geqslant 5$ et $n' \times (1-f') \geqslant 5$, donc on peut estimer au niveau de confiance 0,95 la proportion de tests négatifs lorsque l'angine n'est pas bactérienne dans l'ensemble de la population par l'intervalle :

$$\left[f' - \frac{1}{\sqrt{n'}} \; ; f' + \frac{1}{\sqrt{n'}} \right] = \left[0,85 - \frac{1}{\sqrt{100}} \; ; \; 0,85 + \frac{1}{\sqrt{100}} \right] = \left[\mathbf{0,75 \; ; \; 0,95} \right].$$

3. L'intervalle de confiance de la spécificité du test contient bien des valeurs dépassant 90 %, mais celui de la sensibilité du test n'en contient pas, donc **on ne peut pas affirmer, au niveau de confiance 0,95, que ce test est satisfaisant.**

9 **1.** Yann peut arriver à tout instant avec les mêmes chances entre 0 et 30 minutes après 7 heures, **donc on peut attribuer à X la loi uniforme sur l'intervalle [0 ; 30].**

Sa densité est la fonction f définie sur [0 ; 30] par $f(x) = \dfrac{1}{30-0} = \dfrac{1}{30}$.

2. a. $p(11 \leqslant X \leqslant 22) = \displaystyle\int_{11}^{22} \frac{1}{30} \, dx = \frac{1}{30} \left[x \right]_{11}^{22} = \frac{22-11}{30} = \mathbf{\dfrac{11}{30}}$.

b. $p(X \leqslant 28) = p(28 \leqslant X \leqslant 30) = \dfrac{30-28}{30} = \dfrac{2}{30} = \dfrac{1}{15}$.

c. $p(X = 13) = \displaystyle\int_{13}^{13} \frac{1}{30} \, dx = \mathbf{0}$.

▸ Une loi uniforme ne charge pas les points !

3. a. $p(X \in [10;15] \cup [25;30]) = p(10 \leqslant X \leqslant 15) + p(25 \leqslant X \leqslant 30)$

$$= \frac{15-10}{30} + \frac{30-25}{30} = \frac{10}{30}$$

$$p\left(X \in [10 \; ; \; 15] \cup [25 \; ; \; 30] \right) = \frac{1}{3}.$$

b. $p\left(X \in]0 \; ; \; 5[\cup]15 \; ; \; 20[\right) = p(0 < X < 5) + p(15 < X < 20)$

$$= \frac{5-0}{30} + \frac{20-15}{30} = \frac{10}{30}$$

d'où :

$$p\left(X \in]0 \; ; \; 5[\cup]15 \; ; \; 20[\right) = \frac{1}{3}$$

10 **1.** Pour $t \geqslant 0$, $p([t \; ; +\infty[) = 1 - p([0 \; ; t[) = \displaystyle\int_0^t \lambda e^{-\lambda x} dx = \left[-e^{-\lambda x} \right]_0^t = 1 - e^{-\lambda t}$

Donc $p([t \; ; +\infty[) = 1 - (1 - e^{-\lambda t}) = e^{-\lambda t}$.

La bonne réponse est b.

2. $p([0 ; t[) = p([t ; +\infty[)$ équivaut successivement à $1 - e^{-\lambda t} = e^{-\lambda t}$;

$2e^{-\lambda t} = 1$; $e^{-\lambda t} = \dfrac{1}{2} > 0$; $-\lambda t = \ln\dfrac{1}{2} = -\ln 2$; $t = \dfrac{-\ln 2}{-\lambda} = \dfrac{\ln 2}{\lambda}$.

◢ On parle de demi-vie de l'appareil.

La bonne réponse est a.

3. $p([0 ; 1[) = 0,18$, ce qui équivaut successivement à :

$1 - e^{-\lambda \times 1} = 0,18$; $e^{-\lambda} = 0,82 > 0$; $-\lambda = \ln 0,82$;

$\lambda = -\ln 0,82 = \ln\left(\dfrac{1}{0,82}\right) = \ln\left(\dfrac{100}{82}\right) = \ln\left(\dfrac{50}{41}\right)$.

La bonne réponse est a.

4. La loi exponentielle est une loi sans vieillissement, donc :

$$p_{[2;+\infty[}([3 ; +\infty[) = p([1 ; +\infty[).$$

◢ Voir le cours, III.

La bonne réponse est a.

5. $p([3 ; +\infty[) = e^{-3 \times 0,2} = e^{-0,6} \approx 0,5488$ à 10^{-4} près.

La bonne réponse est b.

6. Si on note S l'événement « un appareil n'a pas eu de panne au cours des trois premières années », $p(S) = e^{-0,6}$ d'après **4**.

Les pannes des appareils sont indépendantes, donc X désigne le nombre de succès dans une répétition de 10 épreuves de Bernoulli de paramètre $p = e^{-0,6}$ indépendantes. Donc X suit une loi binomiale de paramètres $n = 10$ et $p = e^{-0,6}$.

Donc $p(X = 4) = \dbinom{10}{4} p^4 (1-p)^6 = \dbinom{10}{4}\left(e^{-0,6}\right)^4 \left(1 - e^{-0,6}\right)^6$,

$p(X = 4) \approx 0,1607$ à 10^{-4} près.

La bonne réponse est c.

◢ On obtient le même résultat en utilisant la valeur approchée de la question **5.** :

$p(X = 4) \approx \dbinom{10}{4} \times 0,5488^4 \times (1 - 0,5488)^6$. $\dbinom{10}{4}$ s'obtient à la calculatrice : 10 ⌊nCr⌋ 4.

---

11 a. g est une primitive de $x \mapsto \lambda e^{-\lambda x}$ sur $[0 ; +\infty[$ si, et seulement si, g est dérivable sur $[0 ; +\infty[$ et $g'(x) = \lambda e^{-\lambda x}$ pour tout $x \in [0 ; +\infty[$.

Or $g(x) = (ax + b)e^{-\lambda x} = u(x) \times v(x)$, avec $u(x) = ax + b$ et $v(x) = e^{-\lambda x}$.

u et v sont dérivables sur $[0 ; +\infty[$ avec $u'(x) = a$ et $v'(x) = -\lambda e^{-\lambda x}$, donc g est dérivable sur $[0 ;+\infty[$, de dérivée :

$$g'(x) = u'(x)v(x) + u(x)v'(x)$$
$$g'(x) = ae^{-\lambda x} + (ax + b)\left(-\lambda e^{-\lambda x}\right)$$
$$g'(x) = (-\lambda ax + a - \lambda b)e^{-\lambda x}.$$

Alors g est une primitive de $x \mapsto \lambda e^{-\lambda x}$ sur $[0 ; +\infty[$ si, et seulement si,

$(-\lambda a x + a - \lambda b) e^{-\lambda x} = \lambda e^{-\lambda x}$ pour tout $x \in [0 ; +\infty[$;

$-\lambda a x + a - \lambda b = \lambda$ pour tout $x \in [0 ; +\infty[$ car $e^{-\lambda x} \neq 0$;

$-\lambda a = \lambda$ et $a - \lambda b = 0$ par identification des coefficients de ces deux fonctions polynomiales :

$a = -1$ car $\lambda \neq 0$ et $b = \dfrac{a}{\lambda} = -\dfrac{1}{\lambda}$.

Donc une primitive de la fonction $x \mapsto \lambda x e^{-\lambda x}$ sur $[0 ; +\infty[$ est la fonction g définie par $\boldsymbol{g(x) = \left(-x - \dfrac{1}{\lambda}\right) e^{-\lambda x}}$.

b. Soit $t \geqslant 0$. $\displaystyle\int_0^t \lambda x e^{-\lambda x} dx = \big[g(x)\big]_0^t = g(t) - g(0)$ où :

$g(t) = (-t - \dfrac{1}{\lambda}) e^{-\lambda t} = -\left(t + \dfrac{1}{\lambda}\right) e^{-\lambda t}$.

D'où $\displaystyle\int_0^t \lambda x e^{-\lambda x} dx = g(t) - g(0) = -\left(t + \dfrac{1}{\lambda}\right) e^{-\lambda t} + \left(0 + \dfrac{1}{\lambda}\right) e^{-\lambda \times 0}$ soit :

$$\int_0^t \boldsymbol{\lambda x e^{-\lambda x}} \, \boldsymbol{dx} = -\left(\boldsymbol{t} + \dfrac{1}{\lambda}\right) \boldsymbol{e^{-\lambda t}} + \dfrac{1}{\lambda}.$$

c. $\displaystyle\int_0^t \lambda x e^{-\lambda x} dx = -\left(t + \dfrac{1}{\lambda}\right) e^{-\lambda t} + \dfrac{1}{\lambda} = -t e^{-\lambda t} + \dfrac{1}{\lambda} e^{-\lambda t} + \dfrac{1}{\lambda}$.

$\lambda > 0$ donc $-\lambda < 0$, donc $\displaystyle\lim_{t \to +\infty} -\lambda t = \infty$; or $\displaystyle\lim_{T \to -\infty} e^T = 0$, donc

$\displaystyle\lim_{t \to +\infty} e^{-\lambda t} = 0$ Comme $\displaystyle\lim_{T \to -\infty} T e^T = 0$ par les critères de croissance comparée

$\displaystyle\lim_{t \to +\infty} -\lambda t e^{-\lambda t} = 0$.

Donc $\displaystyle\lim_{t \to +\infty} \int_0^t e^{-\lambda x} dx = \dfrac{1}{\lambda}$.

Le temps moyen d'attente entre deux clients est $\dfrac{1}{\lambda}$.

2. Pour $t \geqslant 0$

$p(X > t) = 1 - p(X \leqslant t) = 1 - \displaystyle\int_0^t \lambda e^{-\lambda x} dx = 1 - \big[-e^{-\lambda x}\big]_0^t = 1 + e^{-\lambda t} - e^{-\lambda \times 0} = e^{-\lambda t}$.

Le temps moyen d'attente est $\dfrac{1}{\lambda} = 5$, donc $\lambda = \dfrac{1}{5}$.

Donc $p(X > t) = e^{-\frac{t}{5}}$.

Si $t = 10 \geqslant 0$, $p(X > 10) = e^{-\frac{10}{5}} = e^{-2} \simeq \boldsymbol{0{,}135 \text{ à } 10^{-3} \text{ près}}$.

Si $t = 5 \geqslant 0$, $p(X > 5) = e^{-\frac{5}{5}} = e^{-1} \simeq \boldsymbol{0{,}368 \text{ à } 10^{-3} \text{ près}}$.

Une loi à densité « ne charge pas les points » : on a les mêmes probabilités avec des inégalités larges ou strictes.

3. Sachant qu'on a déjà attendu 10 min, attendre encore au moins 5 min revient à attendre plus de 15 min.

$p(X > 10) \neq 0$, donc $p_{(X>10)}(X > 15) = \dfrac{p(X > 10 \text{ et } X > 15)}{p(X > 10)}$.

Or l'événement $(X > 15)$ est inclus dans l'événement $(X > 10)$, donc :

$$p_{(X>10)}(X > 15) = \frac{p(X > 15)}{p(X > 10)} = \frac{e^{-\frac{15}{5}}}{e^{-2}} = \frac{e^{-3}}{e^{-2}} = e^{-1} = \boldsymbol{p(X > 5)}.$$

Cela s'explique par le fait que la loi exponentielle est à durée de vie sans vieillissement.

Voir le cours, III.

12 **1.** Les calculatrices :

Texas : normalcdf (4 900, 5 100, 5 000, 300) ;

Casio : Ncd(Lower : 4 800 ; Upper : 5 100 ; σ : 300 ; μ : 5 000)

donnent $\boldsymbol{p(4\,900 \leqslant X \leqslant 5\,100) \approx 0{,}261}$ **à 0,001 près**.

2. a. Les calculatrices

Texas : normalcdf(−E99, 4 800, 5 000, 300) ;

Casio : Ncd(Lower : −1E + 99 ; Upper : 4 800 ; σ : 300 ; μ : 5 000)

donnent $p(-10^{99} \leqslant X \leqslant 5\,100) \approx 0{,}252$ à 0,001 près,

d'où $\boldsymbol{p(X \leqslant 4\,800) \approx 0{,}252}$.

b. Si $x \leqslant \mu$, $]-\infty ; \mu]$ est la réunion disjointe $]-\infty ; x] \cup]x ; \mu]$.

D'où $p(X \leqslant \mu) = p(X \leqslant x) + p(x < X \leqslant \mu)$,

donc $p(X \leqslant x) = p(X \leqslant \mu) - p(x < X \leqslant \mu)$.

μ étant la moyenne de la loi normale, $p(X \leqslant \mu) = 0{,}5$ et comme une loi normale ne charge pas les points, $p(x < X \leqslant \mu) = p(x \leqslant X \leqslant \mu)$.

Ainsi on a bien $p(X \leqslant x) = 0{,}5 - p(x \leqslant X \leqslant \mu)$.

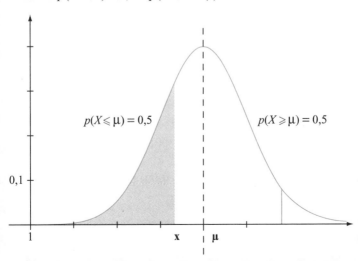

$p(X \leqslant \mu) = 0{,}5$ $p(X \geqslant \mu) = 0{,}5$

0,1

1 x μ

On en déduit $p(X \leqslant 4\,800) = 0,5 - p(4\,800 \leqslant X \leqslant 5\,000)$.

Or les calculatrices

Texas : normal cdf(4 800, 5 000, 5 000, 300)

Casio : Ncd(Lower : 4800 ; Upper : 5 000 ; 6 300 ; μ 5 000)

donnent $p(4\,800 \leqslant X \leqslant 5\,000) \approx 0,248$ à $0,001$ près.

Donc $p(X \leqslant 4\,800) \approx 0,252$ à $0,001$ près.

On a aussi la propriété suivante « si $x \geqslant \mu$, $\quad p(X \leqslant x) = 0,5 + p(\mu \leqslant X \leqslant x)$ ».

3. a. Les calculatrices

Texas : normal cdf(5 250, E99, 5 000, 300)

Casio : Ncd(Lower : 5 250 ; Upper : 1E + 99 ; σ : 300 ; μ : 5 000)

donnent $p(5\,250 \leqslant X \leqslant 10^{99}) \approx 0,202$ à $0,001$ près.

D'où $p(X \geqslant 5\,250) \approx 0,202$.

b. Si $x \geqslant \mu$, $[\mu\,;\,+\infty[$ est la réunion disjointe $[\mu\,;x[\cup[x\,;+\infty[$.

D'où $p(X \geqslant \mu) = p(\mu \geqslant X < x) + p(X \geqslant x)$.

Or $p(X \geqslant \mu) = 0,5$ et $p(\mu \leqslant X < x) = p(\mu \leqslant X \leqslant x)$,

donc $p(X \geqslant x) = 0,5 - p(\mu \leqslant X \leqslant x)$.

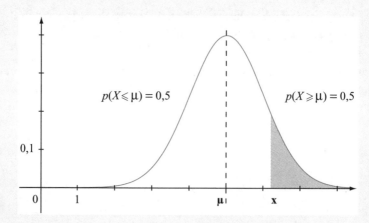

Les calculatrices

Texas : normalcdf (5 000, 5 250, 5 000, 300)

Casio : Ncd(Lower : 5 000 ; Upper : 5 250 ; σ : 300 ; μ : 5 000)

donnent $p(5\,000 \leqslant X \leqslant 5\,250) \approx 0,298$ à $0,001$ près.

Donc $p(X \geqslant 5\,250) \approx 0,202$ à $0,001$ près.

4. a. Les calculatrices

Texas : invNorm (0.2, 5 000, 300) ;

Casio : InvN(Tail : Left ; Area : 0,2 ; σ : 300 ; μ : 5 000) ;
donnent $x \approx 4\,748$ **litres à 1 litre près**.

b. X suit une loi $N(5\,000 \,; 300^2)$, donc $Z = \dfrac{X - 5\,000}{300}$ suit une loi $N(0 \,; 1)$.

Or $p(X \leqslant x) = p(X - 5\,000 \leqslant x - 5\,000) = p\left(\dfrac{X - 5\,000}{300} \leqslant \dfrac{X - 5\,000}{300} \right)$
car $300 > 0$.

donc $p(X \leqslant x) = p\left(Z \leqslant \dfrac{X - 5\,000}{300} \right)$.

$p(X \leqslant x) = 0,2 \Leftrightarrow \dfrac{x - 5\,000}{300} = -0,842 \Leftrightarrow x - 5\,000 = -0,842 \times 300 = -252,6$

Donc $x = -252,6 + 5\,000 \approx 4\,747$ à 1 près.

5. On cherche la valeur x telle que $p(X \geqslant x) = 0,30$ ce qui équivaut à $p(X < x) = 1 - 0,3 = 0,7$ c'est-à-dire tel que $p(X \leqslant x) = 0,7$ car la loi normale ne charge pas les points.

a. Les calculatrices
Texas : invNorm(0.7, 5000, 300) ;
Casio : InvN(Tail : Left ; Area : 0,7 ; σ : 300 ; μ : 5 000) ; donnent :

$$x \approx 5\,157 \text{ litres à 1 près.}$$

b. Comme au **4.b.**,

$$p(X \leqslant x) = 0,7 \Leftrightarrow p\left(Z \leqslant \dfrac{x - 5\,000}{300} \right) = 0,7 \Leftrightarrow \dfrac{x - 5000}{300} = 0,524$$
$$\Leftrightarrow x = 300 \times 0,524 + 5\,000$$

d'où $x \approx 5\,157$ **litres à 1 près**.

$\boxed{13}$ 1. L'énoncé donne :
$p(X \leqslant 200) = \dfrac{120}{200} = \mathbf{0{,}6}$ et $p(X \leqslant 120) = \dfrac{185}{200} = 0,925$:
$p(X < 120) = 1 - p(X \leqslant 120) = 0,075$ en passant à l'événement contraire.
Une loi normale ne charge pas les points, donc $p(X \leqslant 120) = \mathbf{0{,}075}$.

2. X suit une loi normale $N(\mu \,; \sigma^2)$, donc $Z = \dfrac{X - \mu}{\sigma}$ suit une loi normale $N(0 \,; 1)$.

Or $p(X \leqslant 200) = 0,6 \Leftrightarrow p(X - \mu \leqslant 200 - \mu) = 0,6$

$\Leftrightarrow p\left(\dfrac{X - \mu}{\sigma} \leqslant \dfrac{200 - \mu}{\sigma} \right) = 0,6$ car $\sigma > 0$, d'où $p\left(Z \leqslant \dfrac{200 - \mu}{\sigma} \right) = 0,6$.

On cherche donc a tel que $p(Z \leqslant a) = 0,6$
Les calculatrices :
Texas : invNorm (0.6, 0, 1) ;
Casio : InvN(Tail : Left ; Area : 0.6 ; σ : 1 ; μ : 0) ;

donnent $a \approx 0,25$ à 0,01 près.

Ainsi $\dfrac{200 - \mu}{\sigma} = \mathbf{0,25}$.

De même $p(X \leqslant 120) = 0,075 \Leftrightarrow p\left(Z \leqslant \dfrac{120 - \mu}{\sigma}\right) = 0,075$.

On cherche donc a tel que $p(Z \leqslant a) = 0,075$.

Les calculatrices :

Texas : invNorm$(0.075, 0, 1)$;

Casio : InvN(Tail : Left ; Area : 0.075 ; $\sigma:1$; $\mu:0$) ;

donnent $a \approx -1,44$ à 0,01 près.

Ainsi $\dfrac{120 - \mu}{\sigma} = \mathbf{-1,44}$.

3. On résout le système $\dfrac{200 - \mu}{\sigma} = 0,25$ et $\dfrac{120 - \mu}{\sigma} = -1,44$ qui équivaut successivement à :

$200 - \mu = 0,25\,\sigma$ et $120 - \mu = -1,44\,\sigma$;

$(200 - \mu) - (120 - \mu) = 0,25\,\sigma - (-1,44\,\sigma) = 1,69\,\sigma$ et $120 - \mu = -144\,\sigma$;

$1,69\,\sigma = 80$ et $\mu = 120 + 1,44\,\sigma$;

$\sigma = \dfrac{80}{1,69}$ et $\mu = 120 + 1,44 \times \dfrac{80}{1,69}$,

soit $\sigma \approx \mathbf{47,3}$ et $\mu \approx \mathbf{188,2}$ **à 0,1 près.**

4. À la calculatrice :

Texas : normalcdf$(150, 180, 188.2, 47.3)$

Casio : Ncd(Lower : 150 ; Upper : 180 ; $\sigma:47.3$; $\mu:188.2$) ;

on obtient $p(150 \leqslant X \leqslant 180) \approx 0,22$ à 0,01 près.

22 % des pommes de terre pèsent entre 150g et 180g.

5. On note A l'événement «$X \geqslant 150$» et B l'événement «$X \leqslant 180$».

À la calculatrice :

Texas : normalcdf $(150, \text{E}99, 188.2, 47.3)$

Casio : Ncd(Lower : 150 ; Upper : 1E + 99 ; $\sigma:47.3$; $\mu:188.2$).

On obtient $p(A) \approx 0,79$ à 0,01 près. Donc $p(A) > 0$.

Donc $p_A(B) = \dfrac{p(A \cap B)}{p(A)} = \dfrac{p(X \leqslant 150 \text{ et } X \leqslant 180)}{p(A)} = \dfrac{p(150 \leqslant X \leqslant 180)}{p(A)} \approx \dfrac{0,22}{0,79}$,

d'où $p(B) \approx \mathbf{0,28}$ **à 0,001 près.**

14 **Partie A.**

1. L'expérience consistant à tester une graine et à appeler succès le fait que la fleur soit rouge constitue une épreuve de Bernoulli de paramètre $p = 0,2$. Lorsqu'on tire au hasard avec remise 50 graines, on répète 50 fois la même épreuve de Bernoulli de paramètre $p = 0,2$ de façon indépendante. X représente donc le nombre de succès dans cette épreuve de Bernoulli de paramètres $n = 50$ et $p = 0,2$, **donc X suit bien une loi B(50 ; 0,2).**

2. $n = 50 \geqslant 30$, $np = 50 \times 0,2 = 10 \geqslant 5$ et $n(1-p) = 50 \times 0,8 = 40 \geqslant 5$,

donc l'intervalle de fluctuation asymptotique pour la fréquence $\dfrac{X}{50}$ est :

$$I = \left[p - 1,96 \frac{\sqrt{p(1-p)}}{\sqrt{n}} \; ; p + 1,96 \frac{\sqrt{p(1-p)}}{\sqrt{n}} \right]$$

$$I = \left[0,2 - 1,96 \frac{\sqrt{0,2 \times (1-0,2)}}{\sqrt{50}} \; ; \; 0,2 + 1,96 \frac{\sqrt{0,2 \times (1-0,2)}}{\sqrt{50}} \right]$$

$I = [0,089 \; ; \; 0,311]$ en arrondissant les bornes à 0,001 près.

3. On rejette à tort l'échantillon lorsque la fréquence observée n'est pas dans l'intervalle $[0,089 \; ; \; 0,311]$, c'est-à-dire lorsque la valeur observée de X n'est pas dans l'intervalle $[0,089 \times 50 \; ; \; 0,311 \times 50] = [4,45 \; ; \; 15,55]$.

Or $p(X \notin [4,45 \; ; \; 15,55]) = p(X \leqslant 4$ ou $X \geqslant 16)$ car X est entier ;

$= p(X \leqslant 4) + p(X \geqslant 16)$ car ces événements sont disjoints ;

$= p(X \leqslant 4) + 1 - p(X \leqslant 15)$ en passant à l'événement contraire (et $X \in \mathbb{N}$) ;

$p(X \notin [4,45 \; ; \; 15,55]) \approx 0,0493$ à 10^{-4} près.

La probabilité de rejeter à tort l'échantillon est de 0,0493 à 10^{-4} près.

◢ On rejette bien l'hypothèse à tort dans moins de 5 % des cas.

Partie B.

1. Comme dans la partie A, **Y suit une loi $B(50 \; ; \; 0,3)$.**

2. On ne rejette pas à tort la valeur de 20 % lorsque la valeur observée de $\dfrac{Y}{50}$ est

dans $[0,089 \; ; \; 0,311]$, c'est-à-dire lorsque la valeur observée pour Y est dans $[4,45 \; ; \; 15,55]$.

On cherche donc $p(Y \in [4,45 \; ; \; 15,55]) = p(5 \leqslant Y \leqslant 15)$ car Y est entier.

Or $p(5 \leqslant Y \leqslant 15) = p(0 \leqslant Y \leqslant 15) - p(0 \leqslant Y < 5)$

$\qquad\qquad\qquad\qquad = p(Y \leqslant 15) - p(Y \leqslant 4)$ car $Y \in \mathbb{N}$;

Donc $p(Y \in [4,45 \; ; \; 15,55]) \approx 0,56901$ à 10^{-5} près.

On ne rejette donc pas à tort la proportion de 20 % dans près de 57 % des échantillons observés. Cette méthode ne semble donc pas fiable pour détecter cette erreur.

◢ Ici la différence entre les deux valeurs de p est trop faible pour que les lois de X et de Y donnent des valeurs significativement différentes, comme le montrent les diagrammes en barres des distributions de X et Y ci-après.

10

Lois continues – Échantillonnage – Estimation

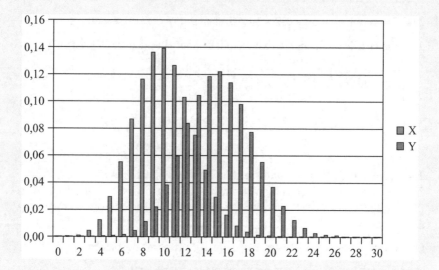

15 **1.** La proportion de personnes déclarant vouloir voter pour le candidat sur cet échantillon de $n = 250$ personnes est $f = 0,54$.

$n \geqslant 30$, $n \times f = 250 \times 0,54 = 135 \geqslant 5$ et $n \times (1 - f) = 250 \times 0,46 = 115 \geqslant 5$.

Donc l'intervalle de confiance au niveau 0,95 correspondant est :

$$\left[f - \frac{1}{\sqrt{n}} \; ; f + \frac{1}{\sqrt{n}} \right] = \left[0,54 - \frac{1}{\sqrt{250}} \; ; \; 0,54 + \frac{1}{\sqrt{250}} \right] = [0,477 \; ; \; 0,603]$$

en arrondissant les bornes à 0,001 près.

Pour être élu, il faut que la proportion de votes p dans la population totale soit strictement supérieure 0,5. Comme l'intervalle de confiance obtenu contient des valeurs inférieures ou égales à 0,5, **ce sondage ne lui assure pas d'être élu au niveau de confiance 0,95**.

2. Un échantillon de $n \geqslant 30$ personnes fournissant une proportion égale à $f = 0,54$, $n \geqslant 30$, $nf \geqslant 30 \times 0,54 \geqslant 5$ et $n(1 - f) \geqslant 30 \times 0,46 \geqslant 5$, donc :

$$\left[f - \frac{1}{\sqrt{n}} \; ; f + \frac{1}{\sqrt{n}} \right] = \left[0,54 - \frac{1}{\sqrt{n}} \; ; \; 0,54 + \frac{1}{\sqrt{n}} \right].$$

Pour être « assuré » d'être élu au niveau de confiance 0,95, il faut et il suffit que

$0,54 - \dfrac{1}{\sqrt{n}} > 0,5$, ce qui équivaut successivement à :

$-\dfrac{1}{\sqrt{n}} > -0,04$; $0 < \dfrac{1}{n} < 0,04$;

$\sqrt{n} > \dfrac{1}{0,04}$ car la fonction inverse est strictement décroissante sur $]0 \; ; +\infty[$;

$\sqrt{n} > 25$; $n > 625$ car la fonction carrée est strictement croissante sur $[0 \; ; +\infty[$.

Le nombre minimal de personnes à interroger est donc $n = 626$.

16 **1.** Soit p la proportion de billes rouges effectivement présentes dans le sac. Si on appelle succès le fait d'obtenir une boule rouge, chaque tirage peut être assimilé à une épreuve de Bernoulli de paramètre p. Le nombre total de boules rouges obtenu, c'est-à-dire le nombre de succès dans la répétition de ces 50 épreuves de Bernoulli de paramètre p identiques et indépendantes, est une variable aléatoire X suivant une loi binomiale de paramètres $n = 50$ et p.

a. La fréquence observée sur ce tirage est $f = \dfrac{16}{50} = 0,32$.

$n = 50 \geqslant 30$, $n \times f = 16 \geqslant 5$ et $n \times (1 - f) = 34 \geqslant 5$, donc l'intervalle de confiance

au niveau 0,95 pour la fréquence de succès $\dfrac{X}{n}$ est $\left[f - \dfrac{1}{\sqrt{n}} \; ; f + \dfrac{1}{\sqrt{n}} \right]$.

Ainsi, au niveau de confiance 0,95, $p \in \left[0,32 - \dfrac{1}{\sqrt{50}} \; ; \; 0,32 + \dfrac{1}{\sqrt{50}} \right]$,

ce équivaut à $0,32 - \dfrac{1}{\sqrt{50}} \leqslant p \leqslant 0,32 + \dfrac{1}{\sqrt{50}}$,

soit $0,179 \leqslant p \leqslant 0,461$ en arrondissant les bornes à 0,001 près.

◢ Voir le savoir-faire 4.

b. Donc $p = \dfrac{190}{400} = 0,475$. Cette valeur n'est pas dans l'intervalle de confiance au

niveau 0,95 : **ce résultat n'était pas prévu !**

2. a.

```
1 VARIABLES
2 x EST_DU_TYPE NOMBRE
3 i EST_DU_TYPE NOMBRE
4 S EST_DU_TYPE NOMBRE
5 k EST_DU_TYPE NOMBRE
6 DEBUT_ALGORITHME
7 POUR k ALLANT_DE 1 A 100
8 DEBUT_POUR
9 x PREND_LA_VALEUR 0
10 POUR i ALLANT_DE 1 A 50
11 DEBUT_POUR
12 x PREND_LA_VALEUR x+floor(random()+190/400)
13 FIN_POUR
14 SI (x<=16) ALORS
15 DEBUT_SI
16 S PREND_LA_VALEUR S+1
17 FIN_SI
18 FIN_POUR
19 AFFICHER S
20 FIN_ALGORITHME
```

◢ Sans autre indication, S prend initialement la valeurs 0, mais il faut bien penser à réinitialiser la valeur de x avant chacun des 50 tirages.

En faisant tourner cet algorithme une vingtaine de fois, j'obtiens entre 0 et 5 simulations sur 100 qui donnent 16 boules rouges ou moins. **C'est bien un événement rarement observé.**

b. Le nombre total de boules rouges obtenu, c'est-à-dire le nombre de succès dans la répétition de ces 50 épreuves de Bernoulli de paramètre $p = \dfrac{190}{400}$ identiques et indépendantes, est une variable aléatoire X suivant une loi binomiale de paramètres $n = 50$ et $p = \dfrac{190}{400}$. Comme $n \geqslant 30$, $np \geqslant 5$ et $n(1-p) \geqslant 5$, on en déduit l'intervalle de fluctuation asymptotique au seuil de 95 % pour la proportion de billes rouges (fréquence de succès) :

$$I = \left[p - 1{,}96 \frac{\sqrt{p(1-p)}}{\sqrt{n}} \; ; p + 1{,}96 \frac{\sqrt{p(1-p)}}{\sqrt{n}} \right].$$

$I = [0{,}337 \; ; \; 0{,}613]$ en arrondissant les bornes à 0,001 près.

c. La fréquence observée au cours des 50 tirages du **1.** est de $\dfrac{16}{50} = 0{,}32$. Elle n'est pas dans l'intervalle de fluctuation asymptotique au seuil de 95 %, donc le tirage n'est pas conforme à la répartition réelle des billes rouges dans la population totale. **Donc ce tirage ne s'est pas réalisé correctement au risque de 5 %.**

Voir le savoir-faire 4.

d. Le nombre X de billes rouges suit une loi $B\left(50 \; ; \dfrac{190}{400} \right)$, donc :

$$p(X = 16) = \binom{50}{16} \times \left(\frac{190}{400} \right)^{16} \times \left(1 - \frac{190}{400} \right)^{50-16}$$

$$\mathbf{p(X = 16) = \binom{50}{16} \times \left(\frac{190}{400} \right)^{16} \times \left(\frac{210}{400} \right)^{34} \approx 0{,}010 \text{ à } 0{,}001 \text{ près.}}$$

$\binom{50}{16} \approx 4{,}92 \times 10^{12}$ se calcule directement à la calculatrice : 50 $\boxed{\text{nCr}}$ 16.

On trouve, à l'aide du tableur - en utilisant la formule

= LOI.BINOMIALE (16;50;190/400;1) – que $p(X \leqslant 16) \approx 0{,}019$ à 0,001 près.

Donc $p(X \leqslant 16) \leqslant 0{,}025$: on se situe bien à gauche de l'intervalle de fluctuation au seuil de 95 % vu en première.

17 **1.** On veut $0 \leqslant X \leqslant 2$ et $0 \leqslant Y \leqslant 2$ et $|X - Y| \leqslant 0{,}25$.

2. $|y - x| \leqslant 0{,}25 \Leftrightarrow -0{,}25 \leqslant y - x \leqslant 0{,}25 \Leftrightarrow x - 0{,}25 \leqslant y \leqslant x + 0{,}25$.

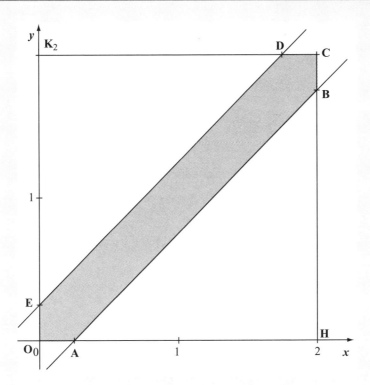

3. L'aire du carré OHCK est $A(OHCK) = OH \times KO = 2 \times 2 = 4$.

L'aire du quadrilatère OABCDE est :

$$A(OABCDE) = A(OHCK) - 2 \times A(AHB)$$
$$= 4 - 2 \times \frac{AH \times HB}{2}$$
$$= 4 - (1,75 \times 1,75) = 0,9375.$$

D'où la probabilité cherchée :

$$p = \frac{0,9375}{4} = 0,234375, \text{ soit } \boldsymbol{p = \frac{15}{64}}.$$

◢ Pour aller plus loin ... sous l'hypothèse implicite que les heures d'arrivée X et Y sont indépendantes, on dit que le couple $(X\;;\;Y)$ suit une loi uniforme sur $[0\;;\;2] \times [0\;;\;2]$.

18 **1.** En supposant que la proportion de femmes dans la population active est de $0,5$, sous l'hypothèse qu'une entreprise de 1 350 salariés n'exerce pas de discrimination à l'embauche, le nombre de femmes employés suit donc une loi binomiale de paramètres $n = 1\,350$ et $p = 0,5$.

$n \geqslant 30, np \geqslant 5$ et $n(1-p) \geqslant 5,$ donc l'intervalle de fluctuation asymptotique au seuil de 95% de la proportion de femmes employées est donc :

$$\left[p - 1,96 \frac{\sqrt{p(1-p)}}{\sqrt{n}} \ ; \ p + 1,96 \frac{\sqrt{p(1-p)}}{\sqrt{n}} \right],$$

soit $I = \left[0,473 \ ; \ 0,527 \right]$ **en arrondissant les bornes à 0,001 près.**

◢ Voir le cours, V.

La fréquence des femmes réellement observée dans l'entreprise GrobraSA est $f = \dfrac{560}{1350} = 0,415.$ **Comme f n'est pas dans cet intervalle, on rejette l'hypothèse de parité au risque de 5 %.**

2. a. Il y a désormais $560 + x$ femmes pour $1350 + x$ employés, donc :

$$f(x) = \frac{x + 560}{x + 1\,350}.$$

b. $f(x) = \dfrac{1}{2}$ équivaut successivement à $\dfrac{x + 560}{x + 1\,350} = \dfrac{1}{2}$;

$2(x + 560) = x + 1\,350$ car $x \geqslant 0$, donc $x \geqslant -1\,350$;

$2x + 1\,120 = x + 1\,350$; $x = 1\,350 - 1\,120 = 230 \in \mathbb{N}^*.$

Il faut embaucher 230 femmes pour le strict respect de la parité.

3. a. Pour $n = 1\,350 + x \geqslant 30$ et $p = \dfrac{1}{2}$, $n \times p \geqslant 30 \times \dfrac{1}{2} \geqslant 5$ et $n \times (1 - p) \geqslant 5$,

donc l'intervalle de fluctuation asymptotique au seuil de 95 % $\left[a(x) \ ; b(x) \right]$ est donné par :

$$a(x) = p - 1,96 \frac{\sqrt{p(1-p)}}{\sqrt{n}} = 0,5 - 1,96 \times \frac{\sqrt{0,5(1-0,5)}}{\sqrt{x + 1\,350}} = 0,5 - \frac{0,98}{\sqrt{x + 1\,350}} \ ;$$

$$b(x) = p + 1,96 \frac{\sqrt{p(1-p)}}{\sqrt{n}} = 0,5 + \frac{0,98}{\sqrt{x + 1\,350}}.$$

$$a(x) = 0,5 - \frac{0,98}{\sqrt{x + 1\,350}} \text{ et } b(x) = 0,5 + \frac{0,98}{\sqrt{x + 1\,350}}.$$

b. La fonction g définie par $g(x) = \dfrac{x + 560}{x + 1\,350} + \dfrac{0,98}{\sqrt{x + 1\,350}} - 0,5$ est dérivable sur

$[0 \ ; 230] \subset \left] -1\,350 \ ; \ +\infty \right[$, de dérivée :

$$g'(x) = \frac{1 \times (x + 1\,350) - (x + 560) \times 1}{(x + 1\,350)^2} + 0,98 \times \left(-\frac{\dfrac{1}{2\sqrt{x + 1\,350}}}{\sqrt{x + 1\,350}^2} \right)$$

$$= \frac{790}{\left(x+1\,350\right)^2} - \frac{0,49}{\left(x+1\,350\right)\sqrt{x+1\,350}} = \frac{790 - 0,49\sqrt{x+1\,350}}{\left(x+1\,350\right)^2}.$$

Or $0 \leqslant x \leqslant 230$, donc $0 \leqslant x+1\,350 \leqslant 1\,580$, puis $\sqrt{x+1\,350} \leqslant \sqrt{1\,580}$ par croissance de la fonction carrée sur $\left[0 \,;\, +\infty\right[$.

Donc $-0,49\sqrt{x+1\,350} \geqslant -0,49 \times \sqrt{1\,580}$ car $-0,49 < 0$, d'où :

$$790 - 0,49\sqrt{x+1\,350} \geqslant 790 - 0,49 \times \sqrt{1\,580} > 0.$$

On en déduit $g'(x) > 0$ sur $\left[0 \,;\, 230\right]$, **donc g est strictement croissante sur** $\left[\mathbf{0} \,;\, \mathbf{230}\right]$.

c. Pour pouvoir affirmer que l'entreprise respecte la parité au seuil de 95 %, il faut et il suffit que la fréquence de femmes observée soit dans l'intervalle de fluctuation asymptotique au seuil de 95 %, donc que $a(x) \leqslant f(x) \leqslant b(x)$, ce qui équivaut à :

$$0 \leqslant f(x) - a(x) \leqslant b(x) - a(x).$$

Or $f(x) - a(x) = \dfrac{x+560}{x+1\,350} - \left(0,5 - \dfrac{0,98}{\sqrt{x+1\,350}}\right) = \dfrac{x+560}{x+1\,350} + \dfrac{0,98}{\sqrt{x+1\,350}} - 0,5,$

donc $f(x) - a(x) = g(x)$ pour $x \in \left[0 \,;\, 230\right]$.

Comme g est continue, strictement croissante sur $\left[0 \,;\, 230\right]$, et vérifie $g(0) \approx -0,06$ à $0,01$ près et $g(230) \approx 0,02$ à $0,01$ près, le corollaire du théorème des valeurs intermédiaires permet d'affirmer que g s'annule exactement une fois sur $\left[0 \,;\, 230\right]$.

◢ Voir le cours du chapitre 2, III 4.

Avec la fonction Table de la calculatrice, on constate que $g(153) < 0$ et $g(154) > 0$. Donc la plus petite valeur entière de x pour laquelle $f(x) - a(x) > 0$, c'est-à-dire $a(x) < f(x)$, est 154. On vérifie alors que pour $x = 154$, on a bien aussi $f(x) < b(x)$:

$$f(154) = \frac{154 + 560}{154 + 1\,350} \approx 0,475 \text{ à } 0,001 \text{ près ;}$$

$$g(154) = 0,5 + \frac{0,98}{\sqrt{154 + 1\,350}} \approx 0,525 \text{ à } 0,001 \text{ près.}$$

Le nombre minimal de femmes à embaucher est de 154.

◢ 230 femmes supplémentaires assurant le strict respect de la parité, qui est bien sûr plus contraignant que le respect de l'intervalle de fluctuation à 95 %, on pouvait bien se limiter à travailler sur l'intervalle $\left[0 \,;\, 230\right]$. On vérifie que la valeur de x nécessaire est bien dans cet intervalle, le seul sur lequel on a étudié la fonction g.

19 1. Comme $n \geqslant 30$, $n \geqslant 5$ et $n(1-f) \geqslant 5$, l'intervalle de confiance IC_n au niveau de confiance 0,95 pour p est $\boldsymbol{IC_n = \left[f - \dfrac{1}{\sqrt{n}} \ ; f + \dfrac{1}{\sqrt{n}} \right]}$.

$f + \dfrac{1}{\sqrt{n}} - \left(f - \dfrac{1}{\sqrt{n}} \right) = \dfrac{2}{\sqrt{n}}$, donc son amplitude est $\dfrac{2}{\sqrt{n}}$.

2. L'amplitude de l'intervalle $[0,31\ ;0,35]$ est $0,35 - 0,31 = 0,04$, d'où :

$\dfrac{2}{\sqrt{n}} = 0,04 \Leftrightarrow \sqrt{n} = \dfrac{2}{0,04} = 50 \Leftrightarrow n = 50^2 = 2\,500$ car $\sqrt{n} > 0$.

On vérifie qu'on a bien $n \geqslant 30$.

Or $f - \dfrac{1}{\sqrt{n}} = 0,31$, donc $f = 0,31 + \dfrac{0,04}{2} = 0,33$ (c'est le milieu de l'intervalle $[0,31\ ;0,35]$).

> On dit que l'intervalle de confiance au niveau 0,95 est centré sur f.

Donc $\boldsymbol{n = 2\,500}$ et $\boldsymbol{f = 0,33}$.

3. a. On veut $\dfrac{2}{\sqrt{n}} \leqslant a$, ce qui équivaut successivement à :

$\dfrac{\sqrt{n}}{2} \geqslant \dfrac{1}{a}$ car $\dfrac{2}{\sqrt{n}} > 0$ et la fonction inverse est décroissante sur $]0\ ;\ +\infty[$;

$\sqrt{n} \geqslant \dfrac{2}{a}$ car $2 > 0$;

$n \geqslant \left(\dfrac{2}{a} \right)^2$ car la fonction carrée est croissante sur $[0\ ;\ +\infty[$; $n \geqslant \dfrac{4}{a^2}$.

Si $\dfrac{4}{a^2} \in \mathbb{N}^*$, on prendra $n = \max\left(30\ ;\ \dfrac{4}{a^2} \right)$, sinon, on prendra

$n = \max\left(30\ ;\ \mathrm{E}\left(\dfrac{4}{a^2} \right) + 1 \right)$, **où E désigne la fonction partie entière.**

b.

a	0,5	0,3	0,1	0,05	0,01
$\dfrac{4}{a^2}$	16	44,4 à 0,1 près	400	1 600	40 000
Valeur minimale de n	30	45	400	1 600	40 000

c. La valeur minimale de n est inversement proportionnelle au carré de la précision a. **La valeur minimale de n augmente donc rapidement quand on veut augmenter la précision (quand a diminue).**

4. a. La précision de l'estimation au niveau de confiance 0,95 pour J_n est :

$$\left(f + 1,96 \frac{\sqrt{f(1-f)}}{\sqrt{n}} \right) - \left(f - 1,96 \frac{\sqrt{f(1-f)}}{\sqrt{n}} \right) = 2 \times 1,96 \frac{\sqrt{f(1-f)}}{\sqrt{n}}$$

$$= 3,92 \times \frac{\sqrt{f(1-f)}}{\sqrt{n}}.$$

b. $3,92 \times \dfrac{\sqrt{f(1-f)}}{\sqrt{n}} \leqslant a \Leftrightarrow \dfrac{\sqrt{n}}{3,92 \times \sqrt{f(1-f)}} \geqslant \dfrac{1}{a}$ car la fonction inverse est décroissante sur $]0 \,;\, +\infty[$;

$$\Leftrightarrow \sqrt{n} \geqslant \frac{3,92 \times \sqrt{f(1-f)}}{a} \text{ car } 3,92 \times \sqrt{f(1-f)} > 0$$

$$\Leftrightarrow n \geqslant \frac{3,92^2 \times f(1-f)}{a^2} \text{ car la fonction carré est croissante sur } [0 \,;\, +\infty[.$$

Si $\dfrac{3,92^2 \times f(1-f)}{a^2} \in \mathbb{N}$, on prendra $n = \max\left(30 \,;\, \dfrac{3,92^2 \times f(1-f)}{a^2} \right)$,

sinon, on prendra $n = \max\left(30 \,;\, \mathrm{E}\left(\dfrac{3,92^2 \times f(1-f)}{a^2} \right) + 1 \right)$ où E désigne la fonction partie entière.

c. Pour $f = 0,1$, $\dfrac{3,92^2 \times f(1-f)}{a^2} = \dfrac{3,92^2 \times 0,1 \times 0,9}{a^2}$.

a	0,5	0,3	0,1	0,05	0,01
$\dfrac{3,92^2 \times 0,1 \times 0,9}{a^2}$	5,5 à 0,1 près	15,4 à 0,1 près	138,3 à 0,1 près	553,2 à 0,1 près	13 829,8 à 0,1 près
Valeur minimale de n	30	30	139	554	13 830

d. Pour $f = 0,5$, $\dfrac{3,92^2 \times f(1-f)}{a^2} = \dfrac{3,92^2 \times 0,5 \times 0,5}{a^2}$.

a	0,5	0,3	0,1	0,05	0,01
$\dfrac{3,92^2 \times 0,5 \times 0,5}{a^2}$	15,4 à 0,1 près	42,7 à 0,1 près	384,2 à 0,1 près	1536,7 à 0,1 près	38 416
Valeur minimale de n	30	43	139	554	38 416

e. Pour $f = 0,1$, les valeurs minimales trouvées ici pour n sont proches de celles trouvées avec IC_n, tandis que pour $f = 0,5$, on trouve une valeur minimale de n bien inférieure pour J_n dès que a est petit : cet intervalle de confiance au niveau $0,95$ nécessite des tailles d'échantillons bien moins importants que IC_n, **donc il est préférable d'utiliser plutôt J_n pour $f = 0,5$.**

◢ La précision $f \rightarrow 3,92^2 \times f(1-f)$ est maximale pour $f = 0,5$ où elle vaut $3,92$ à $0,01$ près. $\dfrac{3,92^2 \times f(1-f)}{a^2}$ est alors très proche de la précision $\dfrac{4}{a^2}$ obtenue pour IC_n.

20 **Partie A.**

1. $t \mapsto e^{-\lambda t}$ est de la forme e^u avec $u(t) = -\lambda t$, donc dérivable sur $[0 \; ; +\infty[$ de dérivée $u' e^u$ soit $t \mapsto -\lambda e^{-\lambda t}$.

$t \mapsto g(t) = -t e^{-\lambda t}$ est donc dérivable sur $[0 \; ; +\infty[$ comme produit, et :

$g'(t) = -1 \times e^{-\lambda t} + (-t) \times (-\lambda e^{-\lambda t})$

$$g'(t) = \lambda t e^{-\lambda t} - e^{-\lambda t}.$$

2. Soit $x > 0$. Commençons par calculer $\displaystyle\int_0^x t f(t)dt = \int_0^x t\lambda e^{-\lambda t}dt$.

Pour tout $t \geqslant 0$, $\lambda t e^{-\lambda t} = g'(t) + e^{-\lambda t}$, donc une primitive de $t \mapsto \lambda t e^{-\lambda t}$ sur $[0 \; ; +\infty[$ est la fonction :

$$t \mapsto g(t) + \left(-\frac{1}{\lambda}e^{-\lambda t}\right) = -t e^{-\lambda t} - \frac{1}{\lambda}e^{-\lambda t}.$$

Alors $\displaystyle\int_0^x t\lambda e^{-\lambda t}dt = \left[-t e^{-\lambda t} - \frac{1}{\lambda}e^{-\lambda t}\right]_0^x = -x e^{-\lambda x} - \frac{1}{\lambda}e^{-\lambda x} + 0 e^{-\lambda \times 0} + \frac{1}{\lambda}e^{-\lambda \times 0}$

$$\int_0^x t f(t)\,dt = \frac{1}{\lambda} - x e^{-\lambda x} - \frac{1}{\lambda}e^{-\lambda x}.$$

3. $\lambda > 0$, donc $\displaystyle\lim_{x \to +\infty} -\lambda x = -\infty$.

Comme $\displaystyle\lim_{X \to -\infty} e^X = 0$ et $\displaystyle\lim_{X \to -\infty} X e^X = 0$, on en déduit :

$\displaystyle\lim_{x \to +\infty} e^{-\lambda x} = 0$ et $\displaystyle\lim_{x \to +\infty} -\lambda e^{-\lambda x} = \lim_{x \to +\infty} \frac{1}{\lambda}(-\lambda x e^{-\lambda x}) = 0$.

Donc $\displaystyle\lim_{x \to +\infty} \int_0^x t\lambda e^{-\lambda t}dt = \frac{1}{\lambda}$ et $E(X) = \frac{1}{\lambda}$.

Partie B.

1. La loi de Y admet pour densité la fonction définie sur $[0 \; ; 3]$ par $f(x) = \dfrac{1}{3-0} = \dfrac{1}{3}$.

◢ On peut aussi utiliser directement la formule (voir le cours, II).

D'où $p(1 \leqslant Y \leqslant 2,5) = \int_1^{2,5} f(x)\,dx = \int_1^3 \frac{1}{3}\,dx = \left[\frac{1}{3}x\right]_1^{2,5} = \frac{2,5-1}{3} = \frac{1,5}{3}$.

$$p(1 \leqslant Y \leqslant 2,5) = 0,5.$$

2. $p(Y > 2) = p(Y \in]2\,;3]) = \int_2^3 f(x)\,dx = \frac{1}{3}$ par le même procédé .

$$p(Y > 2) = \frac{1}{3}.$$

Partie C.

1. a. On dit que **Z suit une loi normale centrée réduite**.

◢ Voir le cours, IV.

b. La fonction de densité de la loi de Z est définie sur $\mathbb{R}$ par :

$$f(x) = \frac{1}{\sqrt{2\pi}}\,e^{-\frac{x^2}{2}}.$$

c. **Sa courbe est symétrique par rapport à l'axe des ordonnées** (c'est une fonction paire).

d. $u_{0,05} \approx 1,96$ à $0,01$ près, donc **$p(-1,96 \leqslant Z \leqslant 1,96) \approx 0,95$**.

◢ On peut aussi utiliser directement la calculatrice :

Texas : normalcdf(-1.96, 1.96, 0, 1) ;

Casio : Ncd(Lower : -1.96 ; Upper : 1.96 ; σ : 0 ; μ : 1).

2. La calculatrice

Texas : normalcdf $\left(\left(1,\ 2,5,\ 3,\ \sqrt{2}\right)\right)$;

Casio : Ncd(Lower : 1 ; Upper : 2.5 ; σ : $\sqrt{2}$; μ : 3)

donne **$p(1 \leqslant Z \leqslant 2,5) \approx 0,283$ à $0,001$ près**.

◢ Attention, c'est la valeur de $\sigma = \sqrt{2}$ qu'il faut entrer à la calculatrice et pas σ^2 !

21 **Partie A.**

1. Les tirages se font avec remise, donc chaque tirage comporte deux issues S « obtenir un composant défectueux » réalisé avec probabilité $0,02$ et $\bar{S}$. Il s'agit d'une épreuve de Bernoulli de paramètre $p = 0,02$.

On répète 50 épreuves de Bernoulli indépendantes. Le nombre de composants défectueux, c'est-à-dire de succès dans ce schema de Bernoulli, suit une loi binomiale de paramètres $n = 50$ et $p = 0,02$.

La probabilité qu'exactement deux des composants achetés soient défectueux est donc :

$$\binom{50}{2} \times 0,02^2 \times (1-0,02)^{50-2} = 1225 \times 0,02^2 \times 0,98^{48}$$

$$\approx \mathbf{0,2 \text{ à } 10^{-1} \text{ près.}}$$

2. On cherche $p(X \geqslant 1) = 1 - p(X = 0)$.

Or $p(X = 0) = \binom{50}{0} \times 0,02^0 \times 0,98^{50-0} = 0,98^{50}$,

donc $p(X \geqslant 1) \approx \mathbf{0,64 \text{ à } 10^{-2} \text{ près.}}$

3. Le nombre moyen de composants défectueux pour lot de 50 composants est l'espérance de la loi binomiale de paramètres $n = 50$ et $p = 0,02$, c'est-à-dire :

$$\boldsymbol{E(X) = n \times p = 50 \times 0,02 - 1.}$$

Partie B.

1. a. Si le composant est défectueux, sa durée de vie T_1 suit une loi exponentielle de paramètre $\lambda_1 = 5 \times 10^{-4}$.

$$p(T_1 \geqslant 1000) = p(T_1 \in [1000 ; +\infty[) = 1 - \int \lambda_1 e^{-\lambda_1 x} dx,$$

soit $p(T_1 \geqslant 1\,000) = 1 - \left[-e^{-\lambda_1 x}\right]_0^{1\,000} = 1 + e^{-1\,000\lambda_1} - e^0$,

$$p(T_1 \geqslant 1\,000) = e^{-1\,000\lambda_1} = e^{-10^3 \times 5 \times 10^{-4}} = \mathbf{e^{-0,5} \approx 0,61 \text{ à } 10^{-2} \text{ près.}}$$

b. De même avec un composant non défectueux,

$$p(T_2 \geqslant 1000) = e^{-1000\lambda_2} = e^{-1000 \times 10^{-4}} = \mathbf{e^{-0,1} \approx 0,91 \text{ à } 10^{-2} \text{ près.}}$$

2. Un composant est, soit défectueux, soit non défectueux et ces événements sont incompatibles, donc si on note D l'événement « le composant est défectueux », d'après la formule des probabilités totales :

$$p(T \geqslant t) = p(D) \times p_D(T \geqslant t) + p(\overline{D}) \times p_{\overline{D}}(T \geqslant t).$$

Or, si (sachant que) l'appareil est défectueux, $T = T_1$, et si l'appareil n'est pas défectueux, $T = T_2$, donc $p(T \geqslant t) = 0,02 \times p(T_1 \geqslant t) + 0,98 \times p(T_2 \geqslant t)$

$= 0,02 \times e^{-\lambda_1 t} + 0,98 \times e^{-\lambda_2 t}$ (pour le même calcul qu'en **1.**).

$$\boldsymbol{p(T \geqslant t) = 0,02e^{-5 \times 10^{-4} t} + 0,98 \times e^{-10^{-4} t}.}$$

3. $p(T \geqslant 1\,000) = 0,02e^{-0,5 \times 10^{-4} \times 1000} + 0,98 \times e^{-10^{-4} \times 1000}$

$$= 0,02e^{-0,5} + 0,98.$$

$p(T \geqslant 1000) \neq 0$ donc :

$$p_{T \geqslant 1000}(D) = \frac{p(D \cap (T \geqslant 1000))}{p(T \geqslant 1000)} = \frac{p(D) \times p_D(T \geqslant 1000)}{p(T \geqslant 1000)}.$$

Or, $p_D(T \geqslant 1000) = p(T_1 \geqslant 1000) = e^{-\lambda_1 \times 1000} = e^{-0,5}$, donc:

$$p_{T \geqslant 1000}(D) = \frac{0,02 \times e^{-0,5}}{0,02\,e^{-0,5} + 0,98\,e^{-0,1}}$$

$$\boldsymbol{p_{T \geqslant 1000}(D) = 0,01 \text{ à } 10^{-2} \text{ près.}}$$

22 1. Posons $u(t) = -\dfrac{t^2}{2} = -\dfrac{1}{2}t^2$ pour $t \in \mathbb{R}$.

u est dérivable sur $\mathbb{R}$, de dérivée $u'(t) = -\dfrac{1}{2} \times 2t = -t$. Donc $t \to \dfrac{1}{\sqrt{2\pi}} e^{\frac{t^2}{2}}$ est

dérivable sur $\mathbb{R}$, de dérivée $\dfrac{1}{\sqrt{2\pi}} u'(t) e^{u(t)} = -\dfrac{1}{\sqrt{2\pi}} t\,e^{-\frac{t^2}{2}} = -tf(t)$.

Donc $t \mapsto tf(t)$ est la dérivée de la fonction $g(t) = -\dfrac{1}{\sqrt{2\pi}} e^{-\frac{t^2}{2}} = -f(t)$.

Donc $g = -f$ convient.

2. Soit $x < 0$,

$$\int_x^0 tf(t)\mathrm{d}t = \big[g(t)\big]_x^0 = g(0) - g(x) = -f(0) + f(x) = -\dfrac{1}{\sqrt{2\pi}} + \dfrac{1}{\sqrt{2\pi}} e^{-\frac{x^2}{2}}.$$

Or $\lim\limits_{x \to -\infty} -\dfrac{x^2}{2} = -\infty$ et $\lim\limits_{X \to -\infty} e^X = 0$, donc $\lim\limits_{x \to -\infty} \dfrac{1}{\sqrt{2\pi}} e^{-\frac{x^2}{2}} = 0$;

puis $\lim\limits_{x \to -\infty} \int_x^0 tf(t)\mathrm{d}t = -\dfrac{1}{\sqrt{2\pi}}$.

De même pour $y > 0$, $\int_0^y tf(t)\mathrm{d}t = f(0) - f(y) = \dfrac{1}{\sqrt{2\pi}} - \dfrac{1}{\sqrt{2\pi}} e^{-\frac{y^2}{2}}$.

$\lim\limits_{y \to +\infty} -\dfrac{y^2}{2} = -\infty$ et $\lim\limits_{X \to -\infty} e^X = 0$, donc $\lim\limits_{y \to +\infty} \dfrac{1}{\sqrt{2\pi}} e^{-\frac{y^2}{2}} = 0$,

puis $\lim\limits_{y \to +\infty} \int_0^y tf(t)dt = \dfrac{1}{\sqrt{2\pi}}$.

Ainsi $E(X) = -\dfrac{1}{\sqrt{2\pi}} + \dfrac{1}{\sqrt{2\pi}} = 0$.

23 1. La probabilité que X soit conforme est :

$p(X \in [994\,;1\,006]) = p(X \in [\mu - 3\sigma\,;\mu + 3\sigma]) \approx 0,997$ à $0,001$ près car X suit
une loi $N(1000\,;2^2)$. On en déduit la probabilité que la boite soit non conforme :
elle vaut $1 - p(X \in [994\,;1006]) \approx \boldsymbol{0,003 \text{ à } 0,001}$ près.

2. a. $\boldsymbol{Z}$ **suit une loi $N(0\,;1)$.**

◢ Voir le cours, IV.

b. $p(1000 - h \leqslant X \leqslant 1000 + h) = 0,99 \Leftrightarrow p(-h \leqslant X - 1000 \leqslant h) = 0,99.$

$$\Leftrightarrow p\left(-\frac{h}{2} \leqslant \frac{X - 1000}{2} \leqslant \frac{h}{2}\right) = 0,99 \Leftrightarrow p\left(-\frac{h}{2} \leqslant Z \leqslant \frac{h}{2}\right) = 0,99.$$

Or il existe un unique u_α tel que $p(-u_\alpha \leqslant Z \leqslant u_\alpha) = 0,99 = 1 - 0,01$: c'est $u_{0,01} \approx 2,58$.

Voir le cours, II.

Donc $\dfrac{h}{2} \approx 2,58 \Leftrightarrow h \approx 2 \times 2,58 \approx 5,16.$

Les indicateurs d'alerte sont donc :
$$1\,000 - 5,16 \approx 994,84 \ \text{ et } \ 1\,000 + 5,16 \approx 1\,005,16.$$

24 **1.** Pour le premier institut de sondage, le nombre n_1 d'individus interrogés est $n_1 = 750$, la fréquence de personnes observées en surpoids est $f_1 = \dfrac{29}{100} = 0,29$.

Ainsi $n_1 \geqslant 30$, $n_1 \times f_1 = 750 \times 0,29 = 217,5 \geqslant 5$,

et $n_1 \times (1 - f_1) = 750 \times 0,71 = 532,5 \geqslant 5$, donc l'intervalle de confiance au niveau 0,95 pour la proportion de personnes en surpoids dans la population totale de la

ville est $IC_1 = \left[f_1 - \dfrac{1}{\sqrt{n_1}} \ ; f_1 + \dfrac{1}{\sqrt{n_1}}\right] = \left[0,29 - \dfrac{1}{\sqrt{750}} \ ; 0,29 + \dfrac{1}{\sqrt{750}}\right]$,

soit $IC_1 = [0,253 \ ; 0,327]$ **en arrondissant les bornes à 0,001 près.**

De même pour le deuxième institut de sondage, le nombre n_2 d'individus interrogés est $n_2 = 900$, la fréquence de personnes observées en surpoids est $f_2 = 0,23$. Ainsi $n_2 \geqslant 30$, $n_2 \times f_2 \geqslant 5$ et $n_2 \times (1 - f_2) \geqslant 5$, donc l'intervalle de confiance au niveau 0,95 pour la proportion p de personnes en surpoids dans la population totale

de la ville est $IC_2 = \left[0,21 - \dfrac{1}{\sqrt{900}} \ ; 0,21 + \dfrac{1}{\sqrt{900}}\right]$,

soit $[0,177 \ ; 0,243]$ **en arrondissant les bornes à 0,001 près.**

Ces deux intervalles sont disjoints, donc on peut conclure, au niveau de confiance 0,95, que ces deux études sont contradictoires. **La surprise du Maire est légitime au niveau de confiance 0,95.**

2. Notons $p = \dfrac{47}{100} = 0,47$ la proportion effective des hommes dans la population totale de la ville. Sur un échantillon de taille $n_1 = 750$:

$n_1 \geqslant 30$, $n_1 \times p = 750 \times 0,47 \geqslant 5$ et $n_1 \times (1 - p) = 750 \times 0,5 \geqslant 5$, donc l'intervalle de fluctuation asymptotique au seuil de 95 % pour la fréquence des hommes dans un échantillon de 750 personnes prises aléatoirement dans la population totale est :

$$I = \left[p - 1,96 \frac{\sqrt{p(1-p)}}{\sqrt{n_1}} \; ; p + 1,96 \frac{\sqrt{p(1-p)}}{\sqrt{n_1}} \right]$$

$$I = \left[0,47 - 1,96 \times \frac{\sqrt{0,47 \times 0,53}}{\sqrt{750}} \; ; 0,47 + 1,96 \times \frac{\sqrt{0,47 \times 0,53}}{\sqrt{750}} \right]$$

$I = \left[0,434 \; ; 0,506 \right]$ **en arrondissant les bornes à 0,001 près**.

La proportion observée d'hommes dans l'échantillon interrogé par le premier institut est égale à $f_1 = \frac{370}{750} \approx 0,493$ à $0,001$ près : cette proportion est dans l'intervalle de fluctuation asymptotique au seuil de 95 %, donc on peut conclure que l'échantillon est bien représentatif de la population totale.

Sur un échantillon de taille $n_2 = 900$, on a toujours $n_2 \geqslant 30$, $n_2 \times p \geqslant 5$ et $n_2 \times (1-p) \geqslant 5$, donc l'intervalle de fluctuation asymptotique au seuil de 95 % pour la fréquence des hommes dans un échantillon de 900 personnes prises aléatoirement dans la population totale est :

$$I = \left[p - 1,96 \frac{\sqrt{p(1-p)}}{\sqrt{n_2}} \; ; p + 1,96 \frac{\sqrt{p(1-p)}}{\sqrt{n_2}} \right]$$

$$I = \left[0,47 - 1,96 \times \frac{\sqrt{0,47 \times 0,53}}{\sqrt{900}} \; ; 0,47 + 1,96 \times \frac{\sqrt{0,47 \times 0,53}}{\sqrt{900}} \right]$$

$I = \left[0,437 \; ; 0,503 \right]$ **en arrondissant les bornes à 0,001 près**.

La fréquence des hommes observée sur l'échantillon interrogé par le deuxième institut est $f_2 = \frac{390}{900} \approx 0,433$ à $0,001$ près : cette proportion n'est pas dans l'intervalle de fluctuation asymptotique au seuil de 95 %, donc on peut conclure que l'échantillon n'est pas représentatif de la population totale.

Le Maire devrait plutôt se fier au résultat du premier institut de sondage.

Hatier s'engage pour l'environnement en réduisant l'empreinte carbone de ses livres. Celle de cet exemplaire est de :

1.1 Kg éq. CO_2

Rendez-vous sur www.hatier-durable.fr

PAPIER À BASE DE FIBRES CERTIFIÉES

Achevé d'imprimer par Normandie Roto Impression s.a.s., 61250 Lonrai - France
N° d'imprimeur : 122551 – Dépôt légal n° 96267-7/01 - août 2012